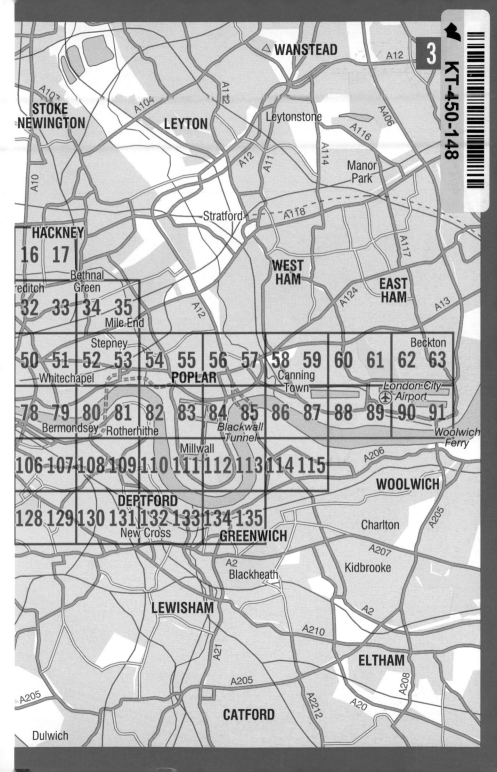

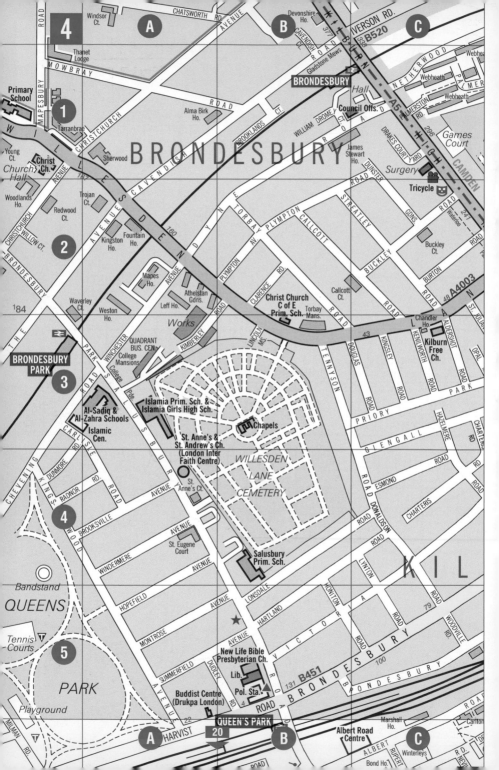

A-Z LONDON
WEST E...
& DOCK...

CONTENTS

Key to Map Pages	2-3	Congestion Charging Overview	230-231
Map Pages	4-135	Cinemas & Theatres Maps	232
Index to Streets	136-225	Congestion Charging Information	Inside Back Cover
Index to Hospitals & Hospices	226-227		
Index to Stations	228-229	Underground Railway Map	Back Cover

REFERENCE

A Road	A40	Cinema	🎥
Proposed		Fire Station	■
B Road	B502	Hospital	Ⓗ
		Information Centre	𝒊
Dual Carriageway		National Grid Reference	529
One-Way Street		Police Station	▲
Junction Name	MARBLE ARCH	Post Office	★
Restricted Access		Theatre	😺
Pedestrianized Road		Toilet:	
Congestion Charging Zone		without facilities for the Disabled	▽
		with facilities for the Disabled	▽
Railway Station		Disabled facilities only	▽

Railway Station Entrance:
National Rail Network ✹
Underground ⊖ — Symbol is the registered trade mark of Transport for London
Docklands Light Railway DLR

Borough Boundary
Postal Boundary

Map Continuation 14

Fast Ferry — River Boat Trip

Airport
Car Park (Selected)

Buildings:
Educational Establishment
Hospital or Hospice
Industrial Building
Leisure or Recreational Facility
Office Building
Place of Interest - Public Access
Place of Interest - no Public Access
Place of Worship
Public Building
Residential Building
Shopping Centre or Market
Other Selected Buildings

SCALE

1:7,040   9 inches to 1 mile
14.2cm to 1km   22.86cm to 1mile

0	50	100	200	300 Yards	¼ Mile
0	50	100	200	300	400 Metres

Copyright of Geographers' A-Z Map Company Limited

Fairfield Road, Borough Green, Sevenoaks, Kent TN15 8PP
Telephone: 01732 781000 (Enquiries & Trade Sales)
01732 783422 (Retail Sales)
www.a-zmaps.co.uk
Copyright © Geographers' A-Z Map Co. Ltd.

Ordnance Survey® This product includes mapping data licensed from Ordnance Survey with the permission of the Controller of Her Majesty's Stationery Office.
© Crown Copyright 2006. All rights reserved. Licence number 100017302
EDITION 2 2007

Every possible care has been taken to ensure that, to the best of our knowledge, the information contained in this atlas is accurate at the date of publication. However, we cannot warrant that our work is entirely error free and whilst we would be grateful to learn of any inaccuracies, we do not accept any responsibility for loss or damage resulting from reliance on information contained within this publication.

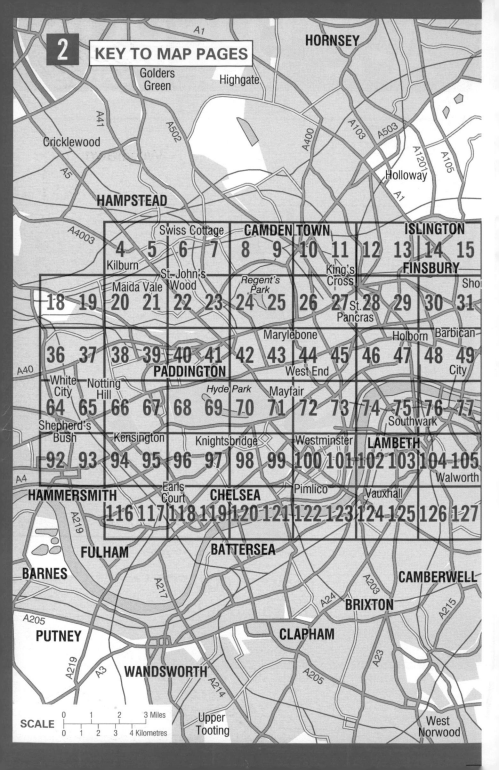

2 **KEY TO MAP PAGES**

HORNSEY

Golders Green   Highgate

Cricklewood

Holloway

HAMPSTEAD

Swiss Cottage   CAMDEN TOWN   ISLINGTON

| 4 | 5 | 6 | 7 | 8 | 9 | 10 | 11 | 12 | 13 | 14 | 15 |

Kilburn   St. John's Wood   King's Cross   FINSBURY

Maida Vale   Regent's Park

| 18 | 19 | 20 | 21 | 22 | 23 | 24 | 25 | 26 | 27 | 28 | 29 | 30 | 31 |

St. Pancras   Sho

Marylebone   Holborn   Barbican

| 36 | 37 | 38 | 39 | 40 | 41 | 42 | 43 | 44 | 45 | 46 | 47 | 48 | 49 |

PADDINGTON   West End   City

White City   Notting Hill   Hyde Park   Mayfair

| 64 | 65 | 66 | 67 | 68 | 69 | 70 | 71 | 72 | 73 | 74 | 75 | 76 | 77 |

Shepherd's Bush   Southwark

Kensington   Knightsbridge   Westminster   LAMBETH

| 92 | 93 | 94 | 95 | 96 | 97 | 98 | 99 | 100 | 101 | 102 | 103 | 104 | 105 |

Walworth

Earls Court   CHELSEA   Pimlico   Vauxhall

HAMMERSMITH

| 116 | 117 | 118 | 119 | 120 | 121 | 122 | 123 | 124 | 125 | 126 | 127 |

FULHAM   BATTERSEA

BARNES   CAMBERWELL

BRIXTON

PUTNEY   CLAPHAM

WANDSWORTH

SCALE   0   1   2   3 Miles

0   1   2   3   4 Kilometres

Upper Tooting   West Norwood

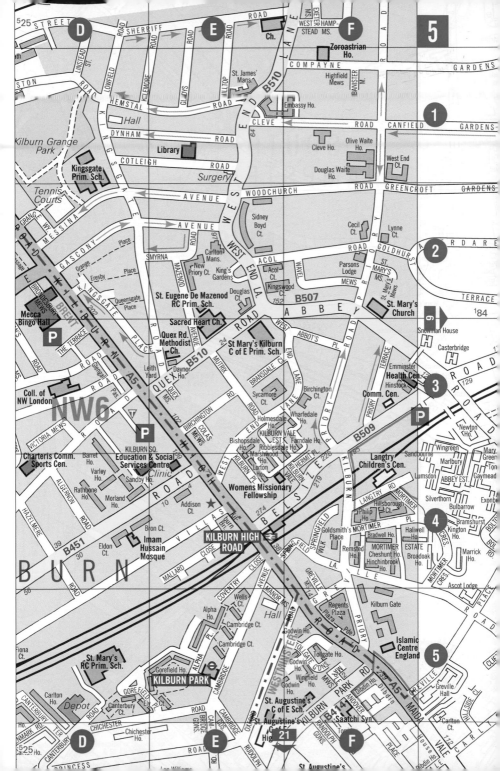

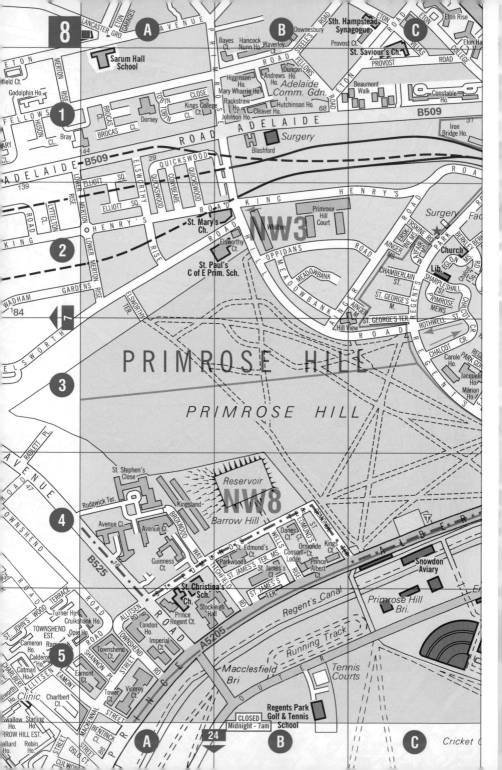

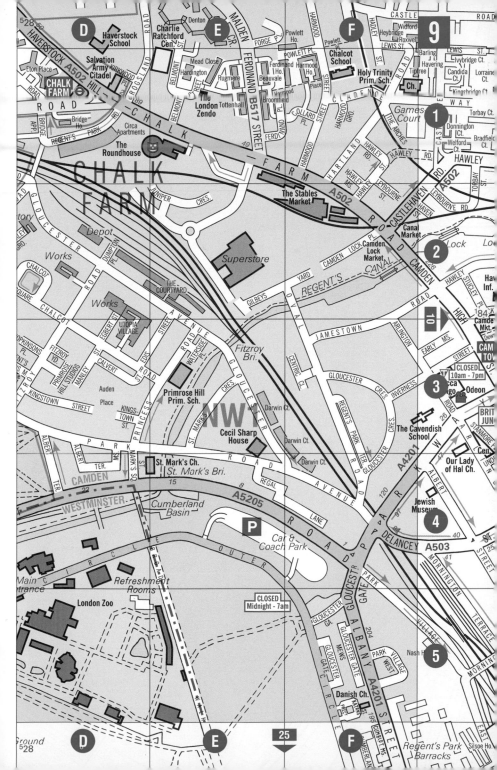

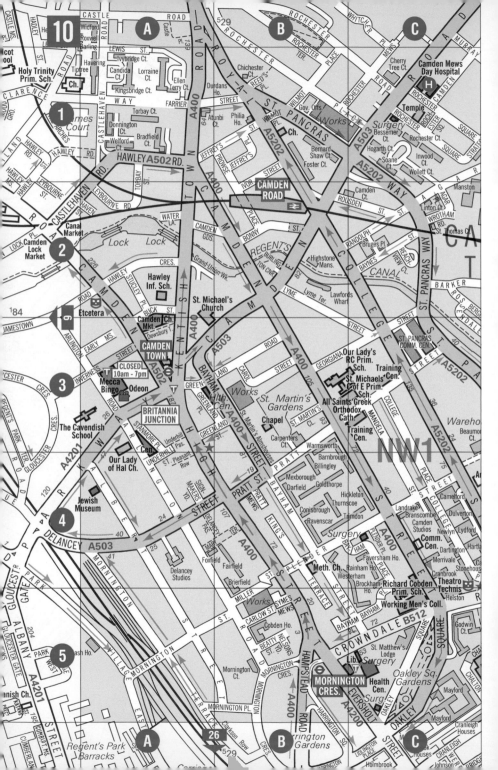

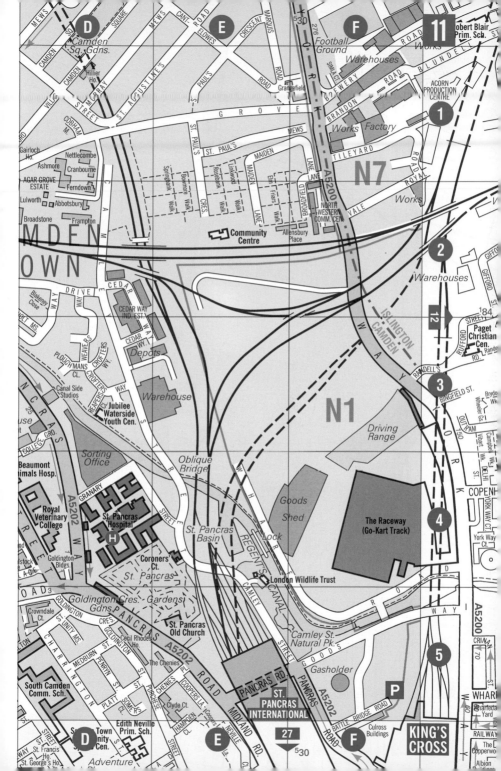

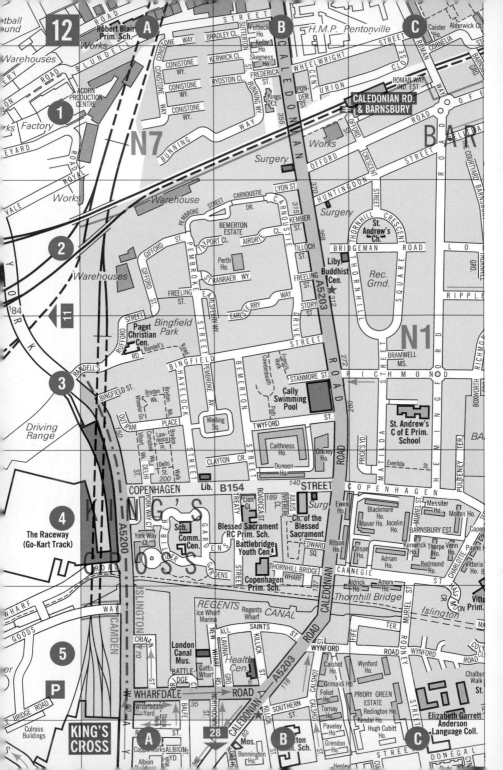

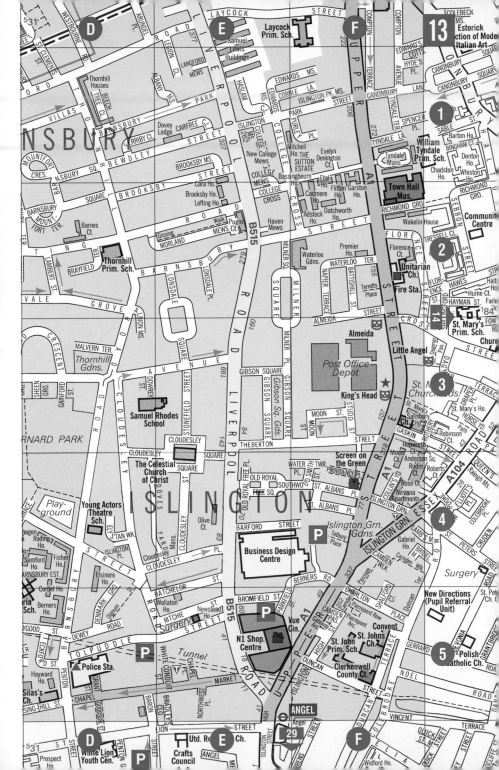

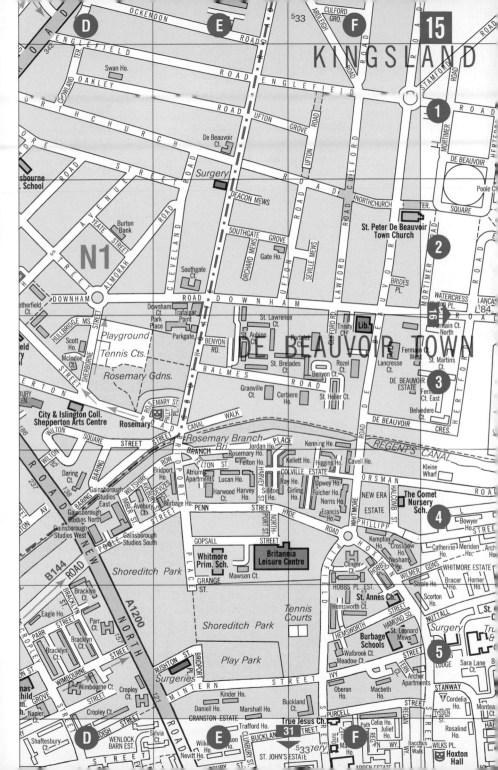

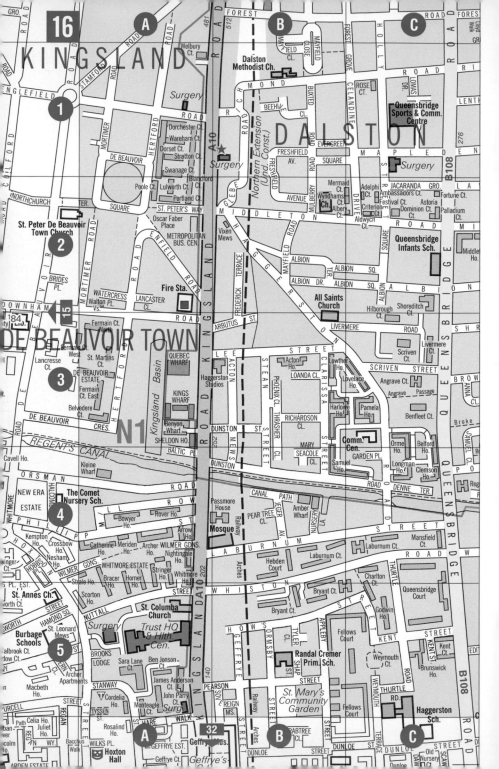

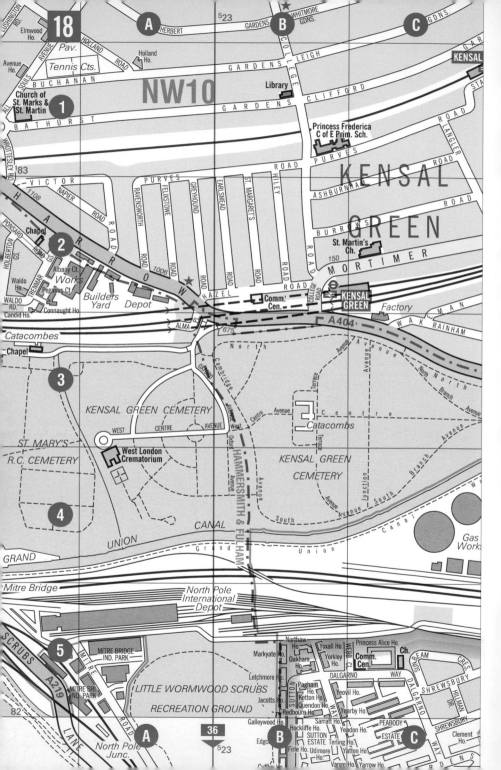

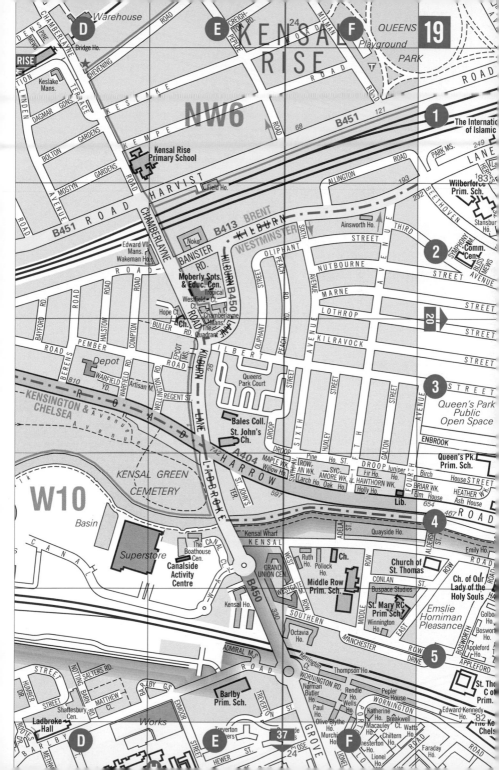

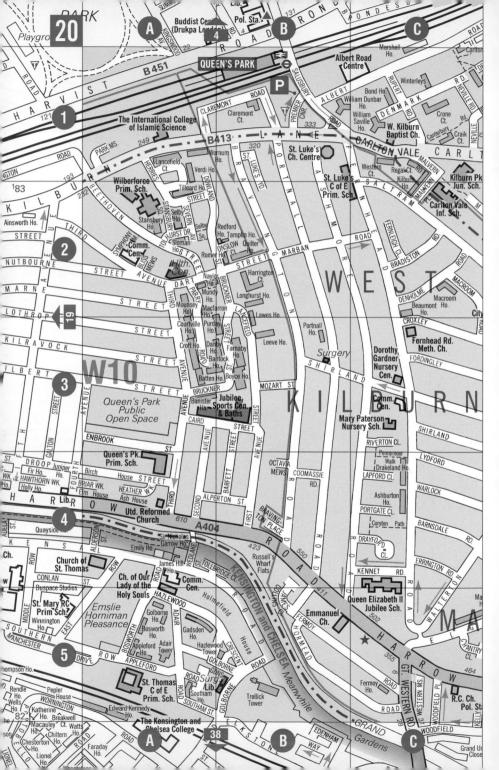

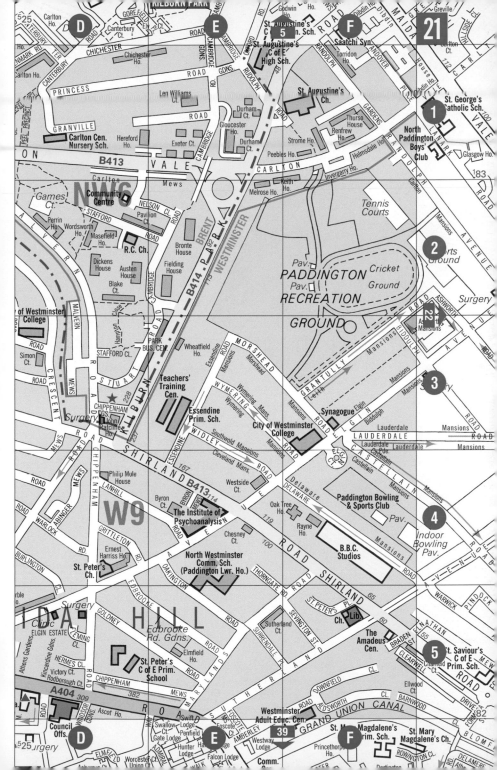

D **E** **F**

Carlton Ho.
GORE
GODWIN Ho.
Greville
525
Canterbury Ct.
Godwin Ho.
St. Augustine's
Saatchi Syn
Carlton Ct.

CHICHESTER
CAMBRIDGE GDNS.
St. Augustine's C of E Prim. Sch.
112

Carlton Ho.
Chichester Ho.
RUDOLPH
St. Augustine's C of E High Sch.
Torridon Ho.

PRINCESS
Len Williams Ct.
St. Augustine's Ch.
St. George's Catholic Sch.
1

GRANVILLE
Carlton Cen. Nursery Sch.
Durham Ho.
Gloucester Ho.
Thurso House
Renfrew Ho.
North Paddington Boys' Club

ROAD
Hereford Ho.
Exeter Ct.
Durham Ct.
Peebles Ho.
Strome Ho.
Helmsdale Ho.
Glasgow Ho.
183

B413
CAMBRIDGE
VALE
Melrose Ho.
Keith Ho.
Invergarry Ho.
CARLTON
Mansions

Carlton Mews

NW6
Community Centre
NELSON CL.
Pavilion
STAFFORD
Tennis Courts
Mansions

Perrin Ho.
Wordsworth Ho.
Masefield Ho.
R.C. Ch.
Bronte House
Fielding House
BRENT
WESTMINSTER
Pav.
PADDINGTON
Cricket Ground
Pav.
2
Sports Ground

Dickens House
Austen House
Blake Ct.
PARK
RECREATION
Surgery

of Westminster College
MALVERN
STAFFORD CL.
PARK BUS. CEM.
Wheatfield Ho.
GROUND
Pav.
22
Mansions

Simon Ct.
ROSTUART
Hanyot
Morshead
MORSHEAD
Mansions
BIDDULPH

Teachers' Training Cen.
Essendine Prim. Sch.
WYMERING
Wymering Mans.
GRANTULLY
Mansions
3

CHIPPENHAM
Surgery
Ratcliffe Ho.
Southwold Mansions
City of Westminster College
Synagogue
ELGIN
Biddulph
Mansions

SHIRLAND
ESSENDINE
WIDLEY
Cleveland Mans.
Lauderdale Mansions
LAUDERDALE
Lauderdale Pde.
Mansions

Philip Mole House
W9
BYRON
B413
Westside Ct.
DELAWARE
Castellain
CASTELLAIN
Castellain
ROAD

LANHILL
GRITTLETON
Byron Ct.
The Institute of Psychoanalysis
Oak Tree Ho.
Paddington Bowling & Sports Club
Pav.
4

WARLOCK
ELBINGER
Ernest Harriss Ho.
Chesney Ct.
Rayne Ho.
B.B.C. Studios
Indoor Bowling Pav.

BURLINGTON
St. Peter's Ch.
OAKINGTON
THORNGATE RD.
SHIRLAND
65
WARWICK

IDA HILL
Surgery
Clinic
ELGIN ESTATE
FLEMING
GOLDNEY
Edbrooke Rd. Gdns.
North Westminster Comm. Sch. (Paddington Lwr. Ho.)
ST. PETER'S
Ch. Lib.
PINDOCK

Athens Gardens
HERMES CL.
Kincardine Gdns.
Elmfield Ho.
Sutherland Ct.
SEVINGTON ST.
The Amadeus Cen.
St. Saviour's C of E Prim. Sch.
5

Victory Ct.
Rodborough Ct.
St. Peter's C of E Prim. School
SURENDALE PL.
CLEARWELL
Ellwood Ct.
182

A404 309
WINDSOR GDNS.
CHIPPENHAM
382
MARLANDS
DOWNFIELD
BARNWOOD

Council Offs.
D
Ascot Ho.
ROAD
Westminster Adult Educ. Cen.
GRAND UNION CANAL
BLOMF

525 Surgery
Swallow Lodge
Penfield
Hunter
Falcon Lodge
Westway Lodge
39
St. Mary Magdalene's Prim. Sch.
St. Mary Magdalene's Ch.

ELMFIELD
Worcester Ct.
E
Enscote Ho.
Princethorpe Ho.
F
ROWINGTON CL.
DELAMERE

Comm.

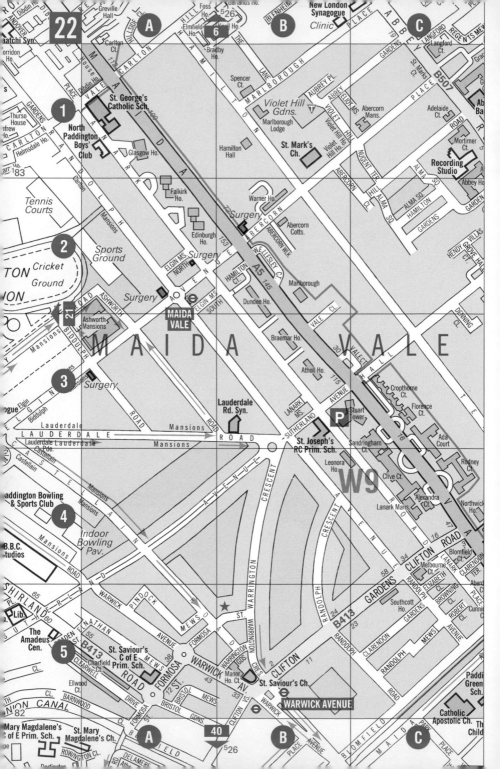

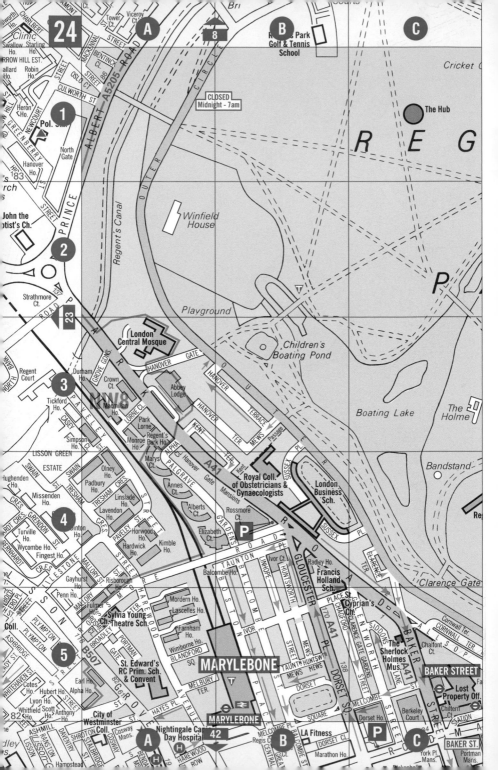

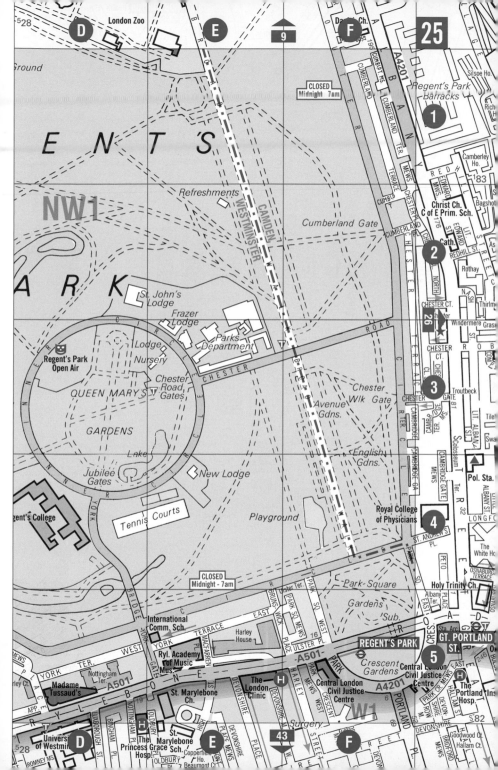

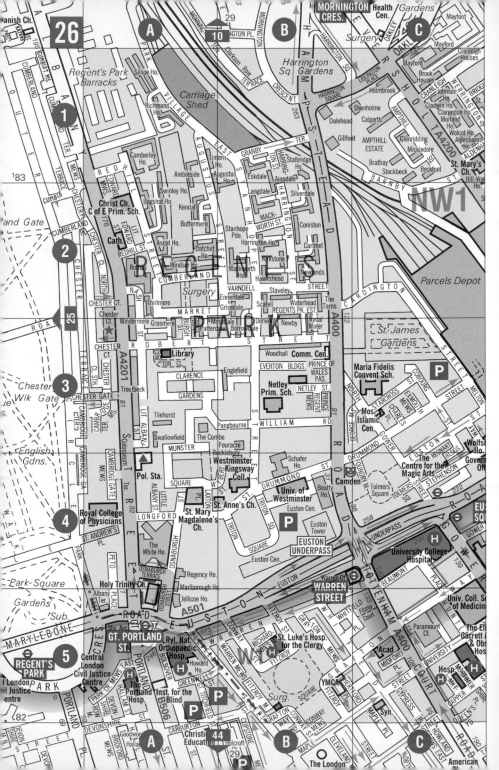

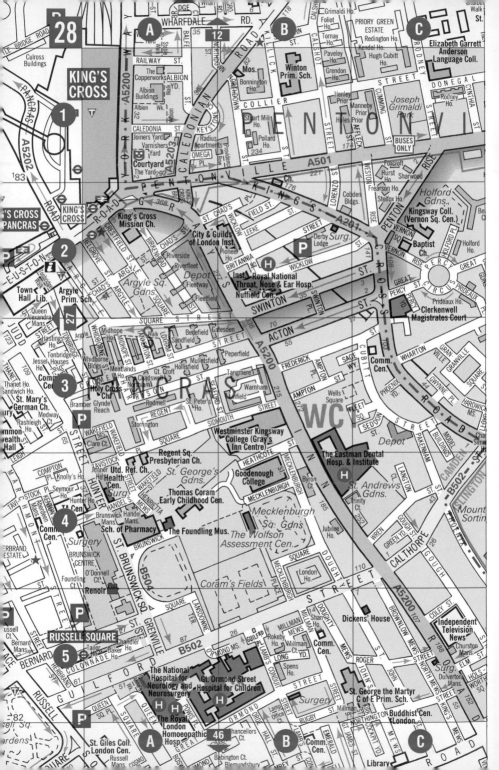

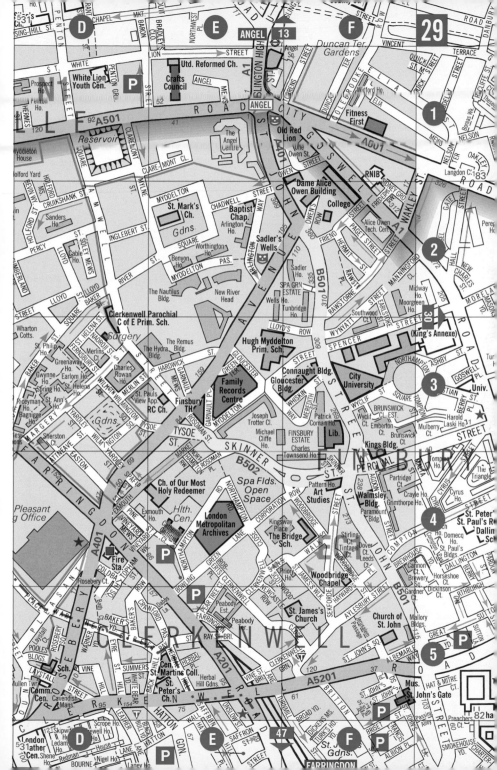

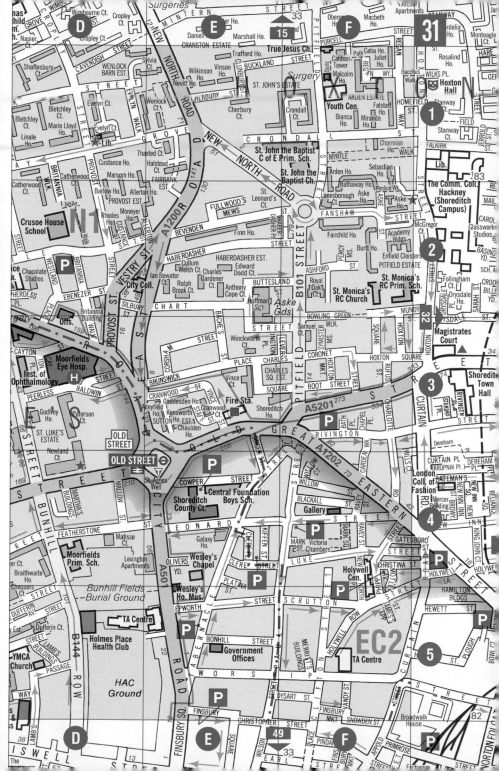

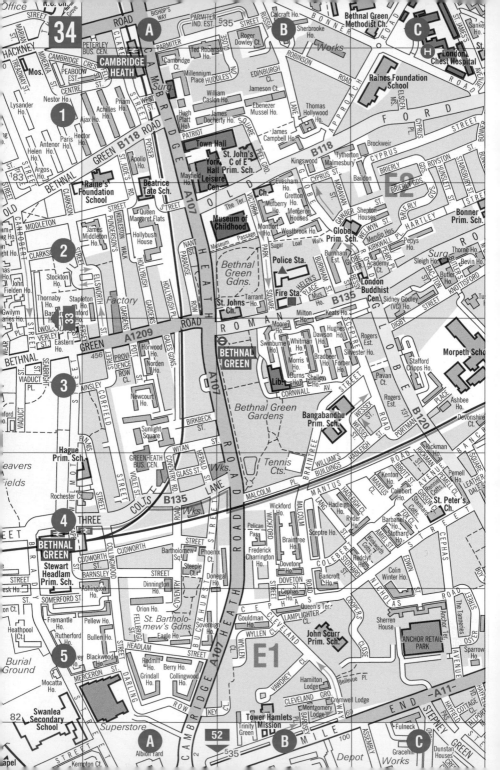

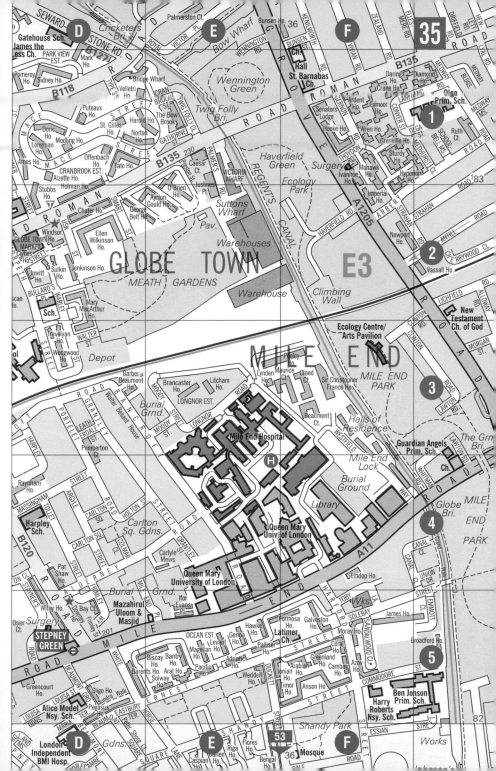

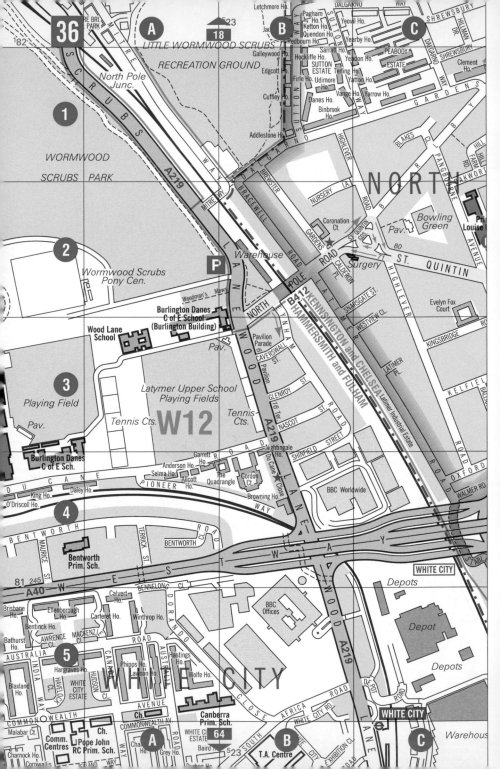

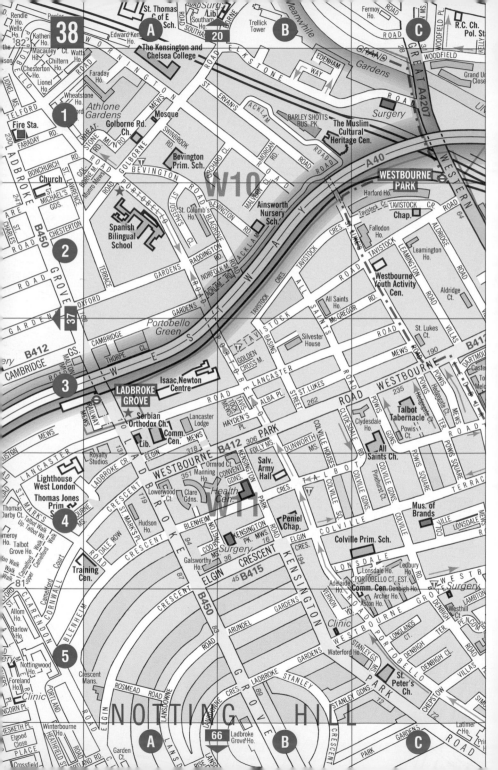

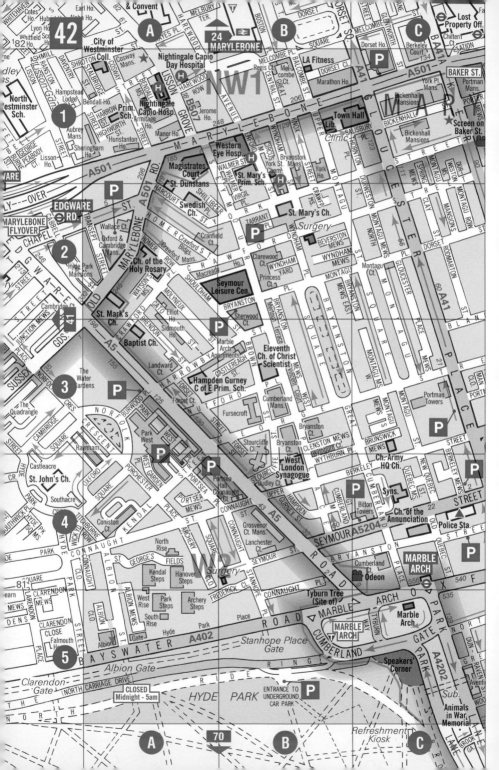

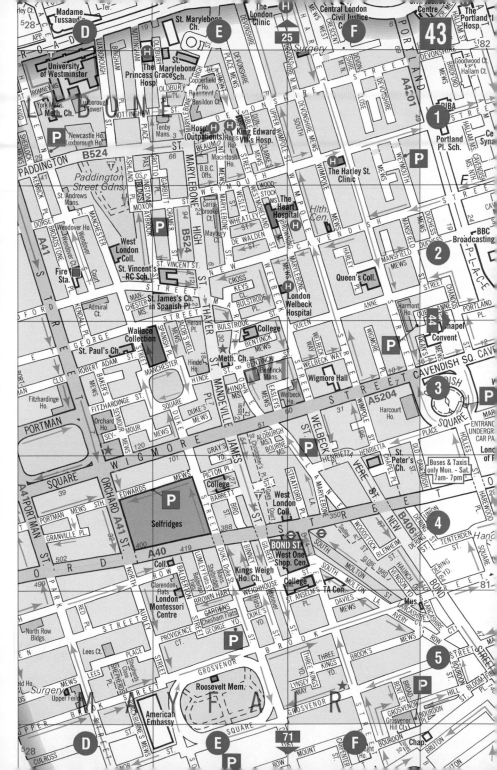

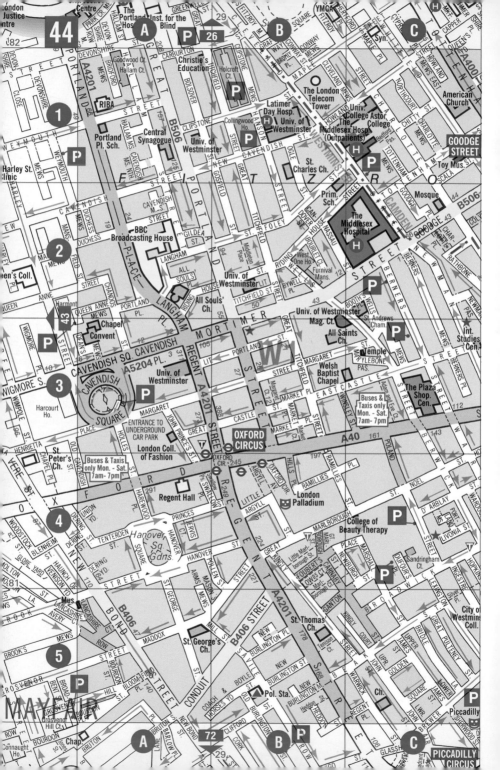

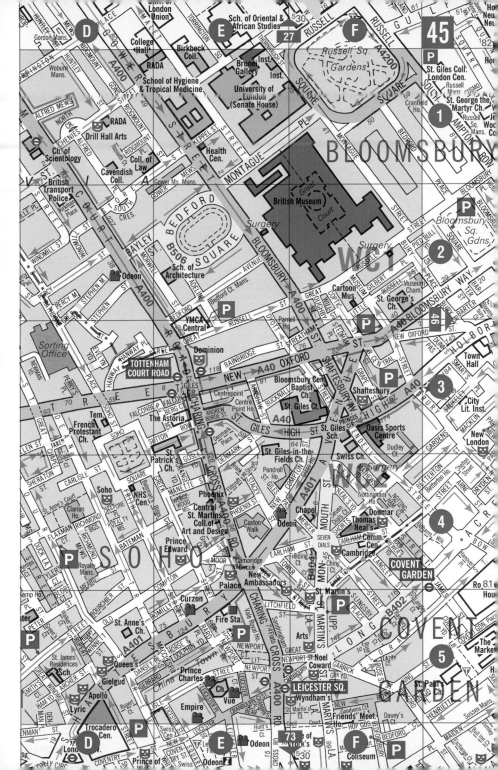

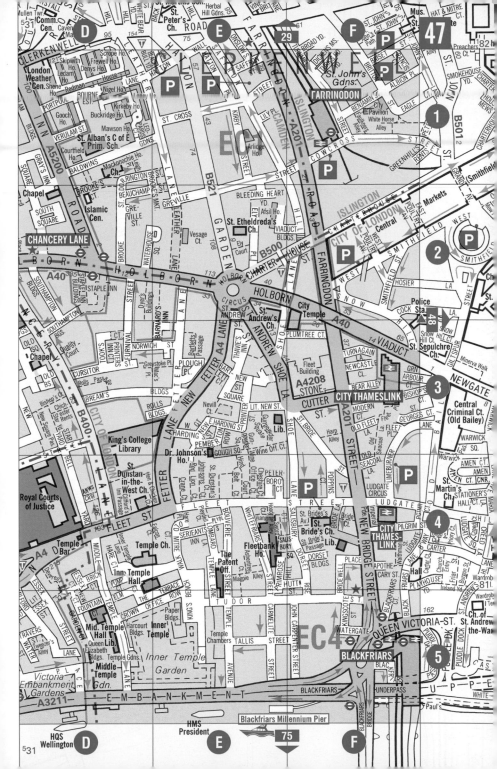

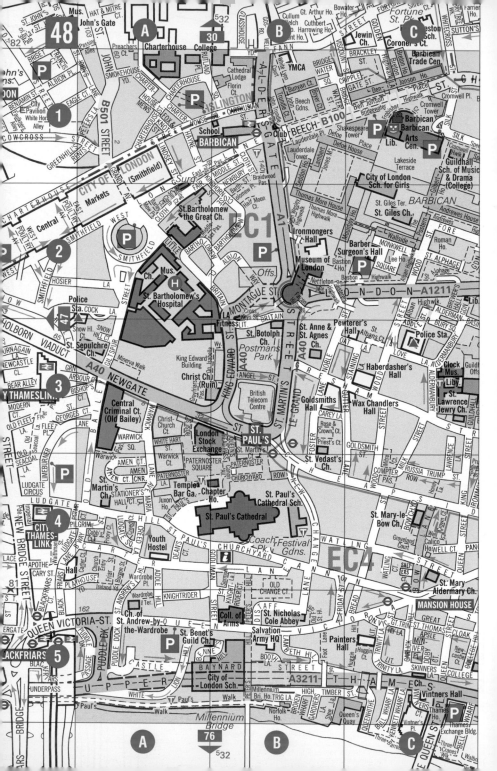

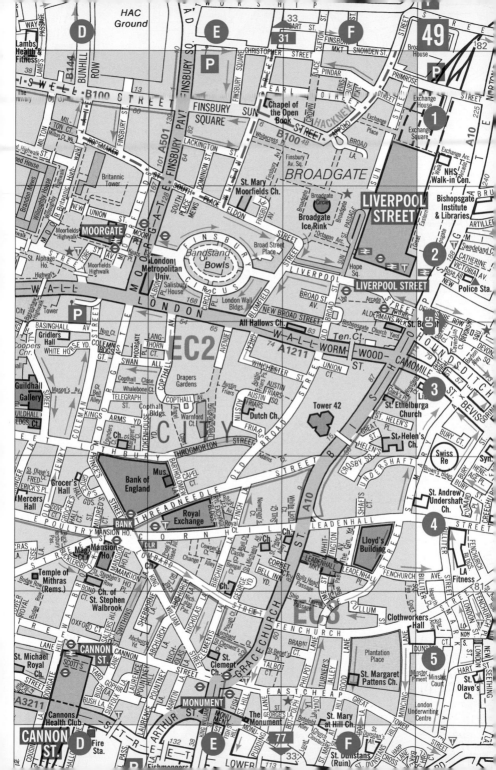

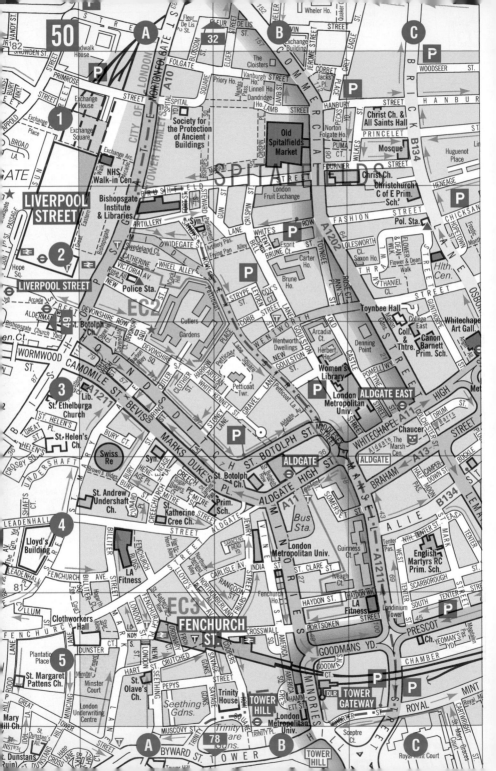

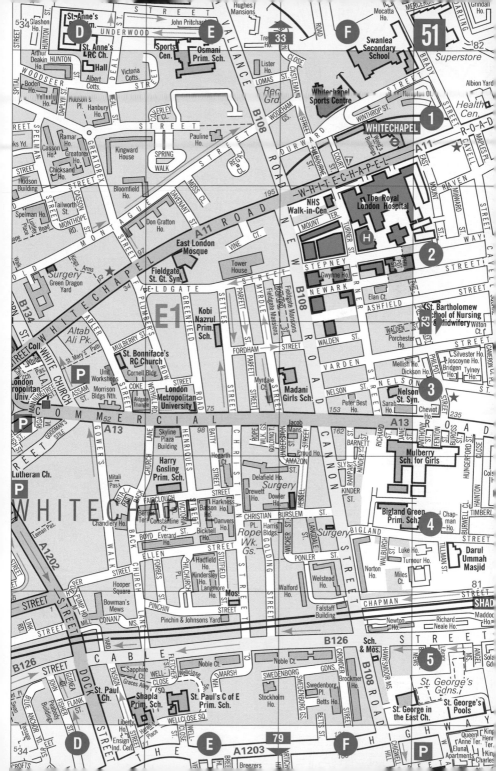

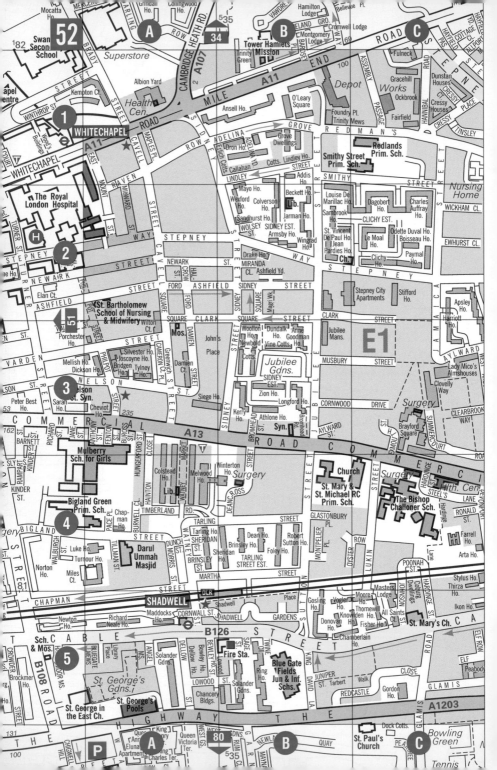

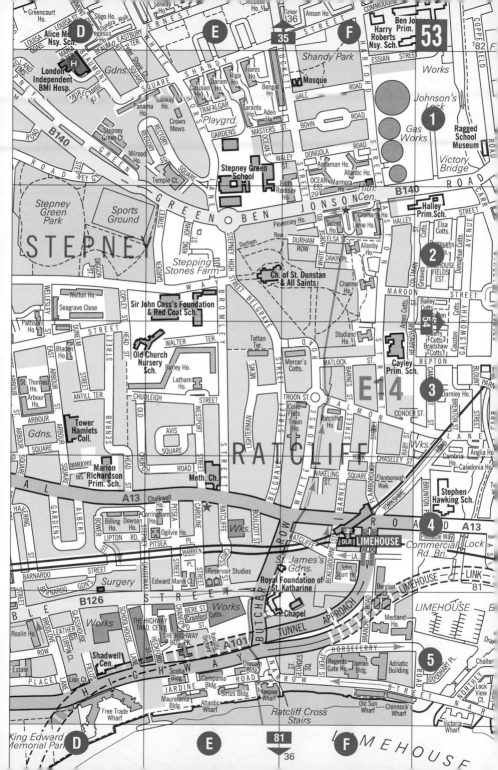

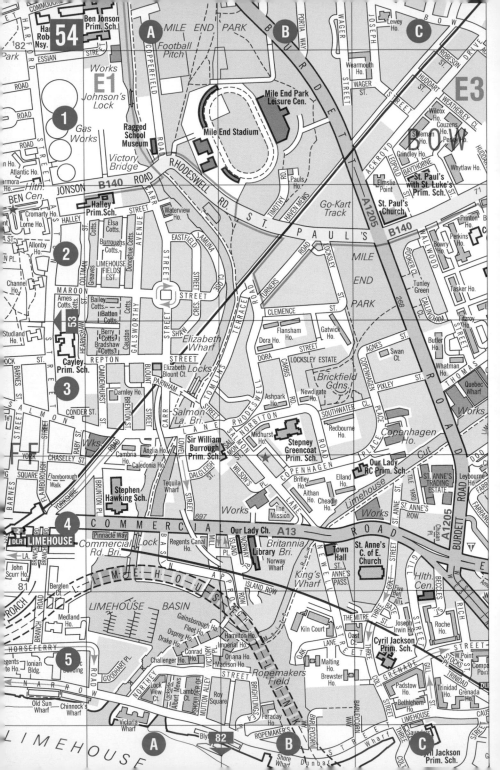

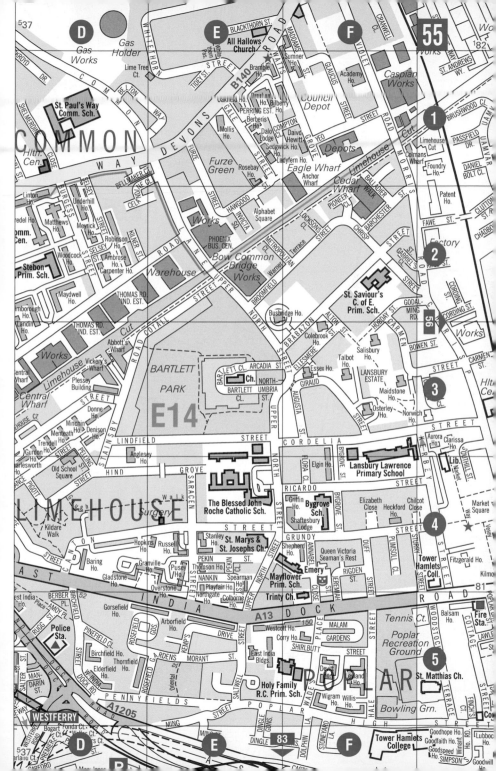

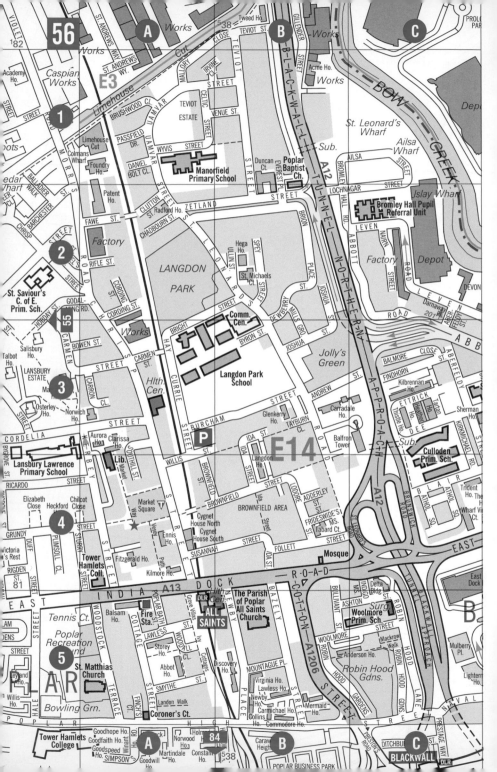

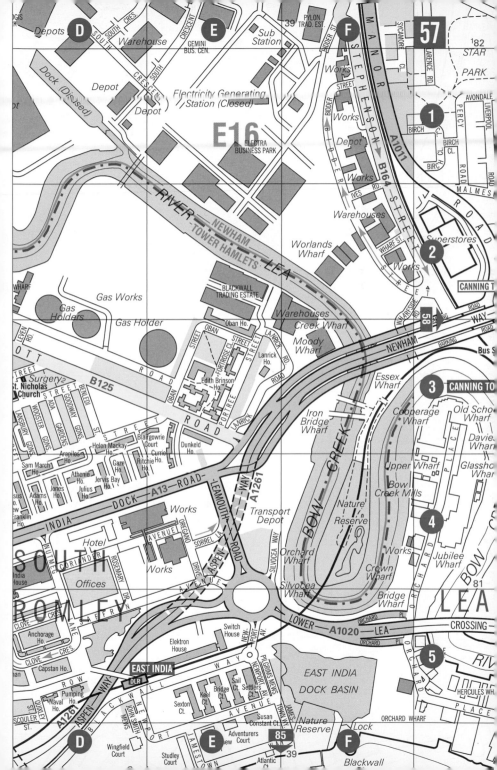

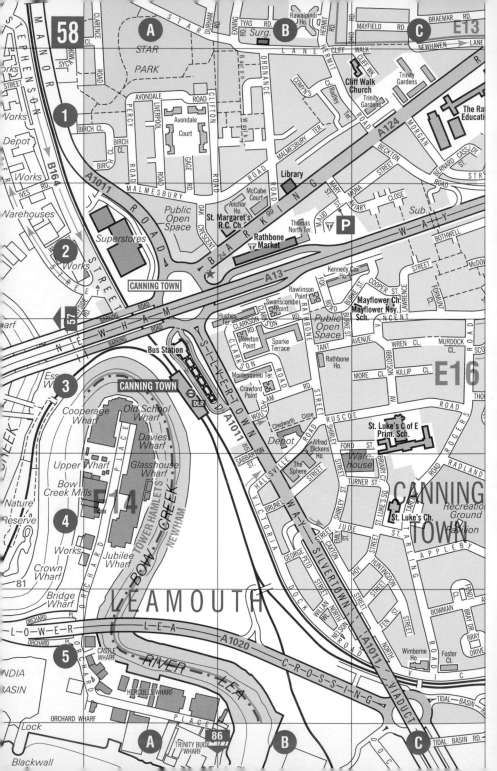

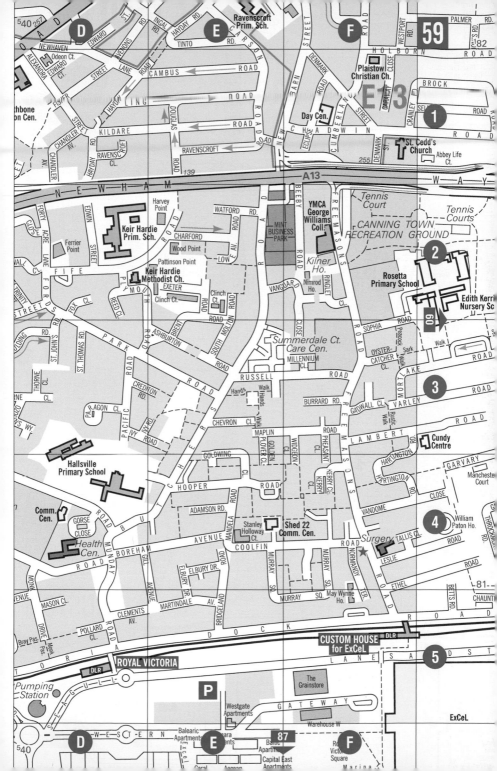

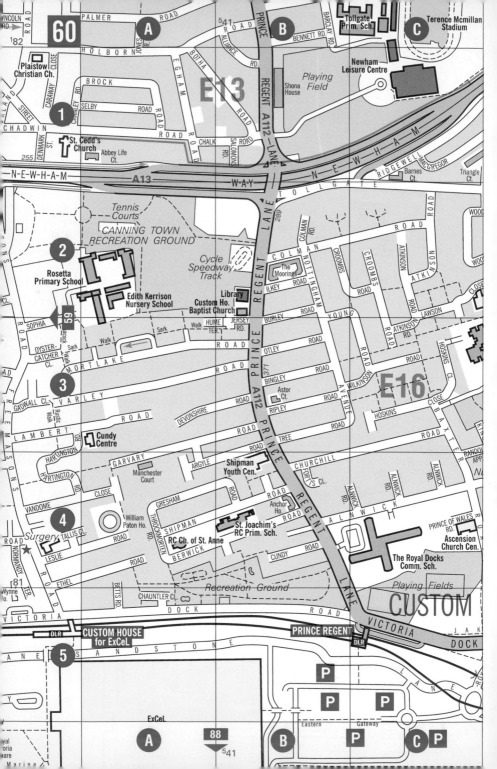

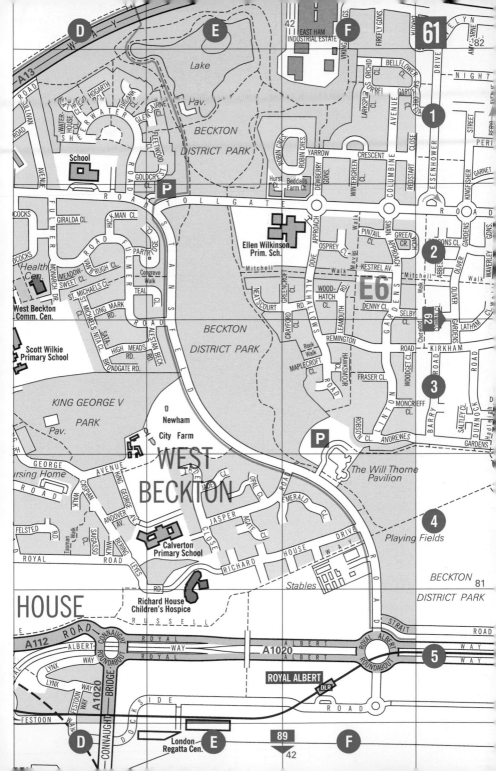

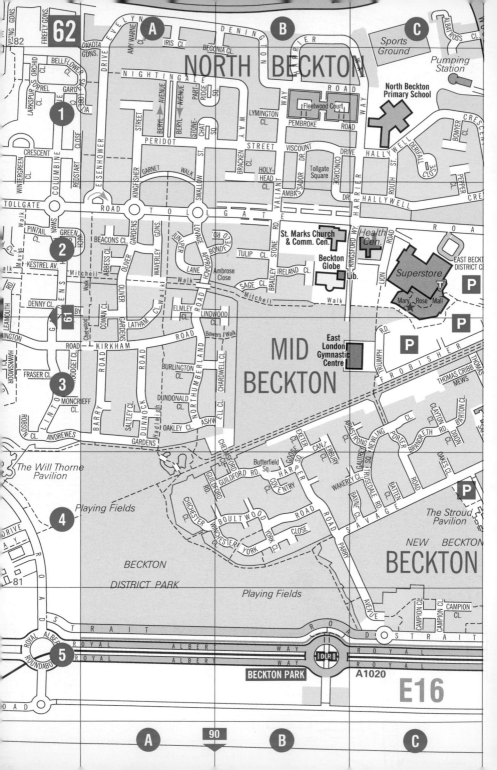

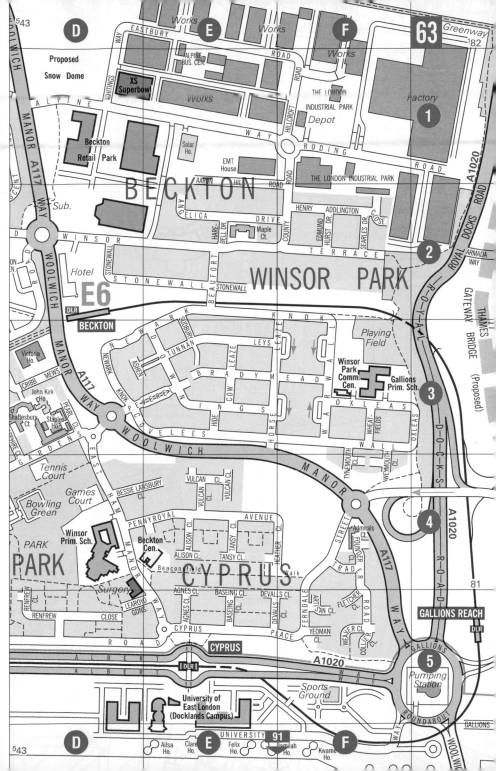

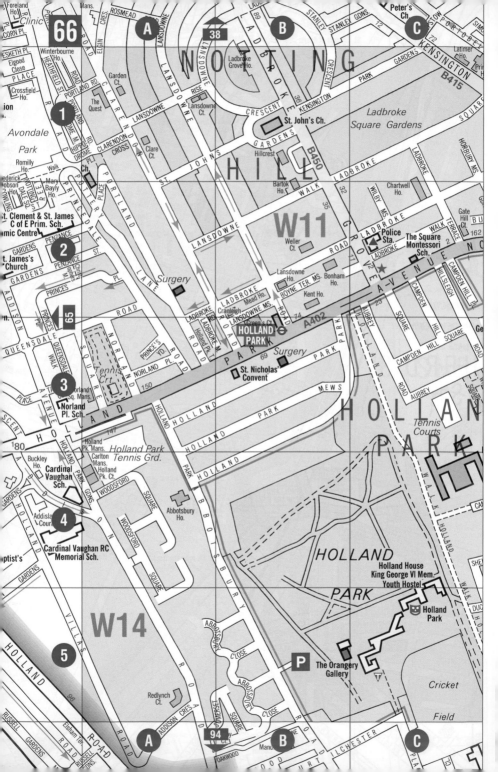

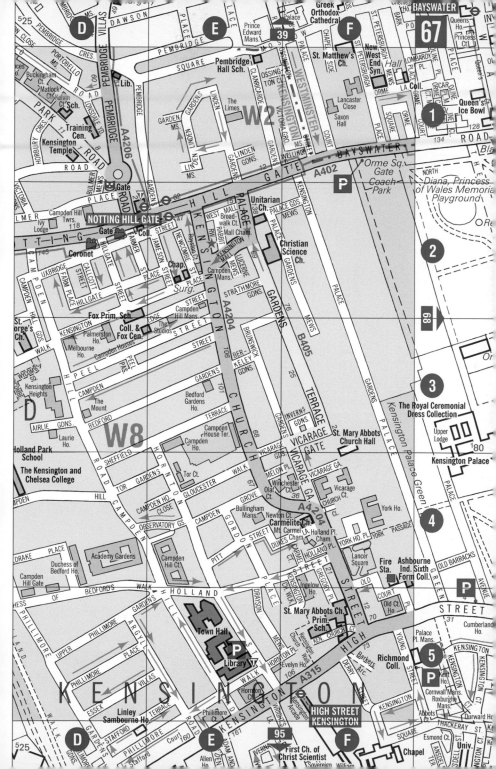

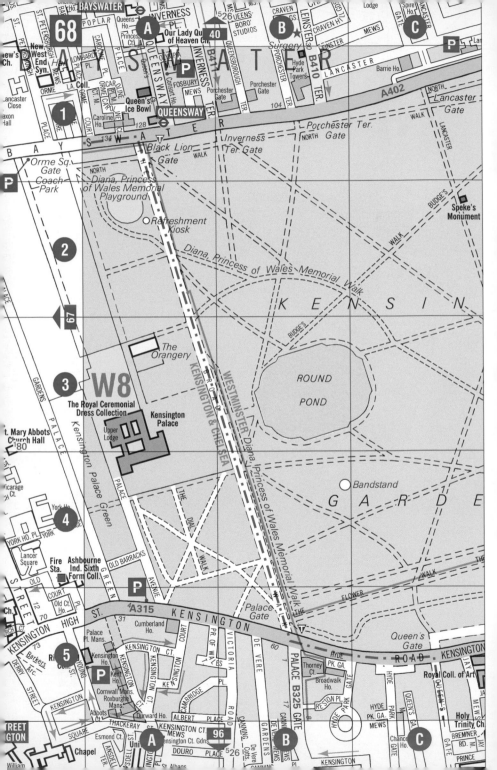

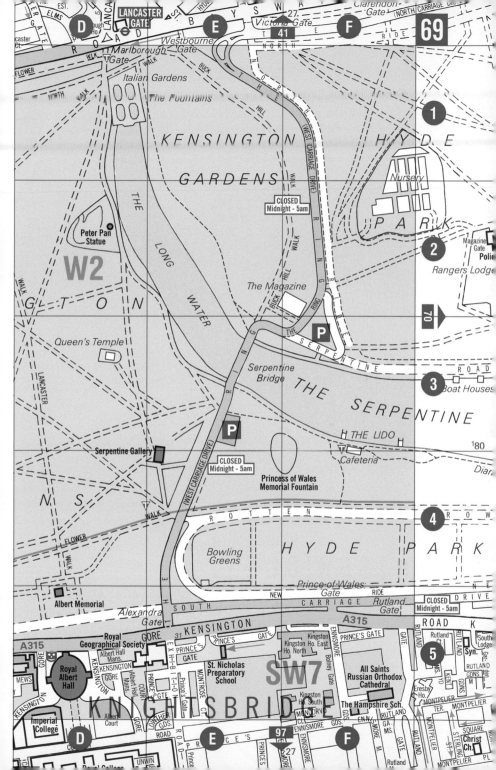

70 **A** **42** **B** P **C**

Clarendon-Gate NORTH CARRIAGE DR

ENTRANCE TO
UNDERGROUND
CAR
Sub.
Animals
in War
Memorial

Refreshment
Kiosk

H Y D E

Underground
Car
Park

Parade
Ground

Reformers
Tree

1

Nursery

W2

Reservoir

Diana, Princess o

2

Magazine
Gate
Police Sta.

Rangers Lodge

P A R K

P

ENTRANCE TO
UNDERGROUND
CAR PARK

69

3

S E R P E N T I N E

Boat Houses

Pier

THE

S E R P E N T I N E

Restaurant

Nannies
Lawn

THE LIDO

80

Cafeteria

Boating Lake

Fishermans
Keep

The
Dell

The Holocaust
Memorial Garden

Diana, Princess of Wales Memorial Walk

4

R O T T E N

H Y D E P A R K

KNIGHTSBRIDGE

NEW CARRIAGE

RIDE

GATE

Parkside

D

Wales RIDE

SOUTH

KNIGHTSBRIDGE

DUPLEX RIDE
STUDIO PL
KINNERTON ST
BOWLAND

KENSINGTON

PRINCE'S GATE

Rutland
Gate ROAD

CLOSED
Midnight - 5am

Hyde Park Barracks

Albert Ct. Wellington
Gate Ct.

Bowater
Ho.

**SCOTCH
HOUSE**

127

S. FRED
M

KINNERT

WIZ

KENSINGTON & CHELSEA

WESTMINSTER

5

**All Saints
Russian Orthodox
Cathedral**

The Hampshire Sch.

Rutland
Ct.

South
Lodge

Syn.

RUTLAND
GDNS.

W7

RUTLAND
GDNS. MS.

RUTLAND
GATE MS.

RUTLAND

TREVOR

Trevor
Wk.

RAPHAEL

LANCELOT

TREVOR
ST.

Park Mans

Knights
Arcade

KNIGHTS

A315

A4

Knightsbridge Court

SLOANE

A3216

HARRIET

206 Richmond Court

CAP
KINN
MEWS

HARRIET
ST.

Eresby
Ho.

MONTPELIER

Fire Sta.

Lincoln
Ho.

P

P

Thorburn
Ho.

MONTPELIER
TER.

MONTPELIER

KNIGHTSBRIDGE

Washington
Ho.

PAVILION

Basil
Mans

STACKHOUSE

Greville
Ho.

RUTLAND
GA.
GATE
MS.

Rutland
Mews

STERLING

CH.
PL

MON
PEL'R
WK.

TREVOR
SQ.

TREVOR PL.

CL.'s

SW

Marland
Ho.

HOUSE ST

Lowndes

STREET

PRINCE'S GATE

A **98** **B** **C**

P

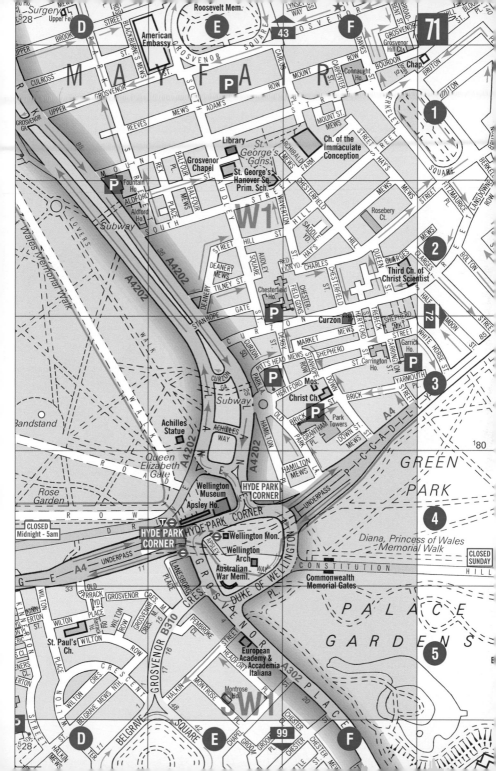

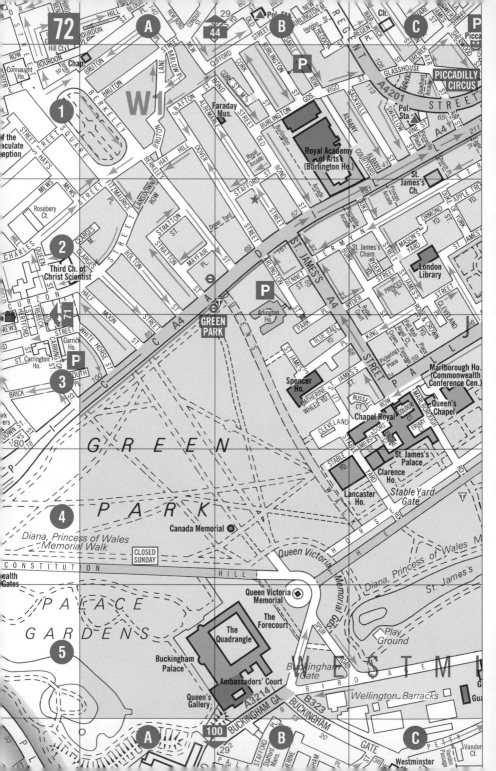

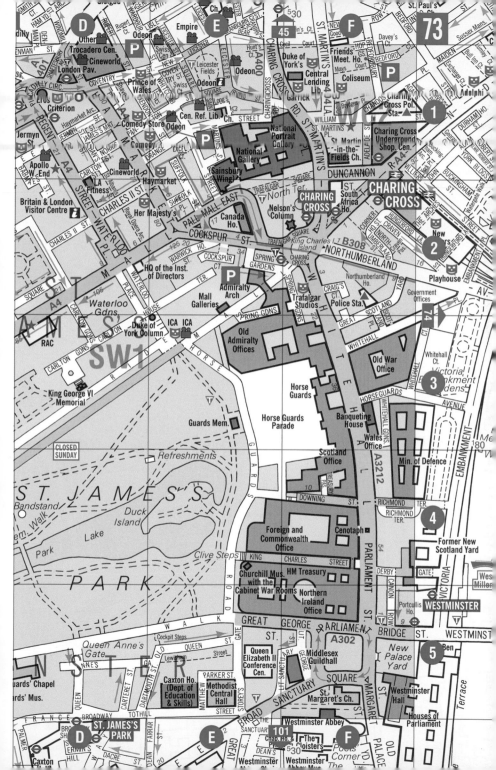

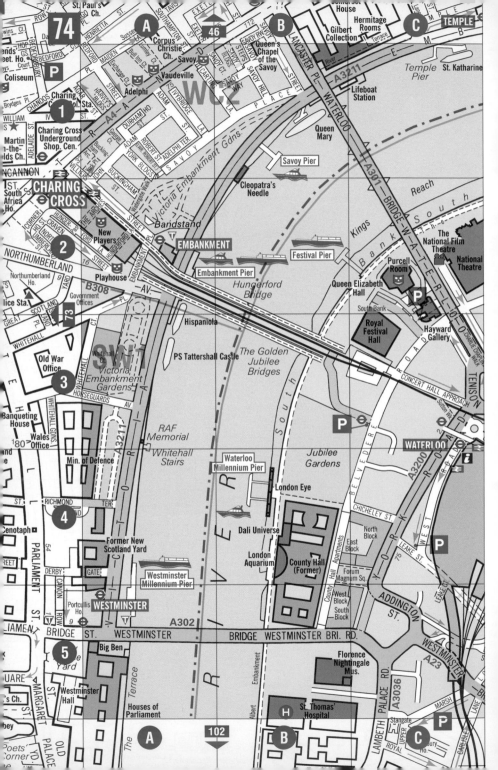

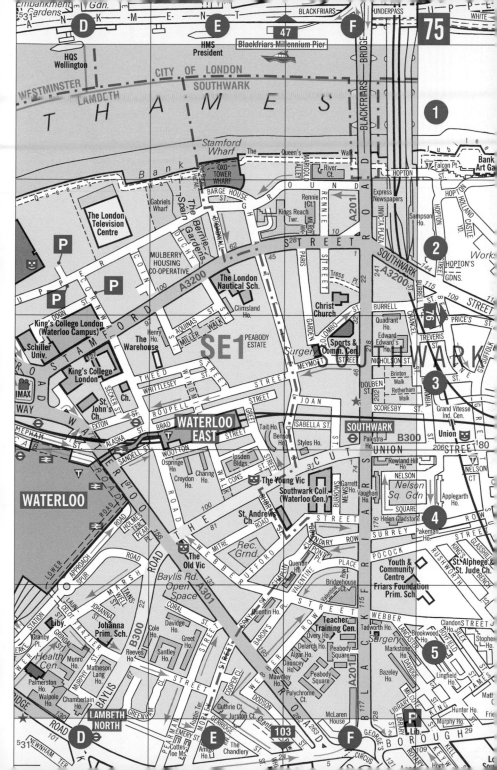

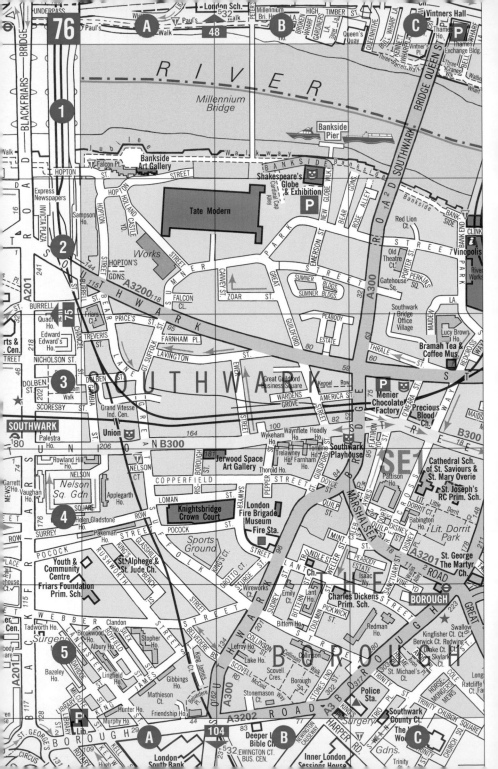

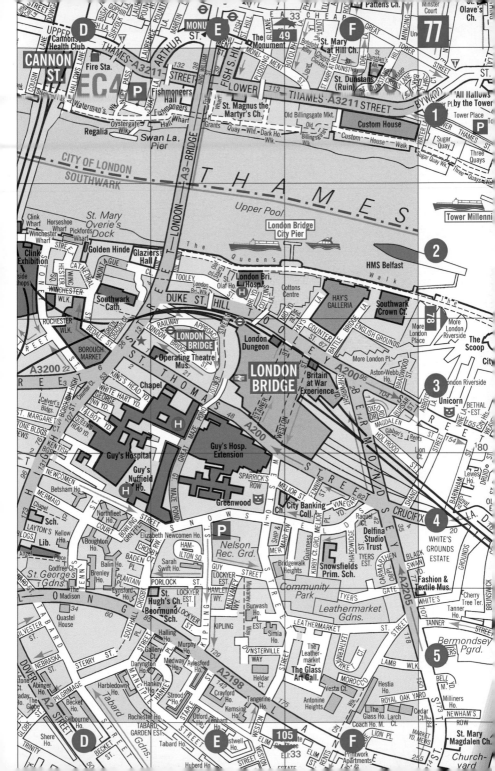

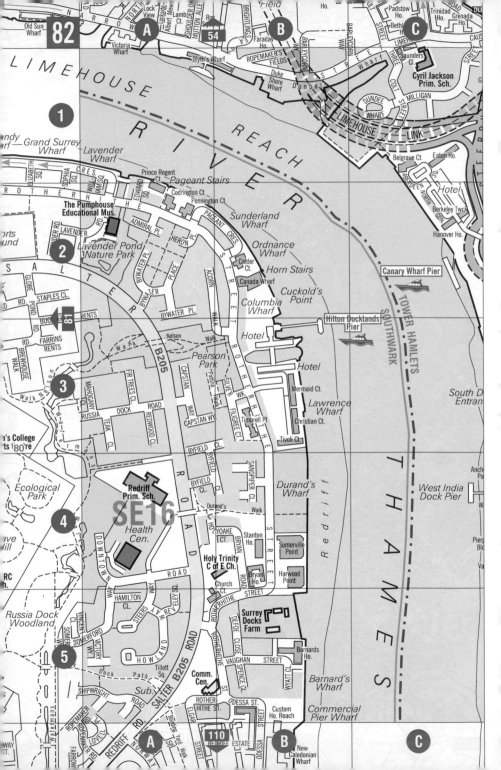

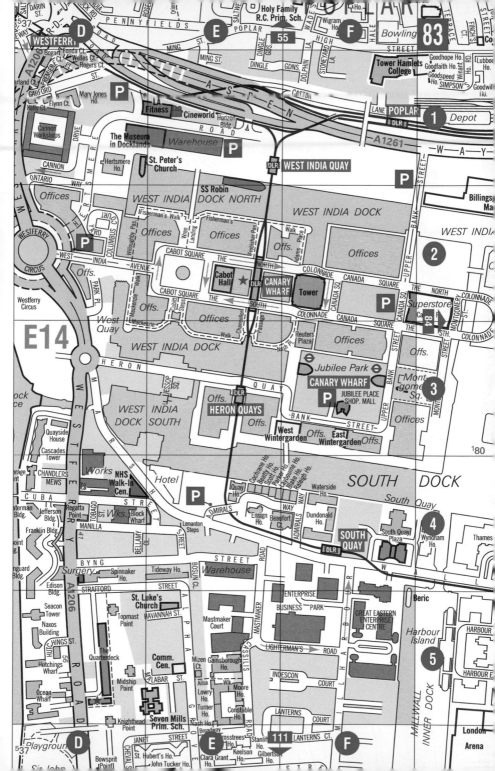

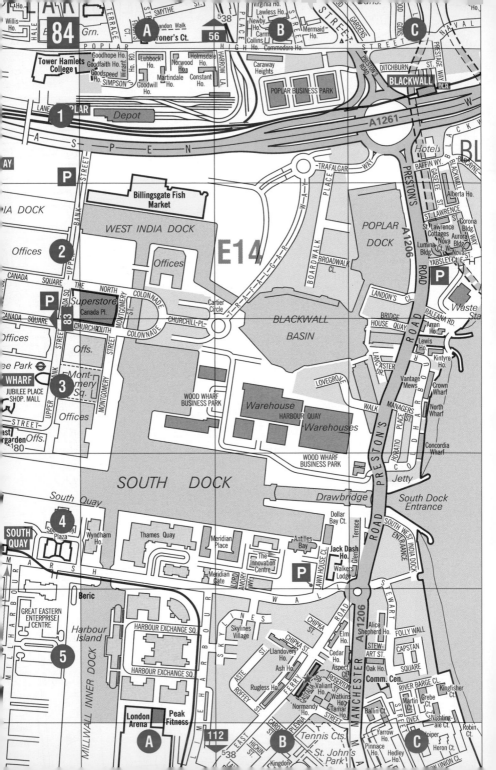

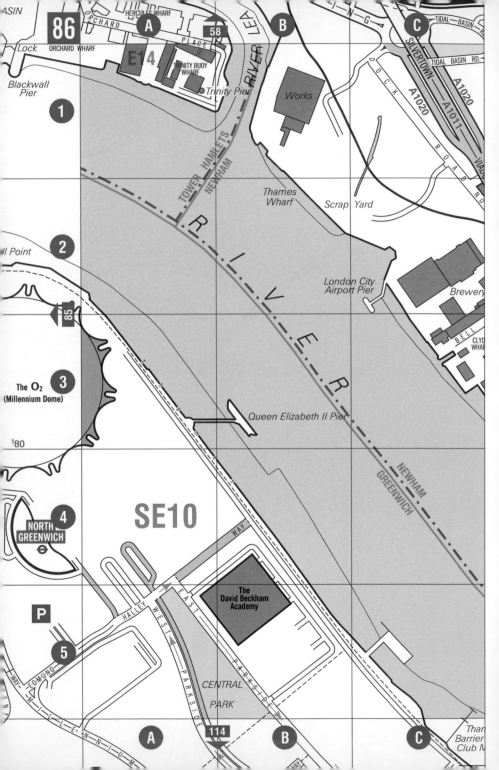

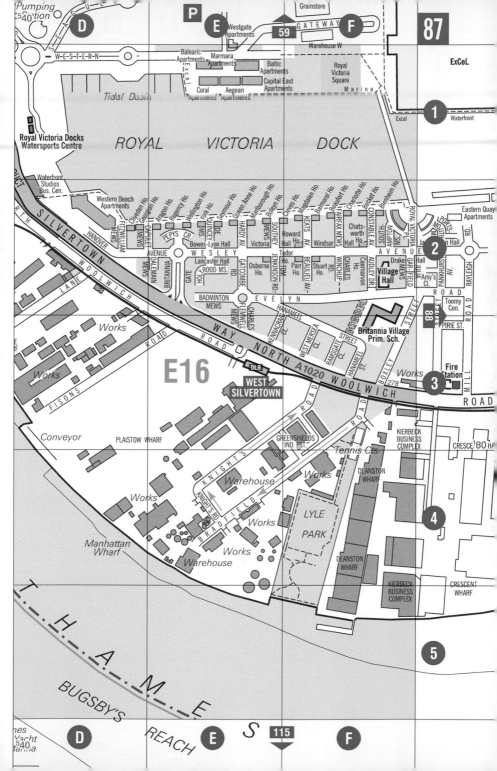

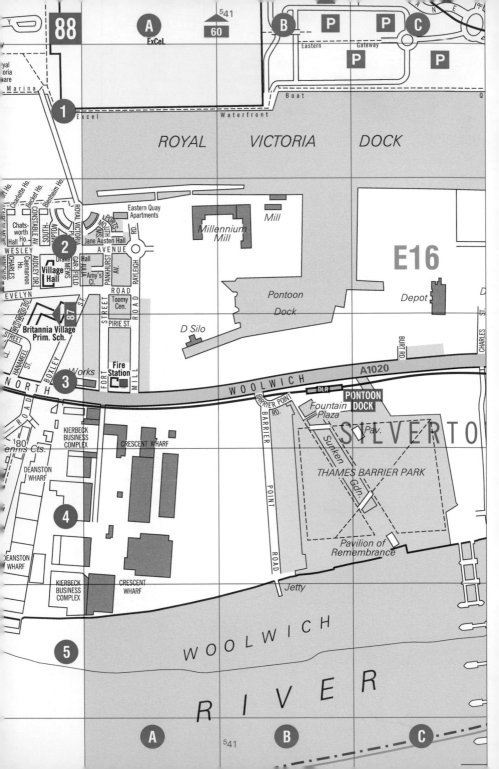

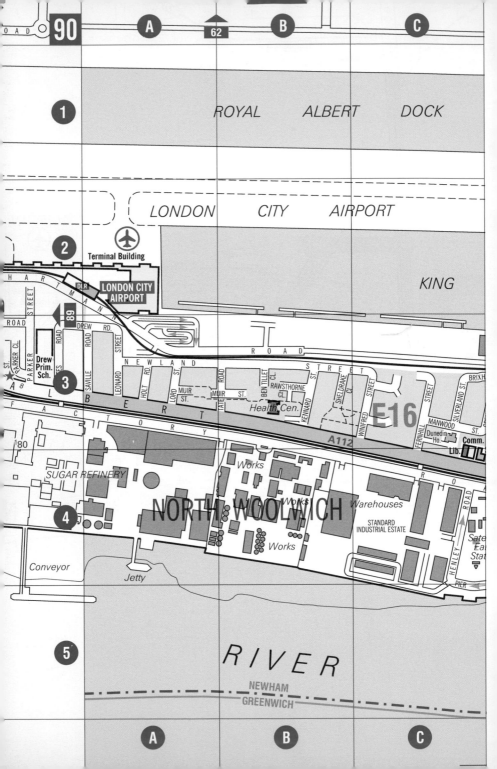

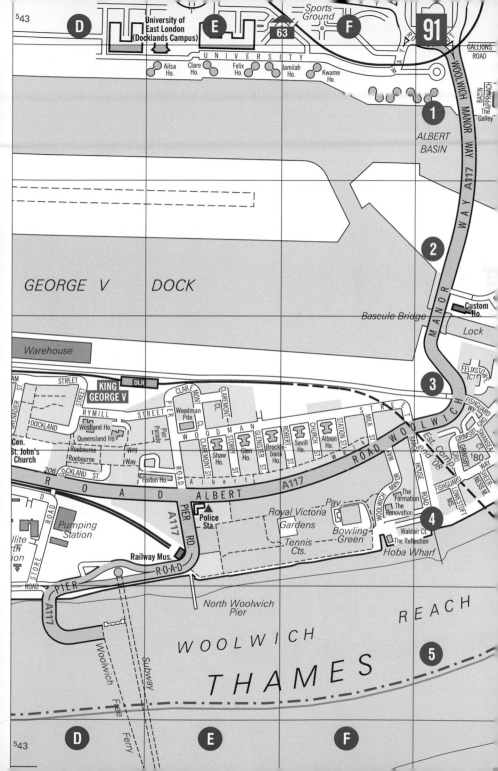

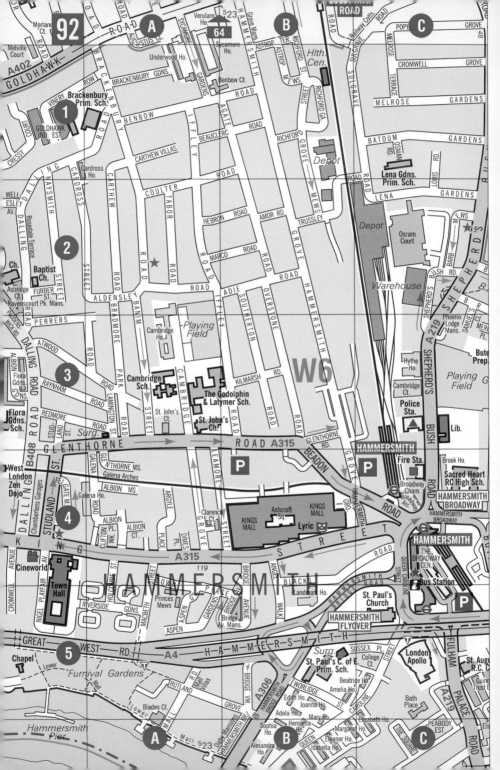

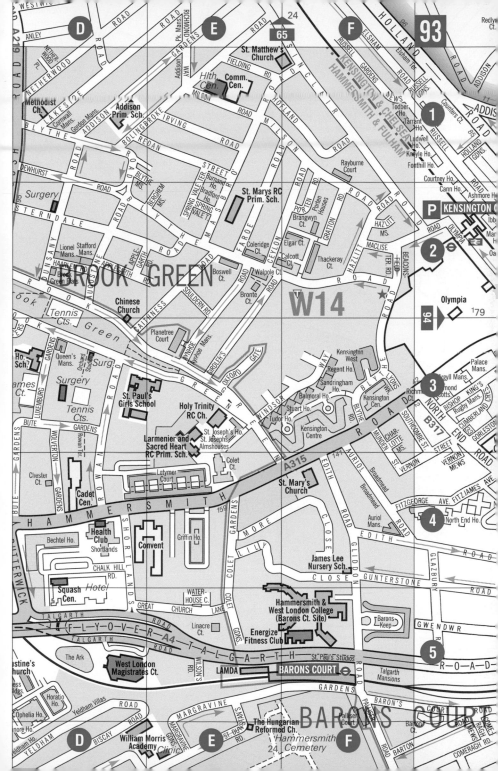

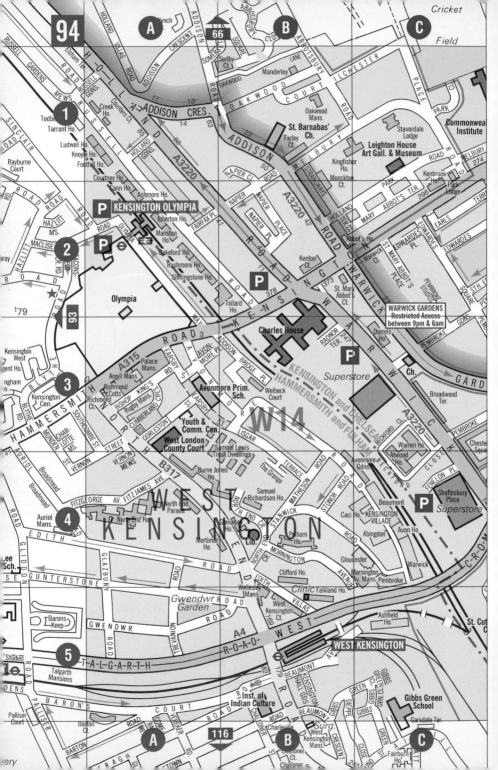

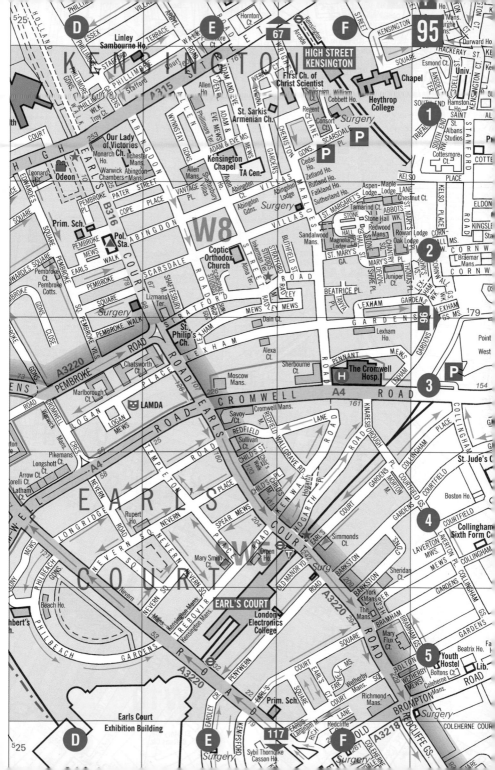

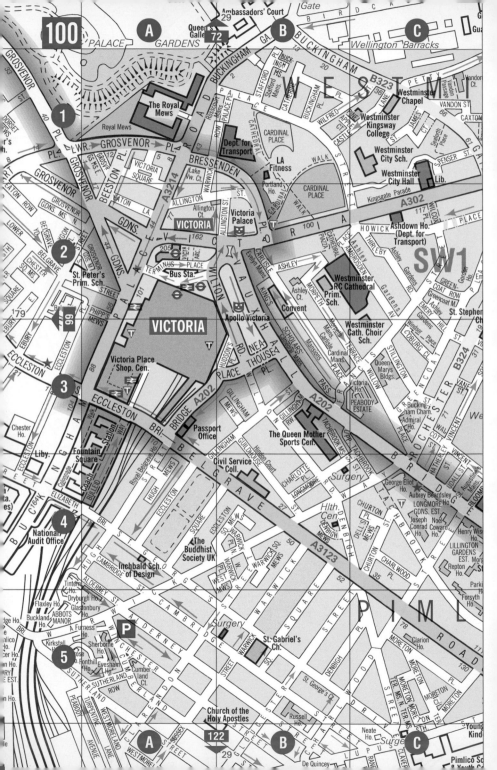

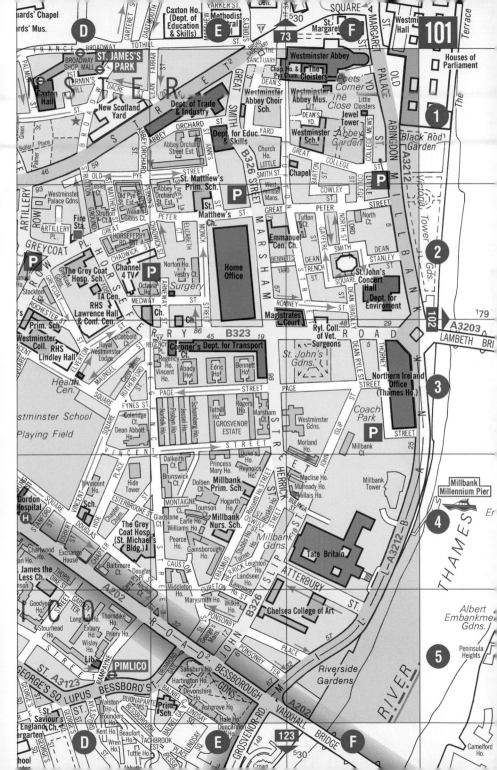

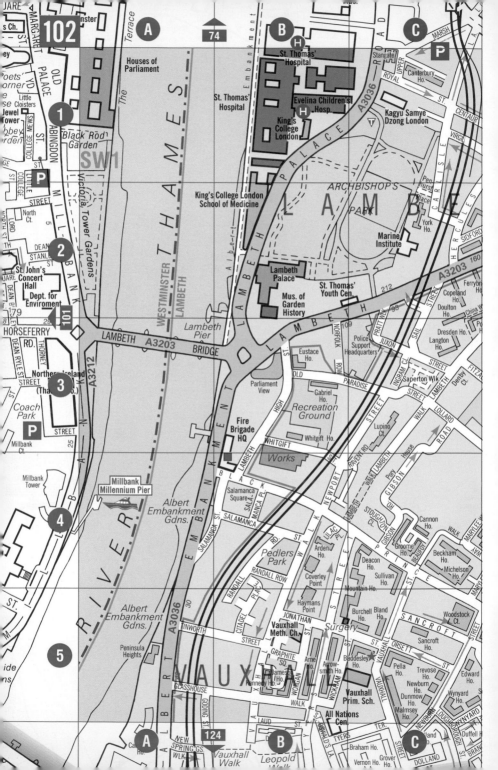

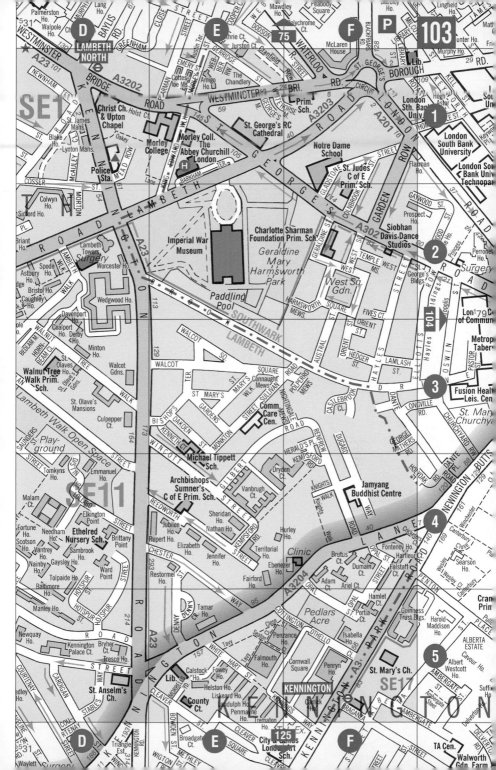

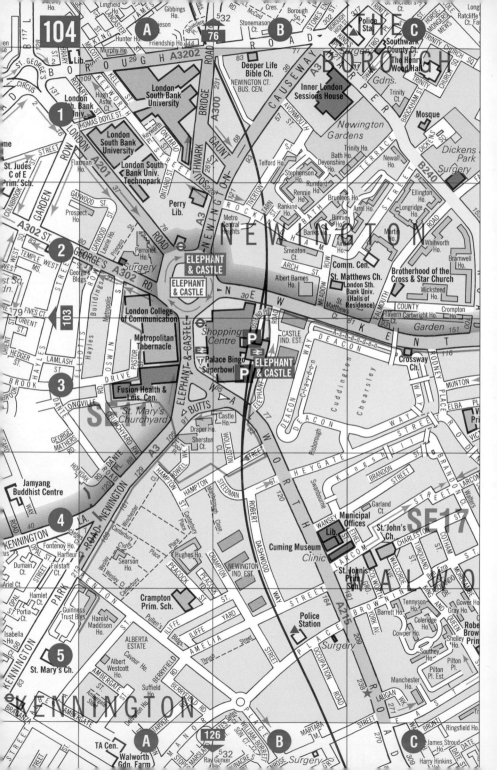

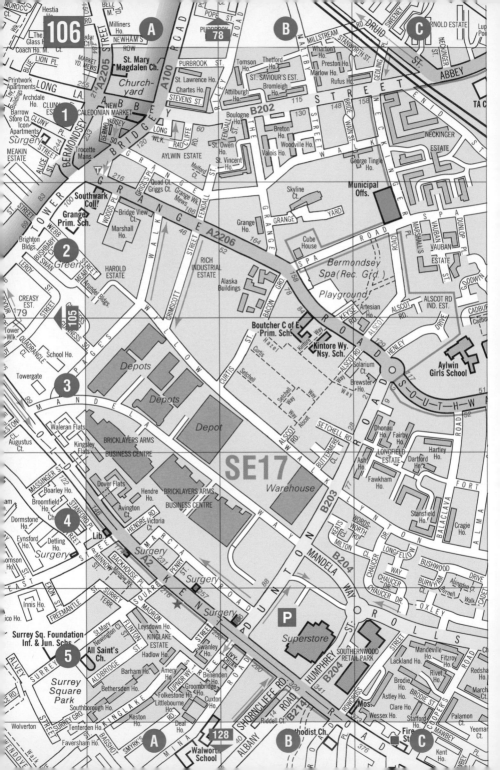

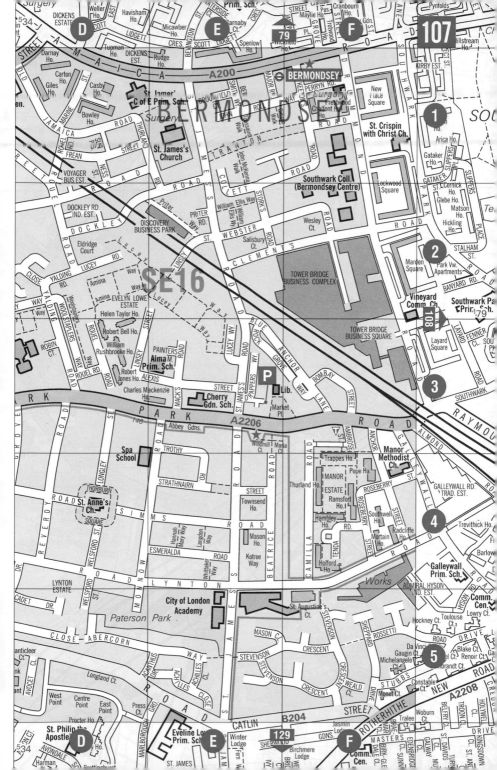

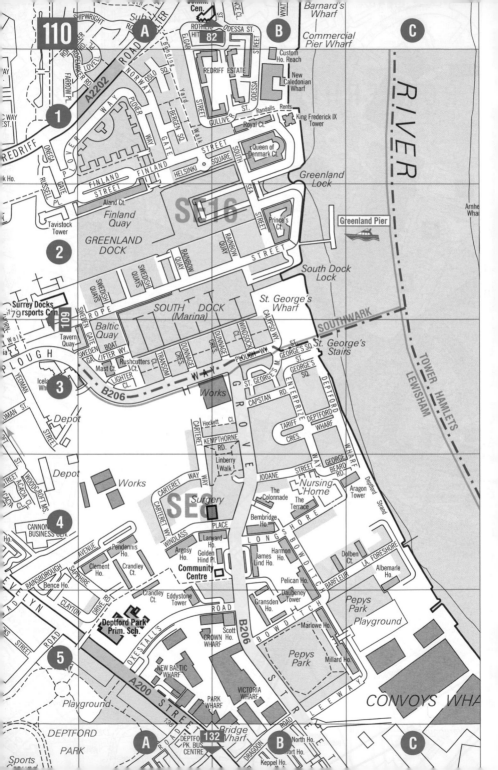

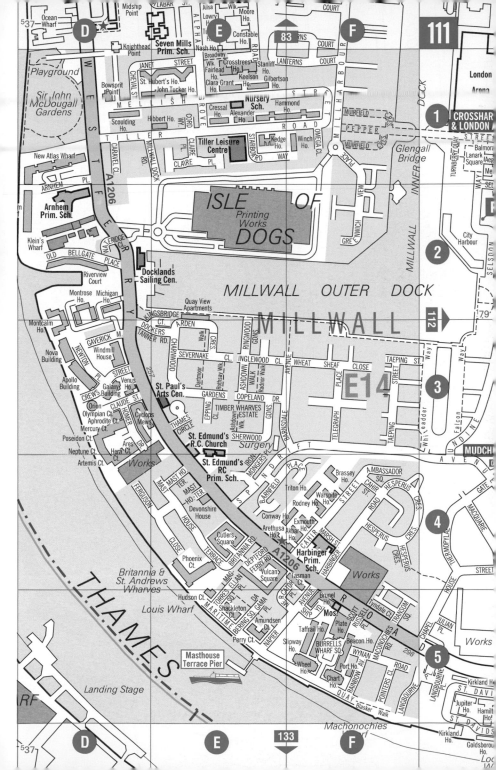

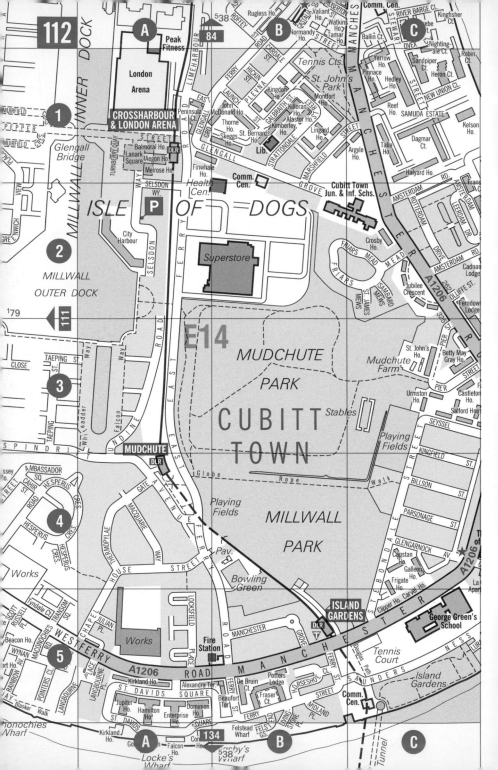

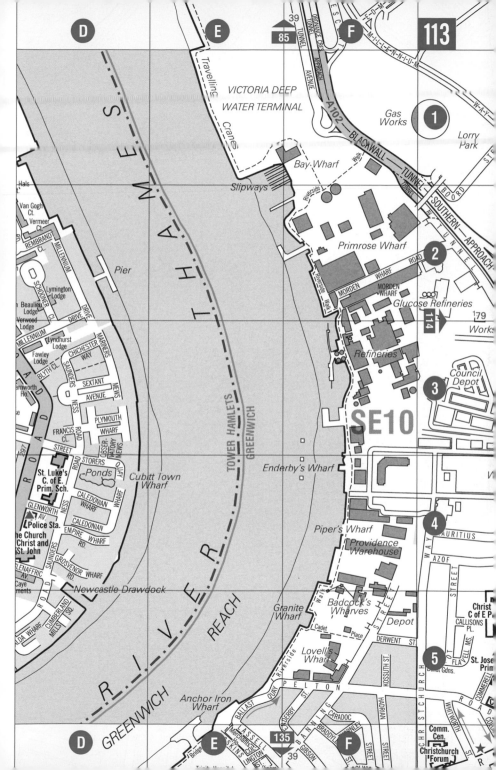

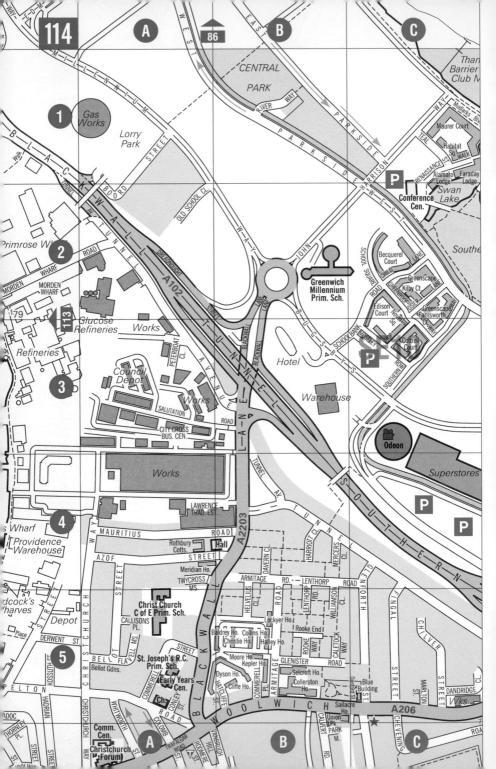

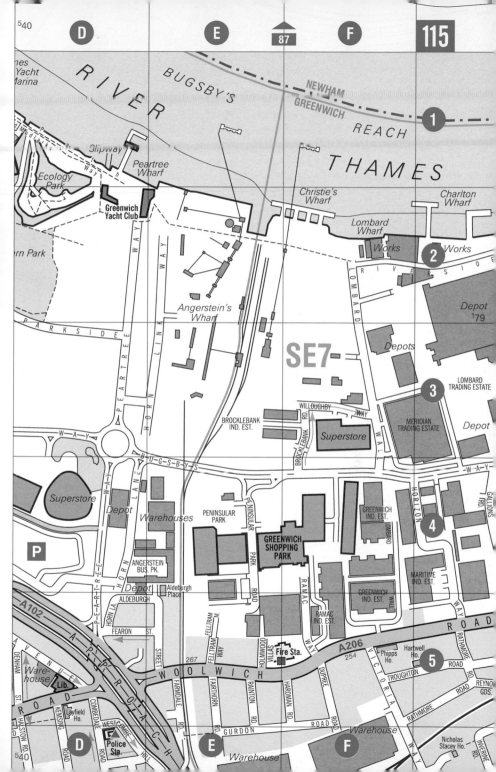

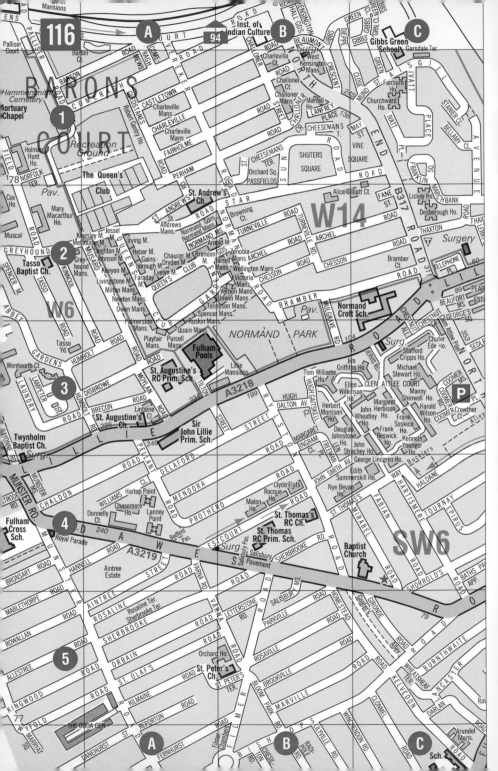

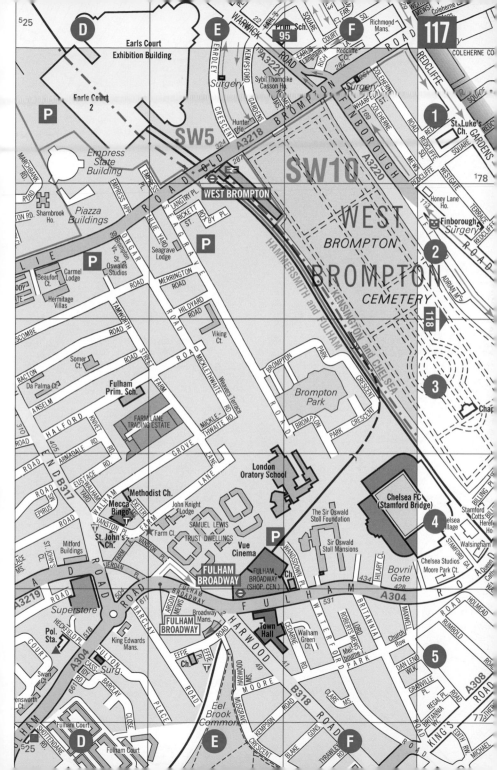

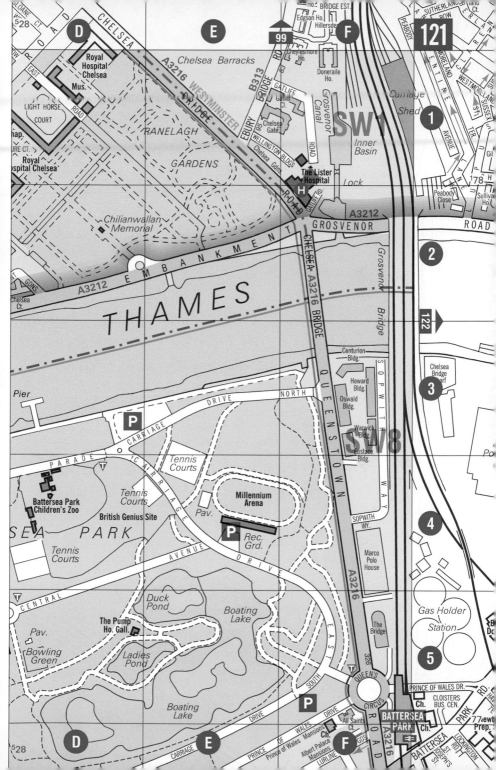

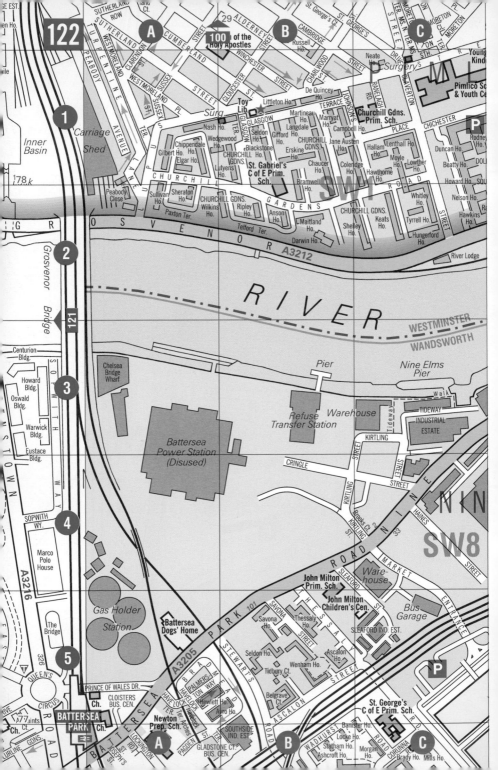

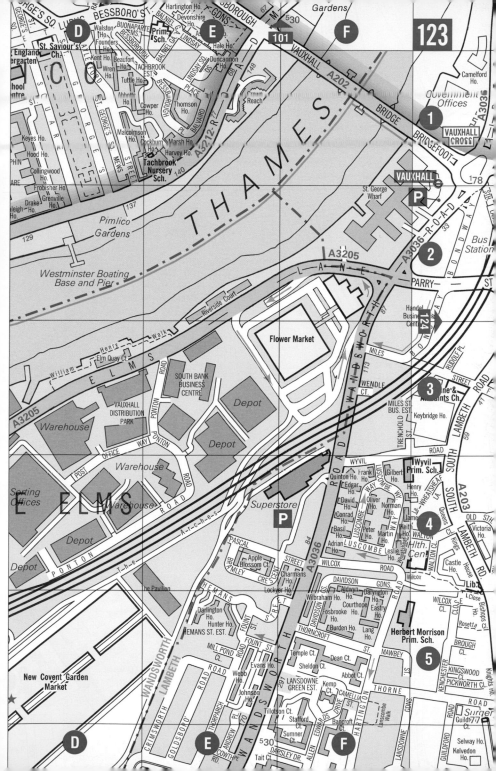

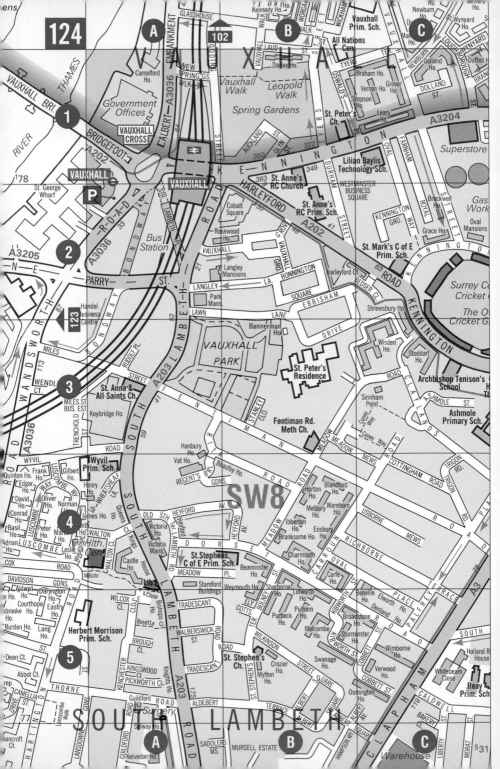

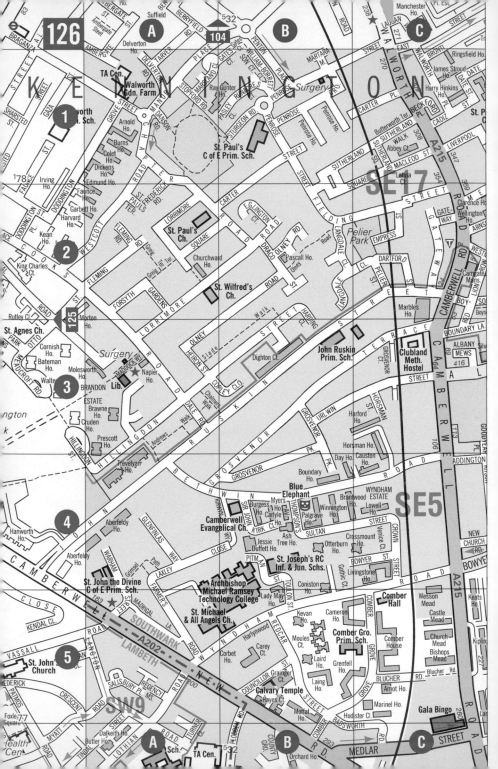

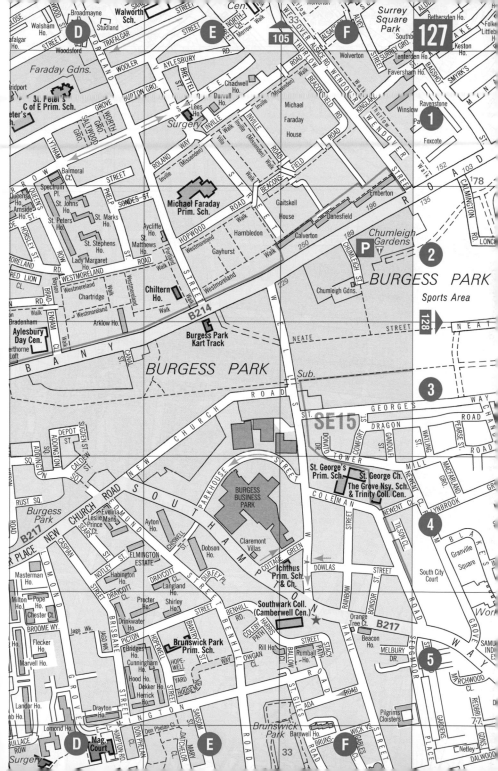

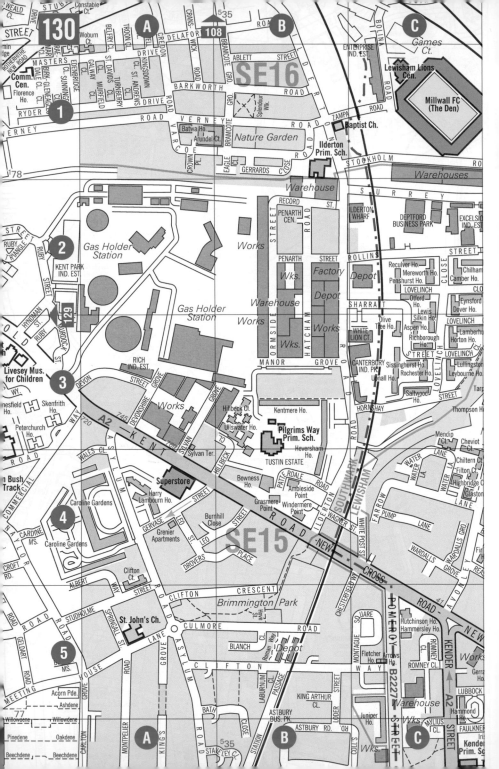

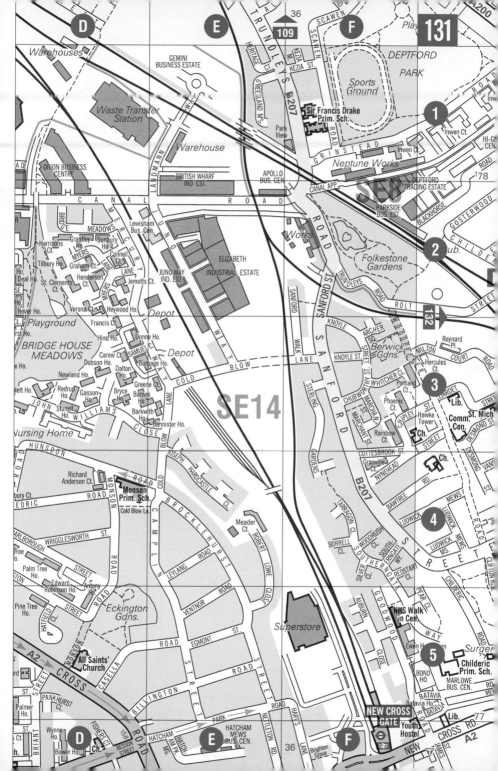

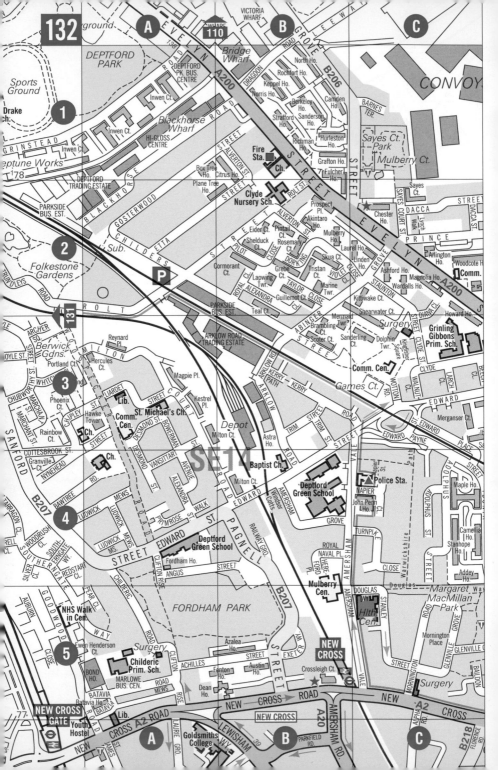

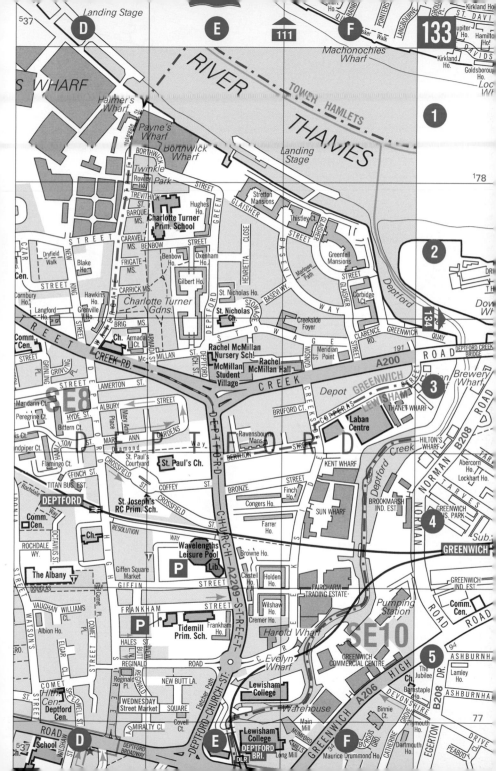

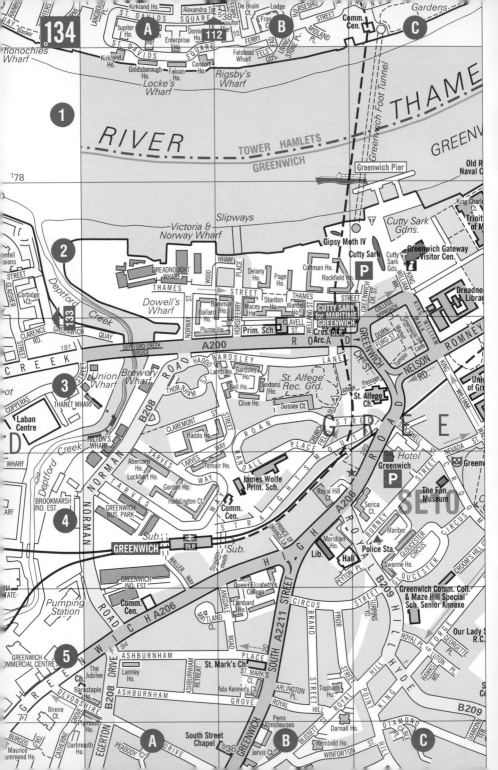

INDEX

Including Streets, Places & Areas, Industrial Estates, Selected Flats & Walkways,
Junction Names and Selected Places of Interest.

HOW TO USE THIS INDEX

1. Each street name is followed by its Postcode and then by its map reference;
   e.g. **Aaron Hill Rd.** E6 . . . .1E **63** is in the E6 Postcode and is to be found in square 1E on page **63**.
   The page number being shown in bold type.

2. A strict alphabetical order is followed in which Av., Rd., St., etc. (though abbreviated) are read in full and as part of the street name; e.g. **Adastral Ho.** appears after **Ada Rd.** but before **Ada St.**

3. Streets and a selection of flats and walkways too small to be shown on the maps, appear in the index with the thoroughfare to which it is connected shown in brackets; e.g. **Aldeburgh Pl.** *SE10* . . . .*4E* **115** *(off Aldeburgh St.)*

4. Addresses that are in more than one part are referred to as not continuous.

5. Places and areas are shown in the index in **BLUE TYPE** and the map reference is to the actual map square in which the town centre or area is located and not to the place name shown on the map;
   e.g. **BARNSBURY** 2B **12**

6. An example of a selected place of interest is **Alexander Fleming Laboratory Mus.** 3E **41**

7. Junction names are shown in the index in **BOLD CAPITAL TYPE**; e.g. **ALDGATE** 4C **50**

GENERAL ABBREVIATIONS

All. : Alley	**Ent.** : Enterprise	**Pk.** : Park
App. : Approach	**Est.** : Estate	**Pas.** : Passage
Arc. : Arcade	**Flds.** : Fields	**Pav.** : Pavilion
Av. : Avenue	**Gdn.** : Garden	**Pl.** : Place
Bk. : Back	**Gdns.** : Gardens	**Pct.** : Precinct
Blvd. : Boulevard	**Ga.** : Gate	**Prom.** : Promenade
Bri. : Bridge	**Gt.** : Great	**Ri.** : Rise
B'way. : Broadway	**Grn.** : Green	**Rd.** : Road
Bldg. : Building	**Gro.** : Grove	**Rdbt.** : Roundabout
Bldgs. : Buildings	**Hgts.** : Heights	**Shop.** : Shopping
Bus. : Business	**Ho.** : House	**Sth.** : South
C'way. : Causeway	**Ho's.** : Houses	**Sq.** : Square
Cen. : Centre	**Ind.** : Industrial	**Sta.** : Station
Chu. : Church	**Info.** : Information	**St.** : Street
Chyd. : Churchyard	**Junc.** : Junction	**Ter.** : Terrace
Circ. : Circle	**La.** : Lane	**Twr.** : Tower
Cir. : Circus	**Lit.** : Little	**Trad.** : Trading
Cl. : Close	**Lwr.** : Lower	**Up.** : Upper
Coll. : College	**Mnr.** : Manor	**Va.** : Vale
Comn. : Common	**Mans.** : Mansions	**Vw.** : View
Cnr. : Corner	**Mkt.** : Market	**Vs.** : Villas
Cotts. : Cottages	**Mdws.** : Meadows	**Vis.** : Visitors
Ct. : Court	**M.** : Mews	**Wlk.** : Walk
Cres. : Crescent	**Mt.** : Mount	**W.** : West
Cft. : Croft	**Mus.** : Museum	**Yd.** : Yard
Dr. : Drive	**Nth.** : North	
E. : East	**Pal.** : Palace	
Emb. : Embankment	**Pde.** : Parade	

A

Aaron Hill Rd. E6 . . . . .1E **63**
Abady Ho. SW1 . . . . .3E **101**
Abbess Cl. E6 . . . . .2A **62**
Abbey Ct. NW8 . . . . .5B **6**
    SE17 . . . . .1C **126**
Abbey Est. NW8 . . . . .4A **6**
Abbeyfield Est. SE16 . . . . . .3B **108**
Abbeyfield Rd. SE16 . . . . .3B **108**
    (not continuous)

Abbey Gdns. NW8 . . . . .1B **22**
    SE16 . . . . .3E **107**
    W6 . . . . .2A **116**
Abbey Ho. NW8 . . . . .2C **22**
Abbey Life Ct. E16 . . . . . . .1A **60**
Abbey Lodge NW8 . . . . .3A **24**
Abbey Orchard St. SW1 . . . .1D **101**
Abbey Orchard St. Est.
    SW1 . . . . .1E **101**
    (not continuous)
Abbey Rd. NW6 . . . . .2F **5**
    NW8 . . . . .3A **6**

Abbey St. SE1 . . . . .1A **106**
Abbot Ct. SW8 . . . . .5F **123**
Abbot Ho. E14 . . . . .5A **56**
Abbotsbury NW1 . . . . .2D **11**
Abbotsbury Cl. W14 . . . . . . .5A **66**
Abbotsbury Ho. W14 . . . . . . .4A **66**
Abbotsbury Rd. W14 . . . . . . .4A **66**
Abbots Ct. W8 . . . . .5A **68**
Abbotshade Rd. SE16 . . . . . .2E **81**
Abbot's Ho. W14 . . . . .2B **94**
Abbots La. SE1 . . . . .3A **78**
Abbots Mnr. SW1 . . . . .5F **99**

Abbot's Pl. NW6 . . . . .3F **5**
Abbots Wlk. W8 . . . . .2F **95**
Abbott Rd. E14 . . . . .2C **56**
 (not continuous)
Abbotts Cl. N1 . . . . .1B **14**
Abbotts Ho. SW1 . . . . .1D **123**
Abbott's Wharf E14 . . . . . . .3D **55**
Abchurch La. EC4 . . . . .5E **49**
 (not continuous)
Abchurch Yd. EC4 . . . . .5D **49**
Abdale Rd. W12 . . . . .2A **64**
Abel Ho. SE11 . . . . .2E **125**
Abercorn Cl. NW8 . . . . .1B **22**
Abercorn Cotts. NW8 . . . . . .2B **22**
Abercorn Ho. SE10 . . . . . . .4A **134**
Abercorn Mans. NW8 . . . . . .1C **22**
Abercorn Pl. NW8 . . . . .2B **22**
Abercorn Wlk. NW8 . . . . . . .2B **22**
Abercorn Way SE1 . . . . . . .5D **107**
Aberdale Ct. SE16 . . . . .5D **81**
Aberdare Gdns. NW6 . . . . . . .2A **6**
Aberdeen Ct. W9 . . . . .5C **22**
Aberdeen Mans. WC1 . . . . . .4F **27**
Aberdeen Pl. NW8 . . . . .5D **23**
Aberdeen Sq. E14 . . . . .1C **82**
Aberdeen Wharf E1 . . . . . . .3A **80**
Aberdour St. SE1 . . . . .2F **105**
Aberfeldy Ho. SE5 . . . . .4F **125**
 (not continuous)
Aberfeldy St. E14 . . . . .2C **56**
 (not continuous)
Ability Towers EC1 . . . . .2B **30**
Abingdon W14 . . . . .4C **94**
Abingdon Cl. SE1 . . . . .4C **106**
Abingdon Cl. W8 . . . . .2E **95**
Abingdon Gdns. W8 . . . . . . .2E **95**
Abingdon Ho. E2 . . . . .4B **32**
Abingdon Lodge W8 . . . . . . .2F **95**
Abingdon Mans. W8 . . . . . . .1D **95**
Abingdon Rd. W8 . . . . .1D **95**
Abingdon St. SW1 . . . . .1F **101**
Abingdon Vs. W8 . . . . .2D **95**
Abinger Gro. SE8 . . . . .3B **132**
Abinger Ho. SE1 . . . . .5D **77**
Abinger M. W9 . . . . .4D **21**
Ablett St. SE16 . . . . .1B **130**
Acacia Cl. SE8 . . . . .4F **109**
Acacia Gdns. NW8 . . . . .5E **7**
Acacia Pl. NW8 . . . . .5E **7**
Acacia Rd. NW8 . . . . .5E **7**
Acacia Wlk. SW10 . . . . .5C **118**
Academy Bldgs. N1 . . . . . . .2F **31**
Academy Ct. E2 . . . . .2C **34**
Academy Gdns. W8 . . . . . . .4D **67**
Academy Ho. E3 . . . . .1F **55**
Acanthus Dr. SE1 . . . . .5D **107**
Achilles Cl. SE1 . . . . .5E **107**
Achilles Ho. E2 . . . . .1A **34**
Achilles Statue 3E **71**
Achilles St. SE14 . . . . .5A **132**
Achilles Way W1 . . . . .3E **71**
Acklam Rd. W10 . . . . .2A **38**
 (not continuous)
Ackroyd Dr. E3 . . . . .1D **55**
Acme Ho. E14 . . . . .1B **56**
Acol Ct. NW6 . . . . .2E **5**
Acol Rd. NW6 . . . . .2E **5**
Acorn Pde. SE15 . . . . .5F **129**
Acorn Production Cen. N7 . . .1A **12**
Acorn Wlk. SE16 . . . . .2A **82**
Acton Ho. E8 . . . . .3B **16**

Acton M. E8 . . . . .3B **16**
Acton St. WC1 . . . . .3B **28**
Ada Ct. N1 . . . . .4B **14**
 W9 .3C **22**
Ada Gdns. E14 . . . . .3D **57**
Ada Ho. E2 . . . . .4F **17**
Adair Ho. SW3 . . . . .3A **120**
Adair Rd. W10 . . . . .5A **20**
Adair Twr. W10 . . . . .5A **20**
Ada Kennedy Ct. SE10 . . . . .5B **134**
Adam & Eve Ct. W1 . . . . .3C **44**
Adam & Eve M. W8 . . . . .1E **95**
Adam Ct. SE11 . . . . .4F **103**
 SW7 . . . . .3C **96**
Adams Ct. EC2 . . . . .3E **49**
Adams Gdns. Est. SE16 . . . .4B **80**
Adams Ho. E14 . . . . .4D **57**
Adamson Rd. E16 . . . . .4E **59**
 NW3 .1E **7**
Adams Pl. E14 . . . . .2F **83**
Adam's Row W1 . . . . .1E **71**
Adam St. WC2 . . . . .1A **74**
Ada Pl. E2 . . . . .4E **17**
Ada Rd. SE5 . . . . .5F **127**
Adastral Ho. WC1 . . . . .1B **46**
Ada St. E8 . . . . .4F **17**
Ada Workshops E8 . . . . .4F **17**
Addey Ho. SE8 . . . . .4C **132**
Addington Sq. SE5 . . . . .4C **127**
 (not continuous)
Addington St. SE1 . . . . .5C **74**
Addis Ho. E1 . . . . .1B **52**
Addisland Ct. W14 . . . . .4F **65**
Addison Av. W11 . . . . .2F **65**
Addison Bri. Pl. W14 . . . . . . .3B **94**
Addison Ct. NW6 . . . . .4E **5**
Addison Cres. W14 . . . . .1A **94**
 (not continuous)
Addison Gdns. W14 . . . . . . .1D **93**
Addison Ho. NW8 . . . . .2D **23**
Addison Pk. Mans. W14 . . . .1E **93**
Addison Pl. W11 . . . . .3F **65**
Addison Rd. W14 . . . . .4F **65**
Addle Hill EC4 . . . . .4A **48**
Addlestone Ho. W10 . . . . . . .1B **36**
Addle St. EC2 . . . . .3C **48**
Addy Ho. SE16 . . . . .4C **108**
Adela Ho. W6 . . . . .5B **92**
Adelaide Ct. NW8 . . . . .1C **22**
Adelaide Ho. W11 . . . . .4B **38**
Adelaide Rd. NW3 . . . . .2D **7**
Adelaide St. WC2 . . . . .1F **73**
Adela St. W10 . . . . .4F **19**
Adelina Gro. E1 . . . . .1B **52**
Adelina Yd. E1 . . . . .1B **52**
Adeline Pl. WC1 . . . . .2E **45**
Adelphi Ct. E8 . . . . .2C **16**
 SE16 . . . . .5D **81**
Adelphi Ter. WC2 . . . . .1A **74**
Adelphi Theatre 1A **74**
Aden Ho. E1 . . . . .1E **53**
Adeyfield Ho. EC1 . . . . .3E **31**
Adie Rd. W6 . . . . .2B **92**
Adler St. E1 . . . . .3D **51**
Admiral Ct. W1 . . . . .2D **43**
Admiral Ho. SW1 . . . . .3C **100**
Admiral Hyson Ind. Est.
 SE16 . . . . .4F **107**
Admiral M. W10 . . . . .5E **19**
Admiral Pl. SE16 . . . . .2A **82**

Admirals Ct. E6 . . . . .4F **63**
 SE1 . . . . .3B **78**
Admirals Way E14 . . . . .4E **83**
Admiralty Arch 2E **73**
Admiralty Cl. SE8 . . . . .5D **133**
Admiral Wlk. W9 . . . . .1F **39**
Adolphus St. SE8 . . . . .4C **132**
Adpar St. W2 . . . . .1D **41**
Adrian Boult Ho. E2 . . . . . . .2F **33**
Adrian Ho. N1 . . . . .4C **12**
 SW8 . . . . .4F **123**
Adrian M. SW10 . . . . .2A **118**
Adriatic Bldg. E14 . . . . .5F **53**
Adriatic Ho. E1 . . . . .5E **35**
Adron Ho. SE16 . . . . .4C **108**
Adstock Ho. N1 . . . . .2F **13**
Adventurers Ct. E14 . . . . . . .1E **85**
Aegean Apartments E16 . . . .1E **87**
Aegon Ho. E14 . . . . .1A **112**
Affleck St. N1 . . . . .1C **28**
Afsil Ho. EC1 . . . . .2E **47**
Aftab Ter. E1 . . . . .4F **33**
Agar Gro. NW1 . . . . .2C **10**
Agar Gro. Est. NW1 . . . . . . .1D **11**
Agar Pl. NW1 . . . . .2C **10**
Agar St. WC2 . . . . .1F **73**
Agate Cl. E16 . . . . .4E **61**
Agate Rd. W6 . . . . .1B **92**
Agatha Cl. E1 . . . . .2B **80**
Agdon St. EC1 . . . . .4F **29**
Agnes Cl. E6 . . . . .5E **63**
Agnes Ho. W11 . . . . .1E **65**
Agnes St. E14 . . . . .3C **54**
Aigburth Mans. SW9 . . . . . .5D **125**
Ailsa Ho. E16 . . . . .1E **91**
Ailsa St. E14 . . . . .1C **56**
Ailsa Wlk. E14 . . . . .5E **83**
Ainger M. NW3 . . . . .2C **8**
 (not continuous)
Ainger Rd. NW3 . . . . .2B **8**
Ainsdale NW1 . . . . .1B **26**
Ainsdale Dr. SE1 . . . . .1D **129**
Ainsley St. E2 . . . . .3A **34**
Ainsty Est. SE16 . . . . .4C **80**
Ainsty St. SE16 . . . . .4C **80**
Ainsworth Ho. NW8 . . . . .4A **6**
 W10 . . . . .2F **19**
Ainsworth Way NW8 . . . . .3B **6**
Aintree Est. SW6 . . . . .4A **116**
Aintree St. SW6 . . . . .5A **116**
Aird Ho. SE1 . . . . .2B **104**
Airdrie Cl. N1 . . . . .2B **12**
Airlie Gdns. W8 . . . . .3D **67**
Air St. W1 . . . . .1C **72**
Aisgill Av. W14 . . . . .1C **116**
 (not continuous)
Aithan Ho. E14 . . . . .4B **54**
Aitken Cl. E8 . . . . .3D **17**
Ajax Ho. E2 . . . . .1A **34**
Akbar Ho. E14 . . . . .4F **111**
Akintaro Ho. SE8 . . . . .2B **132**
Alamaro Lodge SE10 . . . . . .1C **114**
Aland Ct. SE16 . . . . .2A **110**
Alaska Bldgs. SE1 . . . . .2B **106**
Alaska St. SE1 . . . . .3D **75**
Alastor Ho. E14 . . . . .1B **112**
Alban Highwalk EC2 . . . . . . .2C **48**
 (not continuous)
Albany W1 . . . . .1B **72**
Albany Ct. NW8 . . . . .1D **23**
 NW10 . . . . .2A **18**

Albany Courtyard W1 . . . . . .1C **72**
Albany Mans. SW11 . . . . . .5A **120**
Albany M. N1 . . . . .1E **13**
SE5 . . . . .3C **126**
Albany Rd. SE5 . . . . .3C **126**
Albany St. NW1 . . . . .5F **9**
Albany Ter. NW1 . . . . .5A **26**
Alba Pl. W11 . . . . .3B **38**
Albatross Cl. E6 . . . . .1C **62**
Albatross Way SE16 . . . . . . .5D **81**
Albemarle Ho. SE8 . . . . . . .4C **110**
Albemarle St. W1 . . . . .1A **72**
Albemarle Way EC1 . . . . . . .5F **29**
Alberta Est. SE17 . . . . .5A **104**
Alberta Ho. E14 . . . . .2C **84**
Alberta St. SE17 . . . . .5F **103**
Albert Av. SW8 . . . . .5B **124**
Albert Barnes Ho. SE1 . . . . .2B **104**
Albert Bri. SW11 . . . . .3A **120**
Albert Bri. Rd. SW11 . . . . . .4A **120**
Albert Cotts. E1 . . . . .1D **51**
Albert Ct. SW7 . . . . .5D **69**
Albert Ct. Ga. SW1 . . . . . . .5B **70**
Albert Emb. SE1 . . . . .2B **102**
(Lambeth Pal. Rd.)
SE1 . . . . .1A **124**
(Vauxhall Bri.)
Albert Gdns. E1 . . . . .4D **53**
Albert Ga. SW1 . . . . .4C **70**
Albert Gray Ho. SW10 . . . . .4D **119**
Albert Hall Mans. SW7 . . . . .5D **69**
(not continuous)
Albert Memorial 5D **69**
Albert M. E14 . . . . .5A **54**
W8 . . . . .1B **96**
Albert Pal. Mans. SW11 . . . .5F **121**
Albert Pl. W8 . . . . .5A **68**
Albert Rd. E16 . . . . .3F **89**
NW6 . . . . .1B **20**
Alberts Ct. NW1 . . . . .4A **24**
Albert Sq. SW8 . . . . .5B **124**
Albert Starr Ho. SE8 . . . . . . .4D **109**
Albert St. NW1 . . . . .4A **10**
Albert Ter. NW1 . . . . .3D **9**
Albert Ter. M. NW1 . . . . .3D **9**
Albert Wlk. E16 . . . . .4E **91**
Albert Way SE15 . . . . .5F **129**
Albert Westcott Ho.
SE17 . . . . .5A **104**
Albery Ct. E8 . . . . .2B **16**
Albery Theatre 5F **45**
Albion Bldgs. N1 . . . . .1A **28**
Albion Cl. W2 . . . . .5A **42**
Albion Ct. W6 . . . . .4A **92**
Albion Dr. E8 . . . . .2B **16**
Albion Est. SE16 . . . . .5C **80**
Albion Gdns. W6 . . . . .3A **92**
Albion Ga. W2 . . . . .5A **42**
(not continuous)
Albion Ho. E16 . . . . .3F **91**
SE8 . . . . .5D **133**
Albion M. N1 . . . . .2D **13**
W2 . . . . .5A **42**
W6 . . . . .4A **92**
Albion Pl. EC1 . . . . .1F **47**
EC2 . . . . .2E **49**
W6 . . . . .4A **92**
Albion Riverside Bldg.
SW11 . . . . .4F **119**
Albion Sq. E8 . . . . .2B **16**
(not continuous)

Albion St. SE16 . . . . .5B **80**
W2 . . . . .4A **42**
Albion Ter. E8 . . . . .2B **16**
Albion Wlk. N1 . . . . .1A **28**
Albion Way EC1 . . . . .2B **48**
Albion Yd. E1 . . . . .1A **52**
N1 . . . . .1A **28**
Albury Ho. SE1 . . . . .5A **76**
Albury St. SE8 . . . . .3D **133**
Aldbridge St. SE17 . . . . . . .5A **106**
Aldburgh M. W1 . . . . .3E **43**
(not continuous)
Aldbury Ho. SW3 . . . . .4F **97**
Aldebert Ter. SW8 . . . . .5A **124**
Aldeburgh Pl. *SE10* 4E **115**
(off Aldeburgh St.)
Aldeburgh St. SE10 . . . . . . .5D **115**
Aldenham Ho. NW1 . . . . . . .1C **26**
Aldenham St. NW1 . . . . .1C **26**
Alden Ho. E8 . . . . .3F **17**
Aldensley Rd. W6 . . . . .2A **92**
Alder Cl. SE15 . . . . .3C **128**
Alder Ho. SE15 . . . . .3C **128**
Aldermanbury EC2 . . . . .3C **48**
Aldermanbury Sq. EC2 . . . . .2C **48**
Aldermans Wlk. EC2 . . . . . .2F **49**
Alderney Ho. N1 . . . . .1C **14**
Alderney Rd. E1 . . . . .5D **35**
Alderney St. SW1 . . . . .4A **100**
Aldersgate St. EC1 . . . . .1B **48**
Aldershot Rd. NW6 . . . . .3C **4**
Alderson St. W10 . . . . .4A **20**
Alderwick Ct. N7 . . . . .1C **12**
Aldford Ho. W1 . . . . .2D **71**
Aldford St. W1 . . . . .2D **71**
ALDGATE 4C **50**
Aldgate *E1* 3B **50**
(off Whitechapel High St.)
EC3 . . . . .4B **50**
Aldgate Av. E1 . . . . .3B **50**
Aldgate Barrs E1 . . . . .3C **50**
Aldgate High St. EC3 . . . . . .4B **50**
Aldgate Triangle E1 . . . . . . .3D **51**
Aldine Ct. W12 . . . . .3C **64**
Aldine Pl. W12 . . . . .4C **64**
Aldine St. W12 . . . . .4C **64**
Aldington Ct. E8 . . . . .2E **17**
Aldrick Ho. N1 . . . . .4C **12**
Aldridge Ct. W11 . . . . .2C **38**
Aldridge Rd. Vs. W11 . . . . . .2C **38**
Aldsworth Cl. W9 . . . . .5F **21**
Aldwych WC2 . . . . .5B **46**
Aldwych Ct. E8 . . . . .2C **16**
Aldwych Theatre 4B **46**
Aldwyn Ho. SW8 . . . . .4F **123**
Alestan Beck Rd. E16 . . . . . .3E **61**
Alexa Ct. W8 . . . . .3E **95**
Alexander Fleming
Laboratory Mus. 3E **41**
Alexander Ho. E14 . . . . .1E **111**
Alexander M. W2 . . . . .3F **39**
Alexander Pl. SW7 . . . . .3F **97**
Alexander Sq. SW3 . . . . . . .2F **97**
Alexander St. W2 . . . . .3E **39**
Alexandra Cl. SE8 . . . . .2B **132**
Alexandra Ct. SW7 . . . . .1C **96**
W2 . . . . .5A **40**
W9 . . . . .4C **22**
Alexandra Ho. *E16* 2F **87**
(off Wesley Av.)
W6 . . . . .5B **92**

Alexandra Mans. SW3 . . . . .3D **119**
Alexandra Pl. NW8 . . . . .3C **6**
Alexandra Rd. NW8 . . . . .3C **6**
Alexandra St. E16 . . . . .1D **59**
SE14 . . . . .4A **132**
Alexandra Ter. E14 . . . . .5A **112**
Alexandria Apartments
SE17 . . . . .3F **105**
Alexis St. SE16 . . . . .3D **107**
Alford Ct. N1 . . . . .1C **30**
(not continuous)
Alford Pl. N1 . . . . .1C **30**
Alfred Dickens Ho. E16 . . . . .3B **58**
Alfred M. W1 . . . . .1D **45**
Alfred Pl. WC1 . . . . .1D **45**
Alfred Rd. W2 . . . . .1E **39**
Algar Ho. SE1 . . . . .5F **75**
Algernon Rd. NW6 . . . . .4D **5**
Alice Gilliatt Ct. W14 . . . . . .2B **116**
Alice Owen Technology Cen.
EC1 . . . . .2F **29**
Alice Shepherd Ho. E14 . . . .5C **84**
Alice St. SE1 . . . . .2F **105**
(not continuous)
Alie St. E1 . . . . .4C **50**
Alison Cl. E6 . . . . .4E **63**
Alison Ct. SE1 . . . . .1D **129**
Allcott Ho. W12 . . . . .4A **36**
Allen Edwards Dr. SW8 . . . . .5F **123**
Allen Ho. W8 . . . . .1E **95**
Allen Mans. W8 . . . . .1E **95**
Allensbury Pl. NW1 . . . . .2E **11**
Allerton Ho. N1 . . . . .2D **31**
Allerton St. N1 . . . . .2D **31**
Allestree Rd. SW6 . . . . .5A **116**
Alleyn Ho. SE1 . . . . .2E **105**
Allgood St. E2 . . . . .1C **32**
Allhallows La. EC4 . . . . .1D **77**
Allhallows Rd. E6 . . . . .2F **61**
Alliance Rd. E13 . . . . .1B **60**
Allingham M. N1 . . . . .5B **14**
Allingham St. N1 . . . . .5B **14**
Allington Ct. SW1 . . . . .2A **100**
Allington Rd. W10 . . . . .1F **19**
Allington St. SW1 . . . . .2A **100**
Alliston Ho. E2 . . . . .3C **32**
Allitsen Rd. NW8 . . . . .1F **23**
(not continuous)
All Nations Ho. E8 . . . . .2F **17**
Alloa Rd. SE8 . . . . .5E **109**
Allom Ho. W11 . . . . .5F **37**
Allonby Ho. E14 . . . . .2F **53**
Alloway Rd. E3 . . . . .2F **35**
Allport M. E1 . . . . .5C **34**
All Saints Ct. E1 . . . . .5C **52**
SW11 . . . . .5F **121**
All Saints Ho. W11 . . . . .2B **38**
All Saints Rd. W11 . . . . .2B **38**
All Saints St. N1 . . . . .5B **12**
Allsop Pl. NW1 . . . . .5C **24**
All Souls Av. NW10 . . . . .1A **18**
All Souls' Pl. W1 . . . . .2A **44**
Alluvium Ct. *SE1* 1F **105**
(off Long La.)
Alma Birk Ho. NW6 . . . . .1A **4**
Alma Gro. SE1 . . . . .4C **106**
Alma Pl. NW10 . . . . .3A **18**
Alma Sq. NW8 . . . . .1C **22**
Alma Ter. W8 . . . . .2E **95**
Almeida St. N1 . . . . .3F **13**

Almeida Theatre 3F 13
Almond Rd. SE16 . . . . .3A 108
Almorah Rd. N1 . . . . .2D 15
Alnwick Rd. E16 . . . . .4B 60
Alperton St. W10 . . . . .4A 20
Alphabet Sq. E3 . . . . .2F 55
Alpha Cl. NW1 . . . . .3A 24
Alpha Gro. E14 . . . . .5E 83
Alpha Ho. NW6 . . . . .5E 5
　 NW8 . . . . .5F 23
Alpha Pl. NW6 . . . . .5E 5
　 SW3 . . . . .2A 120
Alpha Rd. SE14 . . . . .5C 132
Alpine Bus. Cen. E6 . . . . . . .1E 63
Alpine Rd. SE16 . . . . .4C 108
Alpine Way E6 . . . . .1D 63
Alsace Rd. SE17 . . . . .5F 105
Alscot Rd. SE1 . . . . .3B 106
　 (not continuous)
Alscot Rd. Ind. Est. SE1 . . .2C 106
Alscot Way SE1 . . . . .3B 106
Alton St. E14 . . . . .2F 55
Alverstone Ho. SE11 . . . . . .3D 125
Alverton St. SE8 . . . . .2B 132
　 (not continuous)
Alvey St. SE17 . . . . .5F 105
Alwyne La. N1 . . . . .1A 14
Alwyne Pl. N1 . . . . .1B 14
Alwyne Rd. N1 . . . . .1B 14
Alwyne Vs. N1 . . . . .1A 14
Alzette Ho. E2 . . . . .1D 35
Amazon St. E1 . . . . .4F 51
Ambassador Gdns. E6 . . . . .2B 62
Ambassadors Ct. E8 . . . . . . .2C 16
　 SW1 . . . . .3C 72
Ambassador Sq. E14 . . . . . .4F 111
Ambergate St. SE17 . . . . . .5F 103
Amberley Rd. W9 . . . . .1E 39
Amber Wharf E2 . . . . .4B 16
Ambleside NW1 . . . . .1A 26
Ambleside Point SE15 . . . . .4B 130
Ambrosden Av. SW1 . . . . . .2B 100
Ambrose Cl. E6 . . . . .2B 62
Ambrose Ho. E14 . . . . .2D 55
Ambrose St. SE16 . . . . .3F 107
Amelia Ho. W6 . . . . .5B 92
Amelia St. SE17 . . . . .5A 104
Amen Cnr. EC4 . . . . .4A 48
Amen Ct. EC4 . . . . .4A 48
America Sq. EC3 . . . . .5B 50
America St. SE1 . . . . .3B 76
Amersham Gro. SE14 . . . . .4B 132
Amersham Rd. SE14 . . . . . .5B 132
Amersham Va. SE14 . . . . . .4B 132
Amery Ho. SE17 . . . . .5A 106
Ames Cotts. E14 . . . . .2F 53
Ames Ho. E2 . . . . .1D 35
Amherst Ho. SE16 . . . . .5E 81
Amias Ho. EC1 . . . . .4B 30
Amiel St. E1 . . . . .4C 34
Amigo Ho. SE1 . . . . .1E 103
Amina Way SE16 . . . . .2D 107
Amor Ho. W6 . . . . .2B 92
Amory Ho. N1 . . . . .4C 12
Amoy Pl. E14 . . . . .4C 54
　 (not continuous)
Ampthill Est. NW1 . . . . .1C 26
Ampthill Sq. NW1 . . . . .1C 26
Ampton Pl. WC1 . . . . .3B 28
Ampton St. WC1 . . . . .3B 28
Amstel Ct. SE15 . . . . .4B 128

Amsterdam Rd. E14 . . . . . . .2C 112
Amundsen Ct. E14 . . . . .5E 111
Amwell St. EC1 . . . . .2D 29
Amy Warne Cl. E6 . . . . .1A 62
Anchorage Ho. E14 . . . . . . .5D 57
Anchorage Point E14 . . . . . . .4C 82
Anchor Brewhouse SE1 . . . . .3B 78
Anchor Ct. SW1 . . . . .4D 101
Anchor Ho. E16 . . . . .2B 58
　 (Barking Rd.)
　 E16 . . . . .4B 60
　 (Prince Regent La.)
　 EC1 . . . . .4B 30
　 SW10 . . . . .3E 119
Anchor Retail Pk. E1 . . . . . . .5C 34
Anchor St. SE16 . . . . .3F 107
Anchor Ter. E1 . . . . .5C 34
Anchor Wharf E3 . . . . .1F 55
Anchor Yd. EC1 . . . . .4C 30
Andaman Ho. E1 . . . . .1F 53
Anderson Ho. E14 . . . . .5B 56
　 W12 . . . . .4A 36
Anderson Sq. N1 . . . . .4F 13
Anderson St. SW3 . . . . .5B 98
Andover Av. E16 . . . . .4D 61
Andover Pl. NW6 . . . . .5F 5
Andoversford Ct. SE15 . . . . .3A 128
Andrew Borde St. WC2 . . . . .3E 45
Andrewes Gdns. E6 . . . . . . .3F 61
Andrewes Highwalk EC2 . . . .2C 48
Andrewes Ho. EC2 . . . . .2C 48
Andrew Pl. SW8 . . . . .5E 123
Andrews Crosse WC2 . . . . . .4D 47
Andrews Ho. NW3 . . . . .1B 8
Andrew's Rd. E8 . . . . .4F 17
Andrew St. E14 . . . . .3B 56
Andrews Wlk. SE17 . . . . . . .3A 126
ANGEL 1E 29
Angel All. E1 . . . . .3C 50
Angel Cen., The N1 . . . . . . .1E 29
Angel Ct. EC2 . . . . .3E 49
　 SW1 . . . . .3C 72
Angel Ga. EC1 . . . . .2A 30
　 (not continuous)
Angelica Dr. E6 . . . . .2E 63
Angelina Ho. SE15 . . . . .5E 129
Angelis Apartments N1 . . . . .1A 30
Angel M. E1 . . . . .5A 52
　 N1 . . . . .1E 29
Angel Pas. EC4 . . . . .1D 77
Angel Pl. SE1 . . . . .4D 77
Angel Sq. EC1 . . . . .1F 29
Angel St. EC1 . . . . .3B 48
Angel Wlk. W6 . . . . .4B 92
Angerstein Bus. Pk. SE10 . . .4D 115
Anglebury W2 . . . . .3D 39
Anglesea Ter. W6 . . . . .2A 92
　 (off Wellesley Av.)
Anglesey Ho. E14 . . . . .3D 55
Anglia Ho. E14 . . . . .3A 54
Angrave Ct. E8 . . . . .3C 16
Angrave Pas. E8 . . . . .3C 16
Angus St. SE14 . . . . .4A 132
Anhalt Rd. SW11 . . . . .4A 120
Anley Rd. W14 . . . . .5D 65
Annabel Cl. E14 . . . . .4F 55
Anna Cl. E8 . . . . .3C 16
Anne Goodman Ho. E1 . . . . .3B 52
Annes Ct. NW1 . . . . .4A 24
Annesley Ho. SW9 . . . . .5E 125
Annette Cres. N1 . . . . .2C 14

Anning St. EC2 . . . . .4A 32
Ann La. SW10 . . . . .4D 119
Ann Moss Way SE16 . . . . . .1B 108
Ann's Cl. SW1 . . . . .5C 70
Ann's Pl. E1 . . . . .2B 50
Ansdell St. W8 . . . . .1A 06
Ansdell Ter. W8 . . . . .1A 96
Ansell Ho. E1 . . . . .1B 52
Anselm Rd. SW6 . . . . .3D 117
Ansleigh Pl. W11 . . . . .1E 65
Anson Ho. E1 . . . . .5F 35
　 SW1 . . . . .2B 122
Antenor Ho. E2 . . . . .1F 33
Anthony Cope Ct. N1 . . . . . .2E 31
Anthony Ho. NW8 . . . . .5F 23
Anthony St. E1 . . . . .3A 52
Antilles Bay E14 . . . . .4B 84
Antill Rd. E3 . . . . .2F 35
Antill Ter. E1 . . . . .3D 53
Antoine Hgts. SE1 . . . . .5F 77
Antony Ho. SE14 . . . . .5D 131
　 SE16 . . . . .3B 108
Aphrodite Ct. E14 . . . . .3D 111
Apollo Bldg. E14 . . . . .3D 111
Apollo Bus. Cen. SE8 . . . . . .1E 131
Apollo Ct. E1 . . . . .1D 79
　 SW9 . . . . .5D 125
Apollo Ho. E2 . . . . .1A 34
　 SW10 . . . . .3D 119
Apollo Pl. SW10 . . . . .4D 119
Apollo Theatre
　 Soho 5D 45
　 Victoria 2B 100
Apollo West End Cinema . . .1D 73
Apothecary St. EC4 . . . . .4F 47
Apple Blossom Ct. SW8 . . . .4E 123
Appleby Rd. E8 . . . . .1E 17
　 E16 . . . . .4C 58
Appleby St. E2 . . . . .5B 16
Appleford Ho. W10 . . . . .5A 20
Appleford Rd. W10 . . . . .5A 20
Applegarth Ho. SE1 . . . . .4A 76
　 SE15 . . . . .4D 129
Applegarth Rd. W14 . . . . . . .2D 93
Apple Tree Yd. SW1 . . . . . . .2C 72
Appold St. EC2 . . . . .1F 49
Approach Rd. E2 . . . . .1B 34
April Ct. E2 . . . . .5E 17
Apsley House 4E 71
Apsley Ho. E1 . . . . .2C 52
　 NW8 . . . . .5D 7
Apsley Way W1 . . . . .4E 71
　 (not continuous)
Aquila St. NW8 . . . . .5E 7
Aquinas St. SE1 . . . . .3E 75
Arabian Ho. E1 . . . . .5F 35
Aragon Ho. E16 . . . . .2E 87
Aragon Twr. SE8 . . . . .4C 110
Aral Ho. E1 . . . . .5E 35
Arapiles Ho. E14 . . . . .4D 57
Arbery Rd. E3 . . . . .2F 35
Arbon Ct. N1 . . . . .4C 14
Arborfield Ho. E14 . . . . .5E 55
Arbour Ho. E1 . . . . .3D 53
Arbour Sq. E1 . . . . .3D 53
Arbutus St. E8 . . . . .3B 16
Arcade, The EC2 . . . . .2F 49
Arcadia Ct. E1 . . . . .3B 50
Arcadia St. E14 . . . . .3E 55
Archangel St. SE16 . . . . .5E 81
Archdale Ct. W12 . . . . .3A 64

Archdale Ho. SE1	.1F **105**	
Archel Rd. W14	.2B **116**	
Archer Apartments N1	.5F **15**	
Archer Ho. N1	.4A **16**	
W11	.5C **38**	
Archers Lodge SE16	.1E **129**	
Archer Sq. SE14	.3F **131**	
Archer St. W1	.5D **45**	
Archery Cl. W2	.4A **42**	
Archery Steps W2	.5A **42**	
Arches, The NW1	.1F **9**	
SW8	.4D **123**	
WC2	.2A **74**	
Arches Leisure Cen.	.2F **135**	
Archibald M. W1	.1F **71**	
Archie St. SE1	.5A **78**	
Arch St. SE1	.2B **104**	
Archway Cl. W10	.2D **37**	
Arden Cres. E14	.3E **111**	
Arden Est. N1	.1F **31**	
Arden Ho. N1	.1F **31**	
SE11	.4B **102**	
Ardent Ho. E3	.1F **35**	
Ardleigh Rd. N1	.1F **15**	
Ares Ct. E14	.3D **111**	
Arethusa Ho. E14	.4E **111**	
Argon M. SW6	.5E **117**	
Argos Ct. SW9	.5D **125**	
Argos Ho. E2	.1F **33**	
Argosy Ho. SE8	.4A **110**	
Argyle Ho. E14	.1C **112**	
Argyle Pl. W6	.4A **92**	
Argyle Rd. E1	.4D **35**	
E16	.4A **60**	
Argyle Sq. WC1	.2A **28**	
Argyle St. WC1	.2F **27**	
Argyle Wlk. WC1	.3F **27**	
Argyle Way SE16	.1E **129**	
Argyll Mans. SW3	.2E **119**	
W14	.3A **94**	
Argyll Rd. W8	.5D **67**	
Argyll St. W1	.4B **44**	
Arica Ho. SE16	.1A **108**	
Ariel Ct. SE11	.4F **103**	
Ariel Way W12	.2C **64**	
Ark, The W6	.5D **93**	
Arklow Ho. SE17	.3D **127**	
Arklow Rd. SE14	.3B **132**	
Arklow Rd. Trad. Est.		
SE14	.3A **132**	
Arlington Av. N1	.5C **14**	
(not continuous)		
Arlington Ho. EC1	.2E **29**	
SE8	.2C **132**	
SW1	.2B **72**	
W12	.3A **64**	
Arlington Pl. SE10	.5B **134**	
Arlington Rd. NW1	.3F **9**	
Arlington Sq. N1	.4C **14**	
Arlington St. SW1	.2B **72**	
Arlington Way EC1	.2E **29**	
Armada Ct. SE8	.3D **133**	
Armadale Rd. SW6	.4D **117**	
Armada St. SE8	.3E **133**	
Armada Way E6	.2F **63**	
Arminger Rd. W12	.3A **64**	
Armitage Ho. NW1	.1A **42**	
Armitage Rd. SE10	.4B **114**	
Armsby Ho. E1	.2B **52**	
Armstrong Cl. E6	.3B **62**	
Armstrong Rd. SW7	.2D **97**	

Arncliffe NW6	.5A **6**	
Arne Ho. SE11	.5B **102**	
Arne St. WC2	.4A **46**	
Arneway St. SW1	.2E **101**	
Arnhem Pl. E14	.2D **111**	
Arnhem Wharf E14	.2C **110**	
Arnold Cir. E2	.3B **32**	
Arnold Est. SE1	.5C **78**	
(not continuous)		
Arnold Ho. SE17	.1A **126**	
Arnold Mans. W14	.2A **116**	
Arnot Ho. SE5	.5C **126**	
Arnside Ho. SE17	.2D **127**	
Arnside St. SE17	.2C **126**	
Arran Ho. E14	.3C **84**	
Arran Wlk. N1	.1B **14**	
Arrol Ho. SE1	.2C **104**	
Arrow Ct. SW5	.4D **95**	
Arrow Ho. N1	.4A **16**	
(off Wilmer Gdns.)		
Arrows Ho. SE15	.5C **130**	
Arrowsmith Ho. SE11	.5B **102**	
Arta Ho. E1	.4C **52**	
Artemis Ct. E14	.4D **111**	
Artesian Ho. SE17	.3C **106**	
Artesian Rd. W2	.4D **39**	
Arthur Ct. W2	.3F **39**	
W10	.4E **37**	
Arthur Deakin Ho. E1	.1D **51**	
Arthur Ho. N1	.4F **15**	
(off New Era Est.)		
Arthur St. EC4	.1E **77**	
Artichoke Hill E1	.1F **79**	
Artillery La. E1	.2A **50**	
Artillery Pas. E1	.2A **50**	
Artillery Pl. SW1	.2D **101**	
Artillery Row SW1	.2D **101**	
Artisan Cl. E6	.5F **63**	
Artisan M. NW10	.3D **19**	
Artizan St. E1	.3A **50**	
Arts Theatre	.5F **45**	
Arundel Bldgs. SE1	.2A **106**	
Arundel Ct. SE16	.1A **130**	
SW3	.5A **98**	
Arundel Gdns. W11	.5B **38**	
Arundel Gt. Ct. WC2	.5C **46**	
Arundel Mans. SW6	.5C **116**	
Arundel Pl. N1	.1D **13**	
Arundel St. WC2	.5C **46**	
Asbridge Ct. W6	.2A **92**	
Ascalon Ho. SW8	.5B **122**	
Ascalon St. SW8	.5B **122**	
Ascot Ct. NW8	.3D **23**	
Ascot Ho. NW1	.2A **26**	
W9	.5D **21**	
Ascot Lodge NW6	.4A **6**	
Ashbee Ho. E2	.3C **34**	
Ashbridge St. NW8	.5F **23**	
Ashburn Gdns. SW7	.3B **96**	
Ashburnham Gro. SE10	.5A **134**	
Ashburnham Mans. SW10.	.4C **118**	
Ashburnham Pl. SE10	.5A **134**	
Ashburnham Retreat		
SE10	.5A **134**	
Ashburnham Rd. NW10	.2B **18**	
SW10	.4C **118**	
Ashburnham Twr. SW10	.4D **119**	
Ashburn Pl. SW7	.3B **96**	
Ashburton Ho. W9	.4C **20**	
Ashburton Rd. E16	.3E **59**	
Ashby Ct. NW8	.4E **23**	

Ashby Gro. N1	.1C **14**	
(not continuous)		
Ashby Ho. N1	.1C **14**	
Ashby St. EC1	.3A **30**	
Ashcroft Ho. SW8	.5B **122**	
Ashcroft Sq. W6	.4B **92**	
Ashdene SE15	.5F **129**	
Ashdown Ho. SW1	.2C **100**	
Ashdown Wlk. E14	.3E **111**	
Ashen E6	.3D **63**	
Ashenden SE17	.3B **104**	
Ashentree Ct. EC4	.4E **47**	
Asher Way E1	.1E **79**	
Ashfield Ho. W14	.5C **94**	
Ashfield St. E1	.2F **51**	
Ashfield Yd. E1	.2B **52**	
Ashford Ho. SE8	.2C **132**	
Ashford St. N1	.2F **31**	
Ash Gro. E8	.4F **17**	
(not continuous)		
Ashgrove Ct. W9	.1D **39**	
Ashgrove Ho. SW1	.5E **101**	
Ash Ho. E14	.5B **84**	
SE1	.4C **106**	
W10	.4A **20**	
Ashington Ho. E1	.4A **34**	
Ashland Pl. W1	.1D **43**	
Ashley Ct. SW1	.2B **100**	
Ashley Gdns. SW1	.2C **100**	
(not continuous)		
Ashley Pl. SW1	.2B **100**	
(not continuous)		
Ashmill St. NW1	.1F **41**	
Ashmole Pl. SW8	.3D **125**	
(not continuous)		
Ashmole St. SW8	.3C **124**	
Ashmore NW1	.1D **11**	
Ashmore Cl. SE15	.5C **128**	
Ashmore Ho. W14	.2A **94**	
Ashmore Rd. W9	.2B **20**	
Ashpark Ho. E14	.3B **54**	
Ashton Ho. SW9	.5E **125**	
Ashton St. E14	.5B **56**	
Ash Tree Ho. SE5	.4B **126**	
Ashwell Cl. E6	.3A **62**	
Ashworth Mans. W9	.3A **22**	
Ashworth Rd. W9	.2A **22**	
Aske Ho. N1	.2F **31**	
(not continuous)		
Aske St. N1	.2F **31**	
Asolando Dr. SE17	.4C **104**	
Aspect Ct. E14	.5B **84**	
Aspen Gdns. W6	.5A **92**	
Aspen Ho. SE15	.3C **130**	
Aspen Lodge W8	.2F **95**	
Aspen Way E14	.1E **83**	
Aspinden Rd. SE16	.3A **108**	
Assam St. E1	.3D **51**	
Assembly Pas. E1	.1C **52**	
Association Gallery, The	.4F **31**	
Astbury Bus. Pk. SE15	.5B **130**	
Astbury Ho. SE11	.2D **103**	
Astbury Rd. SE15	.5B **130**	
Astell Ho. SW3	.5A **98**	
Astell St. SW3	.5A **98**	
Aste St. E14	.5B **84**	
Astey's Row N1	.3A **14**	
Astley Ho. SE1	.5C **106**	
W2	.1D **39**	
Aston Ho. W11	.5C **38**	
Aston St. E14	.2F **53**	

Aston Webb Ho. SE1 . . . . . . .3F 77
Astor Ct. E16 . . . . .3B 60
   SW6 . . . . .5B 118
Astoria, The 3E 45
Astoria Ct. E8 . . . . .2C 16
Astra Ho. SE14 . . . . .3B 132
Astrop M. W6 . . . . .1B 92
Astrop Ter. W6 . . . . .1B 92
Astwood M. SW7 . . . . .3A 96
Asylum Rd. SE15 . . . . .3A 130
Athelstan Gdns. NW6 . . . . . .2A 4
Athene Pl. EC4 . . . . .3E 47
   (off St Andrew St.)
Athenia Ho. E14 . . . . .4D 57
Athens Gdns. W9 . . . . .5D 21
Atherstone Ct. W2 . . . . .1A 40
Atherstone M. SW7 . . . . . . .3C 96
Athlone Ho. E1 . . . . .3B 52
Atholl Ho. W9 . . . . .3B 22
Athol Sq. E14 . . . . .4C 56
Atkin Bldg. WC1 . . . . .1C 46
Atkinson Ho. E2 . . . . .5E 17
   SE17 . . . . .4E 105
Atkinson Rd. E16 . . . . .2C 60
Atlanta Ho. SE16 . . . . .2F 109
Atlantic Ct. E14 . . . . .1E 85
Atlantic Ho. E1 . . . . .1F 53
Atlantic Wharf E1 . . . . .5E 53
Atrium Apartments N1 . . . . .4E 15
Atterbury St. SW1 . . . . .4F 101
Attilburgh Ho. SE1 . . . . .1B 106
Attneave St. WC1 . . . . .4D 29
Atunbi Ct. NW1 . . . . .1A 10
Atwood Ho. W14 . . . . .4C 94
Atwood Rd. W6 . . . . .3A 92
Aubrey Beardsley Ho.
   SW1 . . . . .4C 100
Aubrey Mans. NW1 . . . . . . .1F 41
Aubrey Pl. NW8 . . . . .1B 22
Aubrey Rd. W8 . . . . .2C 66
Aubrey Wlk. W8 . . . . .3C 66
Auburn Cl. SE14 . . . . .5F 131
Auckland St. SE11 . . . . .1B 124
Auden Pl. NW1 . . . . .3D 9
   (not continuous)
Audley Dr. E16 . . . . .2F 87
Audley Sq. W1 . . . . .2E 71
Audrey St. E2 . . . . .5D 17
Augusta St. E14 . . . . .3F 55
Augustine Rd. W14 . . . . .2D 93
Augustus Cl. W12 . . . . .5A 64
Augustus Ct. SE1 . . . . .3F 105
Augustus Ho. NW1 . . . . .1B 26
Augustus St. NW1 . . . . .1A 26
Aulton Pl. SE11 . . . . .1E 125
Auriol Ho. W12 . . . . .2A 64
Auriol Mans. W14 . . . . .4F 93
   (off Edith Rd.)
Auriol Rd. W14 . . . . .4F 93
Aurora Bldg. E14 . . . . .2C 84
Aurora Ho. E14 . . . . .3A 56
Austen Ho. NW6 . . . . .2D 21
Austin Friars EC2 . . . . .3E 49
   (not continuous)
Austin Friars Pas. EC2 . . . . . .3E 49
Austin Friars Sq. EC2 . . . . . . .3E 49
Austin Ho. SE14 . . . . .5B 132
Austin St. E2 . . . . .3B 32
Austin Ter. SE1 . . . . .1E 103
Australian War Memorial . . .4E 71
Australia Rd. W12 . . . . .5A 36

Austral St. SE11 . . . . .3F 103
Avebury Ct. N1 . . . . .4D 15
Avebury St. N1 . . . . .4D 15
Aveline St. SE11 . . . . .1D 125
Ave Maria La. EC4 . . . . .4A 48
Avenfield Ho. W1 . . . . .5C 42
Avenons Rd. E13 . . . . .1D 59
Avenue, The NW6 . . . . .3A 4
   SE10 . . . . .4D 135
Avenue Cl. NW8 . . . . .4A 8
Avenue Ct. SW3 . . . . .4B 98
Avenue Ho. NW8 . . . . .1F 23
   NW10 . . . . .1A 18
Avenue Lodge NW8 . . . . .2E 7
Avenue Rd. NW3 . . . . .1D 7
   NW8 . . . . .3F 7
Avery Farm Row SW1 . . . . . .4F 99
Avery Row W1 . . . . .5F 43
Aviary Cl. E16 . . . . .2C 58
Avington Ct. SE1 . . . . .4A 106
Avis Sq. E1 . . . . .3E 53
Avocet Cl. SE1 . . . . .5D 107
Avon Ct. W9 . . . . .1D 39
Avondale Ct. E16 . . . . .1A 58
Avondale Ho. SE1 . . . . .1D 129
Avondale Pk. Gdns.
   W11 . . . . .1F 65
Avondale Pk. Rd. W11 . . . . . .5F 37
Avondale Pavement
   SE1 . . . . .1D 129
Avondale Rd. E16 . . . . .1A 58
Avondale Sq. SE1 . . . . .1D 129
Avon Ho. W8 . . . . .1E 95
   W14 . . . . .4C 94
Avonley Rd. SE14 . . . . .5C 130
Avonmore Gdns. W14 . . . . . .4C 94
Avonmore Pl. W14 . . . . .3A 94
Avonmore Rd. W14 . . . . .3A 94
Avonmouth St. SE1 . . . . .1B 104
Avon Pl. SE1 . . . . .5C 76
Avro Ho. SW8 . . . . .5A 122
Axis Ct. SE10 . . . . .2F 135
   SE16 . . . . .4D 79
   (off Nth. Flock St.)
Aybrook St. W1 . . . . .2D 43
Aycliffe Ho. SE17 . . . . .2E 127
Aylesbury Ho. SE15 . . . . . . .3E 129
Aylesbury Rd. SE17 . . . . .1E 127
Aylesbury St. EC1 . . . . .5F 29
Aylesford Ho. SE1 . . . . .5E 77
Aylesford St. SW1 . . . . .5D 101
Aylmer Ho. SE10 . . . . .1E 135
Aylton Est. SE16 . . . . .5C 80
Aylward St. E1 . . . . .3C 52
   (Jamaica St.)
   E1 . . . . .3B 52
   (Jubilee St.)
Aylwin Est. SE1 . . . . .1A 106
Aynhoe Mans. W14 . . . . .3E 93
Aynhoe Rd. W14 . . . . .3E 93
Ayres St. SE1 . . . . .4C 76
Ayrton Gould Ho. E2 . . . . . . .2E 35
Ayrton Rd. SW7 . . . . .1D 97
Ayshford Ho. E2 . . . . .3F 33
Ayston Ho. SE16 . . . . .3E 109
Ayton Ho. SE5 . . . . .4E 127
Azalea Ho. SE14 . . . . .5B 132
Azof St. SE10 . . . . .4A 114
Azov Ho. E1 . . . . .5F 35
Azure Ho. E2 . . . . .3D 33
   (off Buckfast St.)

B

Babington Ct. WC1 . . . . .1B 46
Babington Ho. SE1 . . . . .4C 76
Babmaes St. SW1 . . . . .1D 73
Bacchus Wlk. N1 . . . . .1F 31
Bache's St. N1 . . . . .3E 31
Back All. EC3 . . . . .4A 50
Bk. Church La. E1 . . . . .4D 51
Back Hill EC1 . . . . .5E 29
Backhouse Pl. SE17 . . . . .4A 106
Bk. Passage EC1 . . . . .1A 48
Bacon Gro. SE1 . . . . .2B 106
Bacon's College Sports Cen.
   .3F 81
Bacon St. E1 . . . . .4C 32
   E2 . . . . .4C 32
Bacton St. E2 . . . . .2C 34
Baddesley Ho. SE11 . . . . . . .5C 102
Baddow Wlk. N1 . . . . .3B 14
Baden Pl. SE1 . . . . .4D 77
Baden Powell Ho. SW7 . . . . .2C 96
Badminton M. E16 . . . . .2E 87
Badsworth Rd. SE5 . . . . .5B 126
Baffin Way E14 . . . . .1C 84
Bagnigge Ho. WC1 . . . . .3D 29
Bagshot Ho. NW1 . . . . .2A 26
Bagshot St. SE17 . . . . .1A 128
Baildon E2 . . . . .1C 34
Baildon St. SE8 . . . . .5C 132
Bailey Cotts. E14 . . . . .2A 54
Bailey Ho. SW10 . . . . .4A 118
Bainbridge St. WC1 . . . . .3E 45
Baird Ho. W12 . . . . .1A 64
Baird St. EC1 . . . . .4C 30
Baker Ho. WC1 . . . . .5A 28
Bakers Hall Ct. EC3 . . . . .1F 77
Baker's M. W1 . . . . .3D 43
Baker's Rents E2 . . . . .3B 32
Baker's Row EC1 . . . . .5D 29
BAKER STREET 1C 42
Baker St. NW1 . . . . .5C 24
   W1 . . . . .1C 42
Baker's Yd. EC1 . . . . .5D 29
Bakery Cl. SW9 . . . . .5C 124
Balaclava Rd. SE1 . . . . .4C 106
Balcombe Ho. NW1 . . . . .4A 24
Balcombe St. NW1 . . . . .4B 24
Balderton Flats W1 . . . . .4E 43
Balderton St. W1 . . . . .4E 43
Baldrey Ho. SE10 . . . . .5B 114
Baldwins Gdns. EC1 . . . . . . .1D 47
Baldwin St. EC1 . . . . .3D 31
Baldwin Ter. N1 . . . . .5B 14
Balearic Apartments E16 . . . .1E 87
Bale Rd. E1 . . . . .1F 53
Balfe St. N1 . . . . .5A 12
Balfour Ho. W10 . . . . .1E 37
Balfour M. W1 . . . . .2E 71
Balfour Pl. W1 . . . . .1E 71
Balfour St. SE17 . . . . .3D 105
Balfron Twr. E14 . . . . .3B 56
Balin Ho. SE1 . . . . .4D 77
Balkan Wlk. E1 . . . . .1F 79
Balladier Wlk. E14 . . . . .1F 55
Ballard Ho. SE10 . . . . .2A 134
Ballast Quay SE10 . . . . .5E 113
Ball Ct. EC3 . . . . .4E 49
Ballin Ct. E14 . . . . .5C 84
Balliol Rd. W10 . . . . .3C 36

Ballow Cl. SE5 . . . . .5F **127**	Barfett St. W10 . . . . .4B **20**	Barons Keep W14 . . . . .5F **93**
Balman Ho. SE16 . . . . .4D **109**	Barfleur La. SE8 . . . . .4B **110**	Baron's Pl. SE1 . . . . .5E **75**
Balmes Rd. N1 . . . . .3E **15**	Barford St. N1 . . . . .4E **13**	Baron St. N1 . . . . .5D **13**
Balmoral Apartments W2 . .2F **41**	Barge Ho. Rd. E16 . . . . .3F **91**	Baron Wlk. E16 . . . . .1B **58**
Balmoral Ct. SE16 . . . . .2E **81**	Barge Ho. St. SE1 . . . . .2E **75**	Barque M. SE8 . . . . .2D **133**
SE17 . . . . .1D **127**	Barham Ho. SE17 . . . . .5A **106**	Barratt Ho. N1 . . . . .1A **14**
Balmoral Ho. E14 . . . . .1A **112**	Baring Ct. N1 . . . . .4D **15**	Barret Ho. NW6 . . . . .4D **5**
E16 . . . . .2F **87**	Baring Ho. E14 . . . . .4D **55**	Barrett Ho. SE17 . . . . .5C **104**
W14 . . . . .3F **93**	Baring St. N1 . . . . .4D **15**	Barrett St. W1 . . . . .4E **43**
Balmore Cl. E14 . . . . .3C **56**	Barker Dr. NW1 . . . . .2C **10**	Barrie Est. W2 . . . . .5D **41**
Balniel Ga. SW1 . . . . .5E **101**	Barkers Arc. W8 . . . . .5F **67**	Barrie Ho. W2 . . . . .1C **68**
Balsam Ho. E14 . . . . .5A **56**	Barker St. SW10 . . . . .2B **118**	Barrier Point Rd.
Baltic Apartments E16 . . . . .1E **87**	Barkham Ter. SE1 . . . . .1E **103**	E16 . . . . .3B **88**
Baltic Ct. SE16 . . . . .4E **81**	Barking Rd. E16 . . . . .3A **58**	Barrow Hill Est. NW8 . . . . . .1F **23**
Baltic Pl. N1 . . . . .4A **16**	Bark Pl. W2 . . . . .5F **39**	Barrow Hill Rd. NW8 . . . . . .1F **23**
Baltic St. E. EC1 . . . . .5B **30**	Barkston Gdns. SW5 . . . . . .4F **95**	Barrow Store Ct. SE1 . . . . .1F **105**
Baltic St. W. EC1 . . . . .5B **30**	Barkwith Ho. SE14 . . . . . . .3D **131**	Barry Ho. SE16 . . . . .4A **108**
Baltimore Ct. SW1 . . . . . . .4D **101**	Barkworth Rd. SE16 . . . . . .1A **130**	Barry Rd. E6 . . . . .3A **62**
Baltimore Ho. SE11 . . . . . . .4D **103**	Barlborough St. SE14 . . . . .4D **131**	Barter St. WC1 . . . . .2A **46**
Balvaird Pl. SW1 . . . . .1E **123**	Barlby Gdns. W10 . . . . .1D **37**	Bartholomew Cl. EC1 . . . . . .2A **48**
Bamber Rd. SE15 . . . . .5B **128**	Barlby Rd. W10 . . . . .2C **36**	(not continuous)
Bamborough Gdns. W12 . . .5C **64**	Barleycorn Way E14 . . . . . . .5B **54**	Bartholomew Ct. E14 . . . . . .1E **85**
Banbury Ct. WC2 . . . . .5F **45**	Barley Mow Pas. EC1 . . . . . .2A **48**	EC1 . . . . .4C **30**
Bancroft Ct. SW8 . . . . .5F **123**	Barley Shotts Bus. Pk. W10. .1B **38**	Bartholomew La. EC2 . . . . . .4E **49**
Bancroft Ho. E1 . . . . .4B **34**	Barling NW1 . . . . .1A **10**	Bartholomew Pl. EC1 . . . . . .2B **48**
Bancroft Ho. E1 . . . . .3C **34**	Barlow Ho. N1 . . . . .2D **31**	Bartholomew Sq. E1 . . . . . . .4A **34**
Banim St. W6 . . . . .2A **92**	SE16 . . . . .4A **108**	EC1 . . . . .3C **30**
Banister Ho. SW8 . . . . .5B **122**	W11 . . . . .5F **37**	Bartholomew St. SE1 . . . . .2E **105**
W10 . . . . .3A **20**	Barlow Pl. W1 . . . . .1A **72**	Bartle Rd. W11 . . . . .4E **37**
Banister M. NW6 . . . . .1F **5**	Barlow St. SE17 . . . . .4E **105**	Bartlett Cl. E14 . . . . .3E **55**
Banister Rd. W10 . . . . .2E **19**	Barnaby Ct. SE16 . . . . .5E **79**	Bartlett Ct. EC4 . . . . .3E **47**
Bank End SE1 . . . . .2C **76**	Barnaby Pl. SW7 . . . . .4D **97**	Bartletts Pas. EC4 . . . . .3E **47**
Bank of England 4D **49**	Barnard Ho. E2 . . . . .2F **33**	Bartok Ho. W11 . . . . .2B **66**
Bank of England Mus. 4E **49**	Barnard Lodge *W9* *1E 39*	Barton Cl. E6 . . . . .3C **62**
Banks Ho. SE1 . . . . .2B **104**	*(off Admiral Wlk.)*	Barton Ct. W14 . . . . .5F **93**
Bankside SE1 . . . . .1B **76**	Barnardo Gdns. E1 . . . . . . .5D **53**	Barton Ho. N1 . . . . .1A **14**
(not continuous)	Barnardo St. E1 . . . . .4D **53**	Barton Rd. W14 . . . . .5F **93**
Bankside Art Gallery 1A **76**	Barnards Ho. SE16 . . . . .5B **82**	Barton St. SW1 . . . . .1F **101**
Bank St. E14 . . . . .3F **83**	Barnard's Inn EC1 . . . . .3E **47**	Bartonway NW8 . . . . .4D **7**
Banner Ct. SE16 . . . . .4B **108**	Barnbrough NW1 . . . . .4B **10**	Barwell Ho. E2 . . . . .4E **33**
Bannerman Ho. SW8 . . . . .3B **124**	Barnby St. NW1 . . . . .1C **26**	Baseing Cl. E6 . . . . .5E **63**
Banner St. EC1 . . . . .5C **30**	Barnes Ct. E16 . . . . .1C **60**	Baseline Bus. Studios W11.. .5E **37**
Banning St. SE10 . . . . .1F **135**	N1 . . . . .2D **13**	Basevi Way SE8 . . . . .2F **133**
Bannister Ho. SE14 . . . . . . .3E **131**	Barnes Ho. SE14 . . . . .3D **131**	Basildon Ct. W1 . . . . .1E **43**
Banqueting House 3F **73**	Barnes St. E14 . . . . .3F **53**	Basil Ho. SW8 . . . . .4F **123**
Bantock Ho. W10 . . . . .3A **20**	Barnes Ter. SE8 . . . . .1C **132**	Basil Mans. SW3 . . . . .5B **70**
Bantry Ho. E1 . . . . .5E **35**	Barnet Gro. E2 . . . . .2D **33**	Basil St. SW3 . . . . .1B **98**
Bantry St. SE5 . . . . .5E **127**	Barnett St. E1 . . . . .3F **51**	Basin App. E14 . . . . .4A **54**
Banyard Rd. SE16 . . . . .2A **108**	Barnfield Pl. E14 . . . . .4E **111**	E16 . . . . .1F **91**
Barandon Rd. W11 . . . . .5E **37**	Barnham St. SE1 . . . . .4A **78**	Basinghall Av. EC2 . . . . .3D **49**
Barandon Wlk. W11 . . . . . . .5E **37**	BARNSBURY 2B **12**	Basinghall St. EC2 . . . . .3C **48**
Barbanel Ho. E1 . . . . .4C **34**	Barnsbury Est. N1 . . . . .4C **12**	Basing Ho. Yd. E2 . . . . .2A **32**
Barbara Brosnan Ct. NW8 . . .1D **23**	(not continuous)	Basing Pl. E2 . . . . .2A **32**
Barber Beaumont Ho. E1 . . . .3D **35**	Barnsbury Gro. N7 . . . . .1C **12**	Basing St. W11 . . . . .3B **38**
Barbican Arts Cen. 1C **48**	Barnsbury Pk. N1 . . . . .1D **13**	Basire St. N1 . . . . .3B **14**
Barbican Cinema 1C **48**	Barnsbury Rd. N1 . . . . .5D **13**	Basque Ct. SE16 . . . . .5D **81**
Barbican Theatre 1C **48**	Barnsbury Sq. N1 . . . . .2D **13**	Bassett Rd. W10 . . . . .3E **37**
Barbican Trade Cen. EC1 . . . .1C **48**	Barnsbury St. N1 . . . . .2D **13**	Bassingbourn Ho. N1 . . . . . . .1E **13**
Barb M. W6 . . . . .2C **92**	Barnsbury Ter. N1 . . . . .2C **12**	Bassishaw Highwalk EC2 . . . .2D **49**
Barbon All. EC2 . . . . .3A **50**	Barnsdale Av. E14 . . . . .3E **111**	Basterfield Ho. EC1 . . . . .5B **30**
Barbon Cl. WC1 . . . . .1A **46**	Barnsdale Rd. W9 . . . . .4C **20**	Bastion Highwalk EC2 . . . . . .2C **48**
Barchester St. E14 . . . . .2F **55**	Barnsley St. E1 . . . . .4A **34**	Bastion Ho. EC2 . . . . .2B **48**
Barclay Cl. SW6 . . . . .5D **117**	Barnstaple Ho. SE10 . . . . . .5F **133**	Bastwick St. EC1 . . . . .4B **30**
Barclay Rd. E13 . . . . .1B **60**	Barnston Wlk. N1 . . . . .3B **14**	Batavia Ho. SE14 . . . . .5A **132**
SW6 . . . . .5D **117**	Barnwell Ho. SE5 . . . . .5F **127**	Batavia M. SE14 . . . . .5A **132**
Bardell Ho. SE1 . . . . .5D **79**	Barnwood Cl. W9 . . . . .5F **21**	Batavia Rd. SE14 . . . . .5A **132**
Bard Rd. W10 . . . . .5D **37**	Baroness Rd. E2 . . . . .2C **32**	Batchelor St. N1 . . . . .5E **13**
Bardsey Pl. E1 . . . . .5B **34**	BARONS COURT 1A **116**	Bateman Ho. SE17 . . . . .3F **125**
Bardsley Ho. SE10 . . . . .3B **134**	Baron's Ct. Rd. W14 . . . . . . .5F **93**	Bateman's Bldgs. W1 . . . . . .4D **45**
Bardsley La. SE10 . . . . .3B **134**	Barons Court Theatre *5A 94*	Bateman's Row EC2 . . . . . . .4A **32**
Barents Ho. E1 . . . . .5D **35**	*(off Comeragh Rd.)*	Bateman St. W1 . . . . .4D **45**

Bate St. E14	Beadon Rd. W6	Bedale St. SE1
.5C **54**	.4B **92**	.3D **77**
Bath Cl. SE15 .5A **130**	Beak St. W1 .5B **44**	Beddalls Farm Ct. E6 .1F **61**
Bath Ct. EC1 .5D **29**	Beaminster Ho. SW8 .4B **124**	Bedefield WC1 .3A **28**
Bath Gro. E2 .1D **33**	Beamish Ho. SE16 .4A **108**	Bedford Av. WC1 .2E **45**
Bath Ho. E2 .4E **33**	Bear All. EC4 .3F **47**	Bedfordbury WC2 .1F **73**
SE1 .1B **104**	Bear Gdns. SE1 .2B **76**	Bedford Ct. WC2 .1F **73**
Bath Pl. EC2 .3F **31**	Bear La. SE1 .2A **76**	(not continuous)
W6 .5C **92**	Bear St. WC2 .5E **45**	Bedford Ct. Mans. WC1 .2E **45**
Baths App. SW6 .4C **116**	Beatrice Ho. W6 .5B **92**	Bedford Gdns. W8 .3D **67**
Bath St. EC1 .3C **30**	Beatrice Pl. W8 .2F **95**	Bedford Gdns. Ho. W8 .3E **67**
Bath Ter. SE1 .2B **104**	Beatrice Rd. SE1 .4E **107**	Bedford Pas. SW6 .4A **116**
Bathurst Gdns. NW10 .1A **18**	Beatrix Ho. SW5 .5A **96**	W1 .1C **44**
Bathurst Ho. W12 .5A **36**	Beatson Wlk. SE16 .2F **81**	Bedford Pl. WC1 .1F **45**
Bathurst M. W2 .5E **41**	(not continuous)	Bedford Row WC1 .1C **46**
Bathurst St. W2 .5E **41**	Beatty Ho. E14 .4E **83**	Bedford Sq. WC1 .2E **45**
Batman Cl. W12 .1A **64**	NW1 .4B **26**	Bedford St. WC2 .5F **45**
Batoum Gdns. W6 .1C **92**	SW1 .1C **122**	Bedford Way WC1 .5E **27**
Batson Ho. E1 .4E **51**	Beatty St. NW1 .5B **10**	Bedlam M. SE11 .3D **103**
Batten Cl. E6 .4C **62**	Beauchamp Pl. SW3 .1A **98**	Bedmond Ho. SW3 .5F **97**
Batten Cotts. E14 .2A **54**	Beauchamp St. EC1 .2D **47**	Bedser Cl. SE11 .2C **124**
Batten Ho. W10 .3A **20**	Beauclerc Rd. W6 .1A **92**	Beeby Rd. E16 .2F **59**
Battersea Bri. SW11 .4E **119**	Beaufort E6 .2E **63**	Beech Cl. SE8 .3C **132**
Battersea Bri. Rd. SW11 .4F **119**	Beaufort Ct. E14 .4E **83**	Beech Ct. W9 .1D **39**
Battersea Church Rd.	SW6 .2D **117**	Beechdene SE15 .5F **129**
SW11 .5E **119**	Beaufort Gdns. SW3 .1A **98**	Beechey Ho. E1 .3A **80**
Battersea Pk. .4C **120**	Beaufort Ho. E16 .2F **87**	Beech Gdns. EC2 .1B **48**
Battersea Pk. Children's Zoo	SW1 .1D **123**	Beech Ho. SE16 .4C **80**
.4D **121**	SW3 .3E **119**	Beech St. EC2 .1B **48**
Battersea Pk. Rd. SW8 .5A **122**	Beaufort Mans. SW3 .3E **119**	Beech Tree Cl. N1 .1D **13**
Battishill St. N1 .2F **13**	Beaufort M. SW6 .2C **116**	Beechwood Ho. E2 .5E **17**
Battlebridge Ct. N1 .5A **12**	Beaufort St. SW3 .1D **119**	Beehive Cl. E8 .1B **16**
Battle Bri. La. SE1 .3F **77**	Beaufort Ter. E14 .5B **112**	Bee Pas. EC3 .4F **49**
Battle Bri. Rd. NW1 .1F **27**	Beaufoy Ho. SW8 .4B **124**	Beeston Ho. SE1 .2D **105**
Battle Ho. SE15 .3D **129**	Beaufoy Wlk. SE11 .4C **102**	Beeston Pl. SW1 .2A **100**
Batty St. E1 .3E **51**	Beaulieu Av. E16 .2F **87**	Beethoven St. W10 .2A **20**
Batwa Ho. SE16 .1A **130**	Beaulieu Lodge E14 .2D **113**	Begonia Cl. E6 .1A **62**
Bawtree Rd. SE14 .4F **131**	Beaumanor Mans. W2 .5A **40**	Bekesbourne St. E14 .4F **53**
Baxendale St. E2 .2D **33**	Beaumont W14 .4C **94**	Belford Ho. E8 .3C **16**
Baxter Rd. E16 .3C **60**	Beaumont Av. W14 .5B **94**	Belfry Cl. SE16 .5A **108**
Bay Ct. E1 .5D **35**	Beaumont Bldgs. WC2 .4A **46**	Belgrave Ct. E2 .1F **33**
Bayer Ho. EC1 .5B **30**	Beaumont Ct. E1 .3F **35**	E14 .1C **82**
Bayes Ct. NW3 .1B **8**	NW1 .3C **10**	SW8 .5B **122**
Bayford M. E8 .2F **17**	W1 .1E **43**	Belgrave Gdns. NW8 .4A **6**
Bayford Rd. NW10 .3D **19**	Beaumont Cres. W14 .5B **94**	Belgrave Ho. SW9 .4D **125**
Bayford St. E8 .2F **17**	Beaumont Gro. E1 .5D **35**	Belgrave Mans. NW8 .4A **6**
Bayford St. Bus. Cen. E8 .2F **17**	Beaumont Ho. W9 .2C **20**	Belgrave M. Nth. SW1 .1D **99**
Bayham Pl. NW1 .4B **10**	Beaumont Lodge E8 .1E **17**	Belgrave M. Sth. SW1 .1E **99**
Bayham St. NW1 .3A **10**	Beaumont M. W1 .1E **43**	Belgrave M. W. SW1 .1D **99**
Bayley St. WC1 .2D **45**	Beaumont Pl. E1 .4C **26**	Belgrave Pl. SW1 .1E **99**
Baylis Rd. SE1 .5D **75**	Beaumont Sq. E1 .1D **53**	Belgrave Rd. SW1 .4A **100**
Bayne Cl. E6 .4C **62**	Beaumont St. W1 .1E **43**	Belgrave Sq. SW1 .1D **99**
Baynes St. NW1 .2C **10**	Beaumont Wlk. NW3 .1C **8**	Belgrave St. E1 .2E **53**
Bayonne Rd. W6 .3A **116**	Beauvale NW1 .1E **9**	Belgrave Yd. SW1 .2F **99**
BAYSWATER .5B **40**	Beccles St. E14 .4C **54**	BELGRAVIA .2E **99**
Bayswater Rd. W2 .1F **67**	Bechtel Ho. W6 .4D **93**	Belgravia Ct. SW1 .2F **99**
Baythorne St. E3 .1C **54**	Becket Ho. E16 .2F **87**	Belgravia Ho. SW1 .1D **99**
Bayton Ct. E8 .2E **17**	SE1 .5D **77**	Belgrove St. WC1 .2A **28**
Baytree M. SE17 .3D **105**	Becket St. SE1 .1D **105**	Belitha Vs. N1 .1C **12**
Bazalgette Ho. NW8 .4E **23**	Beckett Ho. E1 .2B **52**	Bella Best Ho. SW1 .5A **100**
Bazeley Ho. SE1 .5F **75**	Beckfoot NW1 .1C **26**	(off Westmoreland Ter.)
Bazely St. E14 .5B **56**	Beckford Cl. W14 .3C **94**	W1 .4E **45**
BBC Broadcasting House .2A **44**	Beckford Pl. SE17 .1C **126**	(off Westmoreland Ter.)
BBC Television Cen. .1B **64**	Beckham Ho. SE11 .4C **102**	Bellamy Cl. E14 .4D **83**
BBC Worldwide .4B **36**	Beck Rd. E8 .3F **17**	W14 .1C **116**
Beach Ho. SW5 .5D **95**	BECKTON .2D **63**	Bellamy's Ct. SE16 .2D **81**
Beacon Ho. E14 .5F **111**	BECKTON PARK .4C **62**	Bellevue Pl. E1 .5B **34**
SE5 .5F **127**	Beckton Retail Pk. E6 .1D **63**	Bellflower Cl. E6 .1F **61**
Beacons Cl. E6 .2A **62**	Beckton Rd. E16 .1C **58**	Bell Ho. SE10 .3B **134**
Beaconsfield Rd. SE17 .2E **127**	Beckway St. SE17 .4E **105**	Bell Inn Yd. EC3 .4E **49**
Beaconsfield Ter. Rd. W14 .2F **93**	(not continuous)	Bell La. E1 .2B **50**
Beaconsfield Wlk. E6 .4E **63**	Becquerel Ct. SE10 .2C **114**	E16 .3C **86**

Bellmaker Ct. E3 . . . . .1D **55**
Bellot Gdns. SE10 . . . . .5A **114**
Bellot St. SE10 . . . . .5A **114**
Bell St. NW1 . . . . .1F **41**
Bell Wharf La. EC4 . . . . .1C **76**
Bell Yd. WC2 . . . . .4D **47**
Bell Yd. M. SE1 . . . . .3A **78**
Belmont St. NW1 . . . . .1E **9**
Belsize Pk. NW3 . . . . .1D **7**
Belsize Rd. NW6 . . . . .4E **5**
Belton Way E3 . . . . .1D **55**
Belvedere Bldgs. SE1 . . . . .5A **76**
Belvedere Ct. N1 . . . . .3F **15**
Belvedere Pl. SE1 . . . . . . .5A **76**
Belvedere Rd. SE1 . . . . . . .4C **74**
Bembridge Ho. SE8 . . . . .4B **110**
Bemerton Est. N1 . . . . .2B **12**
Bemerton St. N1 . . . . .3B **12**
Benbow Ct. W6 . . . . .1B **92**
Benbow Ho. SE8 . . . . . . .2E **133**
Benbow Rd. W6 . . . . .1A **92**
Benbow St. SE8 . . . . .2E **133**
Bence Ho. SE8 . . . . .4F **109**
Bendall Ho. NW1 . . . . .1A **42**
Bendall M. NW1 . . . . .1A **42**
Benenden Ho. SE17 . . . . . .5A **106**
Ben Ezra Ct. SE17 . . . . . .4C **104**
Benfleet Ct. E8 . . . . .3C **16**
Bengal Ct. EC3 . . . . .4E **49**
Bengal Ho. E1 . . . . .1E **53**
Benham Ho. SW10 . . . . . .4A **118**
Benhill Rd. SE5 . . . . .5E **127**
Benjamin Cl. E8 . . . . .3E **17**
Benjamin Franklin House . . .*2F 73*
(off Craven St.)
Benjamin St. EC1 . . . . . . .1F **47**
Ben Jonson Ct. N1 . . . . . .5A **16**
Ben Jonson Ho. EC2 . . . . . . .1C **48**
Ben Jonson Pl. EC2 . . . . . .1C **48**
Ben Jonson Rd. E1 . . . . . .2E **53**
Benledi St. E14 . . . . .3D **57**
Bennelong Cl. W12 . . . . . .5A **36**
Bennet's Hill EC4 . . . . . . .5A **48**
Bennet St. SW1 . . . . .2B **72**
Bennett Ho. SW1 . . . . .3E **101**
Bennett Rd. E13 . . . . .1B **60**
Bennett's Yd. SW1 . . . . . . .2E **101**
Ben Smith Way SE16 . . . . . .1E **107**
Benson Ho. E2 . . . . .4B **32**
SE1 . . . . .3E **75**
Benson Quay E1 . . . . .1B **80**
Bentham Ct. N1 . . . . .2B **14**
Bentham Ho. SE1 . . . . . . .1D **105**
Ben Tillet Cl. E16 . . . . . . .3B **90**
Bentinck Cl. NW8 . . . . . . .1A **24**
Bentinck Ho. W12 . . . . . . .5A **36**
Bentinck Mans. W1 . . . . . . .3E **43**
Bentinck M. W1 . . . . .3E **43**
Bentinck St. W1 . . . . .3E **43**
Bentworth Ct. E2 . . . . .4D **33**
Bentworth Rd. W12 . . . . . . .4A **36**
Benville Ho. SW8 . . . . . . .5C **124**
Benwick Cl. SE16 . . . . . . .3A **108**
Benyon Ct. N1 . . . . .3F **15**
Benyon Ho. EC1 . . . . .2E **29**
Benyon Rd. N1 . . . . .3E **15**
Benyon Wharf N1 . . . . .3A **16**
Berberis Ho. E3 . . . . .1E **55**
Berber Pl. E14 . . . . .5D **55**
Berenger Twr. SW10 . . . . .4D **119**
Berenger Wlk. SW10 . . . . . .4D **119**

Berens Rd. NW10 . . . . .3D **19**
Bere St. E1 . . . . .5E **53**
Bergen Sq. SE16 . . . . .1A **110**
Berghem M. W14 . . . . .2E **93**
Bergholt M. NW1 . . . . .2C **10**
Berglen Ct. E14 . . . . .4F **53**
Bering Sq. E14 . . . . .5E **111**
Bering Wlk. E16 . . . . .4D **61**
Berkeley Ct. NW11 . . . . . . .5C **24**
Berkeley Gdns. W8 . . . . . . .3E **67**
Berkeley Ho. SE8 . . . . . . .1B **132**
Berkeley M. W1 . . . . .4C **42**
Berkeley Sq. W1 . . . . .1A **72**
Berkeley St. W1 . . . . .1A **72**
Berkeley Twr. E14 . . . . . . .2C **82**
Berkeley Gro. NW1 . . . . .2C **8**
Berkley Rd. NW1 . . . . .2C **8**
BERMONDSEY 5D **79**
Bermondsey Sq. SE1 . . . . .1A **106**
Bermondsey St. SE1 . . . . . .3F **77**
Bermondsey Trad. Est.
SE16 . . . . .5B **108**
Bermondsey Wall E. SE16 . . .5E **79**
Bermondsey Wall W.
SE16 . . . . .4D **79**
Bernard Angell Ho.
SE10 . . . . .2E **135**
Bernard Cassidy St.
E16 . . . . .1C **58**
Bernard Hegarty Lodge
E8 . . . . .2E **17**
Bernard Mans. WC1 . . . . . . .5F **27**
Bernard Shaw Ct. NW1 . . . .1B **10**
Bernard St. WC1 . . . . .5F **27**
Bernard Sunley Ho. SW9 . . .5D **125**
Berners Ho. N1 . . . . .5D **13**
Berners M. W1 . . . . .2C **44**
Berners Pl. W1 . . . . .3C **44**
Berners Rd. N1 . . . . .4F **13**
Berners St. W1 . . . . .2C **44**
Berner Ter. E1 . . . . .4E **51**
Bernhardt Cres. NW8 . . . . . .4F **23**
Berrington Ho. W2 . . . . . . .5E **39**
Berry Cotts. E14 . . . . .3A **54**
Berryfield Rd. SE17 . . . . . .5A **104**
Berry Ho. E1 . . . . .5A **34**
Berry Pl. EC1 . . . . .3A **30**
Berry St. EC1 . . . . .4A **30**
Berwick Ct. SE1 . . . . .5C **76**
Berwick Rd. E16 . . . . .4A **60**
Berwick St. W1 . . . . .3C **44**
Beryl Av. E6 . . . . .1A **62**
Besant Ho. NW8 . . . . .3B **6**
Besford Ho. E2 . . . . .5E **17**
Bessborough Gdns. SW1 . . .5E **101**
Bessborough Pl. SW1 . . . .5D **101**
Bessborough St. SW1 . . . .5D **101**
Bessemer Ct. NW1 . . . . . . .1C **10**
Bessie Lansbury Cl. E6 . . . .4D **63**
Besson St. SE14 . . . . .5D **131**
Bessy St. E2 . . . . .2C **34**
Bestwood St. SE8 . . . . . . .4E **109**
Bethal Est. SE1 . . . . .3A **78**
Bethersden Ho. SE17 . . . . .5A **106**
Bethlehem Ho. E14 . . . . . . .5C **54**
BETHNAL GREEN 3F **33**
Bethnal Green Cen. for
Sports & Performing Arts
. . . . .3C **32**
Bethnal Green Mus. of Childhood
. . . . .2B **34**

Bethnal Grn. Rd. E1 . . . . . .4B **32**
E2 . . . . .3E **33**
Bethwin Rd. SE5 . . . . . . .4A **126**
Betsham Ho. SE1 . . . . .4D **77**
Betterton Ho. WC2 . . . . . . .4A **46**
Betterton St. WC2 . . . . . . .4A **46**
Betts Ho. E1 . . . . .5F **51**
Betts Rd. E16 . . . . .5A **60**
Betts St. E1 . . . . .5F **51**
Betty May Gray Ho. E14 . . .3C **112**
Bevan Ho. *N1* *4F 15*
(off New Era Est.)
WC1 . . . . .1A **46**
Bevan St. N1 . . . . .4C **14**
Bevenden St. N1 . . . . .2E **31**
Beverston M. W1 . . . . .2B **42**
Bevin Cl. SE16 . . . . .2F **81**
Bevin Ct. WC1 . . . . .2C **28**
Bevington Path *SE1* *5B 78*
(off Tanner St.)
Bevington Rd. W10 . . . . . . .1A **38**
Bevington St. SE16 . . . . . .5E **79**
Bevin Ho. E2 . . . . .2C **34**
Bevin Way WC1 . . . . .2D **29**
Bevis Marks EC3 . . . . .3A **50**
Bewdley St. N1 . . . . .1D **13**
Bewick M. SE15 . . . . .5F **129**
Bewley Ho. E1 . . . . .5A **52**
Bewley St. E1 . . . . .5A **52**
Bianca Ho. N1 . . . . .1F **31**
Bianca Rd. SE15 . . . . .3C **128**
Bibury Cl. SE15 . . . . .3A **128**
(not continuous)
Bickenhall Mans. W1 . . . . .1C **42**
(not continuous)
Bickenhall St. W1 . . . . . . .1C **42**
Bicknell Ho. E1 . . . . .4E **51**
Bidborough St. WC1 . . . . . .3F **27**
Biddenham Ho. SE16 . . . . .3E **109**
Bidder St. E16 . . . . .1F **57**
(not continuous)
Biddesden Ho. SW3 . . . . . .4B **98**
Biddulph Mans. W9 . . . . . .3F **21**
Biddulph Rd. W9 . . . . .3F **21**
Big Ben 5A **74**
Bigland St. E1 . . . . .4F **51**
Bilberry Ho. E3 . . . . .1E **55**
Billing Ho. E1 . . . . .4D **53**
Billingley NW1 . . . . .4B **10**
Billing Pl. SW10 . . . . .4A **118**
Billing Rd. SW10 . . . . .4A **118**
Billing St. SW10 . . . . .4A **118**
Billington Rd. SE14 . . . . . .5D **131**
Billiter Sq. EC3 . . . . .4A **50**
Billiter St. EC3 . . . . .4A **50**
Billson St. E14 . . . . .4C **112**
Bilton Towers W1 . . . . .4C **42**
Bina Gdns. SW5 . . . . .4B **96**
Binbrook Ho. W10 . . . . . . .1B **36**
Bingfield St. N1 . . . . .3A **12**
(not continuous)
Bingham Ct. N1 . . . . .1A **14**
Bingham Pl. W1 . . . . .1D **43**
Bingley Rd. E16 . . . . .3B **60**
Binney St. W1 . . . . .4E **43**
Binnie Ct. SE10 . . . . .5F **133**
Binnie Ho. SE1 . . . . .2B **104**
Birch Cl. E16 . . . . .1F **57**
Birchfield Ho. E14 . . . . . . .5D **55**
Birchfield St. E14 . . . . .5D **55**
Birch Ho. W10 . . . . .4A **20**

Birchington Ct. NW6 . . . . .3F 5
Birchington Rd. NW6 . . . . . . .3E 5
Birchin La. EC3 . . . . .4E 49
Birchmere Lodge SE16 . . . . .1F 129
Birch Va. Ct. NW8 . . . . .4E 23
Birdbrook Ho. N1 . . . . .2B 14
Birdcage Wlk. SW1 . . . . .5B 72
Bird in Bush BMX Track 4F 129
Bird in Bush Rd. SE15 . . . .4D 129
Bird St. W1 . . . . .4E 43
Birkbeck College 5E 27
Birkbeck St. E2 . . . . .3A 34
Birkdale Cl. SE16 . . . . .1F 129
Birkenhead St. WC1 . . . . . . .2A 28
Birley Lodge NW8 . . . . .5E 7
Biscay Ho. E1 . . . . .5E 35
Biscayne Av. E14 . . . . .1C 84
Biscay Rd. W6 . . . . .5D 93
Bishopgate Chu. Yd.
   EC2 . . . . .3F 49
Bishop King's Rd.
   W14 . . . . .3A 94
Bishop's Bri. Rd. W2 . . . . . .4A 40
Bishops Ct. EC4 . . . . .3F 47
   W2 . . . . .3A 40
   WC2 . . . . .3D 47
Bishopsdale Ho. NW6 . . . . . .3E 5
Bishopsgate EC2 . . . . .3F 49
Bishopsgate Arc. EC2 . . . . . .2A 50
Bishopsgate Institute & Libraries
   . . . . .2A 50
Bishops Ho. SW8 . . . . .5A 124
Bishops Mead SE5 . . . . . . .5C 126
Bishops Rd. SW6 . . . . .5B 116
   SW11 . . . . .5A 120
Bishops Sq. E1 . . . . .1A 50
Bishop's Ter. SE11 . . . . .3E 103
Bishop St. N1 . . . . .3B 14
Bishop's Way E2 . . . . .5F 17
Bittern Ct. SE8 . . . . .3D 133
Bittern Ho. SE1 . . . . .5B 76
Bittern St. SE1 . . . . .5B 76
Blackall St. EC2 . . . . .4F 31
Blackbird Yd. E2 . . . . .2C 32
Black Bull Yd. EC1 . . . . .1D 47
Blackburne's M. W1 . . . . . . .5D 43
Blackfriars Bri. SE1 . . . . . . .1F 75
Blackfriars Ct. EC4 . . . . .5F 47
Black Friars La. EC4 . . . . . . .5F 47
   (not continuous)
Blackfriars Pas. EC4 . . . . . . .5F 47
Blackfriars Rd. SE1 . . . . .5F 75
Blackfriars Underpass EC4 . .5F 47
Blackheath Av. SE10 . . . . . .4E 135
Black Horse Ct. SE1 . . . . . .1E 105
Blackhorse Rd. SE8 . . . . . .2A 132
Blacklands Ter. SW3 . . . . . . .4B 98
Blackmans Yd. E2 . . . . .4D 33
Blackmore Ho. N1 . . . . .4C 12
Black Prince Rd. SE1 . . . . . .4B 102
   SE11 . . . . .4B 102
Blacks Rd. W6 . . . . .4B 92
Blackstone Est. E8 . . . . .2E 17
Blackstone Ho. SW1 . . . . . .1B 122
Black Swan Yd. SE1 . . . . . . .4F 77
Blackthorne Ct. SE15 . . . . .4C 128
Blackthorn St. E3 . . . . .1E 55
BLACKWALL 2C 84
Blackwall La. SE10 . . . . . . .5A 114
Blackwall Trad. Est.
   E14 . . . . .2E 57

Blackwall Tunnel E14 . . . . . . .2D 85
   (not continuous)
   SE10 . . . . .3D 85
Blackwall Tunnel App.
   E14 . . . . .5C 56
Blackwall Tunnel Northern App.
   E14 . . . . .1B 56
Blackwall Tunnel Southern App.
   SE10 . . . . .1F 113
Blackwall Way E14 . . . . .1C 84
Blackwater Ho. NW8 . . . . . . .1E 41
Blackwood Ho. E1 . . . . .5A 34
Blackwood St. SE17 . . . . . .5D 105
Bladen Ho. E1 . . . . .3D 53
Blades Ct. W6 . . . . .5A 92
Blades Ho. SE11 . . . . .3D 125
Blagrove Rd. W10 . . . . .2A 38
Blair Ct. NW8 . . . . .3D 7
Blairgowrie Ct. E14 . . . . .3D 57
Blair St. E14 . . . . .4C 56
Blake Ct. NW6 . . . . .2D 21
   SE16 . . . . .5A 108
Blake Gdns. SW6 . . . . .5F 117
Blake Ho. E14 . . . . .4F 83
   SE1 . . . . .1D 103
   SE8 . . . . .2D 133
Blakeley Cotts. SE10 . . . . . . .4E 85
Blakeney Cl. NW1 . . . . .2D 11
Blakes Cl. W10 . . . . .1C 36
Blake's Rd. SE15 . . . . .4A 128
Blanchard Way E8 . . . . .1E 17
Blanch Cl. SE15 . . . . .5B 130
Blandford Ct. N1 . . . . .2A 16
Blandford Ho. SW8 . . . . .4B 124
Blandford Sq. NW1 . . . . .5A 24
Blandford St. W1 . . . . .3C 42
Bland Ho. SE11 . . . . .5C 102
Blantyre St. SW10 . . . . .4D 119
Blantyre Twr. SW10 . . . . . . .4D 119
Blantyre Wlk. SW10 . . . . . . .4D 119
Blashford NW3 . . . . .1B 8
Blasker Wlk. E14 . . . . .5F 111
Blaxland Ho. W12 . . . . .5A 36
Blazer Ct. NW8 . . . . .3E 23
Blechynden Ho. W10 . . . . . . .4E 37
Blechynden St. W10 . . . . . . .5E 37
Bledlow Cl. NW8 . . . . .5E 23
Bleeding Heart Yd. EC1 . . . . .2E 47
Blemundsbury WC1 . . . . .1B 46
Blendon Row SE17 . . . . . . .4D 105
Blenheim Ct. SE16 . . . . .2E 81
Blenheim Cres. W11 . . . . . . .5F 37
Blenheim Ho. E16 . . . . .2F 87
   SW3 . . . . .1A 120
Blenheim Pas. NW8 . . . . .5B 6
   (not continuous)
Blenheim Rd. NW8 . . . . .5C 6
Blenheim St. W1 . . . . .4F 43
Blenheim Ter. NW8 . . . . .5B 6
Bletchley Ct. N1 . . . . .1D 31
   (not continuous)
Bletchley St. N1 . . . . .1C 30
Bletsoe Wlk. N1 . . . . .5C 14
Blick Ho. SE16 . . . . .1B 108
Blissett St. SE10 . . . . .5B 134
Bliss M. W10 . . . . .2A 20
Blisworth Ho. E2 . . . . .4E 17
Blithfield St. W8 . . . . .2F 95
Block Wharf E14 . . . . .4D 83
Bloemfontein Av. W12 . . . . . .3A 64
Bloemfontein Rd. W12 . . . . . .2A 64

Blomfield Ct. W9 . . . . .4C 22
Blomfield Mans. W12 . . . . . . .3B 64
Blomfield Rd. W9 . . . . .1A 40
Blomfield St. EC2 . . . . .2E 49
Blomfield Vs. W2 . . . . .2A 40
Bloomburg St. SW1 . . . . . . .4C 100
Bloomfield Ho. E1 . . . . .2D 51
Bloomfield Pl. W1 . . . . .5A 44
Bloomfield Ter. SW1 . . . . . . .5E 99
Bloom Pk. Rd. SW6 . . . . . . .5B 116
BLOOMSBURY 1F 45
Bloomsbury Ct. WC1 . . . . . . .2A 46
Bloomsbury Pl. WC1 . . . . . . .2A 46
Bloomsbury Sq. WC1 . . . . . . .2A 46
Bloomsbury St. WC1 . . . . . . .2E 45
Bloomsbury Theatre 4D 27
Bloomsbury Way WC1 . . . . . .2F 45
Blore Ct. W1 . . . . .5D 45
Blore Ho. SW10 . . . . .4B 118
Blossom St. E1 . . . . .5A 32
Blount St. E14 . . . . .3A 54
Blucher Rd. SE5 . . . . .5C 126
Blue Anchor La. SE16 . . . . . .3E 107
Blue Anchor Yd. E1 . . . . .5D 51
Blue Ball Yd. SW1 . . . . .3B 72
Blue Elephant Theatre 4B 126
Bluegate M. E1 . . . . .5A 52
Blue Lion Pl. SE1 . . . . .1F 105
Blundell St. N7 . . . . .1A 12
Blyth Cl. E14 . . . . .3D 113
Blythe Ho. SE11 . . . . .2E 125
Blythe M. W14 . . . . .1D 93
Blythendale Ho. E2 . . . . .1E 33
Blythe Rd. W14 . . . . .1D 93
   (not continuous)
Blythe St. E2 . . . . .2F 33
Blyth's Wharf E14 . . . . .1A 82
Boadicea St. N1 . . . . .4B 12
Boardwalk Pl. E14 . . . . .2B 84
Boarley Ho. SE17 . . . . .4F 105
Boathouse Cen., The W10 . . .4E 19
Boathouse Wlk. SE15 . . . . . .4C 128
   (not continuous)
Boat Lifter Way SE16 . . . . . .3A 110
Boat Quay E16 . . . . .1B 88
Bocking St. E8 . . . . .3F 17
Boden Ho. E1 . . . . .1D 51
Bodington Ct. W12 . . . . .4D 65
Bogart Ct. E14 . . . . .1D 83
Bohn Rd. E1 . . . . .1F 53
Boisseau Ho. E1 . . . . .2C 52
Boldero Pl. NW8 . . . . .5F 23
Boleyn Ho. E16 . . . . .2E 87
Bolina Rd. SE16 . . . . .5C 108
Bolingbroke Rd. W14 . . . . . . .1D 93
Bolingbroke Wlk. SW11 . . . . .5E 119
Bolney Ga. SW7 . . . . .5F 69
Bolney St. SW8 . . . . .5B 124
Bolsover St. W1 . . . . .5A 26
Bolt Ct. EC4 . . . . .4E 47
   (off Fleet St.)
Bolton Cres. SE5 . . . . .4F 125
Bolton Gdns. NW10 . . . . .1D 19
   SW5 . . . . .5F 95
Bolton Gdns. M. SW10 . . . . .5A 96
Bolton Ho. SE10 . . . . .1F 135
Bolton Pl. NW8 . . . . .4A 6
Bolton Rd. NW8 . . . . .4A 6
Boltons, The SW10 . . . . .5B 96
Boltons Ct. SW5 . . . . .5A 96
Boltons Pl. SW5 . . . . .5B 96

Bolton St. W1 . . . . .2A **72**
Bolton Studios SW10 . . . . . .1C **118**
Bombay Ct. SE16 . . . . .4B **80**
Bombay St. SE16 . . . . .3F **107**
Bomore Rd. W11 . . . . .5E **37**
Bonar Rd. SE15 . . . . .5D **129**
Bonchurch Rd. W10 . . . . . . .1F **37**
Bond Ct. EC4 . . . . .4D **49**
Bondfield Rd. E6 . . . . .2B **62**
Bond Ho. NW6 . . . . .1C **20**
SE14 . . . . .5A **132**
Bonding Yd. Wlk. SE16 . . . . .5A **82**
Bondway SW8 . . . . .3A **124**
Bonham Ho. W11 . . . . .2B **66**
Bonhill St. EC2 . . . . .5E **31**
Bonner Rd. E2 . . . . .1B **34**
Bonner St. E2 . . . . .1C **34**
Bonnington Ho. N1 . . . . .1B **28**
Bonnington Sq. SW8 . . . . . .2B **124**
Bonny St. NW1 . . . . .2B **10**
Bonsor St. SE5 . . . . .5F **127**
Booker Cl. E14 . . . . .2C **54**
Boord St. SE10 . . . . .2A **114**
Booth Cl. E9 . . . . .4F **17**
Booth La. EC4 . . . . .5B **48**
Booth's Pl. W1 . . . . .2C **44**
Boot St. N1 . . . . .3F **31**
Boreas Wlk. N1 . . . . .1A **30**
Boreham Av. E16 . . . . .4D **59**
Boreman Ho. SE10 . . . . .2B **134**
BOROUGH, THE 5C **76**
Borough High St. SE1 . . . . . .5C **76**
Borough Mkt. SE1 . . . . .3D **77**
Borough Rd. SE1 . . . . .1F **103**
Borough Sq. SE1 . . . . .5B **76**
Borrett Cl. SE17 . . . . .1B **126**
Borrowdale NW1 . . . . .3B **26**
Borthwick St. SE8 . . . . .1D **133**
Boscobel Pl. SW1 . . . . .3E **99**
Boscobel St. NW8 . . . . .5E **23**
Boss Ho. SE1 . . . . .4B **78**
Boss St. SE1 . . . . .4B **78**
Boston Ho. SW5 . . . . .4A **96**
Boston Pl. NW1 . . . . .4B **24**
Bosun Cl. E14 . . . . .4E **83**
Boswell Ct. W14 . . . . .2E **93**
WC1 . . . . .1A **46**
Boswell Ho. WC1 . . . . .1A **46**
Boswell St. WC1 . . . . .1A **46**
Bosworth Ho. W10 . . . . .5A **20**
Bosworth Rd. W10 . . . . .5A **20**
Botha Rd. E13 . . . . .1A **60**
Bothwell Cl. E16 . . . . .2C **58**
Botolph All. EC3 . . . . .5F **49**
Botolph La. EC3 . . . . .1F **77**
Botts M. W2 . . . . .4E **39**
Boughton Ho. SE1 . . . . .4D **77**
Boulcott St. E1 . . . . .4E **53**
Boulogne Ho. SE1 . . . . .1B **106**
Boultwood Rd. E6 . . . . .4B **62**
Boundary Ho. SE5 . . . . .4B **126**
W11 . . . . .2E **65**
Boundary La. SE17 . . . . .3C **126**
Boundary Pas. E2 . . . . .4B **32**
Boundary Rd. NW8 . . . . .4A **6**
Boundary Row SE1 . . . . .4F **75**
Boundary St. E2 . . . . .3B **32**
Bourchier St. W1 . . . . .5D **45**
(not continuous)
Bourdon Pl. W1 . . . . .5A **44**
Bourdon St. W1 . . . . .5A **44**

Bourlet Cl. W1 . . . . .2B **44**
Bourne Est. EC1 . . . . .1D **47**
Bourne M. W1 . . . . .3F **43**
Bourne St. SW1 . . . . .4D **99**
Bourne Ter. W2 . . . . .1F **39**
Bouverie Pl. W2 . . . . .3E **41**
Bouverie St. EC4 . . . . .4E **47**
Bowater Ho. EC1 . . . . .5B **30**
SW1 . . . . .5B **70**
Bow Brook, The E2 . . . . .1E **35**
Bow Chyd. EC4 . . . . .4C **48**
BOW COMMON 1E **55**
Bow Comn. La. E3 . . . . .1C **54**
Bowden St. SE11 . . . . .5E **103**
Bowditch SE8 . . . . .4B **110**
(not continuous)
Bowen St. E14 . . . . .3F **55**
Bower Av. SE10 . . . . .5F **135**
Bower Ho. SE14 . . . . .5D **131**
Bowerman Av. SE14 . . . . . . .3A **132**
Bower St. E1 . . . . .4D **53**
Bowers Wlk. E6 . . . . .3A **62**
Bowes-Lyon Hall E16 . . . . . . .2E **87**
(not continuous)
Bowhill Cl. SW9 . . . . .4E **125**
Bowland Yd. SW1 . . . . .5C **70**
Bow La. EC4 . . . . .4C **48**
Bowl Ct. EC2 . . . . .5A **32**
Bowles Rd. SE1 . . . . .2D **129**
Bowley Ho. SE16 . . . . .1D **107**
Bowling Grn. Ho.
SW10 . . . . .4D **119**
Bowling Grn. La. EC1 . . . . . . .5E **29**
Bowling Grn. Pl. SE1 . . . . . . .4D **77**
Bowling Grn. St.
SE11 . . . . .2D **125**
Bowling Grn. Wlk. N1 . . . . . . .2F **31**
Bowman Av. E16 . . . . .5C **58**
Bowman's Bldgs. NW1 . . . . . .1F **41**
Bowman's M. E1 . . . . .5D **51**
Bowmore Wlk. NW1 . . . . .1E **11**
Bowness Ho. SE15 . . . . .4B **130**
Bowry Ho. E14 . . . . .2C **54**
Bowsprit Point E14 . . . . .1D **111**
Bow St. WC2 . . . . .4A **46**
Bowyer Cl. E6 . . . . .1C **62**
Bowyer Ho. N1 . . . . .4A **16**
Bowyer Pl. SE5 . . . . .4C **126**
Bowyer St. SE5 . . . . .4C **126**
Boxley St. E16 . . . . .3F **87**
Boxmoor Ho. E2 . . . . .4E **17**
W11 . . . . .3E **65**
Box Tree Ho. SE8 . . . . .1A **132**
Boxworth Gro. N1 . . . . .3C **12**
Boyce Ho. W10 . . . . .3B **20**
Boydell Ct. NW8 . . . . .2D **7**
(not continuous)
Boyd St. E1 . . . . .4E **51**
Boyfield St. SE1 . . . . .5A **76**
Boyle St. W1 . . . . .5B **44**
Boyne Ter. M. W11 . . . . .2B **66**
Boyson Rd. SE17 . . . . .2C **126**
(not continuous)
Boyson Wlk. SE17 . . . . .2C **126**
Boyton Cl. E1 . . . . .4C **34**
Boyton Ho. NW8 . . . . .5E **7**
Brabant Ct. EC3 . . . . .5F **49**
Brabazon St. E14 . . . . .3F **55**
Brabner Ho. E2 . . . . .2D **33**
Bracer Ho. N1 . . . . .4A **16**
Bracewell Rd. W10 . . . . .2B **36**

Brackenbury Gdns. W6 . . . . . .1A **92**
Brackenbury Rd. W6 . . . . . . .1A **92**
Bracken Cl. E6 . . . . .1B **62**
Bracken Ho. E3 . . . . .1E **55**
Brackley Ct. NW8 . . . . .4D **23**
Brackley St. EC1 . . . . .1C **48**
Bracklyn Ct. N1 . . . . .5D **15**
(not continuous)
Bracklyn St. N1 . . . . .5D **15**
Bradbeer Ho. E2 . . . . .3B **34**
Bradby Ho. NW8 . . . . .1A **22**
Braddyll St. SE10 . . . . .1F **135**
Bradenham SE17 . . . . .2D **127**
Bradenham Cl. SE17 . . . . . . .2D **127**
Braden St. W9 . . . . .5F **21**
Bradfield Ct. NW1 . . . . .1A **10**
Bradfield Rd. E16 . . . . .4E **87**
Bradford Ho. W14 . . . . .2E **93**
Bradiston Rd. W9 . . . . .2C **20**
Bradley Cl. N7 . . . . .1A **12**
Bradley Ho. SE16 . . . . .3A **108**
Bradley's Cl. N1 . . . . .5E **13**
Bradley Stone Rd. E6 . . . . . . .2B **62**
Bradmead SW8 . . . . .5A **122**
Bradmore Pk. Rd. W6 . . . . . .2A **92**
Bradshaw Cotts. E14 . . . . . . .3A **54**
Brad St. SE1 . . . . .3E **75**
Bradwell Ho. NW6 . . . . .4F **5**
Brady Ho. SW8 . . . . .5C **122**
Bradymead E6 . . . . .5E **63**
Brady St. E1 . . . . .4F **33**
Braemar Cl. SE16 . . . . .1F **129**
Braemar Ho. W9 . . . . .3B **22**
Braemar Mans. SW7 . . . . . . .2A **96**
Braemar Rd. E13 . . . . .1C **58**
Braes St. N1 . . . . .1A **14**
Braganza St. SE17 . . . . .5F **103**
Braham Ho. SE11 . . . . .1C **124**
Braham St. E1 . . . . .4C **50**
Braidwood Pas. EC1 . . . . . . .1B **48**
Braidwood St. SE1 . . . . .3F **77**
Braintree Ho. E1 . . . . .4B **34**
Braintree St. E2 . . . . .4B **34**
Braithwaite Ho. EC1 . . . . .4D **31**
Braithwaite Twr. W2 . . . . .1D **41**
Bramah Tea & Coffee Mus.
. . . . .3C **76**
Bramber WC1 . . . . .3F **27**
Bramber Ct. W14 . . . . .2C **116**
Bramber Rd. W14 . . . . .2B **116**
Bramble Ho. E3 . . . . .1E **55**
Brambling Ct. SE8 . . . . .3B **132**
Bramcote Gro. SE16 . . . . . . .5B **108**
Bramerton St. SW3 . . . . .2F **119**
Bramham Gdns. SW5 . . . . . . .5F **95**
Bramley Cres. SW8 . . . . .4E **123**
Bramley Ho. W10 . . . . .4E **37**
Bramley Rd. W10 . . . . .1E **65**
(not continuous)
Brampton WC1 . . . . .2B **46**
Bramshurst NW8 . . . . .4A **6**
Bramwell Ho. SE1 . . . . .2C **104**
SW1 . . . . .1B **122**
Bramwell M. N1 . . . . .3C **12**
Brancaster Ho. E1 . . . . .3E **35**
Branch Pl. N1 . . . . .4E **15**
Branch Rd. E14 . . . . .5F **53**
Branch St. SE15 . . . . .5A **128**
Brandon Est. SE17 . . . . .3F **125**
Brandon Mans. W14 . . . . . . .2A **116**
Brandon M. EC2 . . . . .2D **49**

Brandon Rd. N7 . . . . .1F **11**
Brandon St. SE17 . . . . .4C **104**
(not continuous)
Brandreth Rd. E6 . . . . .3C **62**
Brand St. SE10 . . . . .5B **134**
Brangton Rd. SE11 . . . . . . .1C **124**
Drangwyn Ct. W14 . . . . .2F **93**
Branksome Ho. SW8 . . . . .4B **124**
Branscombe NW1 . . . . .4C **10**
Bransdale Cl. NW6 . . . . .3E **5**
Brantwood Ho. SE5 . . . . . .4B **126**
Drassey Ilo. E14 . . . . .4F **111**
Brass Talley All. SE16 . . . . .5E **81**
Brathay NW1 . . . . .1C **26**
Bratley St. E1 . . . . .5D **33**
Bravington Pl. W9 . . . . .4B **20**
Bravington Rd. W9 . . . . . . .1B **20**
Bravingtons Wlk. *N1* *1A 28*
(off York Way)
Brawne Ho. SE17 . . . . .3A **126**
Bray NW3 . . . . .1F **7**
Bray Cres. SE16 . . . . .4D **81**
Bray Dr. E16 . . . . .5C **58**
Brayfield Ter. N1 . . . . .2D **13**
Brayford Sq. E1 . . . . .3C **52**
Bray Pas. E16 . . . . .5D **59**
Bray Pl. SW3 . . . . .5B **98**
Bread St. EC4 . . . . .5C **48**
(not continuous)
Breakwell Ct. W10 . . . . .1F **37**
Breamore Ho. SE15 . . . . . .4E **129**
Bream's Bldgs. EC4 . . . . . . .3D **47**
Brechin Pl. SW7 . . . . .5C **96**
Brecon Ho. W2 . . . . .3B **40**
Brecon Rd. W6 . . . . .3A **116**
Bredel Ho. E14 . . . . .2D **55**
Bredin Ho. SW10 . . . . .4A **118**
Breezers Ct. E1 . . . . .1E **79**
Breezer's Hill E1 . . . . .1E **79**
Bremner Rd. SW7 . . . . .1C **96**
Brendon St. W1 . . . . .3A **42**
Brenley Ho. SE1 . . . . .4D **77**
Brenton St. E14 . . . . .3A **54**
Brent Rd. E16 . . . . .3E **59**
Bressenden Pl. SW1 . . . . . .1A **100**
Breton Highwalk
EC1 . . . . .1C **48**
Breton Ho. EC2 . . . . .1C **48**
SE1 . . . . .1B **106**
Brettell St. SE17 . . . . .1E **127**
Brettinghurst SE1 . . . . .1D **129**
Brewer's Grn. SW1 . . . . . . .1D **101**
Brewer's Hall Gdn. EC2 . . . . .2C **48**
Brewer St. W1 . . . . .1C **72**
Brewery, The EC2 . . . . .1D **49**
Brewery Ind. Est., The N1 . . .1C **30**
Brewery Rd. N7 . . . . .1F **11**
Brewery Sq. EC1 . . . . .4F **29**
SE1 . . . . .3B **78**
Brewhouse La. E1 . . . . .3A **80**
Brewhouse Wlk. SE16 . . . . .3F **81**
Brewhouse Yd. EC1 . . . . . . .4F **29**
Brewster Gdns. W10 . . . . . .1B **36**
Brewster Ho. E14 . . . . .5B **54**
SE1 . . . . .3C **106**
Briant Ho. SE1 . . . . .2D **103**
Briant St. SE14 . . . . .5D **131**
Briar Wlk. W10 . . . . .4A **20**
Briary Cl. NW3 . . . . .1F **7**
Briary Ct. E16 . . . . .4C **58**
Brickbarn Cl. SW10 . . . . . . .4C **118**

Brick Ct. EC4 . . . . .4D **47**
Brick La. E1 . . . . .1C **50**
E2 . . . . .3C **32**
Brick Lane Music Hall 3E **89**
BRICKLAYER'S ARMS 2E **105**
Bricklayers Arms Bus. Cen.
SE1 . . . . .3A **106**
Brick St. W1 . . . . .3F **71**
Brideale Cl. SE15 . . . . .3C **128**
Bride Ct. EC4 . . . . .4F **47**
Bride La. EC4 . . . . .4F **47**
Bridel M. N1 . . . . .4F **13**
Brides Pl. N1 . . . . .2F **15**
Bridewain St. SE1 . . . . .1B **106**
(not continuous)
Bridewell Pl. E1 . . . . .3A **80**
EC4 . . . . .4F **47**
Bridford M. W1 . . . . .1A **44**
Bridge, The SW8 . . . . .5F **121**
Bridge App. NW1 . . . . .1D **9**
Bridge Av. W6 . . . . .4B **92**
Bridge Av. Mans. W6 . . . . . .5B **92**
Bridge Cl. W10 . . . . .4E **37**
Bridge Ct. E14 . . . . .5E **57**
Bridgefoot SE1 . . . . .1A **124**
Bridge Ho. NW3 . . . . .1D **9**
NW10 . . . . .1D **19**
SW1 . . . . .5F **99**
W2 . . . . .2D **41**
Bridgehouse Ct. SE1 . . . . . .4F **75**
Bridge Ho. Quay E14 . . . . . .2C **84**
Bridgeland Rd. E16 . . . . . . .5E **59**
Bridgeman Rd. N1 . . . . .2B **12**
Bridgeman St. NW8 . . . . . . .1F **23**
Bridge Mdws. SE14 . . . . . . .2D **131**
Bridgen Ho. E1 . . . . .3A **52**
Bridge Pl. SW1 . . . . .3A **100**
Bridgeport Pl. E1 . . . . .2E **79**
Bridges Ho. SE5 . . . . .5D **127**
Bridgeside Ho. N1 . . . . .1B **30**
Bridge St. SW1 . . . . .5F **73**
Bridge Vw. W6 . . . . .5B **92**
Bridge Vw. Ct. SE1 . . . . . . .2A **106**
Bridgewalk Hgts. SE1 . . . . .4E **77**
Bridgewater Highwalk
EC2 . . . . .1C **48**
Bridgewater Sq. EC2 . . . . . .1B **48**
Bridgewater St. EC2 . . . . . .1B **48**
Bridgeway St. NW1 . . . . . . .1C **26**
Bridge Wharf E2 . . . . .1D **35**
Bridge Yd. SE1 . . . . .2E **77**
Bridgnorth Ho. SE15 . . . . . .3E **129**
Bridgwater Ho. W2 . . . . .3B **40**
Bridle La. W1 . . . . .5C **44**
Bridport SE17 . . . . .1D **127**
Bridport Ho. N1 . . . . .4E **15**
Bridport Pl. N1 . . . . .3E **15**
(not continuous)
Bridstow Pl. W2 . . . . .3E **39**
Brierfield NW1 . . . . .4B **10**
Brierly Gdns. E2 . . . . .1C **34**
Briggs Ho. E2 . . . . .2C **32**
Brightlingsea Pl. E14 . . . . . .5B **54**
Brighton Bldgs. SE1 . . . . . .2F **105**
Brighton Gro. SE14 . . . . . . .5F **131**
Bright St. E14 . . . . .3A **56**
Brig M. SE8 . . . . .3D **133**
Brill Pl. NW1 . . . . .1E **27**
Brindley Ho. W2 . . . . .1E **39**
Brinklow Ho. W2 . . . . .2F **39**
Brinsley Ho. E1 . . . . .4B **52**

Brinsley St. E1 . . . . .4A **52**
Brinton Wlk. SE1 . . . . .3F **75**
Brion Pl. E14 . . . . .2B **56**
Brisbane Ho. W12 . . . . .5A **36**
Brisbane St. SE5 . . . . .5D **127**
Briset St. EC1 . . . . .1F **47**
Bristol Gdns. W9 . . . . .5A **22**
Bristol Ho. SE11 . . . . .2D **103**
SW1 . . . . .5D **99**
WC1 . . . . .1A **46**
Bristol M. W9 . . . . .5A **22**
Britain & London Vis. Cen.
. . . . .2D **73**
Britain at War Experience . . .3F **77**
Britannia Bri. E14 . . . . .4B **54**
Britannia Bldg. N1 . . . . .2D **31**
Britannia Ga. E16 . . . . .2E **87**
BRITANNIA JUNC. 3A **10**
Britannia Leisure Cen. 4E **15**
Britannia Rd. E14 . . . . .4E **111**
SW6 . . . . .5F **117**
(not continuous)
Britannia Row N1 . . . . .3A **14**
Britannia St. WC1 . . . . .2B **28**
Britannia Wlk. N1 . . . . .1D **31**
(not continuous)
Britannia Way SW6 . . . . . . .5A **118**
Britannic Highwalk EC2 . . . . .2D **49**
Britannic Twr. EC2 . . . . .1D **49**
British Genius Site 4D **121**
British Library 2E **27**
British Mus. 2E **45**
British Telecom Cen. EC1 . . .3B **48**
British Wharf Ind. Est.
SE14 . . . . .1E **131**
Britley Ho. E14 . . . . .4B **54**
Brittany Point SE11 . . . . . . .4D **103**
Britten Ho. SW3 . . . . .5F **97**
Britten St. SW3 . . . . .1F **119**
Britton St. EC1 . . . . .5F **29**
Brixham St. E16 . . . . .3C **90**
Brixton Rd. SE11 . . . . .3D **125**
SW9 . . . . .5D **125**
Broadbent St. W1 . . . . .5F **43**
Broad Ct. WC2 . . . . .4A **46**
Broadfield La. NW1 . . . . . . .2F **11**
Broadford Ho. E1 . . . . .5F **35**
Broadgate EC2 . . . . .2F **49**
Broadgate Circ. EC2 . . . . . .2F **49**
Broadgate Ice Rink 2F **49**
Broadgate Rd. E16 . . . . .3D **61**
Broadgates Ct. SE11 . . . . . .1E **125**
Broad La. EC2 . . . . .1F **49**
Broadley St. NW8 . . . . .1E **41**
Broadley Ter. NW1 . . . . .5A **24**
Broadmayne SE17 . . . . .5D **105**
Broadmead W14 . . . . .4F **93**
Broadoak Ho. NW6 . . . . .4F **5**
Broad Sanctuary SW1 . . . . .5E **73**
Broadstone NW1 . . . . .2D **11**
Broadstone Ho. SW8 . . . . . .5B **124**
Broadstone Pl. W1 . . . . .2D **43**
Broad St. Av. EC2 . . . . .2F **49**
Broad St. Pl. EC2 . . . . .2E **49**
Broad Wlk. NW1 . . . . .5E **9**
W1 . . . . .1C **70**
Broad Wlk., The W8 . . . . . . .1A **68**
Broadwalk Ct. W8 . . . . .2E **67**
Broadwalk Ho. EC2 . . . . . . .5F **31**
SW7 . . . . .5B **68**
Broadwall SE1 . . . . .2E **75**

Broadway SW1 . . . . .1D **101**
Broadway Arc. W6 . . . . .4C **92**
Broadway Cen., The W6 . . . .4C **92**
Broadway Chambers
W6 . . . . .4C **92**
Broadway Ho. E8 . . . . .4F **17**
Broadway Mans. SW6 . . . . .5E **117**
Broadway Mkt. E8 . . . . .4F **17**
Broadway Mkt. M. E8 . . . . .4E **17**
Broadway Shop. Mall
SW1 . . . . .1D **101**
Broadway Squash & Fitness Cen.
. . . . .4D **93**
Broadway Wlk. E14 . . . . . . .1E **111**
Broadwick St. W1 . . . . .5C **44**
Broadwood Ter. W8 . . . . . . .3C **94**
Broad Yd. EC1 . . . . .5F **29**
Brocas Cl. NW3 . . . . .1A **8**
Brockham Ho. NW1 . . . . . . .4C **10**
Brockham St. SE1 . . . . .1C **104**
Brocklebank Ho. E16 . . . . . .3E **91**
Brocklebank Ind. Est.
SE7 . . . . .3E **115**
Brocklebank Rd. SE7 . . . . . .4F **115**
Brocklehurst St. SE14 . . . . .4E **131**
Brockmer Ho. E1 . . . . .5F **51**
Brock Rd. E13 . . . . .1A **60**
Brockweir E2 . . . . .1C **34**
Brockwell Ho. SE11 . . . . . . .2C **124**
Brodie Ho. SE1 . . . . .5C **106**
Brodie St. SE1 . . . . .5C **106**
Brodlove La. E1 . . . . .5D **53**
Broken Wharf EC4 . . . . .5B **48**
Broke Wlk. E8 . . . . .3C **16**
Bromfield St. N1 . . . . .5E **13**
Bromhead Rd. E1 . . . . .3B **52**
Bromhead St. E1 . . . . .3B **52**
Bromleigh Ho. SE1 . . . . . . .1B **106**
Bromley Hall Rd. E14 . . . . .1B **56**
Bromley Pl. W1 . . . . .1B **44**
Bromley St. E1 . . . . .2E **53**
BROMPTON 2A **98**
Brompton Arc. SW3 . . . . . . .5C **70**
Brompton Cotts. SW10 . . . . .2B **118**
Brompton Oratory 2F **97**
Brompton Pk. Cres.
SW6 . . . . .3E **117**
Brompton Pl. SW3 . . . . .1A **98**
Brompton Rd. SW1 . . . . .5B **70**
SW3 . . . . .3F **97**
Brompton Sq. SW3 . . . . . . .1F **97**
Brompton Vs. SW3 . . . . . . .2D **119**
Bromyard Ho. SE15 . . . . . . .4F **129**
Bron Ct. NW6 . . . . .4D **5**
BRONDESBURY 1C **4**
Brondesbury M. NW6 . . . . . . .2D **5**
BRONDESBURY PARK 3A **4**
Brondesbury Pk. NW6 . . . . .2A **4**
Brondesbury Rd. NW6 . . . . .5B **4**
Brondesbury Vs. NW6 . . . . .5C **4**
Bronsart Rd. SW6 . . . . .4A **116**
Bronte Ct. W14 . . . . .2E **93**
Bronte Ho. NW6 . . . . .2E **21**
Bronti Cl. SE17 . . . . .1C **126**
Bronwen Ct. NW8 . . . . .3D **23**
Bronze St. SE8 . . . . .4E **133**
Brook Dr. SE11 . . . . .2E **103**
Brooke's Ct. EC1 . . . . .2D **47**
Brooke's Mkt. EC1 . . . . . . .1D **47**
Brooke St. EC1 . . . . .2D **47**
Brook Ga. W1 . . . . .1C **70**

BROOK GREEN 3E **93**
Brook Grn. W6 . . . . .2D **93**
Brook Grn. Flats W14 . . . . . .2D **93**
Brook Ho. W6 . . . . .4C **92**
Brook Ho's. NW1 . . . . .1C **26**
Brooklands Ct. NW6 . . . . . . .1B **4**
Brooklyn Pas. W12 . . . . . . .5B **64**
Brookmarsh Ind. Est.
SE10 . . . . .4F **133**
Brook M. WC2 . . . . .4E **45**
Brook M. Nth. W2 . . . . .5C **40**
Brooksby Ho. N1 . . . . .2E **13**
Brooksby M. N1 . . . . .1E **13**
Brooksby St. N1 . . . . .2D **13**
Brooks Ct. SW8 . . . . .4C **122**
Brooks Lodge N1 . . . . .5A **16**
Brooks M. W1 . . . . .5F **43**
Brook St. W1 . . . . .5E **43**
W2 . . . . .5E **41**
Brooksville Av. NW6 . . . . . . .4A **4**
Brookville Rd. SW6 . . . . . . .5B **116**
Brookwood Ho. SE1 . . . . . . .5A **76**
Broome Way SE5 . . . . .5D **127**
Broomfield NW1 . . . . .1E **9**
Broomfield Ct. SE16 . . . . . . .1E **107**
Broomfield Ho. SE17 . . . . . .4F **105**
Broomfield St. E14 . . . . . . .2E **55**
Brougham Rd. E8 . . . . .3E **17**
Brough Cl. SW8 . . . . .5A **124**
Browne Ho. SE8 . . . . .4E **133**
Brownfield Area E14 . . . . . .4B **56**
Brownfield St. E14 . . . . . . .4A **56**
Brown Hart Gdns. W1 . . . . . .5E **43**
Browning Cl. W9 . . . . .5C **22**
Browning Ct. W14 . . . . .2B **116**
Browning Ho. W12 . . . . .4B **36**
Browning M. W1 . . . . .2E **43**
Browning St. SE17 . . . . . . .5C **104**
Brownlow Ho. SE16 . . . . . . .5D **79**
Brownlow M. WC1 . . . . .5C **28**
Brownlow Rd. E8 . . . . .3C **16**
Brownlow St. WC1 . . . . .2C **46**
Browns Arc. W1 . . . . .1C **72**
Brown's Bldgs. EC3 . . . . . . .4A **50**
Brown St. W1 . . . . .3B **42**
Broxwood Way NW8 . . . . . . .4A **8**
Bruce Cl. W10 . . . . .1E **37**
Bruce Ho. W10 . . . . .1E **37**
Bruckner St. W10 . . . . .2B **20**
Bruford Ct. SE8 . . . . .3E **133**
Bruges Pl. NW1 . . . . .2C **10**
Brune Ho. E1 . . . . .2B **50**
Brunei Gallery 1E **45**
Brunel Engine House Mus.
. . . . .4B **80**
Brunel Est. W2 . . . . .2D **39**
Brunel Ho. E14 . . . . .5F **111**
Brunel Rd. SE16 . . . . .5B **80**
Brunel St. E16 . . . . .4B **58**
Brunel Wlk. SW10 . . . . .4E **119**
Brune St. E1 . . . . .2B **50**
Brunlees Ho. SE1 . . . . .2B **104**
Brunswick Cen. WC1 . . . . . .4F **27**
Brunswick Cl. Est. EC1 . . . . .3F **29**
Brunswick Ct. EC1 . . . . .3F **29**
SE1 . . . . .5A **78**
SW1 . . . . .4E **101**
Brunswick Flats W11 . . . . . .4D **39**
Brunswick Gdns. W8 . . . . . .3E **67**
Brunswick Ho. E2 . . . . .5C **16**
SE16 . . . . .1F **109**

Brunswick Mans. WC1 . . . . . .4A **28**
Brunswick M. W1 . . . . .3C **42**
Brunswick Pl. N1 . . . . .3E **31**
NW1 . . . . .5E **25**
(not continuous)
Brunswick Quay SE16 . . . . .2E **109**
Brunswick Rd. E14 . . . . .4C **56**
Brunswick Sq. WC1 . . . . . . .4A **28**
Brunswick Vs. SE5 . . . . .5F **127**
Brunton Pl. E14 . . . . .4A **54**
Brushfield St. E1 . . . . .2A **50**
Brushwood Cl. E14 . . . . .1A **56**
Bruton La. W1 . . . . .1A **72**
Bruton Pl. W1 . . . . .1A **72**
Bruton St. W1 . . . . .1A **72**
Brutus Ct. SE11 . . . . .4F **103**
Bryan Ho. SE16 . . . . .4B **82**
Bryan Rd. SE16 . . . . .4B **82**
Bryanston Ct. W1 . . . . .3B **42**
(not continuous)
Bryanston Mans. W1 . . . . . .1B **42**
Bryanston M. E. W1 . . . . . . .2B **42**
Bryanston M. W. W1 . . . . . .2B **42**
Bryanston Pl. W1 . . . . .2B **42**
Bryanston Sq. W1 . . . . .2B **42**
Bryanston St. W1 . . . . .4B **42**
Bryant Ct. E2 . . . . .5B **16**
(not continuous)
Bryce Ho. SE14 . . . . .3D **131**
Brydale Ho. SE16 . . . . .3D **109**
Brydges Pl. WC2 . . . . .1F **73**
Brydon Wlk. N1 . . . . .3A **12**
Bryer Ct. EC2 . . . . .1B **48**
Bryher Ct. SE11 . . . . .5D **103**
Buchanan Ct. SE16 . . . . . . .3E **109**
Buchanan Gdns. NW10 . . . . .1A **18**
Buckfast St. E2 . . . . .3E **33**
Buck Hill Wlk. W2 . . . . .1E **69**
Buckhurst St. E1 . . . . .5A **34**
Buckingham Arc. WC2 . . . . .1A **74**
Buckingham Chambers
SW1 . . . . .3C **100**
Buckingham Ct. W11 . . . . . .1D **67**
Buckingham Ga. SW1 . . . . .1B **100**
Buckingham M. SW1 . . . . . .1B **100**
Buckingham Palace 5A **72**
Buckingham Pal. Rd. SW1 . .4F **99**
Buckingham Pl. SW1 . . . . . .1B **100**
Buckingham St. WC2 . . . . . .1A **74**
Buckland Ct. N1 . . . . .5F **15**
Buckland Cres. NW3 . . . . . . .1D **7**
Buckland Ho. SW1 . . . . .5F **99**
Buckland St. N1 . . . . .1E **31**
Bucklebury NW1 . . . . .4B **26**
Bucklers All. SW6 . . . . .4C **116**
(not continuous)
Bucklersbury EC4 . . . . .4D **49**
Bucklersbury Pas. EC4 . . . . .4D **49**
Buckle St. E1 . . . . .4C **50**
Buckley Ct. NW6 . . . . .2C **4**
Buckley Ho. *W14* *4F **65***
(off Holland Pk. Av.)
Buckley Rd. NW6 . . . . .2C **4**
Bucknall St. WC2 . . . . .3E **45**
Bucknill Ho. SW1 . . . . .5F **99**
Buckridge Ho. EC1 . . . . .1D **47**
Buckshead Ho. W2 . . . . .2D **39**
Buck St. NW1 . . . . .2A **10**
Buckters Rents SE16 . . . . . .3F **81**
Budge Row EC4 . . . . .4D **49**
Budge's Wlk. W2 . . . . .3B **68**

Budleigh Ho. SE15 . . . . . . .4E **129**
Bugsby's Way SE7 . . . . . . .4E **115**
 SE10 . . . . .3B **114**
Bulbarrow NW8 . . . . .4A **6**
Bulinga St. SW1 . . . . .4F **101**
Bullace Row SE5 . . . . .5D **127**
Bullard's Pl. E2 . . . . .2D **35**
Bulleid Way SW1 . . . . .4A **100**
Bullen Ho. E1 . . . . .5A **34**
Buller Cl. SE15 . . . . .5D **129**
Buller Rd. NW10 . . . . .3E **19**
Bullingham Mans.
 W8 . . . . .4E **67**
Bull Inn Ct. WC2 . . . . .1A **74**
Bullivant St. E14 . . . . .5B **56**
Bulls Gdns. SW3 . . . . .3A **98**
 (not continuous)
Bulls Head Pas. EC3 . . . . . . .4F **49**
Bull Wharf La. EC4 . . . . .5C **48**
Bull Wharf Wlk. *EC4* *1C 76*
 (off Bull Wharf La.)
Bulmer M. W11 . . . . .2D **67**
Bulmer Pl. W11 . . . . .2C **66**
Bulrington Cnr. NW1 . . . . . . .2B **10**
Bulstrode Pl. W1 . . . . .2E **43**
Bulstrode St. W1 . . . . .3E **43**
Bulwer St. W12 . . . . .3C **64**
Bunbury Ho. SE15 . . . . .5D **129**
Bunhill Row EC1 . . . . .4D **31**
Bunhouse Pl. SW1 . . . . .5D **99**
Bunning Way N7 . . . . .1B **12**
Bunsen Ho. E3 . . . . .1E **35**
Bunsen St. E3 . . . . .1F **35**
Bunyan Ct. EC2 . . . . .1B **48**
Buonaparte M. SW1 . . . . . . .5D **101**
Burbage Cl. SE1 . . . . .2D **105**
Burbage Ho. N1 . . . . .4E **15**
 SE14 . . . . .3D **131**
Burcham St. E14 . . . . .3A **56**
Burchell Ho. SE1 . . . . .5C **102**
Burcher Gale Gro. SE15 . . . .4A **128**
Burden Ho. SW8 . . . . .5F **123**
Burdett M. W2 . . . . .3F **39**
Burdett Rd. E3 . . . . .1B **54**
 E14 . . . . .4C **54**
Burford Wlk. SW6 . . . . .5A **118**
Burgess Bus. Pk. SE5 . . . . . .4E **127**
Burgess Ho. SE5 . . . . .4B **126**
Burgess Pk. Kart Track 3E **127**
Burgess St. E14 . . . . .2D **55**
Burge St. SE1 . . . . .2E **105**
Burgh St. N1 . . . . .5A **14**
Burgon St. EC4 . . . . .4A **48**
Burgos Gro. SE10 . . . . .5F **133**
Burke St. E16 . . . . .2B **58**
 (not continuous)
Burleigh Ho. SW3 . . . . .3E **119**
 W10 . . . . .1F **37**
Burleigh St. WC2 . . . . .5B **46**
Burley Ho. E1 . . . . .3E **53**
Burley Rd. E16 . . . . .3B **60**
Burlington Arc. W1 . . . . .1B **72**
Burlington Cl. E6 . . . . .3A **62**
 W9 . . . . .4D **21**
Burlington Gdns. W1 . . . . . . .1B **72**
Burnaby St. SW10 . . . . .5B **118**
Burnand Ho. W14 . . . . .1E **93**
Burne Jones Ho. W14 . . . . .4A **94**
Burnell Wlk. SE1 . . . . .5C **106**
Burne St. NW1 . . . . .1F **41**
Burney St. SE10 . . . . .4C **134**

Burnham NW3 . . . . .1F **7**
Burnham Cl. SE1 . . . . .4C **106**
Burnham Ct. W2 . . . . .5F **39**
Burnham Est. E2 . . . . .2B **34**
Burnham St. E2 . . . . .2B **34**
Burnhill Cl. SE15 . . . . .4A **130**
Burnsall St. SW3 . . . . .5A **98**
Burns Ho. E2 . . . . .3B **34**
 SE17 . . . . .1A **126**
Burnside Cl. SE16 . . . . .2E **81**
Burnthwaite Rd. SW6 . . . . . .5C **116**
Buross St. E1 . . . . .3A **52**
Burrage Ct. SE16 . . . . .3E **109**
Burrard Rd. E16 . . . . .3F **59**
Burr Cl. E1 . . . . .2D **79**
Burrell St. SE1 . . . . .2A **76**
Burrells Wharf Sq.
 E14 . . . . .5F **111**
Burrhill Ct. SE16 . . . . .2E **109**
Burroughs Cotts. E14 . . . . . .2A **54**
Burrows M. SE1 . . . . .4F **75**
Burrows Rd. NW10 . . . . .2B **18**
Bursar St. SE1 . . . . .3F **77**
Burslem St. E1 . . . . .4F **51**
Burton Bank N1 . . . . .2D **15**
Burton Ct. SW3 . . . . .5C **98**
 (not continuous)
Burton Gro. SE17 . . . . .1D **127**
Burton Ho. SE16 . . . . .5F **79**
Burton M. SW1 . . . . .4E **99**
Burton Pl. WC1 . . . . .3E **27**
Burton Rd. NW6 . . . . .2C **4**
Burton St. WC1 . . . . .3E **27**
Burt Rd. E16 . . . . .3C **88**
Burtt Ho. N1 . . . . .2F **31**
Burwash Ho. SE1 . . . . .5E **77**
Burwell Cl. E1 . . . . .4A **52**
Burwood Pl. W2 . . . . .3A **42**
Bury Cl. SE16 . . . . .2E **81**
Bury Ct. EC3 . . . . .3A **50**
Bury Pl. WC1 . . . . .2F **45**
Bury St. EC3 . . . . .4A **50**
 SW1 . . . . .2B **72**
Bury Wlk. SW3 . . . . .4F **97**
Busbridge Ho. E14 . . . . .2E **55**
Bushbaby Cl. SE1 . . . . .2F **105**
Bush Ct. W12 . . . . .4E **65**
Bushell St. E1 . . . . .3E **79**
Bush La. EC4 . . . . .5D **49**
Bush Rd. E8 . . . . .4F **17**
 SE8 . . . . .3E **109**
Bush Theatre 4C **64**
Bushwood Dr. SE1 . . . . .4C **106**
Business Design Cen. 4E **13**
Buspace Studios W10 . . . . . .4F **19**
Butcher Row E1 . . . . .5E **53**
 E14 . . . . .5E **53**
Butchers Rd. E16 . . . . .4D **59**
Bute Gdns. W6 . . . . .4D **93**
Bute St. SW7 . . . . .3D **97**
Butler Ho. E2 . . . . .2C **34**
 E14 . . . . .3C **54**
 SW9 . . . . .5A **126**
Butler Pl. SW1 . . . . .1D **101**
Butlers & Colonial Wharf
 SE1 . . . . .4C **78**
Butler St. E2 . . . . .2C **34**
Butlers Wharf SE1 . . . . .3C **78**
Butlers Wharf W. SE1 . . . . . .3B **78**
Butterfield Cl. SE16 . . . . .5B **78**
Butterfield Sq. E6 . . . . .4B **62**

Buttermere NW1 . . . . .2A **26**
Buttermere Cl. SE1 . . . . .4B **106**
Buttermere Ct. NW8 . . . . .3D **7**
Butterwick W6 . . . . .4D **93**
Butterworth Ter. SE17 . . . . . .1C **126**
Buttesland St. N1 . . . . .2E **31**
Buxted Rd. E8 . . . . .1B **16**
Buxton Ct. N1 . . . . .2C **30**
Buxton St. E1 . . . . .5C **32**
Byards Cl. SE16 . . . . .2E **109**
Byelands Cl. SE16 . . . . .2E **81**
Byfield Cl. SE16 . . . . .4A **82**
Bygrove St. E14 . . . . .3F **55**
 (not continuous)
Byng Pl. WC1 . . . . .5E **27**
Byng St. E14 . . . . .4D **83**
Byron Cl. E8 . . . . .3D **17**
Byron Ct. NW6 . . . . .2C **6**
 SW3 . . . . .4A **98**
 W9 . . . . .4E **21**
 WC1 . . . . .4B **28**
Byron M. W9 . . . . .4E **21**
Byron St. E14 . . . . .3B **56**
Byward St. EC3 . . . . .1A **78**
Bywater Pl. SE16 . . . . .2A **82**
Bywater St. SW3 . . . . .5B **98**
Bywell Pl. W1 . . . . .2B **44**

C

Cabbell St. NW1 . . . . .2F **41**
Cable Ho. WC1 . . . . .2D **29**
Cable Pl. SE10 . . . . .5C **134**
Cable St. E1 . . . . .5D **51**
Cabot Ct. SE16 . . . . .2E **109**
Cabot Sq. E14 . . . . .2E **83**
Caci Ho. W14 . . . . .4B **94**
Cadbury Way
 SE16 . . . . .2C **106**
Cadell Cl. E2 . . . . .1C **32**
Cade Rd. SE10 . . . . .5D **135**
Cadet Dr. SE1 . . . . .5C **106**
Cadet Pl. SE10 . . . . .5F **113**
Cadiz St. SE17 . . . . .1C **126**
Cadman Cl. SW9 . . . . .5F **125**
Cadmore Ho. N1 . . . . .2F **13**
Cadmus Ct. SW9 . . . . .5D **125**
Cadnam Lodge E14 . . . . .2C **112**
Cadogan Ct. SW3 . . . . .4B **98**
Cadogan Ct. Gdns. SW1 . . . .3D **99**
Cadogan Gdns. SW3 . . . . . . .3C **98**
Cadogan Ga. SW1 . . . . .3C **98**
Cadogan Ho. SW3 . . . . .3E **119**
Cadogan La. SW1 . . . . .1D **99**
Cadogan Mans. SW3 . . . . . . .4C **98**
Cadogan Pl. SW1 . . . . .1C **98**
Cadogan Sq. SW1 . . . . .2B **98**
Cadogan St. SW3 . . . . .4B **98**
Caernarvon Ho. E16 . . . . .2F **87**
 W2 . . . . .3B **40**
Caesar Ct. E2 . . . . .1E **35**
Cafe Gallery 2B **108**
Cahill St. EC1 . . . . .5C **30**
Cahir St. E14 . . . . .4F **111**
Caird St. W10 . . . . .3A **20**
Caister Ho. N1 . . . . .1C **12**
Caithness Ho. N1 . . . . .3B **12**
Caithness Rd. W14 . . . . .3D **93**
Calcott Ct. W14 . . . . .2F **93**
Calcraft Ho. E2 . . . . .1B **34**
Calder Ct. SE16 . . . . .2B **82**

Calderon Ho. NW8 . . . . .5F 7
Calderon Pl. W10 . . . . .2B 36
Caldew St. SE5 . . . . .4D 127
Caldwell St. SW9 . . . . .5C 124
Caldy Wlk. N1 . . . . .1B 14
Caleb St. SE1 . . . . .4C 76
Caledonia Ho. E14 . . . . .4A 54
Caledonian Rd. N1 . . . . .1A 28
   N7 . . . . .1B 12
Caledonian Wharf E14 . . . .4D 113
Caledonia St. N1 . . . . .1A 28
Cale St. SW3 . . . . .5F 97
Caletock Way SE10 . . . . . .5B 114
Calgarth NW1 . . . . .1C 26
Calgary Ct. SE16 . . . . .5C 80
Caliban Twr. N1 . . . . .1F 31
Calico Ho. EC4 . . . . .4C 48
Callahan Cotts. E1 . . . . .1B 52
Callcott Ct. NW6 . . . . .2B 4
Callcott Rd. NW6 . . . . .2B 4
Callcott St. W8 . . . . .2D 67
Callendar Rd. SW7 . . . . .1D 97
Callingham Cl. E14 . . . . .2C 54
Callisons Pl. SE10 . . . . .5A 114
Callow St. SW3 . . . . .2C 118
Cally Swimming Pool 3B 12
Calmington Rd. SE5 . . . . . . .2A 128
Calshot Ho. N1 . . . . .5B 12
Calshot St. N1 . . . . .5B 12
Calstock N1 . . . . .4D 11
Calstock Ho. SE11 . . . . .5E 103
Calthorpe St. WC1 . . . . .4C 28
Calvert Av. E2 . . . . .3A 32
Calvert Ho. W12 . . . . .5A 36
Calverton SE5 . . . . .2F 127
Calvert Rd. SE10 . . . . .5B 114
Calvert's Bldgs. SE1 . . . . . . .3D 77
Calvert St. NW1 . . . . .3D 9
Calvin St. E1 . . . . .5B 32
Calypso Cres. SE15 . . . . . . .4A 128
Calypso Way SE16 . . . . . . .2B 110
Cambay Ho. E1 . . . . .5F 35
Camber Ho. SE15 . . . . .2C 130
Camberley Ho. NW1 . . . . . . .1A 26
Camberwell New Rd.
   SE5 . . . . .3D 125
Camberwell Rd. SE5 . . . . . .3C 126
Cambourne M. W11 . . . . . . .4F 37
Cambria Ho. E14 . . . . .3A 54
Cambria St. SW6 . . . . .5A 118
Cambridge Av. NW6 . . . . .5E 5
   NW10 . . . . .3B 18
Cambridge Cir. WC2 . . . . . . .4E 45
Cambridge Ct. E2 . . . . .1A 34
   NW6 . . . . .5E 5
   W2 . . . . .2F 41
   W6 . . . . .3C 92
Cambridge Cres. E2 . . . . . . .1F 33
Cambridge Gdns. NW6 . . . . . .5E 5
   W10 . . . . .3E 37
Cambridge Ga. NW1 . . . . . . .4F 25
Cambridge Ga. M. NW1 . . . .4A 26
Cambridge Gro. W6 . . . . .3A 92
Cambridge Heath Rd. E1 . . .1A 52
Cambridge Ho. W6 . . . . .3A 92
Cambridge Pl. W8 . . . . .5A 68
Cambridge Rd. NW6 . . . . . . .2E 21
Cambridge Sq. W2 . . . . .3F 41
Cambridge St. SW1 . . . . . . .4A 100
Cambridge Ter. NW1 . . . . . . .3F 25
Cambridge Ter. M. NW1 . . . .3A 26

Cambridge Theatre 4F 45
Cambus Rd. E16 . . . . .1E 59
Cam Ct. SE15 . . . . .3B 128
Camden Ct. NW1 . . . . .2C 10
Camden Gdns. NW1 . . . . . . .2A 10
Camden High St. NW1 . . . . . .2A 10
Camden Ho. SE8 . . . . .1B 132
Camdenhurst St. E14 . . . . . .3A 54
Camden Lock Market 2F 9
Camden Lock Pl. NW1 . . . . . .2F 9
Camden Market 3A 10
Camden M. NW1 . . . . .1C 10
Camden Pas. N1 . . . . .5F 13
   (not continuous)
Camden Peoples Theatre 4B 26
Camden Rd. NW1 . . . . .2B 10
Camden Sq. NW1 . . . . .1D 11
   (not continuous)
Camden St. NW1 . . . . .2A 10
Camden Studios
   NW1 . . . . .4C 10
CAMDEN TOWN 3A 10
Camden Wlk. N1 . . . . .4F 13
   (not continuous)
Camelford NW1 . . . . .4C 10
Camelford Ct. W11 . . . . .5F 37
Camelford Ho. SE1 . . . . . . .1A 124
Camelford Wlk. W11 . . . . . . .4F 37
Camellia Ho. SE8 . . . . .4C 132
Camellia St. SW8 . . . . .5F 123
   (not continuous)
Camel Rd. E16 . . . . .2E 89
Camera Pl. SW10 . . . . .3D 119
Cameret Ct. W11 . . . . .4E 65
Cameron Ho. NW8 . . . . .5F 7
   SE5 . . . . .5B 126
Cameron Pl. E1 . . . . .3A 52
Camgate Mans. SE5 . . . . . . .2C 126
Camilla Rd. SE16 . . . . .4F 107
Camlet St. E2 . . . . .4B 32
Camley St. NW1 . . . . .2D 11
Camomile St. EC3 . . . . .3F 49
Campania Bldg. E1 . . . . .5E 53
Campbell Ct. SW7 . . . . .2B 96
Campbell Ho. SW1 . . . . .1B 122
   W2 . . . . .1D 41
   W12 . . . . .1A 64
Campbell Wlk. N1 . . . . .3A 12
Campden Gro. W8 . . . . .4E 67
Campden Hill W8 . . . . .4C 66
Campden Hill Ct. W8 . . . . . . .4E 67
Campden Hill Gdns. W8 . . . .2D 67
Campden Hill Ga. W8 . . . . . .4D 67
Campden Hill Mans. W8 . . . .2E 67
Campden Hill Pl. W11 . . . . . .2C 66
Campden Hill Rd. W8 . . . . . .2D 67
Campden Hill Sq. W8 . . . . . .2C 66
Campden Hill Towers
   W11 . . . . .2D 67
Campden Ho. NW6 . . . . .1D 7
   W8 . . . . .3E 67
Campden Ho. Cl. W8 . . . . . . .4E 67
Campden Ho's. W8 . . . . .3D 67
Campden Ho. Ter. W8 . . . . . .3E 67
Campden Mans. W8 . . . . . . .2E 67
Campden St. W8 . . . . .3D 67
Camperdown St. E1 . . . . . . .4C 50
Campion Cl. E6 . . . . .5C 62
Camplin St. SE14 . . . . .4E 131
Canada Est. SE16 . . . . .1C 108
Canada Ho. SE16 . . . . .2F 109

Canada Memorial 4A 72
Canada Pl. E14 . . . . .2A 84
Canada Sq. E14 . . . . .2F 83
Canada St. SE16 . . . . .5D 81
Canada Way W12 . . . . .5A 36
Canada Wharf SE16 . . . . . . .2B 82
Canal App. SE8 . . . . .2F 131
CANAL BRIDGE 2E 129
Canal Bldg. N1 . . . . .5B 14
Canal Cl. E1 . . . . .4F 35
   W10 . . . . .4E 19
Canal Gro. SE15 . . . . .2E 129
Canal Mkt. NW1 . . . . .2F 9
Canal Path E2 . . . . .1A 34
Canalside Activity Cen. 4E 19
Canal Side Studios NW1 . . . .3D 11
Canal St. SE5 . . . . .3D 127
Canal Wlk. N1 . . . . .3E 15
Canal Way W10 . . . . .4D 19
Cancell Rd. SW9 . . . . .5E 125
Candida Ct. NW1 . . . . .1A 10
Candid Ho. NW10 . . . . .3A 18
Candover St. W1 . . . . .2B 44
Canfield Gdns. NW6 . . . . .1F 5
Cann Ho. W14 . . . . .2A 94
Canning Ho. W12 . . . . .1A 64
Canning Pas. W8 . . . . .1B 96
   (not continuous)
Canning Pl. W8 . . . . .1B 96
Canning Pl. M. W8 . . . . .5B 68
CANNING TOWN 3C 58
CANNING TOWN 2A 58
Cannon Ct. EC1 . . . . .4F 29
Cannon Dr. E14 . . . . .1D 83
Cannon Ho. SE11 . . . . .4C 102
Cannons Health Club 5D 49
Cannon St. EC4 . . . . .4B 48
Cannon St. Rd. E1 . . . . .3F 51
Cannon Wharf Bus. Cen.
   SE8 . . . . .4F 109
Cannon Workshops E14 . . . .1D 83
Canon All. EC4 . . . . .4B 48
   (off Queen's Head Pas.)
Canon Beck Rd. SE16 . . . . . .4C 80
Canonbury Bus. Cen. N1 . . . .3C 14
Canonbury Ct. N1 . . . . .2A 14
Canonbury Cres. N1 . . . . . . .1B 14
Canonbury Gro. N1 . . . . .1B 14
Canonbury La. N1 . . . . .1F 13
Canonbury Pl. N1 . . . . .1A 14
   (not continuous)
Canonbury Rd. N1 . . . . .1A 14
Canonbury Sq. N1 . . . . .1A 14
Canonbury St. N1 . . . . .1B 14
Canonbury Vs. N1 . . . . .2A 14
Canon Row SW1 . . . . .5F 73
   (not continuous)
Canon St. N1 . . . . .4B 14
Canrobert St. E2 . . . . .1F 33
Cantelowes Rd. NW1 . . . . . . .1E 11
   (not continuous)
Canterbury Cl. E6 . . . . .3B 62
Canterbury Ct. NW6 . . . . .5D 5
   SE5 . . . . .4E 125
Canterbury Ho. SE1 . . . . . . .1C 102
Canterbury Ind. Pk. SE15 . . .3C 130
Canterbury Pl. SE17 . . . . . . .4A 104
Canterbury Rd. NW6 . . . . . . .1C 20
Canterbury Ter. NW6 . . . . . . .5D 5
Cantium Retail Pk. SE1 . . . .2D 129
Canton St. E14 . . . . .4D 55

Canute Gdns. SE16 ....3D **109**
Canvey St. SE1 ....2B **76**
Cape Henry Ct. E14 ....1E **85**
Capel Ct. EC2 ....4E **49**
Capener's Cl. SW1 ....5C **70**
Cape Yd. E1 ....2E **79**
Capital E. Apartments E16 ..1E **87**
Capital Wharf E1 ....3E **79**
Capland Ho. NW8 ....4E **23**
Capland St. NW8 ....4E **23**
Caple Ho. SW10 ....4C **118**
Capper St. WC1 ....5C **26**
Capstan Ct. E1 ....1C **80**
Capstan Ho. E14 ....4E **79**
(Clove Cres.)
E14 ....4C **112**
(Stebondale St.)
Capstan Rd. SE8 ....3B **110**
Capstan Sq. E14 ....5C **84**
Capstan Way SE16 ....3A **82**
Capulet M. E16 ....2D **87**
Caradoc Cl. W2 ....3D **39**
Caradoc St. SE10 ....5F **113**
Cara Ho. N1 ....2E **13**
Caranday Vs. W11 ....3E **65**
Caravel Cl. E14 ....1D **111**
Caravel M. SE8 ....2D **133**
Caraway Apartments
SE1 ....4B **78**
Caraway Cl. E13 ....1F **59**
Caraway Hgts. E14 ....1B **84**
Carbis Rd. E14 ....3B **54**
Carburton St. W1 ....1A **44**
Cardale St. E14 ....1B **112**
Cardamon Bldg. SE1 .....3C **78**
Cardiff Ho. SE15 ....3E **129**
Cardigan St. SE11 ....5D **103**
Cardigan Wlk. N1 ....1C **14**
Cardinal Bourne St. SE1 ..2E **105**
Cardinal Cap All. SE1 ....2B **76**
Cardinal Ct. E1 ....1D **79**
Cardinal Mans. SW1 .....3B **100**
Cardinal Pl. SW1 ....1B **100**
(not continuous)
Cardinal Wlk. SW1 ......2B **100**
Cardine M. SE15 ....4F **129**
Cardington St. NW1 .....2C **26**
Cardross Ho. W6 ....1A **92**
Cardross St. W6 ....1A **92**
Career Ct. SE16 ....4D **81**
Carew Ct. SE14 ....3D **131**
Carey Ct. SE5 ....5B **126**
Carey La. EC2 ....3B **48**
Carey Mans. SW1 ....3D **101**
Carey Pl. SW1 ....4D **101**
Carey St. WC2 ....4C **46**
Carfree Cl. N1 ....1E **13**
Carinthia Ct. SE16 ......3F **109**
Carisbrooke Ct. W1 .....2E **43**
Carisbrooke Gdns. SE15 ..4C **128**
Carlile Ho. SE1 ....2E **105**
Carlisle Av. EC3 ....4B **50**
Carlisle La. SE1 ....2C **102**
Carlisle Mans. SW1 .....3B **100**
Carlisle Pl. SW1 ....2B **100**
Carlisle Rd. NW6 ....3A **4**
Carlisle St. W1 ....4D **45**
Carlos Pl. W1 ....1E **71**
Carlow St. NW1 ....5B **10**
Carlton Ct. W9 ....5A **6**
Carlton Gdns. SW1 ......2D **73**

Carlton Gro. SE15 ......5A **130**
Carlton Hill NW8 ....1A **22**
Carlton Ho. NW6 ....5D **5**
(not continuous)
SE16 ....5D **81**
Carlton Ho. Ter. SW1 ...3D **73**
Carlton Mans. NW6 .....2E **5**
W9 ....2A **22**
W14 ....4A **66**
Carlton M. NW6 ....1D **21**
Carlton Sq. E1 ....4D **35**
(not continuous)
Carlton St. SW1 ....1D **73**
Carlton Twr. Pl. SW1 ...1C **98**
Carlton Va. NW6 ....1C **20**
Carlyle Ho. SE5 ....4B **126**
SW3 ....2E **119**
Carlyle Mans. SW3 .....3F **119**
W8 ....2E **67**
(off Kensington Mall.)
Carlyle M. E1 ....4E **35**
Carlyle's House 3F **119**
Carlyle Sq. SW3 ....1E **119**
Carmarthen Pl. SE1 .....4F **77**
Carmel Ct. W8 ....4F **67**
Carmelite St. EC4 ......5E **47**
Carmel Lodge SW6 .....2D **117**
Carmen St. E14 ....3F **55**
Carmichael Ho.
E14 ....5B **56**
Carnaby St. W1 ....4B **44**
Carnegie St. N1 ....4B **12**
Carnival Ho. SE1 ....4C **78**
Carnoustie Dr. N1 ......2B **12**
(not continuous)
Carole Ho. NW1 ....3C **8**
Caroline Cl. W2 ....1A **68**
Caroline Gdns. E2 ......2A **32**
SE15 ....4F **129**
Caroline Ho. W2 ....1A **68**
Caroline Pl. W2 ....5A **40**
Caroline Pl. M. W2 .....1A **68**
Caroline St. E1 ....4E **53**
Caroline Ter. SW1 ......4D **99**
Carol St. NW1 ....3B **10**
Caronia Ct. SE16 ....3F **109**
Carpenter Ho. E14 .....2D **55**
Carpenters Ct. NW1 ....3B **10**
Carpenter St. W1 ......1F **71**
Carradale Ho. E14 ......1E **85**
Carriage Dr. E. SW11 ..4E **121**
Carriage Dr. Nth. SW11 ..3D **121**
(Carriage Dr. E.)
SW11 ....5B **120**
(Parade, The)
Carriage Dr. Sth. SW11 ..5E **121**
(not continuous)
Carriage Dr. W. SW11 ..5B **120**
Carrick Ho. SE11 ....5F **103**
Carrick M. SE8 ....2D **133**
Carrington Ho. W1 .....3F **71**
Carrington St. W1 ......3F **71**
Carroll Ho. W2 ....5D **41**
Carron Cl. E14 ....3A **56**
Carroun Rd. SW8 ......4B **124**
Carr St. E14 ....3A **54**
Carson Rd. E16 ....1E **59**
Carter Ct. EC4 ....4A **48**
Carteret Ho. W12 ......5A **36**
Carteret St. SW1 ....5D **73**
Carteret Way SE8 ......4A **110**

Carter Ho. E1 ....2B **50**
Carter La. EC4 ....4A **48**
Carter Pl. SE17 ....1C **126**
Carter St. SE17 ....2B **126**
Carthew Rd. W6 ....2A **92**
Carthew Vs. W6 ....1A **92**
Carthusian St. EC1 .....1B **48**
Cartier Circ. E14 ....2A **84**
Carting La. WC2 ....1A **74**
Cartmel NW1 ....2B **26**
Carton Ho. SE16 ....1D **107**
W11 ....1E **65**
Cartwright Gdns. WC1 ..3F **27**
Cartwright Ho. SE1 .....2C **104**
Cartwright St. E1 ....5C **50**
Carvel Ho. E14 ....5C **112**
Casby Ho. SE16 ....1D **107**
Cascades Twr. E14 .....3D **83**
Casella Rd. SE14 ....5D **131**
Casey Cl. NW8 ....3F **23**
Caspian Ho. E1 ....1E **53**
Caspian St. SE5 ....4D **127**
Caspian Wlk. E16 ......4D **61**
Cassidy Rd. SW6 ......5D **117**
(not continuous)
Cassilis Rd. E14 ....5E **83**
Casson Ho. E1 ....1D **51**
Casson St. E1 ....2D **51**
Castalia Sq. E14 ....5B **84**
Castellain Mans. W9 ...4F **21**
(not continuous)
Castellain Rd. W9 ......4F **21**
Castell Ho. SE8 ....4E **133**
Casterbridge NW6 .....3A **6**
W11 ....3C **38**
Castleacre W2 ....4F **41**
Castle Baynard St. EC4 ..5A **48**
Castlebrook Ct. SE11 ...3F **103**
Castle Ct. EC3 ....4E **49**
Castleden Ho. NW3 ....2D **7**
Castleford Ct. NW8 ....4E **23**
Castlehaven Rd. NW1 ..2F **9**
Castle Ho. SE1 ....3B **104**
SW8 ....4A **124**
Castle Ind. Est. SE17 ..3B **104**
Castle La. SW1 ....1B **100**
Castlemain St. E1 ......1F **51**
Castle Mead SE5 ......5C **126**
Castle Pl. NW1 ....1A **10**
Castlereagh St. W1 ....3B **42**
Castle Rd. NW1 ....1F **9**
Castleton Ho. E14 .....3C **112**
Castletown Rd. W14 ...1A **116**
Castle Wharf E14 ......5A **58**
Castle Yd. SE1 ....2A **76**
Castor La. E14 ....1F **83**
Catesby St. SE17 ......4E **105**
Cathay Ho. SE16 ......5A **80**
Cathay St. SE16 ....5A **80**
Cathcart Rd. SW10 ....2A **118**
Cathedral Lodge EC1 ..1B **48**
Cathedral Mans. SW1 ..3B **100**
Cathedral Piazza SW1 ..2B **100**
Cathedral St. SE1 ......2D **77**
Cathedral Wlk. SW1 ...1B **100**
Catherine Ct. SW3 .....2C **118**
Catherine Griffiths Ct. EC1 ..4E **29**
Catherine Gro. SE10 ...5F **133**
Catherine Ho. N1 ......4A **16**
Catherine Pl. SW1 .....1B **100**
Catherine St. WC2 .....5B **46**

Catherine Wheel All. E1 . . . . .2A **50**	Centre Av. NW10 . . . . .3B **18**	Chancery Bldgs. E1 . . . . . . .5A **52**
(not continuous)	Cen. for the Magic Arts, The	Chancery La. WC2 . . . . .2C **46**
Catherine Wheel Yd. SW1 . .3B **72**	. . . . .4C **26**	Chance St. E1 . . . . .4B **32**
Catherwood Ct. N1 . . . . .2D **31**	Centre Hgts. NW3 . . . . .1D **7**	E2 . . . . .4B **32**
(not continuous)	Centre Point SE1 . . . . .5D **107**	Chandler Av. E16 . . . . .1D **59**
Cathnor Rd. W12 . . . . .5A **64**	Centrepoint WC2 . . . . .3E **45**	Chandler Ho. NW6 . . . . .3C **4**
Catlin St. SE16 . . . . .1E **129**	Centre Point Ho. WC2 . . . . . .3E **45**	WC1 . . . . .5A **28**
Cator St. SE15 . . . . .4C **128**	Centre St. E2 . . . . .1F **33**	Chandlers M. E14 . . . . .4D **83**
(Commercial Way)	Centric Cl. NW1 . . . . .3F **9**	Chandler St. E1 . . . . .2A **80**
SE15 . . . . .3B **128**	Centurion Bldg. SW8 . . . . . .3F **121**	Chandler Way SE15 . . . . . . .3A **128**
(Ebley Cl.)	Centurion Cl. N7 . . . . .1B **12**	Chandlery, The SE1 . . . . . . .1E **103**
Cato St. W1 . . . . .2A **42**	Cephas Av. E1 . . . . .4C **34**	Chandlery Ho. E1 . . . . .4D **51**
Catton St. WC1 . . . . .2B **46**	Cephas Ho. E1 . . . . .5B **34**	Chandos Pl. WC2 . . . . .1F **73**
Caughley Ho. SE11 . . . . .2D **103**	Cephas St. E1 . . . . .5B **34**	Chandos St. W1 . . . . .2A **44**
Causton Cotts. E14 . . . . . . .3A **54**	Cerney M. W2 . . . . .5D **41**	Change All. EC3 . . . . .4E **49**
Causton Ho. SE5 . . . . .4C **126**	Cervantes Ct. W2 . . . . .4A **40**	Channel Ho. E14 . . . . .2F **53**
Causton St. SW1 . . . . .4E **101**	Cester St. E2 . . . . .4D **17**	Chanticleer Ct. SE1 . . . . . .5C **106**
Cavaye Ho. SW10 . . . . .2C **118**	Ceylon Rd. W14 . . . . .2E **93**	Chantry Cl. W9 . . . . .5C **20**
Cavaye Pl. SW10 . . . . .1C **118**	Chadbourn St. E14 . . . . .2A **56**	Chantry Sq. W8 . . . . .2F **95**
Cavell Ho. N1 . . . . .4F **15**	Chadston Ho. N1 . . . . .1A **14**	Chantry St. N1 . . . . .4A **14**
Cavell St. E1 . . . . .1A **52**	Chadswell WC1 . . . . .3A **28**	Chapel Ct. SE1 . . . . .4D **77**
Cavendish Av. NW8 . . . . . . .1E **23**	Chadwell Ho. SE17 . . . . .1E **127**	Chapel Ho. St. E14 . . . . . . .5A **112**
Cavendish Cl. NW6 . . . . .1B **4**	Chadwell St. EC1 . . . . .2E **29**	Chapel Mkt. N1 . . . . .5D **13**
NW8 . . . . .2E **23**	Chadwick St. SW1 . . . . .2E **101**	Chapel of St John the Evangelist
Cavendish Ct. EC3 . . . . .3A **50**	Chadwin Rd. E13 . . . . .1F **59**	. . . . .1B **78**
Cavendish Ho. NW8 . . . . . . .1E **23**	Chadworth Ho. EC1 . . . . .3B **30**	(in The Tower of London)
Cavendish Mans. EC1 . . . . .5D **29**	Chagford St. NW1 . . . . .5B **24**	Chapel of St Peter & St Paul
Cavendish M. Nth. W1 . . . . .1A **44**	Chalbury Wlk. N1 . . . . .5C **12**	. . . . .2D **135**
Cavendish M. Sth. W1 . . . . .2A **44**	Chalcot Cres. NW1 . . . . .2C **8**	(in Old Royal Naval College)
Cavendish Pl. W1 . . . . .3A **44**	Chalcot Rd. NW1 . . . . .2D **9**	Chapel Pl. EC2 . . . . .3F **31**
Cavendish Rd. NW6 . . . . . . .2A **4**	Chalcot Sq. NW1 . . . . .2C **8**	N1 . . . . .5E **13**
Cavendish Sq. W1 . . . . .3A **44**	(not continuous)	W1 . . . . .4F **43**
Cavendish St. N1 . . . . .1D **31**	Chaldon Rd. SW6 . . . . .4A **116**	Chapel Side W2 . . . . .5F **39**
Caversham Ho. SE15 . . . . . .3D **129**	Chalfont Ct. NW1 . . . . .5C **24**	Chapel St. NW1 . . . . .2F **41**
Caversham St. SW3 . . . . . . .2B **120**	Chalfont Ho. SE16 . . . . .1F **107**	SW1 . . . . .1E **99**
Caverswall St. W12 . . . . . . .3B **36**	Chalford NW3 . . . . .1C **6**	Chaplin Cl. SE1 . . . . .4E **75**
Cavour Ho. SE17 . . . . .5A **104**	CHALK FARM 1E **9**	Chapman Ho. E1 . . . . .4A **52**
Caxton Rd. W12 . . . . .3D **65**	Chalk Farm NW3 . . . . .1D **9**	Chapman St. E1 . . . . .5F **51**
Caxton St. SW1 . . . . .1C **100**	(off Adelaide Rd.)	Chapone Pl. W1 . . . . .4D **45**
Caxton St. Nth. E16 . . . . . . .4B **58**	Chalk Farm Rd. NW1 . . . . . .1D **9**	Chapter Chambers
Caxton Wlk. WC2 . . . . .4E **45**	Chalk Hill Rd. W6 . . . . .4D **93**	SW1 . . . . .4D **101**
Cayenne Ct. SE1 . . . . .3C **78**	Chalk Rd. E13 . . . . .1A **60**	Chapter House 4A **48**
Cayton Pl. EC1 . . . . .3D **31**	Chalkwell Ho. E1 . . . . .4E **53**	Chapter Rd. SE17 . . . . .1A **126**
Cayton St. EC1 . . . . .3D **31**	Challenger Ho. E14 . . . . . . .5A **54**	Chapter St. SW1 . . . . .4D **101**
Cecil Ct. NW6 . . . . .2F **5**	Challoner Ct. W14 . . . . .1B **116**	Charcroft Ct. W14 . . . . .5D **65**
SW10 . . . . .2B **118**	Challoner Cres. W14 . . . . . .1B **116**	Chardin Ho. SW9 . . . . .5E **125**
WC2 . . . . .1F **73**	Challoner Mans. W14 . . . . . .1B **116**	Chardwell Cl. E6 . . . . .3B **62**
Cecil Rhodes Ho. NW1 . . . . .5D **11**	Challoner St. W14 . . . . .5B **94**	Charecroft Way W12 . . . . . .5D **65**
Cecil Sharp House 3E **9**	Chalmers Wlk. SE17 . . . . . .3A **126**	Charfield Ct. W9 . . . . .5A **22**
Cedar Ct. N1 . . . . .1C **14**	Chalton Ho. NW1 . . . . .2D **27**	Charford Rd. E16 . . . . .2E **59**
SE1 . . . . .5A **78**	Chalton St. NW1 . . . . .5C **10**	Chargrove Cl. SE16 . . . . . . .4E **81**
Cedar Ho. E14 . . . . .5B **84**	(not continuous)	Charing Cross SW1 . . . . . . .2F **73**
SE16 . . . . .5D **81**	Chamberlain Ho. E1 . . . . . . .5B **52**	Charing Cross Rd. WC2 . . . .3E **45**
W8 . . . . .1F **95**	NW1 . . . . .1D **27**	Charing Cross Underground
Cedarne Rd. SW6 . . . . .5F **117**	SE1 . . . . .5D **75**	Shop. Cen. WC2 . . . . . . .1F **73**
Cedar Way NW1 . . . . .2D **11**	Chamberlain St. NW1 . . . . . .2C **8**	Charing Ho. SE1 . . . . .4E **75**
Cedar Way Ind. Est. NW1 . .2D **11**	Chamberlayne Mans.	Charlbert Ct. NW8 . . . . .5F **7**
Celandine Cl. E14 . . . . .2D **55**	NW10 . . . . .3E **19**	Charlbert St. NW8 . . . . .5F **7**
Celandine Dr. E8 . . . . .1C **16**	Chamberlayne Rd. NW10 . . .1D **19**	Charles II Pl. SW3 . . . . .1A **120**
Celbridge M. W2 . . . . .3A **40**	Chamberlens Garages	Charles II St. SW1 . . . . .2D **73**
Celia Ho. N1 . . . . .1F **31**	W6 . . . . .4A **92**	Charles Auffray Ho. E1 . . . . .2C **52**
Celtic St. E14 . . . . .1A **56**	Chambers St. SE16 . . . . . . .4D **79**	Charles Darwin Ho. E2 . . . . .2F **33**
Cenotaph 4F **73**	Chamber St. E1 . . . . .5C **50**	(off Canrobert St.)
Centaur St. SE1 . . . . .1C **102**	Chambers Wharf SE16 . . . . .4E **79**	Charles Dickens Ho. E2 . . . .2E **33**
Central Av. SW11 . . . . .5B **120**	Chambord St. E2 . . . . .2C **32**	Charles Flemwell M. E16 . . .2E **87**
Central Markets (Smithfield)	Champlain Ho. W12 . . . . . . .1A **64**	Charles Gardner Ct. N1 . . . .2E **31**
. . . . .2F **47**	Chancellor Ho. E1 . . . . .3A **80**	Charles House 3B **94**
Central St Martins College of	SW7 . . . . .1C **96**	(off Kensington High St.)
Art & Design 2B **46**	Chancellor Pas. E14 . . . . . . .3E **83**	Charles La. NW8 . . . . .1E **23**
Central St. EC1 . . . . .2B **30**	Chancellors Ct. WC1 . . . . . .1B **46**	Charles Mackenzie Ho.
Central Wharf E14 . . . . .3D **55**	Chancel St. SE1 . . . . .3F **75**	SE16 . . . . .3D **107**

Charles Pl. NW1 ....3C 26	Cheadle Ct. NW8 ....4E 23	Chesham M. SW1 ....1D 99
Charles Rowan Ho. WC1 ....3D 29	Cheadle Ho. E14 ....4B 54	Chesham Pl. SW1 ....2D 99
Charles Simmons Ho.	Cheapside EC2 ....4B 48	(not continuous)
WC1 ....3C 28	Chearsley SE17 ....3C 104	Chesham St. SW1 ....2D 99
Charles Sq. N1 ....3E 31	Cheddington Ho. E2 ....4D 17	Cheshire Ct. EC4 ....4E 47
Charles Sq. Est. N1 ....3E 31	Chedworth Cl. E16 ....3B 58	Cheshire St. E2 ....4C 32
Charles St. E16 ....3C 88	Cheesemans Ter. W14 ....1B 116	Cheshunt Ho. NW6 ....4F 5
W1 ....2F 71	(not continuous)	Chesil Ct. SW3 ....2A 120
Charleston St. SE17 ......4C 104	Chelmsford Cl. E6 ....3B 62	Chesilton Rd. SW6 ....5B 116
Charles Townsend Ho.	CHELSEA 1F 119	Chesney Ct. W9 ....4E 21
EC1 ....3F 29	Chelsea Bri. SW1 ....2F 121	Chesson Rd. W14 ....2B 116
Charles Whincup Rd. E16 ...2F 87	Chelsea Bri. Rd. SW1 .....5D 99	Chester Cl. SW1 ....5F 71
Charlesworth Ho. E14 .....4C 54	Chelsea Bri. Wharf	Chester Cl. Nth. NW1 ......2A 26
Charleville Ct. W14 ....1B 116	SW8 ....3A 122	Chester Cl. Sth. NW1 ......3A 26
Charleville Mans. W14 ....1A 116	Chelsea Cinema 1A 120	Chester Cotts. SW1 ....4D 99
Charleville Rd. W14 ......1A 116	Chelsea Cloisters SW3 ....4A 98	Chester Ct. NW1 ....2A 26
Charlie Chaplin Wlk. SE1 ...3C 74	Chelsea College of Art & Design	(not continuous)
Charlotte Ct. SE1 ....3F 105	..........1F 119	SE5 ....5D 127
Charlotte Ho. E16 ....2F 87	Chelsea Ct. SW3 ....2D 121	SE8 ....5E 109
Charlotte M. W1 ....1C 44	Chelsea Emb. SW3 ....3F 119	W6 ....4D 93
W10 ....4D 37	Chelsea Farm Ho. Studios	Chesterfield Gdns. SE10 ...5D 135
W14 ....3F 93	SW10 ....3D 119	W1 ....2F 71
Charlotte Pl. SW1 ....4B 100	Chelsea FC 4F 117	Chesterfield Hill W1 ....2F 71
W1 ....2C 44	Chelsea Gdns. SW1 ....1E 121	Chesterfield Ho. W1 ....2E 71
Charlotte Rd. EC2 ....3F 31	Chelsea Ga. SW1 ....1E 121	Chesterfield St. W1 ....2F 71
Charlotte St. W1 ....1C 44	Chelsea Lodge SW3 ......2C 120	Chesterfield Wlk. SE10 ....5D 135
Charlotte Ter. N1 ....4C 12	Chelsea Mnr. Ct. SW3 ....2A 120	Chesterfield Way SE15 ....5B 130
Charlton Ct. E2 ....4C 16	Chelsea Mnr. Gdns. SW3 ..2F 119	Chester Ga. NW1 ....3F 25
Charlton Pl. N1 ....5F 13	Chelsea Mnr. St. SW3 ....1F 119	Chester Ho. SE8 ....2C 132
Charlwood Ho. SW1 ......4D 101	Chelsea Mnr. Studios	SW1 ....3F 99
Charlwood Ho's. WC1 ......3A 28	SW3 ....1A 120	SW9 ....4E 125
(off Midhope St.)	Chelsea Pk. Gdns. SW3 ....2D 119	Chester M. SW1 ....1F 99
Charlwood Pl. SW1 ....4C 100	Chelsea Physic Garden 2B 120	Chester Pl. NW1 ....2F 25
Charlwood St. SW1 ....1B 122	Chelsea Reach Twr.	Chester Rd. NW1 ....3E 25
(not continuous)	SW10 ....4D 119	Chester Row SW1 ....4D 99
Charmans Ho. SW8 ....4F 123	Chelsea Sports Cen. 1A 120	Chester Sq. SW1 ....3E 99
Charmian Ho. N1 ....1F 31	Chelsea Sq. SW3 ....5E 97	Chester Sq. M. SW1 ......2F 99
Charmouth Ho. SW8 ......4B 124	Chelsea Studios SW6 .....4A 118	Chester St. E2 ....4E 33
Charnock Ho. W12 ....1A 64	Chelsea Towers SW3 .....1A 120	SW1 ....1E 99
Charnwood Gdns. E14 .....3E 111	Chelsea Village SW6 .....4A 118	Chester Ter. NW1 ....2F 25
Charrington St. NW1 ......5D 11	Chelsea Wharf SW10 .....5D 119	(not continuous)
Charterhouse 5A 30	Chelsfield Ho. SE17 ......4F 105	Chesterton Ho. W10 ....1F 37
Charter Ho. WC2 ....4A 46	Cheltenham Ter. SW3 .....5C 98	Chesterton Rd. W10 ......2E 37
Charterhouse Bldgs. EC1 ...5B 30	Chelwood Ho. W2 ....4E 41	Chesterton Sq. W8 ....3C 94
Charterhouse M. EC1 ......1A 48	Chenies, The NW1 ....5E 11	Chester Way SE11 ....4E 103
Charterhouse Sq. EC1 .....1A 48	Chenies Ho. W2 ....5F 39	Chestnut All. SW6 ....2C 116
Charterhouse St. EC1 ......2E 47	Chenies M. WC1 ....5D 27	Chestnut Ct. SW6 ....3C 116
Charteris Rd. NW6 ....3C 4	Chenies Pl. NW1 ....5E 11	W8 ....2F 95
Chartes Ho. SE1 ....1A 106	Chenies St. WC1 ....1D 45	Chettle Cl. SE1 ....1D 105
Chartham Ho. SE1 ....1E 105	Cheniston Gdns. W8 ......1F 95	Chetwode Ho. NW8 ....4F 23
Chart Ho. E14 ....5F 111	Chepstow Cnr. W2 ....4E 39	Chetwood Wlk. E6 ....3A 62
Chartridge SE17 ....2D 127	Chepstow Ct. W11 ....5D 39	Cheval Pl. SW7 ....1A 98
Chart St. N1 ....2E 31	Chepstow Cres. W11 ......5D 39	Cheval St. E14 ....1D 111
Chartwell Ho. W11 ....2C 66	Chepstow Pl. W2 ....4E 39	Chevening Rd. NW6...1D 19 & 4A 4
Chase Ct. SW3 ....2B 98	Chepstow Rd. W2 ....2D 39	SE10 ....5C 114
Chaseley St. E14 ....4F 53	Chepstow Vs. W11 ....5C 38	Cheverell Ho. E2 ....5E 17
Chasemore Ho. SW6 ......4A 116	Chequers Ct. EC1 ....5D 31	Cheverton Rd. SE14 ......3C 130
Chater Ho. E2 ....2D 35	Chequers Ho. NW8 ....4F 23	Cheviot Ho. E1 ....3A 52
Chateris Community Sports Cen.	Chequer St. EC1 ....5C 30	Chevron Cl. E16 ....3E 59
..........4D 5	(not continuous)	Cheylesmore Ho.
Chatham St. SE17 ....3D 105	Cherbury Ct. N1 ....1E 31	SW1 ....1F 121
Chatsworth Ct. W8 ....3D 95	Cherbury St. N1 ....1E 31	Cheyne Ct. SW3 ....2B 120
Chatsworth Ho. E16 ....2F 87	Cherry Gdn. Ho. SE16 .....5F 79	Cheyne Gdns. SW3 ....2A 120
Chatsworth Rd. NW2 ......1A 4	Cherry Gdn. St. SE16 .....5F 79	Cheyne M. SW3 ....3A 120
Chaucer Dr. SE1 ....4C 106	Cherry Tree Ct. NW1 ......1C 10	Cheyne Pl. SW3 ....2B 120
Chaucer Ho. SW1 ....1B 122	Cherry Tree Ter. SE1 ......5A 78	Cheyne Row SW3 ....3F 119
Chaucer Mans. W14 ......2A 116	Cherry Tree Wlk. EC1 .....5C 30	Cheyne Wlk. SW3 ....3F 119
Chaucer Theatre 3C 50	Cherrywood Cl. E3 ....2F 35	(not continuous)
(off Braham St.)	Cherwell Ho. NW8 ....5E 23	Chicheley St. SE1 ....4C 74
Chaulden Ho. EC1 ....3E 31	Chesham Cl. SW1 ....2D 99	Chichester Cl. E6 ....4A 62
Chauntler Cl. E16 ....5A 60	Chesham Flats W1 ....5E 43	Chichester Ct. NW1 ....1B 10

Chichester Ho. NW6 . . . . . . .1D **21**
   SW9 . . . . .4D **125**
Chichester Rents
   WC2 . . . . .3D **47**
Chichester Rd. NW6 . . . . . . .1D **21**
   W2 . . . . .1A **40**
Chichester St. SW1 . . . . . . .1C **122**
Chichester Way E14 . . . . . .3D **113**
Chicksand Ho. E1 . . . . .1D **51**
Chicksand St. E1 . . . . .2C **50**
   (not continuous)
Chigwell Hill E1 . . . . .1F **79**
Chilcot Cl. E14 . . . . .4F **55**
Childeric Rd. SE14 . . . . . . .4A **132**
Childers St. SE8 . . . . .2A **132**
Child La. SE10 . . . . .2C **114**
Child's M. SW5 . . . . .4E **95**
Child's Pl. SW5 . . . . .4E **95**
Child's St. SW5 . . . . .4E **95**
Child's Wlk. SW5 . . . . .4E **95**
Chilham Ho. SE1 . . . . .1E **105**
   SE15 . . . . .2C **130**
Chilianwallan Memorial . . .2D **121**
Chiltern Ct. NW1 . . . . .5C **24**
   SE14 . . . . .4C **130**
Chiltern Ho. W10 . . . . .1F **37**
Chiltern St. W1 . . . . .1D **43**
Chilton Gro. SE8 . . . . .4E **109**
Chilton St. E2 . . . . .4C **32**
Chilver St. SE10 . . . . .5C **114**
Chilworth M. W2 . . . . .4D **41**
Chilworth St. W2 . . . . .4C **40**
Chimney Ct. E1 . . . . .3A **80**
China Ct. E1 . . . . .2F **79**
China Hall M. SE16 . . . . . . .2C **108**
China Wlk. SE11 . . . . .2C **102**
China Wharf SE1 . . . . .4D **79**
Ching Ct. WC2 . . . . .4F **45**
Chinnock's Wharf E14 . . . . .5F **53**
Chipka St. E14 . . . . .5B **84**
   (not continuous)
Chipley St. SE14 . . . . .3F **131**
Chippendale Ho. SW1 . . . . .1A **122**
Chippenham Gdns. NW6 . . .3D **21**
Chippenham M. W9 . . . . . . .5D **21**
Chippenham Rd. W9 . . . . . .4D **21**
Chipperfield Ho. SW3 . . . . .5F **97**
Chiswell St. EC1 . . . . .1C **48**
   SE5 . . . . .4E **127**
Chitty St. W1 . . . . .1C **44**
Chocolate Studios N1 . . . . .2D **31**
Choppin's Ct. E1 . . . . .2A **80**
Chrisp Ho. SE10 . . . . .2F **135**
Chrisp St. E14 . . . . .2F **55**
   (not continuous)
Christchurch Av. NW6 . . . . .2A **4**
Christchurch Ct. EC4 . . . . . .3A **48**
Christchurch St. SW3 . . . . .2B **120**
Christchurch Ter. SW3 . . . . .2B **120**
Christchurch Way SE10 . . . .5A **114**
Christian Ct. SE16 . . . . .3B **82**
Christian Pl. E1 . . . . .4E **51**
Christian St. E1 . . . . .3E **51**
Christie Ho. SE10 . . . . .5B **114**
Christina St. EC2 . . . . .4F **31**
Christopher Cl. SE16 . . . . . .5D **81**
Christopher Pl. NW1 . . . . . .2E **27**
Christophers M. W11 . . . . . .2F **65**
Christopher St. EC2 . . . . . . .5E **31**
Chryssell Rd. SW9 . . . . .5E **125**
Chubworthy St. SE14 . . . . . .3F **131**

Chudleigh St. E1 . . . . .3D **53**
Chumleigh Gdns. SE5 . . . . .2F **127**
Chumleigh St. SE5 . . . . .2F **127**
Church Cloisters EC3 . . . . . .1F **77**
Church Cl. W8 . . . . .4F **67**
Church Ct. SE16 . . . . .4B **82**
Church Entry EC4 . . . . .4A **48**
Churchfields SE10 . . . . .3B **134**
Church Ho. *EC1* *4A 30*
   (off Compton St.)
   SW1 . . . . .1E **101**
Churchill Gdns. SW1 . . . . . .1B **122**
Churchill Gdns. Rd.
   SW1 . . . . .1A **122**
Churchill Mus.
   (Cabinet War Rooms) . . .4E **73**
Churchill Pl. E14 . . . . .3A **84**
Churchill Rd. E16 . . . . .4B **60**
Church Mead SE5 . . . . .5C **126**
Church Pas. *EC2* *3C 48*
   (off Guildhall Yd.)
Church Pl. SW1 . . . . .1C **72**
Church Rd. N1 . . . . .1C **14**
Church Row SW6 . . . . .5F **117**
Church St. E16 . . . . .3F **91**
   NW8 . . . . .5E **23**
   W2 . . . . .1E **41**
Church St. Est. NW8 . . . . . . .5E **23**
   (not continuous)
Churchward Ho. SE17 . . . . .2A **126**
   W14 . . . . .1C **116**
Churchway NW1 . . . . .2E **27**
   (not continuous)
Churchyard Row SE11 . . . . .3A **104**
Church Yd. Wlk. W2 . . . . . . .1D **41**
Churston Mans. WC1 . . . . . .5C **28**
Churton Pl. SW1 . . . . .4C **100**
Churton St. SW1 . . . . .4C **100**
Chusan Pl. E14 . . . . .4C **54**
Chuter Ede Ho. SW6 . . . . . .3C **116**
Cicely Ho. NW8 . . . . .1E **23**
Cine Lumiere 3D **97**
Cineworld Cinema
   Chelsea 2E **119**
   Fulham Road 1C **118**
   Hammersmith 4A **92**
   Shaftesbury Avenue . . .1D **73**
   West India Quay 1E **83**
Cinnabar Wharf Central E1 . .3E **79**
Cinnabar Wharf E. E1 . . . . . .3E **79**
Cinnabar Wharf W. E1 . . . . . .3D **79**
Cinnamon Cl. SE15 . . . . . . .4B **128**
Cinnamon St. E1 . . . . .3A **80**
Cinnamon Wharf SE1 . . . . . .4C **78**
Circa Apartments NW1 . . . . .1D **9**
Circle, The SE1 . . . . .4C **78**
Circus Lodge NW8 . . . . .2D **23**
Circus M. W1 . . . . .1B **42**
Circus Pl. EC2 . . . . .2E **49**
Circus Rd. NW8 . . . . .2D **23**
Circus St. SE10 . . . . .5B **134**
Cirencester St. W2 . . . . .1F **39**
Citadel Pl. SE11 . . . . .5B **102**
Citrus Ho. SE8 . . . . .1B **132**
City Apartments *E1* *3D 51*
   (off White Chu. La.)
City Bus. Cen. SE16 . . . . . . .5B **80**
City Central Est. EC1 . . . . . .3B **30**
City Cross Bus. Cen.
   SE10 . . . . .3A **114**
City Forum EC1 . . . . .2B **30**

City Gdn. Row N1 . . . . .1A **30**
City Harbour E14 . . . . .2A **112**
City Hgts. SE1 . . . . .3A **78**
CITY OF LONDON 3E **49**
City of Westminster College
   . . . . .5C **44**
City Pav. EC1 . . . . .1F **47**
City Rd. EC1 . . . . .1F **29**
City Twr. EC2 . . . . .2D **49**
City University 3F **29**
City University Saddlers
   Sports Cen. 4A **30**
City Wlk. SE1 . . . . .1F **105**
City Wlk. Apartments *EC1* . . .*3A 30*
   (off Seward St.)
Clabon M. SW1 . . . . .2B **98**
Clack St. SE16 . . . . .5C **80**
Claire Pl. E14 . . . . .1E **111**
Clandon Ho. SE1 . . . . .5A **76**
Clanricarde Gdns. W2 . . . . .1E **67**
Clapham Rd. SW9 . . . . .5C **124**
Clara Grant Ho. E14 . . . . . . .1E **111**
Clare Ct. W11 . . . . .1A **66**
   WC1 . . . . .3A **28**
Claredale Ho. E2 . . . . .1F **33**
Claredale St. E2 . . . . .1E **33**
Clare Gdns. W11 . . . . .4A **38**
Clare Ho. E16 . . . . .1E **91**
   SE1 . . . . .5C **106**
Clare La. N1 . . . . .2C **14**
Clare Mkt. WC2 . . . . .4C **46**
Clare M. SW6 . . . . .5F **117**
Claremont Cl. E16 . . . . .3E **91**
   N1 . . . . .1D **29**
Claremont Ct. W2 . . . . .3A **40**
   W9 . . . . .1B **20**
Claremont Rd. W9 . . . . .1A **20**
Claremont Sq. N1 . . . . .1D **29**
Claremont St. E16 . . . . .3E **91**
   SE10 . . . . .3A **134**
Claremont Vs. SE5 . . . . .4E **127**
Clarence Ct. W6 . . . . .4A **92**
Clarence Gdns. NW1 . . . . . .3A **26**
Clarence Ga. Gdns. NW1 . . .5C **24**
Clarence House 4C **72**
Clarence Ho. SE17 . . . . .2C **126**
Clarence M. SE16 . . . . .3D **81**
Clarence Rd. E16 . . . . .1A **58**
   NW6 . . . . .2B **4**
   SE8 . . . . .3F **133**
Clarence Ter. NW1 . . . . .4C **24**
Clarence Way NW1 . . . . .1F **9**
Clarendon Cl. W2 . . . . .5F **41**
Clarendon Cross W11 . . . . . .1A **66**
Clarendon Flats W1 . . . . . . .4E **43**
Clarendon Gdns. W9 . . . . . .5C **22**
Clarendon Gro. NW1 . . . . . .2D **27**
Clarendon Ho. NW1 . . . . . . .1C **26**
   W2 . . . . .5F **41**
Clarendon M. W2 . . . . .5F **41**
Clarendon Pl. W2 . . . . .5F **41**
Clarendon Rd. W11 . . . . .5F **37**
Clarendon St. SW1 . . . . .1A **122**
Clarendon Ter. W9 . . . . .4C **22**
Clarendon Wlk. W11 . . . . . . .4F **37**
Clare St. E2 . . . . .5F **17**
Clareville Ct. SW7 . . . . .4C **96**
Clareville Gro. SW7 . . . . .4C **96**
Clareville Gro. M. SW7 . . . . . .4C **96**
Clareville St. SW7 . . . . .4C **96**
Clarewood Ct. W1 . . . . .2B **42**

Clarges M. W1 . . . . .2F **71**
Clarges St. W1 . . . . .2A **72**
Clarion Ho. *E3* *1F* **35**
     (off Roman Rd.)
  SW1 . . . . .5C **100**
  W1 . . . . .4D **45**
Clarissa Ho. E14 . . . . .3A **56**
Clarissa St. E8 . . . . .3B **16**
Clarke's M. W1 . . . . .1E **43**
Clark Ho. SW10 . . . . .4B **118**
Clarkson Rd. E16 . . . . .3B **58**
Clarkson Row NW1 . . . . .1B **26**
Clarkson St. E2 . . . . .2F **33**
Clark's Pl. EC2 . . . . .3F **49**
Clark St. E1 . . . . .2A **52**
Claude St. E14 . . . . .3D **111**
Clavell St. SE10 . . . . .3B **134**
Claverton St. SW1 . . . . .1C **122**
Clave St. E1 . . . . .3B **80**
Clay Ct. *SE1* *1F* **105**
     (off Long La.)
Claydon SE17 . . . . .3B **104**
Claylands Pl. SW8 . . . . .4D **125**
Claylands Rd. SW8 . . . . .3C **124**
Clay St. W1 . . . . .2C **42**
Clayton Cl. E6 . . . . .3C **62**
Clayton Cres. N1 . . . . .4A **12**
Clayton Dr. SE8 . . . . .5F **109**
Clayton St. SE11 . . . . .2D **125**
Clearbrook Way E1 . . . . .3C **52**
Clearwater Ter. W11 . . . . .4E **65**
Clearwell Dr. W9 . . . . .5F **21**
Cleaver Ho. NW3 . . . . .1B **8**
Cleaver Sq. SE11 . . . . .1E **125**
Cleaver St. SE11 . . . . .5E **103**
Cleeve Ho. E2 . . . . .3A **32**
Cleeve Workshops E2 . . . . . .3A **32**
Clegg Ho. SE16 . . . . .1C **108**
Clegg St. E1 . . . . .2A **80**
Clem Attlee Ct. SW6 . . . . . . .3C **116**
Clem Attlee Pde. SW6 . . . . . .3C **116**
Clemence St. E14 . . . . .2B **54**
Clement Ho. SE8 . . . . .4A **110**
  W10 . . . . .1C **36**
Clement's Av. E16 . . . . .5D **59**
Clement's Inn WC2 . . . . .4C **46**
Clement's Inn Pas. WC2 . . . . .4C **46**
Clements La. EC4 . . . . .5E **49**
Clement's Rd. SE16 . . . . .2E **107**
Clemson Ho. E8 . . . . .4C **16**
Clennam St. SE1 . . . . .4C **76**
Clenston M. W1 . . . . .3B **42**
Cleopatra's Needle 2B **74**
Clere Pl. EC2 . . . . .4E **31**
Clere St. EC2 . . . . .4E **31**
CLERKENWELL 5E **29**
Clerkenwell Cl. EC1 . . . . .4E **29**
    (not continuous)
Clerkenwell Grn. EC1 . . . . . . .5E **29**
Clerkenwell Rd. EC1 . . . . . . .5D **29**
Cleve Ho. NW6 . . . . .1F **5**
Cleveland Gdns. W2 . . . . . . .4B **40**
Cleveland Gro. E1 . . . . .5B **54**
Cleveland Mans. SW9 . . . . . .5D **125**
  W9 . . . . .4E **21**
Cleveland M. W1 . . . . .1B **44**
Cleveland Pl. SW1 . . . . .2C **72**
Cleveland Rd. N1 . . . . .2E **15**
Cleveland Row SW1 . . . . .3B **72**
Cleveland Sq. W2 . . . . .4B **40**
Cleveland St. W1 . . . . .5A **26**

Cleveland Ter. W2 . . . . .4B **40**
Cleveland Way E1 . . . . .5B **34**
Cleve Rd. NW6 . . . . .1E **5**
Cleves Ho. E16 . . . . .2F **87**
Clichy Est. E1 . . . . .2C **52**
Clichy Ho. E1 . . . . .2C **52**
Cliffe Ho. SE10 . . . . .5B **114**
Clifford Ct. W2 . . . . .2F **39**
Clifford Gdns. NW10 . . . . . . .1B **18**
Clifford Ho. W14 . . . . .4B **94**
Clifford Rd. N1 . . . . .3F **15**
Clifford's Inn Pas.
  EC4 . . . . .4D **47**
Clifford St. W1 . . . . .1B **72**
Cliff Wlk. E16 . . . . .1B **58**
Clifton Ct. NW8 . . . . .4D **23**
  SE15 . . . . .4A **130**
Clifton Cres. SE15 . . . . .5A **130**
Clifton Gdns. W9 . . . . .5B **22**
Clifton Ga. SW10 . . . . .2B **118**
Clifton Hill NW8 . . . . .5A **6**
Clifton Ho. E2 . . . . .4B **32**
Clifton Pl. SE16 . . . . .4C **80**
  SW10 . . . . .2B **118**
  W2 . . . . .4E **41**
Clifton Ri. SE14 . . . . .4A **132**
    (not continuous)
Clifton Rd. E16 . . . . .1A **58**
  W9 . . . . .4C **22**
Clifton St. EC2 . . . . .5F **31**
Clifton Vs. W9 . . . . .1A **40**
Clifton Wlk. W6 . . . . .4A **92**
Clifton Way SE15 . . . . .5A **130**
Climsland Ho. SE1 . . . . .2E **75**
Clinch Ct. E16 . . . . .2E **59**
Clinger Ct. N1 . . . . .4F **15**
Clink Exhibition, The 2D **77**
Clink St. SE1 . . . . .2C **76**
Clink Wharf SE1 . . . . .2D **77**
Clipper Cl. SE16 . . . . .4D **81**
Clipper Ho. E14 . . . . .5C **112**
Clipstone M. W1 . . . . .1B **44**
Clipstone St. W1 . . . . .1A **44**
Clive Ct. W9 . . . . .4C **22**
Cliveden Ho. E16 . . . . .2D **87**
  SW1 . . . . .3D **99**
Cliveden Pl. SW1 . . . . .3D **99**
Clive Ho. SE10 . . . . .3B **134**
Cloak La. EC4 . . . . .5C **48**
Clock Mus., The 3C **48**
Clock Pl. SE1 . . . . .3A **104**
Clock Twr. M. N1 . . . . .4C **14**
Cloisters, The 1F **101**
Cloisters, The E1 . . . . .1B **50**
Cloisters Bus. Cen. SW8 . . . .5A **122**
Clonmel Rd. SW6 . . . . .5C **116**
Cloth Ct. EC1 . . . . .2A **48**
Cloth Fair EC1 . . . . .2A **48**
Clothier St. E1 . . . . .3A **50**
Cloth St. EC1 . . . . .1B **48**
Cloudesley Mans. N1 . . . . . . .4D **13**
Cloudesley Pl. N1 . . . . .4D **13**
Cloudesley Rd. N1 . . . . .3D **13**
    (not continuous)
Cloudesley Sq. N1 . . . . .3D **13**
Cloudesley St. N1 . . . . .4E **13**
Clove Cres. E14 . . . . .5D **57**
Clovelly Ho. W2 . . . . .3B **40**
Clovelly Way E1 . . . . .3C **52**
Clover M. SW3 . . . . .2C **120**

Cloysters Grn. E1 . . . . .2D **79**
Club Row E1 . . . . .4B **32**
  E2 . . . . .4B **32**
Clunbury St. N1 . . . . .1E **31**
Clunie Ho. SW1 . . . . .1C **98**
Cluny Est. SE1 . . . . .1F **105**
Cluny M. SW5 . . . . .4D **95**
Cluny Pl. SE1 . . . . .1F **105**
Cluse Ct. N1 . . . . .5B **14**
    (not continuous)
Clutton St. E14 . . . . .2A **56**
Clyde Ct. NW1 . . . . .5E **11**
Clyde Flats SW6 . . . . .4B **116**
Clydesdale Ho. W11 . . . . .3C **38**
Clydesdale Rd. W11 . . . . .3B **38**
Clyde St. SE8 . . . . .3C **132**
Clyde Wharf E16 . . . . .3C **86**
Clynes Ho. E2 . . . . .2D **35**
Coach & Horses Yd. W1 . . . . .5A **44**
Coach Ho. M. SE1 . . . . .1F **105**
Coalport Ho. SE11 . . . . .3D **103**
Coate St. E2 . . . . .1E **33**
Cobalt Sq. SW8 . . . . .2B **124**
Cobbett St. SW8 . . . . .5C **124**
Cobble La. N1 . . . . .1E **13**
Cobbold Ct. SW1 . . . . .3D **101**
Cobb's Ct. EC4 . . . . .4A **48**
Cobbold Ct. SW1 . . . . .3D **101**
Cobb St. E1 . . . . .2B **50**
Cobden Bldgs. WC1 . . . . .2B **28**
Cobden Ho. E2 . . . . .2E **33**
  NW1 . . . . .5B **10**
Cobham M. NW1 . . . . .1D **11**
Cobourg Rd. SE5 . . . . .2B **128**
Cobourg St. NW1 . . . . .3C **26**
Coburg Cl. SW1 . . . . .3C **100**
Coburg Dwellings E1 . . . . . . .4C **52**
Cochrane Cl. NW8 . . . . .1E **23**
Cochrane Ho. E14 . . . . .4E **83**
Cochrane M. NW8 . . . . .1E **23**
Cochrane St. NW8 . . . . .1E **23**
Cochrane Theatre 2A **46**
Cockburn Ho. SW1 . . . . .1E **123**
Cock Hill E1 . . . . .2A **50**
Cock La. EC1 . . . . .2F **47**
Cockpit Steps SW1 . . . . .5E **73**
Cockpit Theatre 5F **23**
Cockpit Yd. WC1 . . . . .1C **46**
Cockspur Ct. SW1 . . . . .2E **73**
Cockspur St. SW1 . . . . .2E **73**
Coda Cen., The SW6 . . . . . .5A **116**
Code St. E1 . . . . .5C **32**
Codicote Ho. SE8 . . . . .3E **109**
Codling Cl. E1 . . . . .2E **79**
Codrington Ct. E1 . . . . .5F **33**
  SE16 . . . . .2A **82**
Codrington M. W11 . . . . .4A **38**
Coffey St. SE8 . . . . .4E **133**
Coin St. SE1 . . . . .2D **75**
    (not continuous)
Coke St. E1 . . . . .3D **51**
Colas M. NW6 . . . . .3E **5**
Colbeck M. SW7 . . . . .4A **96**
Colborne Ho. E14 . . . . .5E **55**
Colchester St. E1 . . . . .3C **50**
Coldbath Sq. EC1 . . . . .4D **29**
Cold Blow La. SE14 . . . . . . .4E **131**
    (not continuous)
Coldharbour E14 . . . . .4C **84**
Colebeck M. N1 . . . . .1A **14**
Colebert Av. E1 . . . . .4B **34**
Colebert Ho. E1 . . . . .4C **34**

Colebrook Ct. SW3 . . . . .4A **98**
Colebrooke Pl. N1 . . . . .4A **14**
Colebrook Row N1 . . . . . . .1F **29**
Colebrook Ho. E14 . . . . .3F **55**
Coleby Path SE5 . . . . .5E **127**
Colechurch Ho. SE1 . . . . . .1D **129**
Colegrove Rd. SE15 . . . . . . .3C **128**
Coleherne Ct. SW5 . . . . . . .1A **118**
Coleherne Mans. SW5 . . . . . .5A **96**
Coleherne M. SW10 . . . . . . .1F **117**
Coleherne Rd. SW10 . . . . . .1F **117**
Cole Ho. SE1 . . . . .5E **75**
Coleman Flds. N1 . . . . .3C **14**
Coleman Rd. SE5 . . . . .4F **127**
Coleman St. EC2 . . . . .3D **49**
Coleman St. Bldgs. EC2 . . . . .3D **49**
Coleridge Ct. SW1 . . . . .3D **101**
   W14 . . . . .2E **93**
Coleridge Gdns. NW6 . . . . . .2B **6**
   SW10 . . . . .4A **118**
Coleridge Ho. SE17 . . . . . . .5C **104**
   SW1 . . . . .1B **122**
Coleridge Sq. SW10 . . . . . .4B **118**
Coleshill Flats SW1 . . . . . . .4E **99**
Cole St. SE1 . . . . .5C **76**
Colet Ct. W6 . . . . .4E **93**
Colet Flats E1 . . . . .3F **53**
Colet Gdns. W14 . . . . .4E **93**
Colet Ho. SE17 . . . . .1A **126**
Colette Ct. SE16 . . . . .4D **81**
Coley St. WC1 . . . . .5C **28**
Colin Winter Ho. E1 . . . . . . .4C **34**
Coliseum Theatre 1F **73**
Collard Pl. NW1 . . . . .1F **9**
College App. SE10 . . . . . . .2C **134**
College Ct. NW3 . . . . .1D **7**
   SW3 . . . . .1C **120**
   W6 . . . . .5C **92**
College Cres. NW3 . . . . .1C **6**
College Cross N1 . . . . .1E **13**
College E. E1 . . . . .2C **50**
College Gro. NW1 . . . . .3D **11**
College Hill EC4 . . . . .5C **48**
College Mans. NW6 . . . . . . .3A **4**
College M. N1 . . . . .1E **13**
   (not continuous)
   SW1 . . . . .1F **101**
College of Arms 5B **48**
College Pde. NW6 . . . . .3A **4**
COLLEGE PARK 2A **18**
College Pl. NW1 . . . . .3C **10**
   SW10 . . . . .4B **118**
College Rd. NW10 . . . . .1B **18**
College St. EC4 . . . . .5C **48**
Collerston Ho. SE10 . . . . . .5B **114**
Collett Rd. SE16 . . . . .2E **107**
Collier Cl. E6 . . . . .5F **63**
Collier St. N1 . . . . .1B **28**
Collingham Gdns. SW5 . . . . .4A **96**
Collingham Pl. SW5 . . . . . . .4F **95**
Collingham Rd. SW5 . . . . . .3A **96**
Collington St. SE10 . . . . . . .1E **135**
Collingwood Ho. E1 . . . . . . .5A **34**
   SE16 . . . . .5F **79**
   (off Cherry Gdn. St.)
   SW1 . . . . .1D **123**
   W1 . . . . .1B **44**
Collingwood St. E1 . . . . .4A **34**
Collins Ct. E8 . . . . .1D **17**
Collins Ho. E14 . . . . .5B **56**
   SE10 . . . . .5B **114**

Collinson Ct. SE1 . . . . .5B **76**
Collinson Ho. SE15 . . . . . . .4D **129**
Collinson St. SE1 . . . . .5B **76**
Collinson Wlk. SE1 . . . . .5B **76**
Collin's Yd. N1 . . . . .4F **13**
Coll's Rd. SE15 . . . . .5C **130**
Colman Rd. E16 . . . . .2B **60**
Colmans Wharf E14 . . . . . . .1F **55**
Colmar Cl. E1 . . . . .4D **35**
Colnbrook St. SE1 . . . . .2F **103**
Colne Ho. NW8 . . . . .5E **23**
Colombo St. SE1 . . . . .3F **75**
Colombo Street Sports Cen. &
   Community Cen. 3F **75**
Colomb St. SE10 . . . . .5A **114**
Colonnade WC1 . . . . .5F **27**
Colonnade, The SE8 . . . . . . .4B **110**
Colonnades, The W2 . . . . . .3A **40**
Colonnade Wlk. SW1 . . . . . .4F **99**
Colosseum Ter. NW1 . . . . . .3A **26**
Colour Ct. SW1 . . . . .3C **72**
Colstead Ho. E1 . . . . .4A **52**
Coltman Ho. SE10 . . . . .2B **134**
Coltman St. E14 . . . . .2F **53**
Columbia Point SE16 . . . . . .1C **108**
Columbia Rd. E2 . . . . .2B **32**
Columbia Road Flower Market
   . . . . .2C **32**
   (off Columbia Rd.)
Columbine Av. E6 . . . . .2F **61**
Columbus Ct. SE16 . . . . . . .3C **80**
Columbus Ct. Yd.
   E14 . . . . .2D **83**
Colverson Ho. E1 . . . . .2B **52**
Colville Est. N1 . . . . .4E **15**
Colville Est. W. E2 . . . . .3C **32**
Colville Gdns. W11 . . . . .4C **38**
   (not continuous)
Colville Ho's. W11 . . . . .3B **38**
Colville M. W11 . . . . .4C **38**
Colville Pl. W1 . . . . .2C **44**
Colville Rd. W11 . . . . .4C **38**
Colville Sq. W11 . . . . .4B **38**
Colville Ter. W11 . . . . .4B **38**
Colworth Gro. SE17 . . . . . . .4C **104**
Colwyn Ho. SE1 . . . . .2D **103**
Colyer Cl. N1 . . . . .5C **12**
Combe, The NW1 . . . . .3A **26**
Combedale Rd. SE10 . . . . . .5D **115**
Combe Ho. W2 . . . . .2D **39**
Comber Gro. SE5 . . . . .5C **126**
Comber Ho. SE5 . . . . .5C **126**
Comedy Store 1D **73**
Comedy Theatre 1D **73**
Comeragh M. W14 . . . . .1A **116**
Comeragh Rd. W14 . . . . . . .1A **116**
Comerell Pl. SE10 . . . . .5B **114**
Comet Pl. SE8 . . . . .5D **133**
   (not continuous)
Comet St. SE8 . . . . .5D **133**
Comfort St. SE15 . . . . .3F **127**
Commercial Dock Path
   SE16 . . . . .1B **110**
Commercial Rd. E1 . . . . .3D **51**
   E14 . . . . .4A **54**
Commercial St. E1 . . . . .5B **32**
Commercial Way SE15 . . . . .5B **128**
Commerell St. SE10 . . . . . . .5A **114**
Commodity Quay E1 . . . . . . .1C **78**
Commodore Ho. E14 . . . . . . .5B **56**
Commodore St. E1 . . . . .5F **35**

Commonwealth Av. W12 . . . .1A **64**
   (not continuous)
Commonwealth Conference Cen.
   . . . . .3C **72**
Commonwealth Institute 1C **94**
Compass Ct. SE1 . . . . .3B **78**
Compass Point E14 . . . . . . .5C **54**
Compayne Gdns. NW6 . . . . .1F **5**
Compter Pas. EC2 . . . . .4C **48**
Compton Av. N1 . . . . .1F **13**
Compton Cl. E3 . . . . .1E **55**
   NW1 . . . . .3A **26**
   SE15 . . . . .5D **129**
Compton Pas. EC1 . . . . .4A **30**
Compton Pl. WC1 . . . . .4F **27**
Compton Rd. N1 . . . . .1A **14**
   NW10 . . . . .3D **19**
Compton St. EC1 . . . . .4F **29**
Compton Ter. N1 . . . . .1F **13**
Comus Ho. SE17 . . . . .4F **105**
Comus Pl. SE17 . . . . .4F **105**
Comyns Cl. E16 . . . . .1B **58**
Conant Ho. SE11 . . . . .2F **125**
Conant M. E1 . . . . .5D **51**
Concert Hall App. SE1 . . . . .3C **74**
Concorde Dr. E6 . . . . .1B **62**
Concordia Wharf E14 . . . . . .3C **84**
Conder St. E14 . . . . .3F **53**
Condray Pl. SW11 . . . . .5F **119**
Conduit Av. SE10 . . . . .5E **135**
Conduit Ct. WC2 . . . . .5F **45**
Conduit M. W2 . . . . .4D **41**
Conduit Pas. W2 . . . . .4D **41**
Conduit Pl. W2 . . . . .4D **41**
Conduit St. W1 . . . . .5A **44**
Coney Way SW8 . . . . .3C **124**
Congers Ho. SE8 . . . . .4E **133**
Congreve St. SE17 . . . . .3F **105**
Congreve Wlk. E16 . . . . .2E **61**
Coningham Ct. SW10 . . . . . .4C **118**
Coningham Rd. W12 . . . . . . .4A **64**
Conisbrough NW1 . . . . .4B **10**
Coniston NW1 . . . . .2B **26**
Coniston Ct. SE16 . . . . .4D **81**
   W2 . . . . .4A **42**
Conistone Way N7 . . . . .1A **12**
Coniston Ho. SE5 . . . . .4B **126**
Conlan St. W10 . . . . .4F **19**
Conley St. SE10 . . . . .5A **114**
Connaught Bri. E16 . . . . . . .3D **89**
Connaught Cl. W2 . . . . .4A **42**
Connaught Ct. W2 . . . . .4B **42**
Connaught Ho. NW10 . . . . . .2A **18**
   W1 . . . . .1F **71**
Connaught M. SE11 . . . . . . .3E **103**
Connaught Pl. W2 . . . . .5B **42**
Connaught Rd. E16 . . . . .2E **89**
Connaught Rdbt. E16 . . . . . .5D **61**
Connaught Sq. W2 . . . . .4B **42**
Connaught St. W2 . . . . .4F **41**
Connell Ct. SE14 . . . . .2D **131**
Conrad Ho. E14 . . . . .5A **54**
   E16 . . . . .2F **87**
   (off Wesley Av.)
   SW8 . . . . .4F **123**
Consort Cl. W8 . . . . .1F **95**
Consort Ho. E14 . . . . .1A **134**
   W2 . . . . .1A **68**
Consort Lodge NW8 . . . . . . .4B **8**
Cons St. SE1 . . . . .4E **75**
Constable Av. E16 . . . . .2F **87**

Constable Ct. SE16 . . . . . . .5A **108**
Constable Ho. NW3 . . . . .1C **8**
Constable Ho's. E14 . . . . . .5E **83**
Constance Allen Ho. W10 . . .4E **37**
Constance St. E16 . . . . .3F **89**
Constant Ho. E14 . . . . .1A **84**
Constantine Ct. E1 . . . . .4E **51**
Constitution Hill SW1 . . . . . .4F **71**
Content St. SE17 . . . . .4D **105**
Convent Gdns. W11 . . . . . .4B **38**
Conway Ho. E14 . . . . .4E **111**
  SW3 . . . . .1C **120**
Conway M. W1 . . . . .5B **26**
Conway St. W1 . . . . .5B **26**
  (not continuous)
Conybeare NW3 . . . . .1A **8**
Conyer St. E3 . . . . .1F **35**
Cook Ct. SE16 . . . . .3C **80**
Cookham Cres. SE16 . . . . . .4D **81**
Cookham Ho. E2 . . . . .4B **32**
Cook's Rd. SE17 . . . . .2F **125**
Coolfin Rd. E16 . . . . .4E **59**
Coomassie Rd. W9 . . . . . . .4B **20**
Coombs St. N1 . . . . .1A **30**
Coomer M. SW6 . . . . .3C **116**
Coomer Pl. SW6 . . . . .3C **116**
Coomer Rd. SW6 . . . . .3C **116**
Cooperage, The SE1 . . . . . .3B **78**
Cooper Cl. SE1 . . . . .5E **75**
Cooper Ho. NW8 . . . . .5D **23**
Coopers Cl. E1 . . . . .5B **34**
Coopers La. NW1 . . . . .5E **11**
  (not continuous)
Coopers Lodge SE1 . . . . . . .4B **78**
Cooper's Rd. SE1 . . . . .1C **128**
Coopers Row EC3 . . . . .5B **50**
Cooper St. E16 . . . . .2C **58**
Cope Ho. EC1 . . . . .3C **30**
Copeland Dr. E14 . . . . .3E **111**
Copeland Ho. SE11 . . . . . . .2C **102**
Copenhagen Ho. N1 . . . . . . .4C **12**
Copenhagen Pl. E14 . . . . . . .3C **54**
  (not continuous)
Copenhagen St. N1 . . . . . . .4A **12**
Cope Pl. W8 . . . . .2D **95**
Cope St. SE16 . . . . .3D **109**
Copford Wlk. N1 . . . . .3B **14**
Copley Cl. SE17 . . . . .3A **126**
Copley St. E1 . . . . .2D **53**
Copperfield Ho. SE1 . . . . . .5D **79**
  W1 . . . . .1E **43**
  W11 . . . . .2E **65**
Copperfield Rd. E3 . . . . . . .1A **54**
Copperfield St. SE1 . . . . . . .4A **76**
Copper Row SE1 . . . . .3B **78**
Copperworks, The N1 . . . . .1A **28**
Copthall Av. EC2 . . . . .3E **49**
  (not continuous)
Copthall Bldgs. EC2 . . . . . . .3E **49**
Copthall Cl. EC2 . . . . .3D **49**
Coptic St. WC1 . . . . .2F **45**
Coral Apartments E16 . . . . .1E **87**
Coral Ho. E1 . . . . .5F **35**
Coral St. SE1 . . . . .5E **75**
Coram Ho. WC1 . . . . .4F **27**
Coram St. WC1 . . . . .5F **27**
Corbet Ct. EC3 . . . . .4E **49**
Corbet Ho. N1 . . . . .5D **13**
  SE5 . . . . .5B **126**
Corbet Pl. E1 . . . . .1B **50**
Corbett Ho. SW10 . . . . .2B **118**

Corbetts La. SE16 . . . . .4B **108**
  (not continuous)
Corbetts Pas. SE16 . . . . . . .4B **108**
Corbetts Wharf SE16 . . . . . .4F **79**
Corbidge Ct. SE8 . . . . .2F **133**
Corbiere Ho. N1 . . . . .3E **15**
Corbridge Cres. E2 . . . . .5F **17**
Cordelia Ho. N1 . . . . .5A **16**
Cordelia St. E14 . . . . .3F **55**
Cording St. E14 . . . . .2A **56**
Cord Way E14 . . . . .1E **111**
Corelli Ct. SW5 . . . . .4D **95**
Corfe Ho. SW8 . . . . .4B **124**
Corfield St. E2 . . . . .3A **34**
Coriander Av. E14 . . . . .4D **57**
Coriander Ct. SE1 . . . . .4C **78**
Cork Sq. E1 . . . . .2F **79**
Cork St. W1 . . . . .1B **72**
Cork St. M. W1 . . . . .1B **72**
Corlett St. NW1 . . . . .1F **41**
Cormorant Ct. SE8 . . . . . . .2B **132**
Cormorant Lodge E1 . . . . . .2D **79**
Cornbury Ho. SE8 . . . . .2D **133**
Cornelia St. N7 . . . . .1C **12**
Cornell Bldg. E1 . . . . .3D **51**
Corner Ho. St. WC2 . . . . . . .2F **73**
Cornhill EC3 . . . . .4E **49**
Cornick Ho. SE16 . . . . .2A **108**
Cornish Ho. SE17 . . . . .3F **125**
Cornwall Av. E2 . . . . .3B **34**
Cornwall Cres. W11 . . . . . . .5F **37**
Cornwall Gdns. SW7 . . . . . .2A **96**
Cornwall Gdns. Wlk.
  SW7 . . . . .2A **96**
Cornwall Ho. SW7 . . . . .2A **96**
Cornwallis Ho. *SE16* *5F* **79**
  (off Cherry Gdn. St.)
  W12 . . . . .1A **64**
Cornwall Mans. SW10 . . . .4C **118**
  W8 . . . . .5A **68**
  W14 . . . . .1D **93**
Cornwall M. Sth. SW7 . . . . .2B **96**
Cornwall M. W. SW7 . . . . . .2A **96**
Cornwall Rd. SE1 . . . . .2D **75**
Cornwall Sq. SE11 . . . . .5F **103**
Cornwall St. E1 . . . . .5A **52**
Cornwall Ter. NW1 . . . . .5C **24**
Cornwall Ter. M. NW1 . . . . .5C **24**
Cornwood Dr. E1 . . . . .3B **52**
Corona Bldg. E14 . . . . .2C **84**
Coronation Ct. W10 . . . . . . .2B **36**
Coroners Ct. NW1 . . . . .4D **11**
Coronet Cinema 2D **67**
Coronet St. N1 . . . . .3F **31**
Corporation Row EC1 . . . . . .4E **29**
Corringham Ho. E1 . . . . .4E **53**
Corry Ho. E14 . . . . .5F **55**
Corsham St. N1 . . . . .3E **31**
Corunna Rd. SW8 . . . . .5C **122**
Corvette Sq. SE10 . . . . .2E **135**
Coryton Path W9 . . . . .4C **20**
Cosgrove Ho. E2 . . . . .4E **17**
Cosmo Pl. WC1 . . . . .1A **46**
Cosser St. SE1 . . . . .1D **103**
Cosway Mans. NW1 . . . . . .1A **42**
Cosway St. NW1 . . . . .1A **42**
Cotall St. E14 . . . . .3E **55**
Cotes Ho. NW8 . . . . .5F **23**
Cotham St. SE17 . . . . .4C **104**
Cotleigh Rd. NW6 . . . . .1D **5**
Cotman Ho. NW8 . . . . .5F **7**

Cotswold Ct. EC1 . . . . .4B **30**
Cottage Cl. E1 . . . . .5C **34**
Cottage Grn. SE5 . . . . .4E **127**
Cottage Pl. SW3 . . . . .1F **97**
Cottage St. E14 . . . . .5A **56**
Cottesbrook St. SE14 . . . . . .4F **131**
Cottesloe Ho. NW8 . . . . . . .4F **23**
Cottesloe M. SE1 . . . . .1E **103**
Cottesloe Theatre *2C* **74**)
  (in National Theatre)
Cottesmore Ct. W8 . . . . . . .1A **96**
Cottesmore Gdns. W8 . . . . .1A **96**
Cottingham Rd. SW8 . . . . . .4C **124**
Cottington St. SE11 . . . . . . .5E **103**
Cottle Way SE16 . . . . .5A **80**
Cottons Cen. SE1 . . . . .2F **77**
Cotton's Gdns. E2 . . . . .2A **32**
Cottons La. SE1 . . . . .2E **77**
Cotton St. E14 . . . . .5B **56**
Cottrell Ct. SE10 . . . . .3C **114**
Coulson St. SW3 . . . . .5B **98**
Coulter Rd. W6 . . . . .2A **92**
Councillor St. SE5 . . . . .5B **126**
Counter Ct. SE1 . . . . .3D **77**
Counters Ct. W14 . . . . .1A **94**
Counter St. SE1 . . . . .3F **77**
County Gro. SE5 . . . . .5B **126**
County Hall Apartments
  SE1 . . . . .5B **74**
County Hall (Former) 4B **74**
County Rd. E6 . . . . .2F **63**
County St. SE1 . . . . .2C **104**
Courtauld Ho. E2 . . . . .4E **17**
Courtauld Institute Galleries
  . . . . .5B **46**
Court Cl. NW8 . . . . .2D **7**
  (not continuous)
Courtenay Sq. SE11 . . . . . . .1D **125**
Courtenay St. SE11 . . . . . . .5D **103**
Courtfield Gdns. SW5 . . . . . .4F **95**
Courtfield Ho. EC1 . . . . .1D **47**
Courtfield M. SW5 . . . . .4A **96**
Courtfield Rd. SW7 . . . . .4B **96**
Courthope Ho. SE16 . . . . . .2C **108**
  SW8 . . . . .5F **123**
Courtnell St. W2 . . . . .3D **39**
Courtney Ho. W14 . . . . .1A **94**
Court St. E1 . . . . .1F **51**
Courtville Ho. W10 . . . . .3A **20**
Courtyard, The *EC3* *4D* **49**
  (in Royal Exchange)
  N1 . . . . .1C **12**
  NW1 . . . . .2E **9**
  SW3 . . . . .2E **119**
Courtyard Theatre, The 1A **28**
Cousin La. EC4 . . . . .1D **77**
Couzens Ho. E3 . . . . .1C **54**
Covelees Wall E6 . . . . .3D **63**
Covell Ct. SE8 . . . . .5E **133**
COVENT GARDEN 5A **46**
Covent Garden 5A **46**
Covent Gdn. WC2 . . . . .5A **46**
Coventry Cl. E6 . . . . .4B **62**
  NW6 . . . . .5E **5**
Coventry Rd. E1 . . . . .5A **34**
  E2 . . . . .4A **34**
Coventry St. W1 . . . . .1D **73**
Coverdale Rd. W12 . . . . . . .3A **64**
Coverley Cl. E1 . . . . .1E **51**
Coverley Point SE11 . . . . . . .4B **102**
Cowan Cl. E6 . . . . .3A **62**

Cowcross St. EC1 . . . . .1F **47**
Cowdenbeath Path N1 . .3B **12**
Cow Leaze E6 . . . . .3E **63**
Cowley Rd. SW9 . . . . . .5E **125**
(not continuous)
Cowley St. SW1 . . . . .2F **101**
Cowling Cl. W11 . . . . .2F **65**
Cowper Ho. SE17 . . . . . .5C **104**
SW1 . . . . .1E **123**
Cowper's Ct. EC3 . . . . .4E **49**
Cowper St. EC2 . . . . .4E **31**
Cowper Ter. W10 . . . . . . .2D **37**
Cowthorpe Rd. SW8 . . . .5E **123**
Cox Ho. W6 . . . . .2A **116**
Cox's Ct. E1 . . . . .2B **50**
Coxson Way SE1 . . . . . . .5B **78**
Crabtree Cl. E2 . . . . .1B **32**
Crace St. NW1 . . . . .2D **27**
Crafts Council & Gallery . . .1E **29**
Cragie Ho. SE1 . . . . .4C **106**
Craig's Ct. SW1 . . . . .2F **73**
Craik Ct. NW6 . . . . .1C **20**
Crail Row SE17 . . . . .4E **105**
Cramer St. W1 . . . . .2E **43**
Crampton St. SE17 . . . . . .4B **104**
Cranbourn All. WC2 . . . . . .5E **45**
Cranbourne NW1 . . . . . . .1D **11**
Cranbourne Pas. SE16 . . . .5F **79**
Cranbourn Ho. SE16 . . . . .5F **79**
Cranbourn St. WC2 . . . . . .5E **45**
Cranbrook NW1 . . . . .4C **10**
Cranbrook Est. E2 . . . . . . .1D **35**
Cranbrook St. E2 . . . . .1E **35**
Crandley Ct. SE8 . . . . .4A **110**
Crane Ct. EC4 . . . . .4E **47**
Crane Ho. E3 . . . . .1F **35**
Crane Mead SE16 . . . . . .4D **109**
(not continuous)
Crane St. SE10 . . . . .1D **135**
Cranfield Ct. W1 . . . . .2A **42**
Cranfield Ho. WC1 . . . . . . .1F **45**
Cranfield Row SE1 . . . . . .1E **103**
Cranford Cotts. E1 . . . . . . .5E **53**
Cranford St. E1 . . . . .5E **53**
Cranleigh W11 . . . . .2B **66**
Cranleigh Ho's. NW1 . . . . .1C **26**
Cranleigh St. NW1 . . . . . . .1C **26**
Cranley Gdns. SW7 . . . . . .5C **96**
Cranley M. SW7 . . . . .5C **96**
Cranley Pl. SW7 . . . . .4D **97**
Cranley Rd. E13 . . . . .1F **59**
Cranmer Ct. SW3 . . . . . . .4A **98**
Cranmer Ho. SW9 . . . . . . .4D **125**
Cranmer Rd. SW9 . . . . . . .4E **125**
Cranston Est. N1 . . . . .5E **15**
Cranswick Rd. SE16 . . . . .5A **108**
Cranwell Cl. E3 . . . . .1F **55**
Cranwood Ct. EC1 . . . . . . .3E **31**
Cranwood St. EC1 . . . . . . .3E **31**
Craven Hill W2 . . . . .5C **40**
Craven Hill Gdns. W2 . . . .5B **40**
(not continuous)
Craven Hill M. W2 . . . . . . .5C **40**
Craven Lodge W2 . . . . . . .5C **40**
Craven Pas. WC2 . . . . .2F **73**
Craven Rd. W2 . . . . .5C **40**
Craven St. WC2 . . . . .2F **73**
Craven Ter. W2 . . . . .5C **40**
Crawford Bldgs. W1 . . . . .2A **42**
Crawford Mans. W1 . . . . . .2A **42**
Crawford M. W1 . . . . .2B **42**

Crawford Pas. EC1 . . . . . .5D **29**
Crawford Pl. W1 . . . . .3A **42**
Crawford Point E16 . . . . . .3B **58**
Crawford St. W1 . . . . .2A **42**
Crayford Cl. E6 . . . . .3F **61**
Crayford Ho. SE1 . . . . .5E **77**
Crayle Ho. EC1 . . . . .4F **29**
Creasy Est. SE1 . . . . .2F **105**
Credenhill Ho. SE15 . . . . .4F **129**
Crediton Rd. E16 . . . . .3D **59**
Credon Rd. SE16 . . . . . . .5A **108**
Creechurch La. EC3 . . . . . .4A **50**
(not continuous)
Creechurch Pl. EC3 . . . . . .4A **50**
Creed Ct. E1 . . . . .3F **35**
EC4 . . . . .4A **48**
Creed La. EC4 . . . . .4A **48**
Creek Ho. W14 . . . . .1A **94**
Creek Rd. SE10 . . . . .3E **133**
Creekside Foyer SE8 . . . . .3F **133**
Creighton Rd. NW6 . . . . . .1E **19**
Cremer Bus. Cen.
E2 . . . . .1B **32**
Cremer Ho. SE8 . . . . .5E **133**
Cremer St. E2 . . . . .1B **32**
Cremorne Est. SW10 . . . . .3E **119**
(not continuous)
Cremorne Rd. SW10 . . . . .5C **118**
Creon Ct. SW9 . . . . .5D **125**
Crescent EC3 . . . . .5B **50**
Crescent Arc. *SE10* *3B* **134**
(off Creek Rd.)
Crescent Ho. EC1 . . . . .5B **30**
Crescent Mans. W11 . . . . .5A **38**
Crescent Pl. SW3 . . . . .3F **97**
Crescent Row EC1 . . . . . . .5B **30**
Crescent St. N1 . . . . .1C **12**
Crescent Wharf E16 . . . . . .3A **88**
Cressal Ho. E14 . . . . .1E **111**
Cresswell Gdns. SW5 . . . . .5B **96**
Cresswell Pl. SW10 . . . . . .5B **96**
Cressy Ct. E1 . . . . .1C **52**
W6 . . . . .1A **92**
Cressy Ho's. E1 . . . . .1C **52**
Cressy Pl. E1 . . . . .1C **52**
Cresta Ho. NW3 . . . . .1D **7**
Crestfield St. WC1 . . . . . . .2A **28**
Crewdson Rd. SW9 . . . . . .4D **125**
Crewkerne Ct. SW11 . . . . .5E **119**
Crews St. E14 . . . . .3D **111**
Cricketers Ct. SE11 . . . . . .4F **103**
Crimscott St. SE1 . . . . . . .2A **106**
Crimsworth Rd. SW8 . . . . .5E **123**
Crinan St. N1 . . . . .5A **12**
Cringle St. SW8 . . . . .4B **122**
Cripplegate St. EC2 . . . . . .1C **48**
Crispe Ho. N1 . . . . .4C **12**
Crispin Pl. E1 . . . . .1B **50**
Crispin St. E1 . . . . .2B **50**
Criterion Ct. E8 . . . . .2C **16**
Criterion Theatre 1D **73**
Crofters Ct. SE8 . . . . .4F **109**
Crofters Way NW1 . . . . . . .3D **11**
Croft Ho. W10 . . . . .3A **20**
Crofton Ho. SW3 . . . . .3F **119**
Crofts Ho. E2 . . . . .5E **17**
Crofts St. E1 . . . . .1D **79**
Crogsland Rd. NW1 . . . . . .1D **9**
Cromarty Ho. E1 . . . . .2F **53**
Cromer St. WC1 . . . . .3F **27**

Crompton Ct. SW3 . . . . .3F **97**
Crompton Ho. SE1 . . . . . . .2C **104**
W2 . . . . .5D **23**
Crompton St. W2 . . . . .5D **23**
Cromwell Av. W6 . . . . .5A **92**
Cromwell Cl. E1 . . . . .2E **79**
Cromwell Cres. SW5 . . . . .3D **95**
Cromwell Gdns. SW7 . . . . .3E **97**
Cromwell Gro. W6 . . . . . . .1C **92**
Cromwell Highwalk EC2 . . .1C **48**
Cromwell Lodge E1 . . . . . .5B **34**
Cromwell Mans. SW5 . . . . .3E **95**
Cromwell M. SW7 . . . . .3E **97**
Cromwell Pl. EC2 . . . . .1C **48**
SW7 . . . . .3E **97**
Cromwell Rd. SW5 . . . . . . .3E **95**
SW7 . . . . .3D **97**
Cromwell Twr. EC2 . . . . . . .1C **48**
Crondall Ct. N1 . . . . .1F **31**
Crondall St. N1 . . . . .1E **31**
Crone Ct. NW6 . . . . .1C **20**
Cronin St. SE15 . . . . .5B **128**
Crooked Billet Yd. N1 . . . . .2A **32**
Crooke Rd. SE8 . . . . .5F **109**
Croombs Rd. E16 . . . . .2B **60**
Croom's Hill SE10 . . . . . . .4C **134**
Croom's Hill Gro.
SE10 . . . . .4C **134**
Cropley Ct. N1 . . . . .5D **15**
(not continuous)
Cropley St. N1 . . . . .5D **15**
Cropthorne Ct. W9 . . . . . . .3C **22**
Crosby Ct. SE1 . . . . .4D **77**
Crosby Ho. E14 . . . . .2C **112**
Crosby Row SE1 . . . . .5D **77**
Crosby Sq. EC3 . . . . .3D **49**
Cross Av. SE10 . . . . .3E **135**
Crossbow Ho. N1 . . . . .4F **15**
Crossfield Ct. W10 . . . . . . .3E **37**
Crossfield Ho. W11 . . . . . . .1F **65**
Crossfield Rd. NW3 . . . . . . .1E **7**
Crossfield St. SE8 . . . . . . .4D **133**
(not continuous)
Cross Keys Cl. W1 . . . . . . .2E **43**
Cross Keys Sq. EC1 . . . . . .2B **48**
Cross La. EC3 . . . . .1F **77**
(not continuous)
Crossleigh Ct. SE14 . . . . . .5B **132**
Crosslet St. SE17 . . . . .3E **105**
Crossmount Ho. SE5 . . . . .4B **126**
Cross St. N1 . . . . .3F **13**
Crosstrees Ho. E14 . . . . . . .1E **111**
Crosswall EC3 . . . . .5B **50**
Croston St. E8 . . . . .3E **17**
Crowder St. E1 . . . . .5F **51**
Crowland Ho. NW8 . . . . . . .4B **6**
Crowland Ter. N1 . . . . .1D **15**
Crown Ct. EC2 . . . . .4C **48**
NW8 . . . . .3A **24**
WC2 . . . . .4A **46**
Crowndale Ct. NW1 . . . . . . .5D **11**
Crowndale Rd. NW1 . . . . . .5C **10**
Crown Lodge SW3 . . . . . . .4A **98**
Crown M. E1 . . . . .1E **53**
Crown Office Row EC4 . . . .5D **47**
Crown Pas. SW1 . . . . .3C **72**
Crown Pl. EC2 . . . . .1F **49**
(not continuous)
SE16 . . . . .1A **130**
Crown Reach SW1 . . . . . . .1E **123**
Crown St. SE5 . . . . .4C **126**

Crown Wharf E14 . . . . .3C **84**
  SE8 . . . . .5A **110**
Crowther Cl. SW6 . . . . . . .3C **116**
Crowthorne Rd. W10 . . . . . .4D **37**
Croxley Rd. W9 . . . . .3C **20**
Croydon Ho. SE1 . . . . .4E **75**
Crozier Ho. 3W8 . . . . .5B **124**
Crucifix La. SE1 . . . . .4F **77**
Cruden Ho. SE17 . . . . .3A **126**
Cruden St. N1 . . . . .4A **14**
Cruikshank Ho. NW8 . . . . . .5A **8**
Cruikshank St. WC1 . . . . . .2D **29**
Crutched Friars EC3 . . . . . .5A **50**
Crystal Wharf N1 . . . . .1A **30**
Cuba St. E14 . . . . .4D **83**
Cube Ho. SE16 . . . . .2B **106**
Cubitt Steps E14 . . . . .2E **83**
Cubitt St. WC1 . . . . .3C **28**
Cubitt's Yd. WC2 . . . . .5A **46**
CUBITT TOWN 3B **112**
Cuddington SE17 . . . . . . .3B **104**
Cudworth St. E1 . . . . .4A **34**
Cuffley Ho. W10 . . . . .1B **36**
Cuff Point E2 . . . . .2B **32**
Culford Gdns. SW3 . . . . . .4C **98**
Culford Gro. N1 . . . . .1F **15**
Culford Mans. SW3 . . . . . .4C **98**
Culford Rd. N1 . . . . .1F **15**
Culham Ho. E2 . . . . .3B **32**
  W2 . . . . .2D **39**
Culling Rd. SE16 . . . . . . .1B **108**
Culloden Cl. SE16 . . . . . .1E **129**
Cullum St. EC3 . . . . .5F **49**
Cullum Welch Ct. N1 . . . . .2E **31**
Cullum Welch Ho. EC1 . . . .5B **30**
Culmore Rd. SE15 . . . . . .5A **130**
Culpepper Ct. SE11 . . . . .3D **103**
Culross Bldgs. NW1 . . . . .1F **27**
Culross Ho. W10 . . . . .4E **37**
Culross St. W1 . . . . .1D **71**
Culverhouse WC1 . . . . . . .2B **46**
Culworth Ho. NW8 . . . . . . .5F **7**
Culworth St. NW8 . . . . . . .1F **23**
Cumberland Ct. SW1 . . . . .5A **100**
  W1 . . . . .4C **42**
Cumberland Cres. W14 . . . .3A **94**
     (not continuous)
Cumberland Gdns. WC1 . . . .2D **29**
Cumberland Ga. W1 . . . . . .5B **42**
Cumberland Ho. *E16* 2E **87**
     (off Wesley Av.)
  W8 . . . . .5A **68**
Cumberland Mans. W1 . . . .3B **42**
Cumberland Mkt. NW1 . . . .2A **26**
Cumberland M. SE11 . . . . .1E **125**
Cumberland Mills Sq.
  E14 . . . . .5D **113**
Cumberland Pl. NW1 . . . . .2F **25**
Cumberland Rd. E13 . . . . . .1F **59**
Cumberland St. SW1 . . . . .5A **100**
Cumberland Ter. NW1 . . . . .1F **25**
Cumberland Ter. M. NW1 . . .1F **25**
     (not continuous)
Cuming Mus. 4B **104**
Cumming St. N1 . . . . .1C **28**
Cunard Pl. EC3 . . . . .4A **50**
Cunard Wlk. SE16 . . . . . .3E **109**
Cundy Rd. E16 . . . . .4B **60**
Cundy St. SW1 . . . . .4E **99**
Cunningham Ct. W9 . . . . . .5C **22**
Cunningham Ho. SE5 . . . . . .5D **127**

Cunningham Pl. NW8 . . . . . .4D **23**
Cureton St. SW1 . . . . .4E **101**
Curlew St. SE1 . . . . .4B **78**
Curran Ho. SW3 . . . . .4F **97**
Currie Ho. E14 . . . . .3E **57**
Cursitor St. EC4 . . . . .3D **47**
Curtain Pl. EC2 . . . . .4A **32**
Curtain Rd. EC2 . . . . .3A **32**
Curtis Ho. SE17 . . . . .5D **105**
Curtis St. SE1 . . . . .3B **106**
Curtis Way SE1 . . . . .3B **106**
Curzon Cinema
  Mayfair 3F **71**
  Soho 5E **45**
Curzon Ga. W1 . . . . .3E **71**
Curzon Sq. W1 . . . . .3E **71**
Curzon St. W1 . . . . .3E **71**
Custance Ho. N1 . . . . .1D **31**
Custance St. N1 . . . . .2D **31**
CUSTOM HOUSE 4B **60**
Custom Ho. Reach
  SE16 . . . . .5B **82**
Custom Ho. Wlk. EC3 . . . . .1F **77**
Cut, The SE1 . . . . .4E **75**
Cuthbert Harrowing Ho.
  EC1 . . . . .5B **30**
Cuthbert Ho. W2 . . . . .1D **41**
Cuthbert St. W2 . . . . .5D **23**
Cutlers Gdns. EC2 . . . . . . .2A **50**
Cutlers Sq. E14 . . . . .4E **111**
Cutler St. E1 . . . . .3A **50**
Cutty Sark 2C **134**
Cutty Sark Gdns.
  SE10 . . . . .2C **134**
Cuxton Ho. SE17 . . . . .5A **106**
Cyclops M. E14 . . . . .3D **111**
Cygnet Ho. SW3 . . . . .1A **120**
Cygnet Ho. Nth. E14 . . . . .4A **56**
Cygnet Ho. Sth.
  E14 . . . . .4A **56**
Cygnet St. E1 . . . . .4C **32**
Cynthia St. N1 . . . . .1C **28**
Cypress Ho. *SE16* 5D **81**
   (off Woodland Cres.)
Cypress Pl. W1 . . . . .5C **26**
CYPRUS 5E **63**
Cyprus Pl. E2 . . . . .1C **34**
  E6 . . . . .5E **63**
Cyprus St. E2 . . . . .1B **34**
     (not continuous)
Cyrus Ho. EC1 . . . . .4A **30**
Cyrus St. EC1 . . . . .4A **30**
Czar St. SE8 . . . . .2D **133**

D

Dabbs La. EC1 . . . . .5E **29**
Dacca St. SE8 . . . . .2C **132**
Dacre Ho. SW3 . . . . .3E **119**
Dacre St. SW1 . . . . .1D **101**
Da Gama Pl. E14 . . . . .5E **111**
Dagmar Ct. E14 . . . . .1C **112**
Dagmar Gdns. NW10 . . . . .1D **19**
Dagmar Pas. N1 . . . . .3A **14**
Dagmar Ter. N1 . . . . .3A **14**
Dagobert Ho. E1 . . . . .2C **52**
Dain Ct. W8 . . . . .3E **95**
Dainton Ho. W2 . . . . .2D **39**
Dakin Pl. E1 . . . . .2F **53**
Dakota Gdns. E6 . . . . .1A **62**
Dalehead NW1 . . . . .1B **26**

Dale Ho. *N1* 4F **15**
     (off New Era Est.)
  NW8 . . . . .4B **6**
Dalemain M. E16 . . . . .2E **87**
Dale Rd. SE17 . . . . .3A **126**
Dale Row W11 . . . . .4A **38**
Daley Ho. W12 . . . . .4A **36**
Dalgarno Gdns. W10 . . . . .1B **36**
Dalgarno Way W10 . . . . . .5B **18**
Dalgleish St. E14 . . . . .4A **54**
Dali Universe 4B **74**
Dalkeith Ct. SW1 . . . . .4E **101**
Dalkeith Ho. SW9 . . . . . . .5A **126**
Dalling Rd. W6 . . . . .2A **92**
Dallington Sq. *EC1* 4A **30**
     (off Berry St.)
Dallington St. EC1 . . . . . . .4A **30**
Dalo Lodge E3 . . . . .1E **55**
DALSTON 1B **16**
Dalton Ho. SE14 . . . . .3D **131**
  SW1 . . . . .5F **99**
Dalwood St. SE5 . . . . .5A **128**
Damer Ter. SW10 . . . . .5C **118**
Dame St. N1 . . . . .5B **14**
Damien Ct. E1 . . . . .3A **52**
Damien St. E1 . . . . .3A **52**
Damory Ho. SE16 . . . . . . .3A **108**
Danbury St. N1 . . . . .5A **14**
Danby Ho. W10 . . . . .3A **20**
Dandridge Cl. SE10 . . . . . .5C **114**
Dandridge Ho. E1 . . . . .1B **50**
Danehurst St. SW6 . . . . . .5A **116**
Danes Ct. NW8 . . . . .4B **8**
Danesfield SE5 . . . . .2F **127**
Danes Ho. W10 . . . . .1B **36**
Dane St. WC1 . . . . .2B **46**
Daniel Bolt Cl. E14 . . . . . . .1A **56**
Daniel Gdns. SE15 . . . . . .4B **128**
Daniell Ho. N1 . . . . .5E **15**
Dan Leno Wlk. SW6 . . . . . .5F **117**
Dansey Pl. W1 . . . . .5D **45**
Danson Rd. SE17 . . . . . . .1A **126**
Dante Pl. SE11 . . . . .4A **104**
Dante Rd. SE11 . . . . .3F **103**
Danube Ct. SE15 . . . . . . .4C **128**
Danube St. SW3 . . . . .5A **98**
Danvers Ho. E1 . . . . .4E **51**
Danvers St. SW3 . . . . .3E **119**
Da Palma Ct. SW6 . . . . . .3D **117**
Daplyn St. E1 . . . . .1D **51**
D'Arblay St. W1 . . . . .4C **44**
Darcy Ho. E8 . . . . .3F **17**
Darent Ho. NW8 . . . . .1E **41**
Darfield NW1 . . . . .4B **10**
Darfield Way W10 . . . . . . .4D **37**
Darien Ho. E1 . . . . .1E **53**
Daring Ho. E3 . . . . .1F **35**
Dark Ho. Wlk. EC3 . . . . . . .1E **77**
Darlan Rd. SW6 . . . . .5C **116**
Darley Ho. SE11 . . . . .1B **124**
Darling Row E1 . . . . .5A **34**
Darlington Ho. SW8 . . . . . .5E **123**
Darnall Ho. SE10 . . . . . . .5B **134**
Darnaway Pl. E14 . . . . . . .2C **56**
Darnay Ho. SE16 . . . . .1D **107**
Darnley Ho. E14 . . . . .3A **54**
Darnley Ter. W11 . . . . .2E **65**
Darsley Dr. SW8 . . . . .5E **123**
Dartford Ho. SE1 . . . . .4C **106**
Dartford St. SE17 . . . . . . .2C **126**
Dartington NW1 . . . . .4C **10**

Dartington Ho. W2 . . . . .1F 39
Dartle Ct. SE16 . . . . .5E 79
Dartmoor Wlk. E14 . . . . . . .3E 111
Dartmouth Cl. W11 . . . . .3C 38
Dartmouth Ho. SE10 . . . . . .5F 133
Dartmouth St. SW1 . . . . . . .5D 73
Dartrey Twr. SW10 . . . . .4C 118
Dartrey Wlk. SW10 . . . . .4C 118
Dart St. W10 . . . . .2A 20
Darvell Ho. SE17 . . . . .1E 127
Darwen Pl. E2 . . . . .4F 17
Darwin Ct. NW1 . . . . .3E 9
    SE17 . . . . .4E 105
        (off Barlow St.)
Darwin Ho. SW1 . . . . .2B 122
Darwin St. SE17 . . . . .4E 105
        (not continuous)
Daryngton Ho. SE1 . . . . .5D 77
    SW8 . . . . .5F 123
Datchet Ho. NW1 . . . . .2A 26
Datchworth Ho. N1 . . . . .2F 13
Date St. SE17 . . . . .1C 126
Daubeney Twr. SE8 . . . . . . .5B 110
Dauncey Ho. SE1 . . . . .5F 75
Davenant St. E1 . . . . .2E 51
Davenport Ho. SE11 . . . . . .2D 103
Daventry St. NW1 . . . . .1F 41
Daver Ct. SW3 . . . . .1A 120
Davern Cl. SE10 . . . . .4B 114
Davey's Ct. WC2 . . . . .5F 45
Davey St. SE15 . . . . .3C 128
David Beckham Academy, The
    . . . . .5B 86
Davidge Ho. SE1 . . . . .5E 75
Davidge St. SE1 . . . . .5F 75
David Hewitt Ho. E3 . . . . . . .1F 55
David Ho. SW8 . . . . .4F 123
David Lloyd Leisure
    South Kensington 3A 96
David M. W1 . . . . .1D 43
Davidson Gdns. SW8 . . . . . .5F 123
Davies M. W1 . . . . .5F 43
Davies St. W1 . . . . .4F 43
Da Vinci Ct. SE16 . . . . .5F 107
Davis Ho. W12 . . . . .1A 64
Dawes Ho. SE17 . . . . .4D 105
Dawes Rd. SW6 . . . . .4A 116
Dawes St. SE17 . . . . .5E 105
Dawson Ho. E2 . . . . .3B 34
Dawson Pl. W2 . . . . .5D 39
Dawson St. E2 . . . . .1C 32
Day Ho. SE5 . . . . .4B 126
Daynor Ho. NW6 . . . . .3E 5
Deacon Ho. SE11 . . . . .4C 102
Deacon M. N1 . . . . .2E 15
Deacon Way SE17 . . . . .3B 104
Deal Ho. SE15 . . . . .2D 131
    SE17 . . . . .1A 128
Deal Porters Wlk. SE16 . . . . .3D 81
Deal Porters Way SE16 . . . .1C 108
Deal St. E1 . . . . .1D 51
Deal Wlk. SW9 . . . . .5D 125
Dean Abbott Ho. SW1 . . . . . .3D 101
Dean Bradley St. SW1 . . . . .2F 101
Dean Cl. SE16 . . . . .3E 81
Dean Ct. SW8 . . . . .5F 123
Deancross St. E1 . . . . .4B 52
Deanery M. W1 . . . . .2E 71
Deanery St. W1 . . . . .2E 71
Dean Farrar St. SW1 . . . . . .1E 101
Dean Ho. E1 . . . . .4B 52

Dean Ho. SE14 . . . . .5A 132
Dean Ryle St. SW1 . . . . .3F 101
Dean's Bldgs. SE17 . . . . . . .4D 105
Dean's Ct. EC4 . . . . .4A 48
Deanshanger Ho. SE8 . . . .3E 109
Dean's M. W1 . . . . .3A 44
Dean Stanley St. SW1 . . . . .2F 101
Deanston Wharf E16 . . . . . . .4F 87
Dean St. W1 . . . . .3D 45
Dean's Yd. SW1 . . . . .1E 101
Dean Trench St. SW1 . . . . . .2F 101
Deauville Ct. SE16 . . . . .4D 81
Debdale Ho. E2 . . . . .4E 17
De Beauvoir Ct. N1 . . . . .1E 15
De Beauvoir Cres. N1 . . . . . .3F 15
De Beauvoir Est. N1 . . . . . . .3F 15
De Beauvoir Rd. N1 . . . . .3F 15
De Beauvoir Sq. N1 . . . . .1A 16
DE BEAUVOIR TOWN 3F 15
Debenham Ct. E8 . . . . .4D 17
Debnams Rd. SE16 . . . . . . .4B 108
De Bruin Ct. E14 . . . . .5B 112
Decima St. SE1 . . . . .1F 105
Deck Cl. SE16 . . . . .4E 81
Deerhurst Ho. SE15 . . . . . . .3D 129
Dee St. E14 . . . . .3C 56
Defoe Cl. SE16 . . . . .5B 82
Defoe Ho. EC2 . . . . .1B 48
Defoe Pl. EC2 . . . . .1B 48
Dekker Ho. SE5 . . . . .5E 127
Delafield Ho. E1 . . . . .4E 51
Delaford Rd. SE16 . . . . .5A 108
Delaford St. SW6 . . . . .4A 116
Delamere St. W2 . . . . .1B 40
Delamere Ter. W2 . . . . .1A 40
Delancey Pas. NW1 . . . . .4A 10
Delancey St. NW1 . . . . .4F 9
Delancey Studios NW1 . . . . .4A 10
Delany Ho. SE10 . . . . .2B 134
Delarch Ho. SE1 . . . . .5F 75
De Laune St. SE17 . . . . .1F 125
Delaware Mans. W9 . . . . . . .4F 21
Delaware Rd. W9 . . . . .4F 21
Delfina Studio Trust 4F 77
Delhi St. N1 . . . . .4A 12
    (not continuous)
Dellow Ho. E1 . . . . .5A 52
Dellow St. E1 . . . . .5A 52
Dell's M. SW1 . . . . .4C 100
Delmerend Ho. SW3 . . . . . . .5F 97
Delta Bldg. E14 . . . . .4C 56
Delta St. E2 . . . . .2D 33
Delverton Ho. SE17 . . . . . . .5A 104
Delverton Rd. SE17 . . . . . . .1A 126
Den, The 1C 130
Denbigh Cl. W11 . . . . .5C 38
Denbigh Ho. SW1 . . . . .1C 98
    W11 . . . . .4C 38
Denbigh M. SW1 . . . . .4B 100
Denbigh Pl. SW1 . . . . .5B 100
Denbigh Rd. W11 . . . . .5C 38
Denbigh St. SW1 . . . . .4B 100
    (not continuous)
Denbigh Ter. W11 . . . . .5C 38
Denby Ct. SE11 . . . . .3C 102
Dence Ho. E2 . . . . .3D 33
Denford St. SE10 . . . . .5C 114
Dengie Wlk. N1 . . . . .3B 14
Denham Ho. W12 . . . . .1A 64
Denham St. SE10 . . . . .5D 115
Denholme Rd. W9 . . . . .2C 20

Denison Ho. E14 . . . . .3D 55
Denland Ho. SW8 . . . . .5C 124
Denman Pl. W1 . . . . .5D 45
Denman St. W1 . . . . .1D 73
Denmark Gro. N1 . . . . .5D 13
Denmark Pl. WC2 . . . . .3E 45
Denmark Rd. NW6 . . . . .1C 20
    (not continuous)
Denmark St. E13 . . . . .1F 59
    WC2 . . . . .4E 45
Denne Ter. E8 . . . . .4C 16
Denning Cl. NW8 . . . . .2C 22
Denning Point E1 . . . . .3C 50
Denny Cl. E6 . . . . .2F 61
Denny Cres. SE11 . . . . .5E 103
Denny St. SE11 . . . . .5E 103
Densham Ho. NW8 . . . . .1E 23
Denstone Ho. SE15 . . . . . . .3D 129
Dent Ho. SE17 . . . . .4F 105
Denton NW1 . . . . .1E 9
Denton Ho. N1 . . . . .1A 14
Denyer St. SW3 . . . . .4A 98
Denys Ho. EC1 . . . . .1D 47
Depot Rd. W12 . . . . .5C 36
Depot St. SE5 . . . . .3D 127
DEPTFORD 5D 133
Deptford B'way. SE8 . . . . . . .5D 133
Deptford Bus. Pk. SE15 . . . .2C 130
Deptford Chu. St. SE8 . . . . .3E 133
Deptford Creek Bri. SE8 . . . .3A 134
Deptford Ferry Rd. E14 . . . . .4E 111
Deptford Grn. SE8 . . . . .3E 133
Deptford High St. SE8 . . . . . .3D 133
Deptford Pk. Bus. Cen.
    SE8 . . . . .1A 132
Deptford Strand SE8 . . . . . . .4C 110
Deptford Trad. Est. SE8 . . . .1A 132
Deptford Wharf SE8 . . . . . . .3B 110
De Quincey Ho. SW1 . . . . . .1B 122
De Quincey M. E16 . . . . .2E 87
Derby Ga. SW1 . . . . .4F 73
    (not continuous)
Derby Ho. SE11 . . . . .3D 103
Derby Lodge WC1 . . . . .2B 28
Derbyshire St. E2 . . . . .3E 33
    (not continuous)
Derby St. W1 . . . . .3E 71
Dereham Pl. EC2 . . . . .3A 32
Dericote St. E8 . . . . .3F 17
Derifall Cl. E6 . . . . .1C 62
Dering St. W1 . . . . .4F 43
Dering Yd. W1 . . . . .4A 44
Derrycombe Ho. W2 . . . . . . .2D 39
Derry Ho. NW8 . . . . .5E 23
Derry St. W8 . . . . .5F 67
Derwent NW1 . . . . .3B 26
Derwent Ct. SE16 . . . . .4D 81
Derwent Ho. SW7 . . . . .3C 96
Derwent St. SE10 . . . . .5F 113
Desborough Cl. W2 . . . . .1A 40
Desborough Ho. W14 . . . . . .2C 116
Desborough St. W2 . . . . .1F 39
Design Mus. 4C 78
Desmond St. SE14 . . . . .3A 132
Detling Ho. SE17 . . . . .4F 105
Devalls Cl. E6 . . . . .5E 63
De Vere Cotts. W8 . . . . .1B 96
De Vere Gdns. W8 . . . . .5B 68
Deverell St. SE1 . . . . .2D 105
De Vere M. W8 . . . . .1B 96
Devereux Ct. WC2 . . . . .4D 47

Devitt Ho. E14 . . . . .5F **55**
Devizes St. N1 . . . . .4E **15**
Devonia Rd. N1 . . . . .5A **14**
Devon Mans. *SE1* *4B 78*
    (off Tooley St.)
Devonport W2 . . . . .3F **41**
Devonport Ho. W2 . . . . .2D **39**
Devonport M. W12 . . . . .3A **64**
Devonport Rd. W12 . . . . . . .3A **64**
    (not continuous)
Devonport St. E1 . . . . .4C **52**
Devonshire Cl. W1 . . . . .1F **43**
Devonshire Ct. E1 . . . . .3C **34**
  WC1 . . . . .1A **46**
Devonshire Dr. SE10 . . . . . .5F **133**
Devonshire Gro. SE15 . . . . .3A **130**
Devonshire Ho. E14 . . . . . . .4E **111**
  NW6 . . . . .1B **4**
  SE1 . . . . .1B **104**
  SW1 . . . . .5E **101**
Devonshire M. SW10 . . . . . .3D **119**
Devonshire M. Nth. W1 . . . . .1F **43**
Devonshire M. Sth. W1 . . . . .1F **43**
Devonshire M. W. W1 . . . . . .5E **25**
Devonshire Pl. W1 . . . . .5E **25**
  W8 . . . . .2F **95**
Devonshire Pl. M. W1 . . . . . .1E **43**
Devonshire Rd. E16 . . . . . . .3A **60**
Devonshire Row EC2 . . . . . .2A **50**
Devonshire Row M. W1 . . . . .5A **26**
Devonshire Sq. EC2 . . . . . . .3A **50**
Devonshire St. W1 . . . . .1E **43**
Devonshire Ter. W2 . . . . . . .4C **40**
Devons Rd. E3 . . . . .1E **55**
Devon St. SE15 . . . . .3A **130**
Devon Wharf E14 . . . . .2C **56**
De Walden Ho. NW8 . . . . . . .5F **7**
De Walden St. W1 . . . . .2E **43**
Dewberry Gdns. E6 . . . . . . .1F **61**
Dewberry St. E14 . . . . .2B **56**
Dewey Rd. N1 . . . . .5D **13**
Dewhurst Rd. W14 . . . . .1D **93**
Dewsbury Ter. NW1 . . . . . . .3A **10**
Dhonau Ho. SE1 . . . . .3C **106**
Diadem Ct. W1 . . . . .4D **45**
Dial Wlk., The W8 . . . . .4A **68**
Diamond Ho. E3 . . . . .1F **35**
Diamond St. SE15 . . . . . . .5A **128**
Diamond Ter. SE10 . . . . . . .5C **134**
Diamond Way SE8 . . . . .3D **133**
Diana Cl. SE8 . . . . .3C **132**
Diana, Princess of Wales
  Memorial Walk 2A **68**
Dibden Ho. SE5 . . . . .5A **128**
Dibden St. N1 . . . . .3A **14**
Dibdin Ho. W9 . . . . .5F **5**
Dickens Est. SE1 . . . . .5D **79**
  SE16 . . . . .1D **107**
Dickens House 5C **28**
Dickens Ho. NW6 . . . . .2D **21**
  NW8 . . . . .4E **23**
  SE17 . . . . .1A **126**
  WC1 . . . . .4F **27**
Dickens M. EC1 . . . . .1F **47**
Dickens Sq. SE1 . . . . .1C **104**
Dickinson Ct. EC1 . . . . .5A **30**
Dicksee Ho. NW8 . . . . .5D **23**
Dickson Ho. E1 . . . . .3F **51**
Dieppe Cl. W14 . . . . .5B **94**
Digby Mans. W6 . . . . .5A **92**
Digby St. E2 . . . . .3C **34**

Diggon St. E1 . . . . .2D **53**
Dighton Ct. SE5 . . . . .3B **126**
Dignum St. N1 . . . . .5D **13**
Dilke St. SW3 . . . . .2C **120**
Dilston Gro. SE16 . . . . . . .3B **108**
Dimes Pl. W6 . . . . .4A **92**
Dinerman Ct. NW8 . . . . .3C **6**
Dingle Gdns. E14 . . . . .5E **55**
Dingley Pl. EC1 . . . . .3C **30**
Dingley Rd. EC1 . . . . .3B **30**
Dinmont Est. E2 . . . . .5E **17**
Dinmont Ho. E2 . . . . .5E **17**
Dinmont St. E2 . . . . .5F **17**
Dinnington Ho. E1 . . . . .4A **34**
Dinton Ho. NW8 . . . . .4F **23**
Disbrowe Rd. W6 . . . . .3A **116**
Discovery Bus. Pk.
  SE16 . . . . .2D **107**
Discovery Ho. E14 . . . . .5B **56**
Discovery Wlk. E1 . . . . .2F **79**
Disney Pl. SE1 . . . . .4C **76**
Disney St. SE1 . . . . .4C **76**
Diss St. E2 . . . . .2B **32**
Distaff La. EC4 . . . . .5B **48**
Distin St. SE11 . . . . .4D **103**
Ditchburn St. E14 . . . . .1C **84**
Dixon Cl. E6 . . . . .3C **62**
Dixon Ho. W10 . . . . .4D **37**
Dixon's All. SE16 . . . . .5F **79**
Dobson Cl. NW6 . . . . .2D **7**
Dobson Ho. SE5 . . . . .4E **127**
  SE14 . . . . .3D **131**
Doby Ct. EC4 . . . . .5C **48**
Dock Cotts. E1 . . . . .1C **80**
Dockers Tanner Rd. E14 . . .3D **111**
Dockhead SE1 . . . . .5C **78**
Dockhead Wharf SE1 . . . . . .4C **78**
Dock Hill Av. SE16 . . . . .3E **81**
Docklands Sailing Cen. . . .2D **111**
Dockland St. E16 . . . . .3D **91**
  (not continuous)
Dockley Rd. SE16 . . . . . . .2D **107**
Dockley Rd. Ind. Est.
  SE16 . . . . .2D **107**
Dock Offices SE16 . . . . . . .1C **108**
Dock Rd. E16 . . . . .1C **86**
Dockside Rd. E16 . . . . .1D **89**
Dock St. E1 . . . . .5D **51**
Dodd Ho. SE16 . . . . .4A **108**
Doddington Gro.
  SE17 . . . . .2F **125**
Doddington Pl. SE17 . . . . . .2F **125**
Dodson St. SE1 . . . . .5E **75**
Dod St. E14 . . . . .4C **54**
Dog & Duck Yd.
  WC1 . . . . .1C **46**
Dolben Ct. SE8 . . . . .4B **110**
  SW1 . . . . .4E **101**
Dolben St. SE1 . . . . .3F **75**
  (not continuous)
Dolland Ho. SE11 . . . . . . .1C **124**
Dolland St. SE11 . . . . .1C **124**
Dollar Bay Ct. E14 . . . . . . .4B **84**
Dolphin Cl. SE16 . . . . .4D **81**
Dolphin La. E14 . . . . .1F **83**
Dolphin Sq. SW1 . . . . .1C **122**
Dolphin Twr. SE8 . . . . .3C **132**
Dombey Ho. SE1 . . . . .5D **79**
  W11 . . . . .2E **65**
Dombey St. WC1 . . . . .1B **46**
  (not continuous)

Domecq Ho. *EC1* *4A 30*
  (off Dallington St.)
Domingo St. EC1 . . . . .5B **30**
Dominion Ct. E8 . . . . .2C **16**
Dominion Ho. E14 . . . . .5A **112**
Dominion St. EC2 . . . . .1F **49**
Dominion Theatre 3E **45**
Donaldson Rd. NW6 . . . . . . .4C **4**
Donato Dr. SE15 . . . . .3F **127**
Donegal Ho. E1 . . . . .4A **34**
Donegal St. N1 . . . . .1C **28**
Doneraile Ho. SW1 . . . . . . .1F **121**
Dongola Rd. E1 . . . . .1F **53**
Don Gratton Ho. E1 . . . . . . .2E **51**
Donkin Ho. SE16 . . . . .4A **108**
Donmar Warehouse Theatre
  . . . . .4F **45**
Donne Ho. E14 . . . . .3D **55**
  SE14 . . . . .3D **131**
Donnelly Ct. SW6 . . . . .4A **116**
Donne Pl. SW3 . . . . .3A **98**
Donnington Ct. NW1 . . . . . . .1A **10**
Donoghue Cotts.
  E14 . . . . .2A **54**
Donovan Ct. SW10 . . . . . . .1D **119**
Donovan Ho. E1 . . . . .5B **52**
Don Phelan Cl. SE5 . . . . . .5D **127**
Doon St. SE1 . . . . .3D **75**
Dora Ho. E14 . . . . .3B **54**
  W11 . . . . .1E **65**
Dorando Cl. W12 . . . . .5A **36**
Dora St. E14 . . . . .3B **54**
Dorchester Ct. N1 . . . . .1A **16**
  SW1 . . . . .2C **98**
Doric Ho. E2 . . . . .1D **35**
Doric Way NW1 . . . . .2D **27**
Dorking Cl. SE8 . . . . .2B **132**
Dorking Ho. SE1 . . . . .1E **105**
Dorman Way NW8 . . . . .3D **7**
Dormstone Ho.
  SE17 . . . . .4F **105**
Dorney NW3 . . . . .1A **8**
Dorrington St. EC1 . . . . . . .1D **47**
Dorrit Ho. W11 . . . . .2E **65**
Dorrit St. SE1 . . . . .4C **76**
Dorset Bldgs. EC4 . . . . .4F **47**
Dorset Cl. NW1 . . . . .1B **42**
Dorset Ct. N1 . . . . .1A **16**
Dorset Ho. NW1 . . . . .5C **24**
Dorset M. SW1 . . . . .1F **99**
Dorset Ri. EC4 . . . . .4F **47**
Dorset Rd. SW8 . . . . .4A **124**
Dorset Sq. NW1 . . . . .5B **24**
Dorset St. W1 . . . . .2C **42**
Dorton Cl. SE15 . . . . .5A **128**
Doughty Ct. E1 . . . . .2A **80**
Doughty Ho. SW10 . . . . . . .3C **118**
Doughty M. WC1 . . . . .5B **28**
Doughty St. WC1 . . . . .4B **28**
Douglas Ct. NW6 . . . . .2E **5**
Douglas Johnstone Ho.
  SW6 . . . . .3B **116**
Douglas Path E14 . . . . .5C **112**
Douglas Pl. SW1 . . . . .4D **101**
Douglas Rd. E16 . . . . .1E **59**
  N1 . . . . .1B **14**
  NW6 . . . . .3C **4**
Douglas Rd. Sth. N1 . . . . . .1C **14**
Douglas St. SW1 . . . . .4D **101**
Douglas Waite Ho.
  NW6 . . . . .1F **5**

Douglas Way SE8 . . . . .5C 132	Dreadnought St. SE10 . . . .2A 114	Duke's La. Mans. W8 . . . . . .4F 67
(Stanley St.)	Dreadnought Wharf SE10 . . .2A 134	(off Dukes La.)
SE8 . . . . .5D 133	Dresden Ho. SE11 . . . . . . .3C 102	Duke's M. W1 . . . . .3E 43
(Watsons St.)	Drewett Ho. E1 . . . . .4E 51	Duke's Pl. EC3 . . . . .4A 50
Doulton Ho. SE11 . . . . .2C 102	Drew Rd. E16 . . . . .3E 89	Duke's Rd. WC1 . . . . .3E 27
Douro Pl. W8 . . . . .1A 96	(not continuous)	Duke St. SW1 . . . . .2C 72
Douthwaite Sq. E1 . . . . . . .2E 79	Driffield Rd. E3 . . . . .1F 35	W1 . . . . .3E 43
Dove App. E6 . . . . .2F 61	Drill Hall Arts Cen. 1D 45	Duke St. Hill SE1 . . . . .2E 77
Dove Ct. EC2 . . . . .4D 49	Drinkwater Ho. SE5 . . . . . .5D 127	Duke St. Mans. W1 . . . . . . .4E 43
Dovehouse St. SW3 . . . . . .5E 97	Dr Johnson's House 3E 47	Duke's Yd. W1 . . . . .5E 43
Dove M. SW5 . . . . .4B 96	Dron Ho. E1 . . . . .1B 52	Dulford St. W11 . . . . .5F 37
Dover Ct. EC1 . . . . .4F 29	Droop St. W10 . . . . .3E 19	Dulverton NW1 . . . . .4C 10
Dover Flats SE1 . . . . .4A 106	Drovers Pl. SE15 . . . . .4A 130	Dulverton Mans. WC1 . . . . .5C 28
Dover Ho. SE15 . . . . .2C 130	Druid St. SE1 . . . . .4A 78	Dumain Ct. SE11 . . . . .4F 103
Dove Row E2 . . . . .4D 17	Drummond Cres. NW1 . . . . .2D 27	Dumpton Pl. NW1 . . . . .2D 9
Dover St. W1 . . . . .1A 72	Drummond Ga. SW1 . . . . . .5E 101	Dunbar Wharf E14 . . . . . . .1B 82
Dover Yd. W1 . . . . .2B 72	Drummond Ho. E2 . . . . . . .5E 17	Dunbridge St. E2 . . . . .4E 33
Doves Yd. N1 . . . . .4E 13	Drummond Rd. SE16 . . . . . .1F 107	Duncan Ct. E14 . . . . .1B 56
Doveton Ho. E1 . . . . .4B 34	Drummond St. NW1 . . . . . .4B 26	Duncan Ho. NW3 . . . . .1B 8
Doveton St. E1 . . . . .4B 34	Drum St. E1 . . . . .3C 50	SW1 . . . . .1C 122
Dove Wlk. SW1 . . . . .5D 99	Drury La. WC2 . . . . .3A 46	Duncannon Ho. SW1 . . . . . .1E 123
Dovey Lodge N1 . . . . .1E 13	Drury Lane Theatre 4B 46	Duncannon St. WC2 . . . . . .1F 73
Dowgate Hill EC4 . . . . .5D 49	Dryburgh Ho. SW1 . . . . . . .5F 99	Duncan Rd. E8 . . . . .4F 17
Dowland St. W10 . . . . .2A 20	Dryden Ct. SE11 . . . . .4E 103	Duncan St. N1 . . . . .5F 13
Dowlas St. SE5 . . . . .4F 127	Dryden Mans. W14 . . . . . . .2A 116	Duncan Ter. N1 . . . . .1F 29
Dowler Ho. E1 . . . . .4E 51	Dryden St. WC2 . . . . .4A 46	(not continuous)
Downend Ct. SE15 . . . . . . .3B 128	Dryfield Wlk. SE8 . . . . .2D 133	Dunch St. E1 . . . . .4A 52
Downesbury NW3 . . . . .1B 8	Drysdale Ho. N1 . . . . .2A 32	Dundalk Ho. E1 . . . . .3B 52
Downey Ho. E1 . . . . .5D 35	Drysdale Pl. N1 . . . . .2A 32	Dundee Ct. E1 . . . . .3F 79
Downfield Cl. W9 . . . . .5F 21	Drysdale St. N1 . . . . .3A 32	SE1 . . . . .1F 105
Downham Ct. N1 . . . . .2E 15	Dublin Av. E8 . . . . .3E 17	(off Long La.)
Downham Rd. N1 . . . . .2D 15	Ducal St. E2 . . . . .3C 32	Dundee Ho. W9 . . . . .2B 22
Downing Ho. W10 . . . . .3E 37	Du Cane Cl. W12 . . . . .4B 36	Dundee St. E1 . . . . .3F 79
Downings E6 . . . . .3E 63	Du Cane Rd. W12 . . . . .4A 36	Dundee Wharf E14 . . . . . . .1C 82
Downing St. SW1 . . . . .4F 73	Duchess M. W1 . . . . .2A 44	Dundonald Cl. E6 . . . . .3A 62
Down Pl. W6 . . . . .4A 92	Duchess of Bedford Ho.	Dundonald Ho. E14 . . . . . . .4F 83
Down St. W1 . . . . .3F 71	W8 . . . . .4D 67	Dunedin Ho. E16 . . . . .3C 90
Down St. M. W1 . . . . .3F 71	Duchess of Bedford's Wlk.	Dunelm St. E1 . . . . .3D 53
Downtown Rd. SE16 . . . . . .4A 82	W8 . . . . .5C 66	Dunkeld Ho. E14 . . . . .3E 57
Dowrey St. N1 . . . . .3D 13	Duchess St. W1 . . . . .2A 44	Dunlin Ho. SE16 . . . . .3E 109
Dowson Ho. E1 . . . . .4D 53	Duchess Theatre 5B 46	Dunloe Ct. E2 . . . . .1C 32
Doyce St. SE1 . . . . .4B 76	Duchy St. SE1 . . . . .2E 75	Dunloe St. E2 . . . . .1B 32
D'Oyley St. SW1 . . . . .3D 99	(not continuous)	Dunlop Pl. SE16 . . . . .2C 106
Draco St. SE17 . . . . .2B 126	Duckett St. E1 . . . . .5E 35	Dunmore Point E2 . . . . .3B 32
Dragon Rd. SE15 . . . . .3F 127	Duck La. W1 . . . . .4D 45	Dunmore Rd. NW6 . . . . .4A 4
Dragon Yd. WC1 . . . . .3A 46	Dudley Ct. W1 . . . . .4B 42	Dunmow Ho. SE11 . . . . . . .5C 102
Dragoon Rd. SE8 . . . . .1B 132	WC2 . . . . .3F 45	Dunmow Wlk. N1 . . . . .3B 14
Drake Cl. SE16 . . . . .4E 81	Dudley Ho. W2 . . . . .2D 41	Dunnage Cres. SE16 . . . . . .3B 110
Drake Ct. SE1 . . . . .5C 76	Dudley Rd. NW6 . . . . .5A 4	(not continuous)
W12 . . . . .5B 64	Dudley St. W2 . . . . .2D 41	Dunnico Ho. SE17 . . . . .5F 105
Drake Hall E16 . . . . .2F 87	Dudmaston M. SW3 . . . . . . .5E 97	Dunnock Rd. E6 . . . . .3A 62
Drake Ho. E1 . . . . .2B 52	Duffell Ho. SE11 . . . . .1C 124	Dunn's Pas. WC1 . . . . .3A 46
E14 . . . . .5A 54	Dufferin Av. EC1 . . . . .5D 31	Dunoon Ho. N1 . . . . .4B 12
SW1 . . . . .2D 123	Dufferin Ct. EC1 . . . . .5D 31	Dunraven St. W1 . . . . .5C 42
Drakeland Ho. W9 . . . . .4C 20	Dufferin St. EC1 . . . . .5C 30	Dunsany Rd. W14 . . . . .2D 93
Drakes Courtyard NW6 . . . . .1C 4	Duff St. E14 . . . . .4F 55	Dunstable M. W1 . . . . .1E 43
Drake St. WC1 . . . . .4A 46	Dufour's Pl. W1 . . . . .4C 44	Dunstan Ho's. E1 . . . . .1C 52
Draper Ho. SE1 . . . . .3A 104	Dugard Way SE11 . . . . .3F 103	Dunster Ct. EC3 . . . . .5A 50
Draper Pl. N1 . . . . .3A 14	Duke of Wellington Pl.	Dunster Gdns. NW6 . . . . . . .1C 4
Drapers Gdns. EC2 . . . . . . .3E 49	SW1 . . . . .5E 71	Dunsterville Way SE1 . . . . . .5E 77
Drappers Way SE16 . . . . . . .3E 107	Duke of York Column (Memorial)	Dunston Rd. E8 . . . . .4B 16
Drawdock Rd. SE10 . . . . . . .4E 85	. . . . .3D 73	Dunston St. E8 . . . . .3B 16
Draycott Av. SW3 . . . . .3F 97	Duke of Yorks Sq. SW3 . . . . .4C 98	Dunton Rd. SE1 . . . . .5B 106
Draycott Cl. SE5 . . . . .5D 127	Duke of York's Theatre 1F 73	Dunworth M. W11 . . . . .3B 38
(not continuous)	Duke of York St. SW1 . . . . . .2C 72	Duplex Ride SW1 . . . . .5C 70
Draycott Pl. SW3 . . . . .4B 98	Dukes Ct. W2 . . . . .5A 40	Dupree Rd. SE7 . . . . .5F 115
Draycott Ter. SW3 . . . . .4C 98	Duke Shore Wharf E14 . . . . .1B 82	Durands Wlk. SE16 . . . . . . .4A 82
Drayford Cl. W9 . . . . .4C 20	Duke's Ho. SW1 . . . . .3E 101	Durant St. E2 . . . . .2D 33
Drayson M. W8 . . . . .5E 67	Dukes La. W8 . . . . .4E 67	Durban Ho. W12 . . . . .1A 64
Drayton Gdns. SW10 . . . . . .5C 96	Duke's La. Chambers W8 . . . .4F 67	Durdans Ho. NW1 . . . . .1A 10
Drayton Ho. SE5 . . . . .5D 127	(off Dukes La.)	Durell Ho. SE16 . . . . .5D 81

Durfey Pl. SE5 . . . . .4E 127
Durham Ct. NW6 . . . . .1E 21
Durham Ho. NW8 . . . . .3F 23
Durham Ho. St.
  WC2 . . . . .1A 74
Durham Pl. SW3 . . . . .1B 120
Durham Rd. E16 . . . . .1A 58
Durham Row E1 . . . . .2E 53
Durham St. SE11 . . . . .1B 124
Durham Ter. W2 . . . . .3F 39
Durham Yd. E2 . . . . .2F 33
Durnford St. SE10 . . . . .3C 134
Durrels Ho. W14 . . . . .3C 94
Durward Ho. W8 . . . . .5A 68
Durward St. E1 . . . . .1F 51
Durweston M. W1 . . . . .1C 42
Durweston St. W1 . . . . .1C 42
Dyer's Bldgs. EC1 . . . . .2D 47
Dyne Rd. NW6 . . . . .2A 4
Dynham Rd.
  NW6 . . . . .1D 5
Dyott St. WC1 . . . . .3E 45
Dysart St. EC2 . . . . .5F 31
Dyson Ho. SE10 . . . . .5B 114

E

Eagle Cl. SE16 . . . . .1B 130
Eagle Ct. EC1 . . . . .1F 47
Eagle Ho. E1 . . . . .5A 34
  N1 . . . . .5D 15
Eagle Pl. SW1 . . . . .1C 72
  SW7 . . . . .5C 96
Eagle St. WC1 . . . . .2B 46
Eagle Wharf Ct. SE1 . . . . . . .3B 78
Eagle Wharf E. *E14* *5F 53*
  (off Narrow St.)
Eagle Wharf Rd. N1 . . . . . . .5C 14
Eagle Wharf W. *E14* *5F 53*
  (off Narrow St.)
Eagle Works E. E1 . . . . .5C 32
Eagle Works W. E1 . . . . .5B 32
Eamont Ct. NW8 . . . . .5A 8
Eamont St. NW8 . . . . .5F 7
Eardley Cres. SW5 . . . . .5E 95
Earle Ho. SW1 . . . . .4E 101
Earlham St. WC2 . . . . .4E 45
Earl Ho. NW1 . . . . .5A 24
Earlom Ho. WC1 . . . . .3D 29
EARL'S COURT 5E 95
Earls Court Exhibition Building
  . . . . .5D 95
Earl's Ct. Gdns. SW5 . . . . . .4F 95
Earls Ct. Rd. SW5 . . . . .3E 95
  W8 . . . . .1D 95
Earl's Ct. Sq. SW5 . . . . .5E 95
Earlsferry Way N1 . . . . .2A 12
  (not continuous)
Earlsmead Rd. NW10 . . . . . .2B 18
Earls Ter. W8 . . . . .2C 94
Earlstoke St. EC1 . . . . .2F 29
Earl St. EC2 . . . . .1E 49
  (not continuous)
Earls Wlk. W8 . . . . .2D 95
Earlswood St. SE10 . . . . . . .1F 135
Early M. NW1 . . . . .3A 10
Earnshaw St. WC2 . . . . .3E 45
Earsby St. W14 . . . . .3A 94
  (not continuous)
Easleys M. W1 . . . . .3E 43
E. Arbour St. E1 . . . . .3D 53

E. Beckton District Cen.
  E6 . . . . .2C 62
East Block SE1 . . . . .4C 74
Eastbourne M. W2 . . . . .3C 40
Eastbourne Ter. W2 . . . . . . .3C 40
Eastbury Rd. E6 . . . . .1D 63
Eastbury Ter. E1 . . . . .5D 35
Eastcastle St. W1 . . . . .3B 44
Eastcheap EC3 . . . . .5F 49
Eastern Gateway E16 . . . . . .5B 60
Eastern Ho. E2 . . . . .3F 33
Eastern Quay Apartments
  E16 . . . .*2A 88*
  (off Portsmouth St.)
E. Ferry Rd. E14 . . . . .1A 112
Eastfield St. E14 . . . . .2A 54
E. Ham Ind. Est. E6 . . . . . . .1F 61
E. Ham Mnr. Way E6 . . . . . .4D 63
E. Harding St. EC4 . . . . .3E 47
E. India Bldgs. E14 . . . . . . .5E 55
E. India Ct. SE16 . . . . .4B 80
E. India Dock Ho. E14 . . . . . .4C 56
E. India Dock Rd. E14 . . . . . .4D 55
Eastlake Ho. NW8 . . . . .5E 23
East La. SE16 . . . . .5D 79
  (not continuous)
East Lodge *E16* *2E 87*
  (off Wesley Av.)
East London Gymnastic Cen.
  . . . . .3B 62
East Mt. St. E1 . . . . .1A 52
  (not continuous)
Eastney St. SE10 . . . . .1D 135
Easton St. WC1 . . . . .4D 29
East Parkside SE10 . . . . . . .5A 86
East Pas. EC1 . . . . .1A 48
East Point SE1 . . . . .5D 107
E. Poultry Av. EC1 . . . . .2F 47
East Rd. N1 . . . . .3D 31
  SW3 . . . . .1D 121
East Row W10 . . . . .5F 19
Eastry Ho. SW8 . . . . .5F 123
East Smithfield E1 . . . . .1C 78
East St. SE17 . . . . .5C 104
E. Surrey Gro. SE15 . . . . . . .5B 128
E. Tenter St. E1 . . . . .4C 50
Eastwell Ho. SE1 . . . . .1E 105
Eaton Cl. SW1 . . . . .4D 99
Eaton Ga. SW1 . . . . .3D 99
Eaton Ho. E14 . . . . .1C 82
Eaton La. SW1 . . . . .2A 100
Eaton Mans. SW1 . . . . .4D 99
Eaton M. Nth. SW1 . . . . . . .3D 99
Eaton M. Sth. SW1 . . . . . . .3E 99
Eaton M. W. SW1 . . . . .3E 99
Eaton Pl. SW1 . . . . .2D 99
Eaton Row SW1 . . . . .2F 99
Eaton Sq. SW1 . . . . .3D 99
Eaton Ter. SW1 . . . . .3D 99
Eaton Ter. M. SW1 . . . . .3D 99
Ebbisham Dr. SW8 . . . . .2B 124
Ebenezer Ho. SE11 . . . . . . .4E 103
Ebenezer Mussel Ho. E2 . . . .1B 34
Ebenezer St. N1 . . . . .2D 31
Ebley Cl. SE15 . . . . .3B 128
Ebony Ho. *E2* *3D 33*
  (off Buckfast St.)
Ebor St. E1 . . . . .4B 32
Ebury Bri. SW1 . . . . .5F 99
Ebury Bri. Est. SW1 . . . . . . .5F 99
Ebury Bri. Rd. SW1 . . . . . . .1E 121

Ebury M. SW1 . . . . .3E 99
Ebury M. E. SW1 . . . . .3F 99
Ebury Sq. SW1 . . . . .4E 99
Ebury St. SW1 . . . . .4E 99
Ecclesbourne Rd. N1 . . . . . .2C 14
Eccleston Bri. SW1 . . . . .2A 100
Eccleston M. SW1 . . . . .2E 99
Eccleston Pl. SW1 . . . . .4F 99
Eccleston Sq. SW1 . . . . .4A 100
Eccleston Sq. M. SW1 . . . . . .4B 100
Eccleston St. SW1 . . . . .2E 99
Eckford St. N1 . . . . .5D 13
Eclipse Rd. E13 . . . . .1F 59
Ecology Cen. and Arts Pavilion
  . . . . .3F 35
Edbrooke Rd. W9 . . . . .5D 21
Eddystone Twr. SE8 . . . . . . .5A 110
Edenbridge Cl. SE16 . . . . . . .1F 129
Eden Cl. W8 . . . . .1E 95
Eden Ho. NW8 . . . . .5F 23
Edgar Ho. SW8 . . . . .4F 123
Edgar Wallace Cl. SE15 . . . . .4A 128
Edgcott Ho. W10 . . . . .1B 36
Edge St. W8 . . . . .2E 67
Edgeworth Ho. NW8 . . . . . . .3B 6
Edgson Ho. SW1 . . . . .5F 99
Edgware Rd. W2 . . . . .5D 23
Edinburgh Cl. E2 . . . . .1B 34
Edinburgh Ct. SE16 . . . . . . .2E 81
Edinburgh Ga. SW1 . . . . . . .4B 70
Edinburgh Ho. W9 . . . . .2A 22
Edison Bldg. E14 . . . . .4D 83
Edison St. SE10 . . . . .2C 114
Edison Ho. SE1 . . . . .3D 105
Edis St. NW1 . . . . .3D 9
Editha Mans. SW10 . . . . . . .3B 118
Edith Brinson Ho. E14 . . . . . .3E 57
Edith Gro. SW10 . . . . .3B 118
Edith Ho. W6 . . . . .5B 92
Edith Neville Cotts. NW1 . . . .2D 27
Edith Ramsay Ho. E1 . . . . . .1F 53
Edith Rd. W14 . . . . .4F 93
Edith Row SW6 . . . . .5A 118
Edith St. E2 . . . . .5C 16
Edith Summerskill Ho.
  SW6 . . . . .4C 116
Edith Ter. SW10 . . . . .4B 118
Edith Vs. W14 . . . . .4B 94
Edith Yd. SW10 . . . . .4C 118
Edmonton Ct. SE16 . . . . . . .1C 108
Edmund Halley Way
  SE10 . . . . .5F 85
Edmund Ho. SE17 . . . . .1A 126
Edmund Hurst Dr. E6 . . . . . .2F 63
Edmund St. SE5 . . . . .4D 127
Ednam Ho. SE15 . . . . .3D 129
Edric Ho. SW1 . . . . .3E 101
Edric Rd. SE14 . . . . .4D 131
Edward VII Mans. NW10 . . . .2D 19
Edward Bond Ho. *WC1* *3A 28*
  (off Cromer St.)
Edward Ct. E16 . . . . .1D 59
Edward Dodd Ct. N1 . . . . . . .2E 31
Edward Edward's Ho. SE1 . . . .3F 75
Edwardes Pl. W8 . . . . .2C 94
Edwardes Sq. W8 . . . . .2C 94
Edward Ho. SE11 . . . . .5C 102
  W2 . . . . .5D 23
Edward Kennedy Ho. W10 . . .5A 20
Edward Mann Cl. E1 . . . . . . .4E 53

Edward M. NW1	2A **26**	
Edward Pl. SE8	3C **132**	
Edward Robinson Ho.		
SE14	4D **131**	
Edward's Cotts. N1	1F **13**	
Edwards M. N1	1E **13**	
W1	4D **43**	
Edward Sq. N1	4B **12**	
SE16	2A **82**	
Edward St. E16	1D **59**	
(not continuous)		
SE8	3C **132**	
SE14	4A **132**	
Edwin Ho. SE15	5D **129**	
Edwin St. E1	4C **34**	
E16	2D **59**	
Effie Pl. SW6	5E **117**	
Effie Rd. SW6	5E **117**	
Egbert St. NW1	3D **9**	
Egerton Cres. SW3	3A **98**	
Egerton Dr. SE10	5A **134**	
Egerton Gdns. SW3	2F **97**	
Egerton Gdns. M. SW3	2A **98**	
Egerton Pl. SW3	2A **98**	
Egerton Ter. SW3	2A **98**	
Egham Rd. E13	1A **60**	
Eglington Ct. SE17	2B **126**	
Eglon M. NW1	2C **8**	
Egmont St. SE14	5E **131**	
Egret Ho. SE16	3E **109**	
Eider Ct. SE8	2B **132**	
Eisenhower Dr. E6	1A **62**	
Elan Ct. E1	2F **51**	
Eland Ho. *SW1*	*1B **100***	
(off Bressenden Pl.)		
Elba Pl. SE17	3C **104**	
Elbourne Ct. SE16	2E **109**	
Elbourn Ho. SW3	5F **97**	
Elbury Dr. E16	4E **59**	
Elcho St. SW11	5F **119**	
Elcot Av. SE15	4F **129**	
Elden Ho. SW3	3F **97**	
Elderfield Ho.		
E14	5D **55**	
Elder St. E1	1B **50**	
(not continuous)		
Elder Wlk. N1	3A **14**	
Eldon Ct. NW6	4D **5**	
Eldon Rd. W8	2A **96**	
Eldon St. EC2	2E **49**	
Eldridge Ct. SE16	2D **107**	
Eleanor Cl. SE16	4D **81**	
Eleanor Ct. E2	4D **17**	
Eleanor Ho. W6	5B **92**	
Eleanor Rd. E8	1F **17**	
Electra Bus. Pk. E16	1E **57**	
Elektron Ho. E14	1E **57**	
ELEPHANT & CASTLE	2A **104**	
Elephant & Castle SE1	3A **104**	
Elephant & Castle Superbowl		
	3B **104**	
Elephant La. SE16	4B **80**	
Elephant Rd. SE17	3B **104**	
Elf Row E1	5C **52**	
Elgar Cl. SE8	5D **133**	
Elgar Ct. W14	2F **93**	
Elgar Ho. NW6	1C **6**	
SW1	1A **122**	
Elgar St. SE16	5A **82**	
Elgin Av. W9	5C **20**	
Elgin Ct. W9	4F **21**	

Elgin Cres. W11	1A **66**	
Elgin Est. W9	5D **21**	
Elgin Ho. E14	4F **55**	
Elgin Mans. W9	3F **21**	
Elgin M. W11	4A **38**	
Elgin M. Nth. W9	2A **22**	
Elgin M. Sth. W9	2A **22**	
Elgood Cl. W11	1F **65**	
Elgood Ho. NW8	1E **23**	
Elia M. N1	1F **29**	
Elias Pl. SW8	3D **125**	
Elia St. N1	1F **29**	
Elim Est. SE1	1F **105**	
Elim St. SE1	1E **105**	
(not continuous)		
Eliot M. NW8	1B **22**	
Elizabeth Av. N1	3C **14**	
Elizabeth Blount Ct. E14	3A **54**	
Elizabeth Bri. SW1	4F **99**	
Elizabeth Cl. E14	4F **55**	
W9	5C **22**	
Elizabeth Ct. NW1	4A **24**	
SW1	2E **101**	
SW10	3E **119**	
Elizabeth Fry M. E8	2F **17**	
Elizabeth Ho. SE11	4E **103**	
W6	5C **92**	
Elizabeth Ind. Est. SE14	2E **131**	
Elizabeth Newcomen Ho.		
SE1	4D **77**	
Elizabeth Sq. SE16	1F **81**	
Elizabeth St. SW1	3E **99**	
Elkington Point SE11	4D **103**	
Elkstone Rd. W10	1B **38**	
Elland Ho. E14	4B **54**	
Ellenborough Ho. W12	5A **36**	
Ellen St. E1	4E **51**	
Ellen Terry Ct. NW1	1A **10**	
Ellen Wilkinson Ho. E2	2D **35**	
NW6	3B **116**	
Ellerslie Rd. W12	2A **64**	
Ellery Ho. SE17	4E **105**	
Ellesmere Rd. E3	1F **35**	
Ellesmere St. E14	3F **55**	
Ellingfort Rd. E8	1F **17**	
Ellington Ho. SE1	2C **104**	
Elliot Ho. W1	2A **42**	
Elliott Rd. SW9	5F **125**	
Elliott's Pl. N1	4A **14**	
Elliott Sq. NW3	2A **8**	
Elliotts Row SE11	3F **103**	
Ellis Franklin Ct. NW8	5B **6**	
Ellis Ho. SE17	5D **105**	
Ellis St. SW1	3C **98**	
Ellsworth St. E2	2A **34**	
Ellwood Ct. W9	5F **21**	
Elmbridge Wlk. E8	1E **17**	
Elm Ct. EC4	5D **47**	
W9	1E **39**	
Elmer Ho. *NW1*	*1F **41***	
(off Penfold St.)		
Elmfield Ho. NW8	5A **6**	
W9	5E **21**	
Elmfield Way W9	1D **39**	
Elm Friars Wlk. NW1	1E **11**	
Elm Ho. E14	5B **84**	
W10	4A **20**	
Elmington Est. SE5	4D **127**	
Elmington Rd. SE5	5D **127**	
Elmley Cl. E6	2A **62**	
Elmore St. N1	1C **14**	

Elm Pk. Chambers SW10	1D **119**	
Elm Pk. Gdns. SW10	1D **119**	
Elm Pk. Ho. SW10	1D **119**	
Elm Pk. La. SW3	1D **119**	
Elm Pk. Mans. SW10	2C **118**	
Elm Pk. Rd. SW3	2D **119**	
Elm Pl. SW7	5D **97**	
Elm Quay Ct. SW8	3D **123**	
Elmslie Point E3	1C **54**	
Elms M. W2	5D **41**	
Elm St. WC1	5C **28**	
Elmton Ct. NW8	4D **23**	
Elm Tree Cl. NW8	2D **23**	
Elm Tree Ct. NW8	2D **23**	
Elm Tree Rd. NW8	2D **23**	
Elmwood Ho. NW10	1A **18**	
Elnathan M. W9	5A **22**	
Elsa Cotts. E14	2A **54**	
Elsa St. E1	2F **53**	
Elsden M. E2	1C **34**	
Elsham Rd. W14	5F **65**	
Elsham Ter. W14	1F **93**	
Elsie La. Ct. W2	2E **39**	
Elsinore Ho. N1	4D **13**	
W6	5C **92**	
Elsted St. SE17	4E **105**	
Elsworthy Ct. NW3	2B **8**	
Elsworthy Ri. NW3	1A **8**	
Elsworthy Rd. NW3	3F **7**	
Elsworthy Ter. NW3	2A **8**	
Eluna Apartments E1	1A **80**	
Elvaston M. SW7	1C **96**	
Elvaston Pl. SW7	2B **96**	
Elver Gdns. E2	1E **33**	
Elverton St. SW1	3D **101**	
Elwin St. E2	2D **33**	
Elworth Ho. SW8	5C **124**	
Ely Cotts. SW8	5B **124**	
Ely Ct. EC1	2E **47**	
NW6	5D **5**	
Ely Ho. SE15	4E **129**	
Ely Pl. EC1	2E **47**	
Elystan Pl. SW3	5A **98**	
Elystan St. SW3	4F **97**	
Elystan Wlk. N1	4D **13**	
Emanuel Ho. SW1	2D **101**	
Embankment Gdns. SW3	2C **120**	
Embankment Pl. WC2	2A **74**	
Embassy Ct. NW8	1E **23**	
Embassy Ho. NW6	1F **5**	
Embassy Theatre	*1D **7***	
(off College Cres.)		
Emba St. SE16	5E **79**	
Emberton SE5	2F **127**	
Emberton Ct. EC1	3F **29**	
Emerald Cl. E16	4F **61**	
Emerald St. WC1	1B **46**	
Emerson St. SE1	2B **76**	
Emery Hill St. SW1	2C **100**	
Emery St. SE1	1E **103**	
Emery Theatre	4F **55**	
Emily Ct. SE1	5B **76**	
Emily Ho. W10	4A **20**	
Emily St. E16	4B **58**	
Emmanuel Ho. SE11	4D **103**	
Emma St. E2	5F **17**	
Emminster NW6	3F **5**	
Emmott Cl. E1	5F **35**	
Emperor's Ga. SW7	2A **96**	
Empingham Ho. SE8	3E **109**	
Empire Cinema	5E **45**	

Empire Ho. SW7 . . . . .2F **97**
Empire Wharf Rd. E14 . . .4D **113**
Empress App. SW6 . . . . . . .2D **117**
Empress Pl. SW6 . . . . .1D **117**
Empress State Bldg.
   SW6 . . . . .2D **117**
Empress St. SE17 . . . . .2C **126**
Emt Ho. E6 . . . . .1E **63**
Enbrook St. W10 . . . . .3A **20**
Endell St. WC2 . . . . .3F **45**
Enderby St. SE10 . . . . .5F **113**
Endsleigh Ct. WC1 . . . . . . .4E **27**
Endsleigh Gdns. WC1 . . . . .4D **27**
Endsleigh Pl. WC1 . . . . .4E **27**
Endsleigh St. WC1 . . . . .4D **27**
Energize Fitness Club 5E **93**
Enfield Cloisters N1 . . . . . . .2F **31**
Enfield Rd. N1 . . . . .2A **16**
Enford St. W1 . . . . .1B **42**
Engine Ct. SW1 . . . . .3C **72**
Englefield NW1 . . . . .3B **26**
Englefield Rd. N1 . . . . .1D **15**
English Grounds SE1 . . . . . .3F **77**
Enid St. SE16 . . . . .1C **106**
Ennerdale NW1 . . . . .2B **26**
Ennis Ho. E14 . . . . .4A **56**
Ennismore Gdns. SW7 . . . . .5F **69**
Ennismore Gdns. M. SW7 . . .1F **97**
Ennismore M. SW7 . . . . . . .1F **97**
Ennismore St. SW7 . . . . . . .1F **97**
Ensbury Ho. SW8 . . . . .4B **124**
Ensign Ho. E14 . . . . .4E **83**
Ensign Ind. Cen. E1 . . .1D **79**
Ensign St. E1 . . . . .5D **51**
Ensor M. SW7 . . . . .5D **97**
Enterprise Bus. Pk. E14 . . . .5F **83**
Enterprise Ho. E14 . . . . . . .5A **112**
Enterprise Ind. Est. SE16 . . .1C **130**
Enterprize Way SE8 . . . . . .3B **110**
Epcot M. NW10 . . . . .3E **19**
Epirus M. SW6 . . . . .4D **117**
Epirus Rd. SW6 . . . . .4C **116**
Epping Cl. E14 . . . . .3E **111**
Epworth St. EC2 . . . . .5E **31**
Equity Sq. E2 . . . . .3C **32**
Erasmus St. SW1 . . . . .4E **101**
Eresby Ho. SW7 . . . . .5A **70**
Eresby Pl. NW6 . . . . .2D **5**
Eric Fletcher Ct. N1 . . . . . . .1C **14**
Eric Wilkins Ho. SE1 . . .1D **129**
Erlich Cotts. E1 . . . . .1B **52**
Ernest Harriss Ho. W9 . . . . .4D **21**
Ernest St. E1 . . . . .5E **35**
Eros 1D **73**
Errington Rd. W9 . . . . .4C **20**
Errol St. EC1 . . . . .5C **30**
Erskine Ho. SW1 . . . . .1B **122**
Erskine M. NW3 . . . . .2C **8**
Erskine Rd. NW3 . . . . .2C **8**
Eskdale NW1 . . . . .1B **26**
Esmeralda Rd. SE1 . . . . . . .4E **107**
Esmond Ct. W8 . . . . .1A **96**
Esmond Rd. NW6 . . . . .4C **4**
Esporta Health & Fitness
   Islington 4F **13**
Esprit Ct. E1 . . . . .2B **50**
Essendine Mans. W9 . . . . . .3E **21**
Essendine Rd. W9 . . . . .4E **21**
Essex Ct. EC4 . . . . .4D **47**
Essex Ho. E14 . . . . .3F **55**
Essex Rd. N1 . . . . .4A **14**

Essex St. WC2 . . . . .4D **47**
Essex Vs. W8 . . . . .5D **67**
Essian St. E1 . . . . .1F **53**
Estcourt Rd. SW6 . . . . .4A **116**
Estella Ho. W11 . . . . .1E **65**
Esterbrooke St. SW1 . . . .4D **101**
Estorick Collection of
   Modern Italian Art 1A **14**
Etal Ho. N1 . . . . .1F **13**
Etcetera Theatre 2A **10**
Ethelburga St. SW11 . . . . .5A **120**
Ethelburga Twr. SW11 . . . .5A **120**
Ethelden Rd. W12 . . . . .2A **64**
Ethel Rd. E16 . . . . .4F **59**
Ethel St. SE17 . . . . .4C **104**
Ethnard Rd. SE15 . . . . .3F **129**
Eton Av. NW3 . . . . .1D **7**
Eton Coll. Rd. NW3 . . . . . . .1C **8**
Eton Ct. NW3 . . . . .1E **7**
Eton Garages NW3 . . . . . . .1A **8**
Eton Hall NW3 . . . . .1C **8**
Eton Pl. NW3 . . . . .1D **9**
Eton Ri. NW3 . . . . .1C **8**
Eton Rd. NW3 . . . . .1B **8**
Eton Vs. NW3 . . . . .1C **8**
Etta St. SE8 . . . . .2A **132**
Ettrick St. E14 . . . . .3C **56**
           (not continuous)
Eugene Cotter Ho. SE17 . . .4E **105**
Eugenia Rd. SE16 . . . . .4C **108**
Europa Pl. EC1 . . . . .3B **30**
Eustace Bldg. SW8 . . . . . . .3F **121**
Eustace Ho. SE11 . . . . .3B **102**
Eustace Rd. SW6 . . . . .4D **117**
Euston Cen. NW1 . . . . .4B **26**
           (not continuous)
Euston Gro. NW1 . . . . .3D **27**
Euston Rd. NW1 . . . . .5A **26**
Euston Sq. NW1 . . . . .3D **27**
           (not continuous)
Euston Sta. Colonnade
   NW1 . . . . .3D **27**
Euston St. NW1 . . . . .4C **26**
Euston Twr. NW1 . . . . .4B **26**
EUSTON UNDERPASS 4C **26**
Evangalist Ho. EC4 . . . . .4F **47**
        (off Black Friars La.)
Evans Ho. SW8 . . . . .5E **123**
   W12 . . . . .1A **64**
Evedon Ho. N1 . . . . .4F **15**
        (off New Era Est.)
Evelina Mans. SE5 . . . . . . .4D **127**
Evelyn Ct. N1 . . . . .1D **31**
           (not continuous)
Evelyn Denington Ct. N1 . . . .1F **13**
Evelyn Denington Rd. E6 . . .1A **62**
Evelyn Fox Ct. W10 . . . . . . .2C **36**
Evelyn Gdns. SW7 . . . . .1C **118**
Evelyn Ho. W8 . . . . .5F **67**
Evelyn Lowe Est. SE16 . . . .2D **107**
Evelyn Mans. SW1 . . . . .2B **100**
   W14 . . . . .2A **116**
Evelyn Rd. E16 . . . . .2E **87**
Evelyn St. SE8 . . . . .4F **109**
Evelyn Wlk. N1 . . . . .1D **31**
Evelyn Yd. W1 . . . . .3D **45**
Everard Ho. E1 . . . . .4E **51**
Everest Pl. E14 . . . . .1B **56**
Everett Ho. SE17 . . . . .5E **105**
Evergreen Sq. E8 . . . . .1B **16**
Everilda St. N1 . . . . .4C **12**

Eversholt St. NW1 . . . . .5C **10**
Eversley Ho. E2 . . . . .3D **33**
Everton Bldgs. NW1 . . . . . . .3B **26**
Evesham Ho. E2 . . . . .1B **34**
   NW8 . . . . .4B **6**
   SW1 . . . . .5A **100**
Evesham St. W11 . . . . .1D **65**
Ewen Henderson Ct.
   SE14 . . . . .5F **131**
Ewen Ho. N1 . . . . .4B **12**
Ewhurst Cl. E1 . . . . .2C **52**
Ewer St. SE1 . . . . .3B **76**
Ewhurst Cl. E1 . . . . .2C **52**
Exbury Ho. SW1 . . . . .5D **101**
ExCeL 5A **60**
Excel Ct. WC2 . . . . .1E **73**
Excel Marina E16 . . . . .1E **87**
Excelsior Ind. Est. SE15 . . .2C **130**
Excel Waterfront E16 . . . . . .1F **87**
Exchange Arc. EC2 . . . . . . .1A **50**
Exchange Bldg. E1 . . . . .5B **32**
Exchange Ct. WC2 . . . . .1A **74**
Exchange Ho. EC2 . . . . .1A **50**
   SW1 . . . . .4D **101**
Exchange Pl. EC2 . . . . .1F **49**
Exchange Sq. EC2 . . . . .1F **49**
Exchange St. EC1 . . . . .3B **30**
Exeter Cl. E6 . . . . .3B **62**
Exeter Ct. NW6 . . . . .1E **21**
Exeter Ho. N1 . . . . .4F **15**
        (off New Era Est.)
   SE15 . . . . .3E **129**
   W2 . . . . .3B **40**
Exeter M. NW6 . . . . .1F **5**
   SW6 . . . . .4D **117**
Exeter Rd. E16 . . . . .2E **59**
Exeter St. WC2 . . . . .5A **46**
Exeter Way SE14 . . . . .5B **132**
Exhibition Cl. W12 . . . . .1B **64**
Exhibition Rd. SW7 . . . . . . .5E **69**
Exmoor Ho. E3 . . . . .1F **35**
Exmoor St. W10 . . . . .1E **37**
Exmouth Ho. E14 . . . . .4F **111**
   EC1 . . . . .4D **29**
Exmouth Mkt. EC1 . . . . .4D **29**
Exmouth M. NW1 . . . . .3C **26**
Exmouth Pl. E8 . . . . .2F **17**
Exmouth St. E1 . . . . .3C **52**
Exning Rd. E16 . . . . .1B **58**
Exonbury NW8 . . . . .4A **6**
Exon St. SE17 . . . . .4F **105**
Export Ho. SE1 . . . . .5A **78**
Express Newspapers SE1 . . . .2F **75**
Exton St. SE1 . . . . .3D **75**
Eynham Rd. W12 . . . . .2B **36**
Eynsford Ho. SE1 . . . . .5D **77**
   SE15 . . . . .2C **130**
   SE17 . . . . .4F **105**
Eyre Ct. NW8 . . . . .5D **7**
Eyre St. Hill EC1 . . . . .5D **29**
Ezra St. E2 . . . . .2C **32**

F

F1 City Go-Kart Circuit 2D **89**
Fabian Rd. SW6 . . . . .4C **116**
Factory Rd. E16 . . . . .3E **89**
Fairbank Est. E1 . . . . .1E **31**
Fairbriar Residence SW7 . . .3C **96**
Fairburn Ho. W14 . . . . .1C **116**
Fairby Ho. SE1 . . . . .3C **106**
Faircharm Trad. Est. SE8 . . .5F **133**

Fairchild Ho. N1 . . . . .2F **31**
Fairchild Pl. EC2 . . . . .5A **32**
Fairchild St. EC2 . . . . .5A **32**
Fairclough St. E1 . . . . .4E **51**
Fairfax Mans. NW3 . . . . .1C **6**
Fairfax M. E16 . . . . .2F **87**
Fairfax Pl. NW6 . . . . .2C **6**
　W14 . . . . .2A **94**
Fairfax Rd. NW6 . . . . .2C **6**
Fairfield E1 . . . . .1C **52**
　NW1 . . . . .4B **10**
Fairford Ho. SE11 . . . . .4E **103**
Fairhazel Gdns. NW6 . . . . . . .1A **6**
Fairhazel Mans.
　NW6 . . . . .1B **6**
Fairholme Rd. W14 . . . . . .1A **116**
Fairholt St. SW7 . . . . .1A **98**
Fairlead Ho. E14 . . . . .1E **111**
Fairmont Av. E14 . . . . .2D **85**
Fairstead Wlk. N1 . . . . .3B **14**
Fair St. SE1 . . . . .4A **78**
Fairthorn Rd. SE7 . . . . .5E **115**
Fairway Ct. SE16 . . . . .5D **81**
Fakruddin St. E1 . . . . .5E **33**
Falcon WC1 . . . . .1A **46**
Falconberg Ct. W1 . . . . .3E **45**
Falconberg M. W1 . . . . .3D **45**
Falcon Cl. SE1 . . . . .2A **76**
Falcon Ct. EC4 . . . . .4E **47**
　N1 .1A **30**
Falconet Ct. E1 . . . . .3A **80**
Falcon Highwalk EC2 . . . . . .2B **48**
Falcon Ho. E14 . . . . .1A **134**
　SW5 . . . . .5A **96**
Falcon Lodge W9 . . . . .1E **39**
Falcon Point SE1 . . . . .1A **76**
Falcon Way E14 . . . . .3A **112**
Falkirk Ct. SE16 . . . . .2E **81**
Falkirk Ho. W9 . . . . .2A **22**
Falkirk St. N1 . . . . .1A **32**
Falkland Ho. W8 . . . . .2F **95**
　W14 . . . . .5B **94**
Fallodon Ho. W11 . . . . .2C **38**
Fallow Ct. SE16 . . . . .1E **129**
Falmouth Ho. SE11 . . . . .5E **103**
　W2 .5F **41**
Falmouth Rd. SE1 . . . . .2C **104**
Falstaff Bldg. E1 . . . . .5F **51**
Falstaff Ct. SE11 . . . . .4F **103**
Falstaff Ho. N1 . . . . .1F **31**
Fane St. W14 . . . . .2C **116**
Fan Mus., The 4C **134**
Fann St. EC1 . . . . .5B **30**
　EC2 . . . . .5B **30**
　　　　　　(not continuous)
Fanshaw St. N1 . . . . .2F **31**
Faraday Ho. E14 . . . . .5B **54**
　SE1 . . . . .5C **76**
　W10 . . . . .1A **38**
Faraday Lodge SE10 . . . . . .1C **114**
Faraday Mans. W14 . . . . . .2A **116**
Faraday Mus. 1B **72**
Faraday Rd. W10 . . . . .1F **37**
Fareham St. W1 . . . . .3D **45**
Farjeon Ho. NW6 . . . . .2D **7**
Farley Ct. NW1 . . . . .5C **24**
　W14 . . . . .2C **116**
Farm Cl. SW6 . . . . .4E **117**
Farmdale Rd. SE10 . . . . . . .5E **115**
Farmer's Rd. SE5 . . . . .5A **126**
Farmer St. W8 . . . . .2D **67**

Farm La. SW6 . . . . .3E **117**
　　　　　　(not continuous)
Farm La. Trad. Est.
　SW6 . . . . .3D **117**
Farm Pl. W8 . . . . .2D **67**
Farm St. W1 . . . . .1F **71**
Farnaby Ho. W10 . . . . .3B **20**
Farncombe St. SE16 . . . . . . .5E **79**
Farndale Ho. NW6 . . . . .3F **5**
Farnell M. SW5 . . . . .5F **95**
Farnham Ho. NW1 . . . . .5A **24**
　SE1 . . . . .4B **76**
Farnham Pl. SE1 . . . . .3A **76**
Farnham Royal SE11 . . . . . .1C **124**
Farnsworth Ct. SE10 . . . . . . .2C **114**
Farnworth Ho. E14 . . . . .3D **113**
Faroe Rd. W14 . . . . .2E **93**
Farrance St. E14 . . . . .4C **54**
Farrell Ho. E1 . . . . .4C **52**
Farriers Ho. EC1 . . . . .5C **30**
Farrier St. NW1 . . . . .1A **10**
Farrier Wlk. SW10 . . . . .2B **118**
Farringdon La. EC1 . . . . .5E **29**
Farringdon Rd. EC1 . . . . .4D **29**
Farringdon St. EC4 . . . . .2F **47**
Farrins Rents SE16 . . . . .3F **81**
Farrow La. SE14 . . . . .4C **130**
Farrow Pl. SE16 . . . . .1F **109**
Farthing All. SE1 . . . . .5D **79**
Farthing Flds. E1 . . . . .2A **80**
Fashion & Textile Mus. 4A **78**
Fashion St. E1 . . . . .2B **50**
Faulkners All. EC1 . . . . .1F **47**
Faulkner St. SE14 . . . . .5C **130**
Faunce Ho. SE17 . . . . .2F **125**
Faunce St. SE17 . . . . .2F **125**
Faversham Ho. NW1 . . . . . . .4C **10**
　SE17 . . . . .1F **127**
Fawcett Cl. SW10 . . . . .2B **118**
Fawcett St. SW10 . . . . .3A **118**
Fawe St. E14 . . . . .2A **56**
Fawkham Ho. SE1 . . . . .4C **106**
Fawley Lodge E14 . . . . .3D **113**
Fazeley Ct. W9 . . . . .1D **39**
Fearon St. SE10 . . . . .5D **115**
Feathers Pl. SE10 . . . . .2E **135**
Featherstone St. EC1 . . . . . . .4D **31**
Felgate M. W6 . . . . .4A **92**
Felix Ho. E16 . . . . .1E **91**
Felixstowe Ct. E16 . . . . .3F **91**
Felixstowe Rd. NW10 . . . . . .2A **18**
Felix St. E2 . . . . .1A **34**
Fellbrigg St. E1 . . . . .5A **34**
Fellmongers Path SE1 . . . . . .5B **78**
Fellows Ct. E2 . . . . .5B **16**
　　　　　　(not continuous)
Fellows Rd. NW3 . . . . .1E **7**
Felltram M. SE7 . . . . .5E **115**
Felltram Way SE7 . . . . .5E **115**
Felstead Gdns. E14 . . . . .1B **134**
Felstead Wharf E14 . . . . .1B **134**
Felsted Rd. E16 . . . . .4D **61**
Felton Ho. N1 . . . . .4E **15**
Felton St. N1 . . . . .4E **15**
Fenchurch Av. EC3 . . . . .4F **49**
Fenchurch Bldgs. EC3 . . . . . .4A **50**
Fenchurch Ho. EC3 . . . . .5B **50**
Fenchurch Pl. EC3 . . . . .5A **50**
Fenchurch St. EC3 . . . . .5F **49**
Fen Ct. EC3 . . . . .4F **49**

Fendall St. SE1 . . . . .2A **106**
　　　　　　(not continuous)
Fendt Cl. E16 . . . . .5C **58**
Fenelon Pl. W14 . . . . .4C **94**
Fenham Rd. SE15 . . . . .5E **129**
Fennel Apartments SE1 . . . .4B **78**
Fenner Cl. SE16 . . . . .3A **108**
Fenner Ho. E1 . . . . .2A **80**
Fenning St. SE1 . . . . .4F **77**
Fen St. E16 . . . . .5C **58**
Fentiman Rd. SW8 . . . . .3A **124**
Fenton Ho. SE14 . . . . .5A **132**
Fenton St. E1 . . . . .3A **52**
Ferdinand Ho. NW1 . . . . .1E **9**
Ferdinand Pl. NW1 . . . . .1E **9**
Ferdinand St. NW1 . . . . .1E **9**
Ferguson Cl. E14 . . . . .4D **111**
Fermain Ct. E. N1 . . . . .3A **16**
Fermain Ct. Nth. N1 . . . . .3A **16**
Fermain Ct. W. N1 . . . . .3F **15**
Fermoy Ho. W9 . . . . .5C **20**
Fermoy Rd. W9 . . . . .5B **20**
Fern Cl. N1 . . . . .5F **15**
Ferndale St. E6 . . . . .5F **63**
Ferndown NW1 . . . . .2D **11**
Ferndown Lodge E14 . . . . . . .2C **112**
Fernhead Rd. W9 . . . . .1B **20**
Fernhill St. E16 . . . . .3C **90**
Fernhurst Rd. SW6 . . . . .5A **116**
Fernleigh Cl. W9 . . . . .2C **20**
Fernsbury St. WC1 . . . . .3D **29**
Fernshaw Cl. SW10 . . . . .3B **118**
Fernshaw Mans. SW10 . . . .3B **118**
Fernshaw Rd. SW10 . . . . . . .3B **118**
Fern Wlk. SE16 . . . . .1E **129**
Ferriby Cl. N1 . . . . .1D **13**
Ferrier Point E16 . . . . .2D **59**
Ferrybridge Ho. SE11 . . . . . . .2C **102**
Ferry St. E14 . . . . .5B **112**
Festival St. E8 . . . . .2C **16**
Festoon Way E16 . . . . .5D **61**
Fetter La. EC4 . . . . .4E **47**
　　　　　　(not continuous)
Fettes Ho. NW8 . . . . .1E **23**
Ffinch St. SE8 . . . . .4D **133**
Field Ct. WC1 . . . . .2C **46**
Fieldgate Mans. E1 . . . . .2E **51**
　　　　　　(not continuous)
Fieldgate St. E1 . . . . .2D **51**
Field Ho. NW6 . . . . .2E **19**
Fielding Ct. WC2 . . . . .4F **45**
Fielding Ho. NW6 . . . . .2E **21**
Fielding Rd. W14 . . . . .1E **93**
Fielding St. SE17 . . . . .2B **126**
Field Rd. W6 . . . . .1A **116**
Fields Est. E8 . . . . .2E **17**
Field St. WC1 . . . . .2B **28**
Fife Rd. E16 . . . . .2D **59**
Fife Ter. N1 . . . . .5C **12**
Fifth Av. W10 . . . . .4F **19**
Figure Ct. SW3 . . . . .1C **120**
Filigree Ct. SE16 . . . . .3B **82**
Filmer Chambers SW6 . . . . .5A **116**
Filmer Rd. SW6 . . . . .5B **116**
Filton Ct. SE14 . . . . .4C **130**
Finborough Ho. SW10 . . . .2B **118**
Finborough Rd. SW10 . . . . . .1F **117**
Finborough Theatre, The
　. . . . . .2A **118**
Finch Ho. SE8 . . . . .4F **133**
Finch La. EC3 . . . . .4E **49**

Finchley Pl. NW8 . . . . .5D 7
Finchley Rd. NW3 . . . . .1C 6
NW8 . . . . .4D 7
Finch Lodge W9 . . . . .1E 39
Finch M. SE15 . . . . .5B 128
Finch's Ct. E14 . . . . .5A 56
Findhorn St. E14 . . . . .3C 56
Fingal St. SE10 . . . . .5C 114
Fingest Ho. NW8 . . . . .4F 23
Finland St. SE16 . . . . .1A 110
Finnemore Ho. N1 . . . . .3B 14
Finn Ho. N1 . . . . .2E 31
Finnis St. E2 . . . . .3A 34
FINSBURY 3E 29
Finsbury Av. EC2 . . . . .2E 49
(not continuous)
Finsbury Av. Sq.
EC2 . . . . .1F 49
Finsbury Cir. EC2 . . . . .2E 49
Finsbury Est. EC1 . . . . .3F 29
Finsbury Leisure Cen. 4B 30
Finsbury Mkt. EC2 . . . . .5F 31
(not continuous)
Finsbury Pavement EC2 . . . . .1E 49
Finsbury Sq. EC2 . . . . .5E 31
Finsbury St. EC2 . . . . .1D 49
Finstock Rd. W10 . . . . .3D 37
Finwhale Ho. E14 . . . . .1A 112
Fiona Ct. NW6 . . . . .5D 5
Firbank Cl. E16 . . . . .1D 61
Firefly Gdns. E6 . . . . .1F 61
Fir Ho. W10 . . . . .4F 19
Firle Ho. W10 . . . . .1B 36
First Av. W10 . . . . .4B 20
First St. SW3 . . . . .3A 98
Firth Ho. E2 . . . . .3D 33
Fir Tree Ho. SE14 . . . . .4C 130
Fir Trees Cl. SE16 . . . . .3A 82
Fisher Athletic FC 3E 81
Fisher Ho. E1 . . . . .5C 52
N1 . . . . .4D 13
Fishermans Dr. SE16 . . . . . . .4E 81
Fisherman's Wlk. E14 . . . . . .2D 83
Fishers Ct. SE14 . . . . .5D 131
Fisher St. E16 . . . . .1D 59
WC1 . . . . .2B 46
Fisherton St. NW8 . . . . .5D 23
Fishguard Way E16 . . . . .3F 91
Fishmongers Hall Wharf
EC4 . . . . .1E 77
Fish St. Hill EC3 . . . . .1E 77
Fish Wharf EC3 . . . . .1E 77
Fisons Rd. E16 . . . . .3D 87
Fitness First Health Club
Islington 1F 29
Fitrooms 3C 116
Fitzalan St. SE11 . . . . .3C 102
Fitzgeorge Av. W14 . . . . .4F 93
Fitzgerald Ho. E14 . . . . .4A 56
Fitzhardinge Ho. W1 . . . . . . .3D 43
Fitzhardinge St. W1 . . . . . . .3D 43
Fitzjames Av. W14 . . . . .4A 94
Fitzmaurice Ho. SE16 . . . . . .4A 108
Fitzmaurice Pl. W1 . . . . .2A 72
FITZROVIA 1A 44
Fitzroy Ct. W1 . . . . .5C 26
Fitzroy Ho. E14 . . . . .2C 54
SE1 . . . . .5C 106
Fitzroy M. W1 . . . . .5B 26
Fitzroy Rd. NW1 . . . . .3D 9
Fitzroy Sq. W1 . . . . .5B 26

Fitzroy St. W1 . . . . .5B 26
(not continuous)
Fitzroy Yd. NW1 . . . . .3D 9
Fitzwilliam M. E16 . . . . .2D 87
Five Bell All. E14 . . . . .4C 54
Fivoo Ct. SE11 . . . . .2F 103
Flamborough St. E14 . . . . . .4F 53
Flamborough Wlk. E14 . . . . .4F 53
Flamingo Ct. SE8 . . . . .4D 133
Flamstead Ho. SW3 . . . . .5F 97
(off Cale St.)
Flank St. E1 . . . . .5D 51
Flansham Ho. E14 . . . . .3B 54
Flatiron Yd. SE1 . . . . .3C 76
Flavell M. SE10 . . . . .5A 114
Flaxley Ho. SW1 . . . . .5F 99
Flaxman Ct. W1 . . . . .4D 45
WC1 . . . . .3E 27
Flaxman Ho. SE1 . . . . .1F 103
Flaxman Ter. WC1 . . . . .3E 27
Flecker Ho. SE5 . . . . .5D 127
Fleet Bldg. EC4 . . . . .3F 47
Fleetfield WC1 . . . . .2A 28
Fleet Ho. E14 . . . . .5A 54
Fleet Pl. EC4 . . . . .3F 47
(not continuous)
Fleet Sq. WC1 . . . . .3C 28
Fleet St. EC4 . . . . .4D 47
Fleet St. Hill E1 . . . . .5D 33
Fleetway WC1 . . . . .2A 28
Fleetwood Cl. E16 . . . . .1E 61
Fleetwood Ct. E6 . . . . .1B 62
Fleming Cl. W9 . . . . .5D 21
Fleming Ct. W2 . . . . .1D 41
Fleming Ho. SE16 . . . . .5D 79
Fleming Lodge W9 . . . . .1E 39
Fleming Rd. SE17 . . . . .2A 126
Flemming Ho. SE10 . . . . . . .2C 118
Fletcher Bldgs. WC2 . . . . . . .4A 46
Fletcher Cl. E6 . . . . .5F 63
Fletcher Ho. SE15 . . . . .5C 130
(off Clifton Way)
Fletcher Path SE8 . . . . .5E 133
Fletcher St. E1 . . . . .5E 51
Fleur-de-Lis St. E1 . . . . .5A 32
Flinders Ho. E1 . . . . .3A 80
Flinton St. SE17 . . . . .5A 106
Flint St. SE17 . . . . .4E 105
Flitcroft St. WC2 . . . . .4E 45
Flitton Ho. N1 . . . . .2F 13
Flockton St. SE16 . . . . .5D 79
Flodden Rd. SE5 . . . . .5B 126
Flood St. SW3 . . . . .1A 120
Flood Wlk. SW3 . . . . .2A 120
Flora Cl. E14 . . . . .4F 55
Flora Gdns. W6 . . . . .3A 92
Floral St. WC2 . . . . .5F 45
Florence Ct. N1 . . . . .2F 13
W9 . . . . .3C 22
Florence Ho. SE16 . . . . .1F 129
W11 . . . . .1E 65
Florence Nightingale Mus.
. . . . .5B 74
Florence Rd. SE14 . . . . .5C 132
Florence St. N1 . . . . .2F 13
Flores Ho. E1 . . . . .1E 53
Florey Lodge W9 . . . . .1E 39
(off Admiral Wlk.)
Florida St. E2 . . . . .3D 33
Florin Ct. EC1 . . . . .1B 48
SE1 . . . . .5B 78

Flower & Dean Wlk. E1 . . . . .2C 50
Flower Wlk., The SW7 . . . . . .5B 68
Flynn Ct. E14 . . . . .1D 83
Foley Ho. E1 . . . . .4B 52
Foley St. W1 . . . . .2B 44
Folgate St. E1 . . . . .1A 50
(not continuous)
Foliot Ho. N1 . . . . .5B 12
Folkstone Ho. SE17 . . . . . . .5A 106
Follett Ho. SW10 . . . . .4D 119
Follett St. E14 . . . . .4B 56
Follingham Ct. N1 . . . . .2A 32
Folly M. W11 . . . . .3B 38
Folly Wall E14 . . . . .5C 84
Fonda Ct. E14 . . . . .1D 83
Fontenoy Ho. SE11 . . . . .4F 103
Fonthill Ho. SW1 . . . . .5A 100
W14 . . . . .1A 94
Forber Ho. E2 . . . . .3B 34
Forbes St. E1 . . . . .4E 51
Fordham Ho. SE14 . . . . .4A 132
Fordham St. E1 . . . . .3E 51
Fordie Ho. SW1 . . . . .2C 98
Fordingley Rd. W9 . . . . .3C 20
Fords Pk. Rd. E16 . . . . .2D 59
Ford Sq. E1 . . . . .2A 52
Ford St. E16 . . . . .3B 58
Foreland Ho. W11 . . . . .5F 37
Foreshore SE8 . . . . .4C 110
Forester Ho. E14 . . . . .5A 54
Forest Gro. E8 . . . . .1C 16
Fore St. EC2 . . . . .2C 48
Fore St. Av. EC2 . . . . .2D 49
Forest Rd. E8 . . . . .1B 16
Forge Pl. NW1 . . . . .1E 9
Formation, The E16 . . . . .4F 91
Formosa Ho. E1 . . . . .5F 35
Formosa St. W9 . . . . .1A 40
Formunt Cl. E16 . . . . .2C 58
Forset Ct. W2 . . . . .3A 42
Forset St. W1 . . . . .3A 42
Forston St. N1 . . . . .5C 14
Forsyte Ho. SW3 . . . . .1A 120
Forsyth Gdns. SE17 . . . . . . .2A 126
Forsyth Ho. SW1 . . . . .5C 100
Fortescue Av. E8 . . . . .2F 17
Fortis Cl. E16 . . . . .4B 60
Fort Rd. SE1 . . . . .4C 106
Fortrose Cl. E14 . . . . .3E 57
Fort St. E1 . . . . .2A 50
E16 . . . . .3A 88
Fortune Ct. E8 . . . . .2C 16
Fortune Ho. EC1 . . . . .5C 30
SE11 . . . . .4D 103
Fortune St. EC1 . . . . .5C 30
Fortune Theatre 4A 46
Forty Acre La. E16 . . . . .2D 59
Forum Magnum Sq. SE1 . . . .4B 74
Fosbrooke Ho. SW8 . . . . . . .5F 123
Fosbury M. W2 . . . . .1A 68
Foscote M. W9 . . . . .1E 39
Foscote Ct. W9 . . . . .1E 39
Foscote M. W9 . . . . .5E 21
Foss Ho. NW8 . . . . .5A 6
Fossil Ct. SE1 . . . . .1F 105
(off Long La.)
Foster Ct. E16 . . . . .5C 58
NW1 . . . . .1B 10
Foster La. EC2 . . . . .3B 48
Foubert's Pl. W1 . . . . .4B 44
Foulis Ter. SW7 . . . . .5E 97
Founder Cl. E6 . . . . .4F 63

Founders Ct. EC2 . . . . .3D **49**
Founders Ho. SW1 . . . . . .1D **123**
Foundling Ct. WC1 . . . . . . .4F **27**
Foundling Mus., The 4A **28**
Foundry Cl. SE16 . . . . .2F **81**
Foundry Ho. E14 . . . . .1A **56**
Foundry M. NW1 . . . . .4C **26**
Foundry Pl. E1 . . . . .1B **52**
Fountain Ct. EC4 . . . . .5D **47**
SW1 . . . . .4F **99**
Fountain Grn. Sq. SE16 . . .5E **79**
Fountain Ho. NW6 . . . . . . .2A **4**
SE16 . . . . .5E **79**
W1 . . . . .2D **71**
Fountain Sq. SW1 . . . . .4F **99**
Fount St. SW8 . . . . .5E **123**
Fournier St. E1 . . . . .1B **50**
Fourscore Mans. E8 . . . . . .2E **17**
Fourth Av. W10 . . . . .4F **19**
Fowey Cl. E1 . . . . .2F **79**
Fowey Ho. SE11 . . . . .5E **103**
Fowler Rd. N1 . . . . .3A **14**
Fox & Knot St. EC1 . . . . . . .1A **48**
Fox Cl. E1 . . . . .4C **34**
E16 . . . . .2D **59**
Foxcote SE5 . . . . .1A **128**
Foxcroft WC1 . . . . .1C **28**
Foxfield NW1 . . . . .4A **10**
Foxley Rd. SW9 . . . . .4E **125**
Foxley Sq. SW9 . . . . .5F **125**
Fox Rd. E16 . . . . .2B **58**
Foxton Ho. E16 . . . . .4E **91**
Frampton NW1 . . . . .2D **11**
Frampton Ho. NW8 . . . . . . .5E **23**
Frampton St. NW8 . . . . . . .5E **23**
Francis Cl. E14 . . . . .3D **113**
Francis Ct. EC1 . . . . .1F **47**
SE14 . . . . .3D **131**
Francis Ho. N1 . . . . .4F **15**
SW10 . . . . .4A **118**
Francis St. SW1 . . . . .3B **100**
Francis Wlk. N1 . . . . .3B **12**
Frank Beswick Ho. SW6 . . .3C **116**
Frankham Ho. SE8 . . . . . . .5E **133**
Frankham St. SE8 . . . . .5D **133**
Frank Ho. SW8 . . . . .4F **123**
Frankland Cl. SE16 . . . . . .2A **108**
Frankland Rd. SW7 . . . . . . .2D **97**
Franklin Bldg. E14 . . . . . . .4D **83**
Franklin Ho. E1 . . . . .3A **80**
E14 . . . . .4D **57**
Franklin Sq. W14 . . . . .1C **116**
Franklin's Row SW3 . . . . . .5C **98**
Frank Soskice Ho. SW6 . . .3C **116**
Frank Whymark Ho. SE16 . .5B **80**
Frans Hals Ct. E14 . . . . . . .1C **112**
Fraser Cl. E6 . . . . .3F **61**
Fraser Ct. E14 . . . . .5B **112**
Frazier St. SE1 . . . . .5D **75**
Frean St. SE16 . . . . .1D **107**
Frearson Ho. WC1 . . . . .2C **28**
Freda Corbet Cl. SE15 . . . .4D **129**
Frederica St. N7 . . . . .1B **12**
Frederick Charrington Ho.
E1 . . . . .4B **34**
Frederick Cl. W2 . . . . .5A **42**
Frederick Cl. *SW3* *4C 98*
(off Duke of York Sq.)
Frederick Cres. SW9 . . . . . .5F **125**
Frederick Dobson Ho.
W11 . . . . .1F **65**

Frederick Rd. SE17 . . . . . . .2A **126**
Frederick's Pl. EC2 . . . . . . .4D **49**
Frederick Sq. SE16 . . . . . . .1F **81**
Frederick's Row EC1 . . . . . .2F **29**
Frederick St. WC1 . . . . .3B **28**
Frederic M. SW1 . . . . .5C **70**
Freeling Ho. NW8 . . . . .3D **7**
Freeling St. N1 . . . . .2B **12**
(Carnoustie Dr.)
N1 . . . . .2A **12**
(Pembroke St.)
Freemantle St. SE17 . . . . . .5F **105**
Freemasons Rd. E16 . . . . . .2F **59**
Free Trade Wharf E1 . . . . . .5D **53**
Fremantle Ho. E1 . . . . .5F **33**
French Ordinary Ct.
EC3 . . . . .5A **50**
French Pl. E1 . . . . .4A **32**
Frensham St. SE15 . . . . . . .3E **129**
Freshfield Av. E8 . . . . .1B **16**
Freshwater Ct. *W1* *2A 42*
(off Crawford St.)
Freston Rd. W10 . . . . .5D **37**
W11 . . . . .1E **65**
Freswick Ho. SE8 . . . . .3E **109**
Frewell Ho. EC1 . . . . .1D **47**
Friars Cl. SE1 . . . . .2A **76**
Friars Mead E14 . . . . .2B **112**
Friar St. EC4 . . . . .4A **48**
Friary Ct. SW1 . . . . .3C **72**
Friary Est. SE15 . . . . .3E **129**
(not continuous)
Friary Rd. SE15 . . . . .3E **129**
Friday St. EC4 . . . . .5B **48**
Friendship Ho. SE1 . . . . . . .5A **76**
Friends House 4D **27**
Friend St. EC1 . . . . .2F **29**
Frigate Ho. E14 . . . . .4C **112**
Frigate M. SE8 . . . . .2D **133**
Frimley St. E1 . . . . .5D **35**
Frimley Way E1 . . . . .4D **35**
Frinstead Ho. W10 . . . . .5D **37**
Frith Ho. NW8 . . . . .5E **23**
Frith St. W1 . . . . .4D **45**
Frithville Ct. W12 . . . . .3B **64**
Frithville Gdns. W12 . . . . . .2B **64**
Frobisher Ct. SE10 . . . . . . .2E **135**
W12 . . . . .5B **64**
Frobisher Cres. EC2 . . . . . .1C **48**
Frobisher Ho. E1 . . . . .2A **80**
SW1 . . . . .2D **123**
Frobisher Pas. E14 . . . . . . .2E **83**
Frobisher Rd. E6 . . . . .3C **62**
Frobisher St. SE10 . . . . . . .2F **135**
Frome St. N1 . . . . .5B **14**
Frostic Wlk. E1 . . . . .2C **50**
Fruiterers Pas. EC4 . . . . . . .1C **76**
Frying Pan All. E1 . . . . .2B **50**
Fulbeck Ho. N7 . . . . .1B **12**
Fulbourne St. E1 . . . . .1F **51**
Fulcher Ho. N1 . . . . .4F **15**
SE8 . . . . .1B **132**
Fulford St. SE16 . . . . .5A **80**
FULHAM BROADWAY 5E **117**
Fulham B'way. SW6 . . . . . . .5E **117**
Fulham B'way. Shop. Cen.
SW6 . . . . .4E **117**
Fulham Ct. SW6 . . . . .5D **117**
Fulham Pal. Rd. W6 . . . . . . .5C **92**
Fulham Pools 3A **116**

Fulham Rd. SW3 . . . . .2C **118**
SW6 . . . . .5D **117**
(Fulham High St.)
SW6 . . . . .5F **117**
(King's Rd.)
SW10 . . . . .3B **118**
Fuller Cl. E2 . . . . .4D **33**
Fullwood's M. N1 . . . . .2E **31**
Fulmar Ho. SE16 . . . . .3E **109**
Fulmer Ho. NW8 . . . . .5A **24**
Fulmer Rd. E16 . . . . .2D **61**
Fulneck E1 . . . . .1C **52**
Fulton M. W2 . . . . .5B **40**
Fulwood Pl. WC1 . . . . .2C **46**
Funland *1D 73*
(in Trocadero Cen.)
Furber St. W6 . . . . .2A **92**
Furley Ho. SE15 . . . . .4E **129**
Furley Rd. SE15 . . . . .5E **129**
Furness Ho. SW1 . . . . .5F **99**
Furnival Mans. W1 . . . . .2B **44**
Furnival St. EC4 . . . . .3D **47**
Fursecroft W1 . . . . .3B **42**
Furze St. E3 . . . . .1E **55**
Fusion Health & Leisure Cen.
. . . . .3A **104**
Fye Foot La. EC4 . . . . .5B **48**
Fynes St. SW1 . . . . .3D **101**

Gables Cl. SE5 . . . . .5F **127**
Gabriel Ho. N1 . . . . .4F **13**
SE11 . . . . .3B **102**
Gabriels Wharf SE1 . . . . . . .2E **75**
Gaddesden Ho. EC1 . . . . . .3E **31**
Gadebridge Ho. *SW3* *5F 97*
(off Cale St.)
Gadsden Ho. W10 . . . . .5A **20**
Gadwall Cl. E16 . . . . .3F **59**
Gage Brown Ho.
W10 . . . .*4E 37*
(off Bridge Cl.)
Gage Rd. E16 . . . . .1A **58**
Gage St. WC1 . . . . .1A **46**
Gainford Ho. E2 . . . . .2F **33**
Gainford St. N1 . . . . .3D **13**
Gainsborough Ct.
SE16 . . . . .5A **108**
W12 . . . . .4B **64**
Gainsborough Ho. E14 . . . .5E **83**
(Cassilis Rd.)
E14 . . . . .5A **54**
(Victory Pl.)
SW1 . . . . .4E **101**
Gainsborough Mans.
W14 . . . . .2A **116**
Gainsborough Studios E.
N1 . . . . .4D **15**
Gainsborough Studios Nth.
N1 . . . . .4D **15**
Gainsborough Studios Sth.
N1 . . . . .4D **15**
Gainsborough Studios W.
N1 . . . . .4D **15**
Gainsford St. SE1 . . . . .3B **78**
Gairloch Ho. NW1 . . . . .1D **11**
Gaitskell Ho. SE17 . . . . . . .2F **127**
Gala Bingo
Camberwell 5C **126**
Surrey Quays 1E **109**

Galaxy Bldg. E14 . . . . .3D 111	Garrick St. WC2 . . . . .5F 45	Genoa Ho. E1 . . . . .5E 35
(off Crews St.)	Garrick Theatre 1F 73	Geoffrey Ho. SE1 . . . . .1E 105
Galaxy Ho. EC2 . . . . .4E 31	Garrick Yd. WC2 . . . . .5F 45	George Beard Rd. SE8 . . . . .4B 110
(off Leonard St.)	Garsdale Ter. W14 . . . . .5C 94	George Belt Ho. E2 . . . . .2D 35
Galbraith St. E14 . . . . .1B 112	Garson Ho. W2 . . . . .5D 41	George Ct. WC2 . . . . .1A 74
Galena Arches W6 . . . . .4A 92	Garston Ho. N1 . . . . .2F 13	George Eliot Ho. SW1 . . . . .4C 100
Galena Ho. W6 . . . . .4A 92	Garter Way SE16 . . . . .5D 81	George Elliston Ho.
Galena Rd. W6 . . . . .4A 92	Garvary Rd. E16 . . . . .4A 60	SE1 . . . . .1D 129
Galen Pl. WC1 . . . . .2A 46	Garway Rd. W2 . . . . .4F 39	George Eyre Ho. NW8 . . .1E 23
Gales Gdns. E2 . . . . .3A 34	Gascoigne Pl. E2 . . . . .3B 32	George Gillett Ct. EC1 . . .4C 30
Gale St. E3 . . . . .1E 55	(not continuous)	George Inn Yd. SE1 . . . . . . .3D 77
Galleon Cl. SE16 . . . . .4C 80	Gascony Av. NW6 . . . . .2D 5	George Lindgren Ho.
Galleon Ho. E14 . . . . .4C 112	Gaselee St. E14 . . . . .1C 84	SW6 . . . . .4C 116
Gallery Ct. SE1 . . . . .5D 77	Gaskin St. N1 . . . . .3F 13	George Loveless Ho. E2 . . .2C 32
SW10 . . . . .3B 118	Gaspar Cl. SW5 . . . . .3A 96	George Lowe Ct. W2 . . . . . . .1F 39
(off Gunter Gro.)	Gaspar M. SW5 . . . . .3A 96	George Mathers Rd.
Galley, The E16 . . . . .1F 91	Gasson Ho. SE14 . . . . .3D 131	SE11 . . . . .3F 103
Galleywall Rd. SE16 . . . . . . .3F 107	Gastigny Ho. EC1 . . . . .3C 30	George M. NW1 . . . . .3C 26
Galleywall Rd. Trad. Est.	Gataker Ho. SE16 . . . . .1A 108	George Padmore Ho. E8 . . .3E 17
SE16 . . . . .4A 108	Gataker St. SE16 . . . . .1A 108	George Peabody Ct.
Galleywood Ho. W10 . . . . . .1B 36	Gatcombe Rd. E16 . . . . .2E 87	NW1 . . . . .1F 41
Gallions Rd. E16 . . . . .1F 91	Gate Cinema 2D 67	George Row SE16 . . . . .5D 79
SE7 . . . . .4F 115	Gateforth St. NW8 . . . . .5F 23	George's Sq. SW6 . . . . .2C 116
Gallions Rdbt. E16 . . . . .5F 63	Gate Hill Ct. W11 . . . . .2C 66	George St. E16 . . . . .4B 58
Galsworthy Av. E14 . . . . .3A 54	Gate Ho. N1 . . . . .2E 15	(not continuous)
Galsworthy Ho. W11 . . . . . . .4A 38	(off Ufton Rd.)	W1 . . . . .3B 42
Galton St. W10 . . . . .3F 19	Gatehouse Sq. SE1 . . . . . . .2C 76	George Tingle Ho. SE1 . . . .1C 106
Galveston Ho. E1 . . . . .5F 35	Gate Lodge W9 . . . . .1E 39	Georgette Pl. SE10 . . . . . . .5C 134
Galway Cl. SE16 . . . . .1A 130	Gate M. SW7 . . . . .5A 70	George Walter Ct. SE16 . . .4C 108
Galway Ho. E1 . . . . .1E 53	Gatesborough St. EC2 . . . . .4F 31	George Yd. EC3 . . . . .4E 49
EC1 . . . . .3C 30	Gates Ct. SE17 . . . . .1B 126	W1 . . . . .5E 43
Galway St. EC1 . . . . .3C 30	Gatesden WC1 . . . . .3A 28	Georgiana St. NW1 . . . . . . .3B 10
Gambia St. SE1 . . . . .3A 76	Gate St. WC2 . . . . .3B 46	Georgian Ho. E16 . . . . .2D 87
Gambier Ho. EC1 . . . . .3C 30	Gate Theatre, The 2D 67	Georgina Gdns. E2 . . . . .2C 32
Gandolfi St. SE15 . . . . .3F 127	Gateway SE17 . . . . .2C 126	Geraldine St. SE11 . . . . . . .2F 103
Ganton St. W1 . . . . .5B 44	Gateway Arc. N1 . . . . .5F 13	Gerald M. SW1 . . . . .3E 99
Garbett Ho. SE17 . . . . .2F 125	Gateways, The SW3 . . . . . . .4A 98	Gerald Rd. SW1 . . . . .3E 99
Garbutt Pl. W1 . . . . .2E 43	Gathorne St. E2 . . . . .1E 35	Gerards Cl. SE16 . . . . .1B 130
Garden Ct. EC4 . . . . .5D 47	Gatliff Cl. SW1 . . . . .1F 121	Gernon Rd. E3 . . . . .1F 35
NW8 . . . . .2D 23	Gatliff Rd. SW1 . . . . .1F 121	Gerrard Ho. SE14 . . . . .5C 130
W11 . . . . .1A 66	(not continuous)	Gerrard Pl. W1 . . . . .5E 45
Garden Ho. SW7 . . . . .2A 96	Gattis Wharf N1 . . . . .5A 12	Gerrard Rd. N1 . . . . .5F 13
Garden Ho. W2 . . . . .1E 67	Gatwick Ho. E14 . . . . .3B 54	Gerrard St. W1 . . . . .5D 45
Garden Pl. E8 . . . . .4C 16	Gaugin Ct. SE16 . . . . .5F 107	Gerridge Ct. SE1 . . . . .1E 103
Garden Rd. NW8 . . . . .2C 22	Gaumont Ter. W12 . . . . .4B 64	(off Gerridge St.)
Garden Row SE1 . . . . .2F 103	Gaunt St. SE1 . . . . .1B 104	Gerridge St. SE1 . . . . .1E 103
Garden St. E1 . . . . .2E 53	Gautrey Sq. E6 . . . . .4C 62	Gertrude St. SW10 . . . . .3C 118
Garden Ter. SW1 . . . . .5D 101	Gavel St. SE17 . . . . .3E 105	Gervase St. SE15 . . . . .4A 130
SW7 . . . . .5A 70	Gaverick M. E14 . . . . .3D 111	Gibbings Ho. SE1 . . . . .5A 76
Garden Wlk. EC2 . . . . .4F 31	Gawber St. E2 . . . . .2B 34	Gibbon Ho. NW8 . . . . .5E 23
Gardner Ct. EC1 . . . . .5F 29	Gaydon Ho. W2 . . . . .1F 39	Gibbon's Rents SE1 . . . . . . .3F 77
Gardners La. EC4 . . . . .5B 48	Gayfere St. SW1 . . . . .2F 101	Gibbs Grn. W14 . . . . .5B 94
Gard St. EC1 . . . . .2A 30	Gayhurst SE17 . . . . .2E 127	(not continuous)
Garford St. E14 . . . . .1D 83	Gayhurst Ho. NW8 . . . . .4F 23	Gibbs Grn. Cl. W14 . . . . . . .5C 94
Garland Ct. E14 . . . . .1D 83	Gayhurst Rd. E8 . . . . .1D 17	Gibraltar Wlk. E2 . . . . .3C 32
SE17 . . . . .4C 104	Gaymead NW8 . . . . .4A 6	Gibson Cl. E1 . . . . .4C 34
Garlands Ho. NW8 . . . . .5B 6	Gaysley Ho. SE11 . . . . .4D 103	Gibson Rd. SE11 . . . . .4C 102
Garlick Hill EC4 . . . . .5C 48	Gaywood St. SE1 . . . . .2A 104	Gibson Sq. N1 . . . . .3E 13
Garnault M. EC1 . . . . .3E 29	Gaza St. SE17 . . . . .1F 125	Gibson St. SE10 . . . . .1F 135
Garnault Pl. EC1 . . . . .3E 29	Gaze Ho. E14 . . . . .4D 57	Gielgud Theatre 5D 45
Garner St. E2 . . . . .1E 33	Gedling Pl. SE1 . . . . .1C 106	Giffen Sq. Mkt. SE8 . . . . . . .4D 133
Garnet Ho. E1 . . . . .2B 80	Gees Ct. W1 . . . . .4E 43	Giffin St. SE8 . . . . .4D 133
Garnet St. E1 . . . . .1B 80	Gee St. EC1 . . . . .4B 30	Gifford Ho. SE10 . . . . .1E 135
Garnet Wlk. E6 . . . . .1A 62	Geffrye Ct. N1 . . . . .1A 32	SW1 . . . . .1B 122
Garnies Cl. SE15 . . . . .4B 128	Geffrye Est. N1 . . . . .1A 32	Gifford St. N1 . . . . .2A 12
Garrett Ho. SE1 . . . . .4F 75	Geffrye Mus. 1A 32	Gilbert Bri. EC2 . . . . .2C 48
W12 . . . . .4A 36	Geffrye St. E2 . . . . .5B 16	(off Gilbert Ho.)
Garrett St. EC1 . . . . .4C 30	Geldart Rd. SE15 . . . . .5F 129	Gilbert Collection 5B 46
Garrick Ct. E8 . . . . .2C 16	Gemini Bus. Cen. E16 . . . . . .1E 57	Gilbert Ho. E2 . . . . .2D 35
(off Jacaranda Gro.)	Gemini Bus. Est. SE14 . . . . .1E 131	EC2 . . . . .2C 48
Garrick Ho. W1 . . . . .3F 71	Gemini Ct. E1 . . . . .1D 79	SE8 . . . . .2E 133

Gilbert Ho. SW1 . . . . .1A **122**
    SW8 . . . . .4F **123**
Gilbert Pl. WC1 . . . . .2F **45**
Gilbert Rd. SE11 . . . . .4E **103**
Gilbert Sheldon Ho. W2 . . . .1E **41**
Gilbertson Ho. E14 . . . . .1E **111**
Gilbert St. W1 . . . . .4E **43**
Gilbeys Yd. NW1 . . . . .2E **9**
Gildea St. W1 . . . . .2A **44**
Giles Ho. SE16 . . . . .1D **107**
    W11 . . . . .4D **39**
Gillam Ho. SE16 . . . . .4B **108**
Gill Av. E16 . . . . .4D **59**
Gillender St. E14 . . . . .1B **56**
Gillfoot NW1 . . . . .1B **26**
Gillies Ho. NW6 . . . . .2D **7**
Gillingham M. SW1 . . . . .3B **100**
Gillingham Row SW1 . . . . . .3B **100**
Gillingham St. SW1 . . . . . . .4A **100**
Gillison Wlk. SE16 . . . . .1E **107**
Gillman Ho. E2 . . . . .5E **17**
Gillray Ho. SW10 . . . . .3D **119**
Gill St. E14 . . . . .4C **54**
Gilpin Cl. W2 . . . . .1D **41**
Gilray Ho. W2 . . . . .5D **41**
Gilston Rd. SW10 . . . . .1C **118**
Giltspur St. EC1 . . . . .3A **48**
Ginger Apartments
    SE1 . . . . .4C **78**
Gipsy Moth IV 2B **134**
Giralda Cl. E16 . . . . .2D **61**
Giraud St. E14 . . . . .3F **55**
Girdler's Rd. W14 . . . . .3E **93**
Girling Ho. N1 . . . . .4F **15**
Gironde Rd. SW6 . . . . .5C **116**
Girton Vs. W10 . . . . .3E **37**
Gisburn Ho. SE15 . . . . .3E **129**
Gissing Wlk. N1 . . . . .2E **13**
Gladstone Ct. SW1 . . . . . . .4E **101**
Gladstone Ct. Bus. Cen.
    SW8 . . . . .5A **122**
Gladstone Ho. E14 . . . . .4D **55**
Gladstone M. NW6 . . . . .1B **4**
Gladstone St. SE1 . . . . .2F **103**
Gladwin Ho. NW1 . . . . .1C **26**
Gladys Rd. NW6 . . . . .1E **5**
Glaisher St. SE8 . . . . .2E **133**
Glamis Pl. E1 . . . . .5C **52**
Glamis Rd. E1 . . . . .1C **80**
Glasgow Ho. W9 . . . . .1A **22**
Glasgow Ter. SW1 . . . . .1B **122**
Glass Art Gallery, The 5F **77**
Glasshill St. SE1 . . . . .4A **76**
Glass Ho., The SE1 . . . . . . .5F **77**
Glasshouse Flds. E1 . . . . . .5D **53**
Glasshouse St. W1 . . . . .1C **72**
Glasshouse Wlk. SE11 . . . . .5A **102**
Glasshouse Yd. EC1 . . . . . . .5B **30**
Glass St. E2 . . . . .4A **34**
Glassworks Studios E2 . . . . .2A **32**
Glastonbury Ct. SE14 . . . . .4C **130**
Glastonbury Ho. SW1 . . . . . .5F **99**
Glastonbury Pl. E1 . . . . .4B **52**
Glaucus St. E3 . . . . .1F **55**
Glazbury Rd. W14 . . . . .4A **94**
Glebe Ho. SE16 . . . . .2A **108**
Glebe Pl. SW3 . . . . .2F **119**
Glebe Rd. E8 . . . . .2B **16**
Gledhow Gdns. SW5 . . . . . .4B **96**
Gledstanes Rd. W14 . . . . . .1A **116**
Glenaffric Av. E14 . . . . .4D **113**

Glenallan Ho. W14 . . . . .4B **94**
Glencairne Cl. E16 . . . . .1D **61**
Glencoe Mans. SW9 . . . . . .5D **125**
Glendower Pl. SW7 . . . . .3D **97**
Gleneagles Cl. SE16 . . . . . .1F **129**
Glenfinlas Way SE5 . . . . . . .4A **126**
Glenforth St. SE10 . . . . .4C **114**
Glengall Gro. E14 . . . . .1A **112**
Glengall Pas. NW6 . . . . .3D **5**
Glengall Rd. NW6 . . . . .3C **4**
    SE15 . . . . .2C **128**
Glengall Ter. SE15 . . . . .2C **128**
Glengarnock Av. E14 . . . . . .4C **112**
Glen Ho. E16 . . . . .4E **91**
Glenister Rd. SE10 . . . . .5B **114**
Glenister St. E16 . . . . .3E **91**
Glenkerry Ho. E14 . . . . .3B **56**
Glenridding NW1 . . . . .1C **26**
Glenrose Ct. *SE1* *1F 105*
    (off Long La.)
Glenroy St. W12 . . . . .3B **36**
Glenshaw Mans. SW9 . . . . .5D **125**
Glen Ter. E14 . . . . .4C **84**
Glenthorne M. W6 . . . . .4A **92**
Glenthorne Rd. W6 . . . . .3A **92**
Glentworth St. NW1 . . . . . . .5C **24**
Glenville Gro. SE8 . . . . .5C **132**
Glenworth Av. E14 . . . . .4D **113**
Gliddon Rd. W14 . . . . .4F **93**
Globe, The SE1 . . . . .5D **77**
Globe Pond Rd. SE16 . . . . . .3F **81**
Globe Rd. E1 . . . . .3C **34**
    E2 . . . . .1B **34**
Globe Rope Wlk. E14 . . . . . .4A **112**
Globe St. SE1 . . . . .1D **105**
Globe Ter. E2 . . . . .2C **34**
GLOBE TOWN 2D **35**
Globe Town Mkt. E2 . . . . . . .2D **35**
Globe Wharf SE16 . . . . .1E **81**
Globe Yd. W1 . . . . .4F **43**
Gloucester W14 . . . . .4B **94**
Gloucester Arc. SW7 . . . . . .3B **96**
Gloucester Av. NW1 . . . . . . .2D **9**
Gloucester Cir. SE10 . . . . . .4C **134**
Gloucester Ct. EC3 . . . . .1A **78**
Gloucester Cres. NW1 . . . . . .3F **9**
Gloucester Gdns. W2 . . . . . .3B **40**
Gloucester Ga. NW1 . . . . . . .5F **9**
    (not continuous)
Gloucester Ga. M. NW1 . . . . .5F **9**
Gloucester Ho. *E16* *2E 87*
    (off Gatcombe Rd.)
    NW6 . . . . .1E **21**
    SW9 . . . . .4E **125**
Gloucester M. W2 . . . . .4C **40**
Gloucester M. W. W2 . . . . . .4B **40**
Gloucester Pk. Apartments
    SW7 . . . . .3B **96**
Gloucester Pl. NW1 . . . . . . .4B **24**
    W1 . . . . .1C **42**
Gloucester Pl. M. W1 . . . . . .2C **42**
Gloucester Rd. SW7 . . . . . . .1B **96**
Gloucester Sq. E2 . . . . .4D **17**
    W2 . . . . .4E **41**
Gloucester St. SW1 . . . . . . .1B **122**
Gloucester Ter. W2 . . . . .3A **40**
Gloucester Wlk. W8 . . . . . . .4E **67**
Gloucester Way EC1 . . . . . . .3E **29**
Glover Ho. NW6 . . . . .1C **6**
Glynde M. SW3 . . . . .2A **98**
Glynde Reach WC1 . . . . .3A **28**

Glyn St. SE11 . . . . .1B **124**
Goater's All. SW6 . . . . .5C **116**
Godalming Rd. E14 . . . . .2F **55**
Godfree Ct. *SE1* *4D 77*
    (off Long La.)
Godfrey Ho. EC1 . . . . .3D **31**
Godfrey St. SW3 . . . . .5A **98**
Goding St. SE11 . . . . .5A **102**
Godliman St. EC4 . . . . .4B **48**
Godolphin Ho. NW3 . . . . .1F **7**
Godolphin Rd. W12 . . . . .3A **64**
    (not continuous)
Godstone Ho. SE1 . . . . .1E **105**
Godwin Cl. N1 . . . . .5C **14**
Godwin Ct. NW1 . . . . .5C **10**
Godwin Ho. E2 . . . . .5C **16**
    NW6 . . . . .5F **5**
    (not continuous)
Golborne Gdns. W10 . . . . . .5B **20**
Golborne Ho. W10 . . . . .5A **20**
Golborne M. W10 . . . . .1A **38**
Golborne Rd. W10 . . . . .1A **38**
Goldbeaters Ho. *W1* *4E 45*
    (off Manette St.)
Goldcrest Cl. E16 . . . . .1D **61**
Golden Cross M. W11 . . . . . .3B **38**
Golden Hinde 2D **77**
Golden Hind Pl. SE8 . . . . . .4A **110**
Golden La. EC1 . . . . .4B **30**
Golden La. Est. EC1 . . . . . . .5B **30**
Golden Lane Leisure Cen.
    .5B **30**
Golden Plover Cl. E16 . . . . . .3E **59**
Golden Sq. W1 . . . . .5C **44**
Goldhawk Ind. Est. W6 . . . . .1A **92**
Goldhawk M. W12 . . . . .5A **64**
Goldhawk Rd. W12 . . . . .1A **92**
Goldhurst Ter. NW6 . . . . .2F **5**
Golding St. E1 . . . . .4E **51**
Golding Ter. E1 . . . . .3E **51**
Goldington Bldgs. NW1 . . . . .4D **11**
Goldington Cres. NW1 . . . . .5D **11**
Goldington St. NW1 . . . . . . .5D **11**
Goldman Cl. E2 . . . . .4D **33**
Goldney Rd. W9 . . . . .5D **21**
Goldsboro' Rd. SW8 . . . . . .5E **123**
Goldsborough Ho. E14 . . . . .1A **134**
Goldsmith Cl. WC2 . . . . .3A **46**
Goldsmith Rd. SE15 . . . . . . .5E **129**
Goldsmiths College 5A **132**
Goldsmith's Pl. NW6 . . . . . . .4F **5**
Goldsmith's Row E2 . . . . . . .1D **33**
Goldsmith's Sq. E2 . . . . .5E **17**
Goldsmith St. EC2 . . . . .3C **48**
Goldsworthy Gdns.
    SE16 . . . . .4C **108**
Goldthorpe NW1 . . . . .4B **10**
Goldwing Cl. E16 . . . . .4E **59**
Gomm Rd. SE16 . . . . .2B **108**
Gonson St. SE8 . . . . .3F **133**
Gooch Ho. EC1 . . . . .1D **47**
Goodfaith Ho. E14 . . . . .1A **84**
Goodge Pl. W1 . . . . .2C **44**
Goodge St. W1 . . . . .2C **44**
Goodhart Pl. E14 . . . . .5A **54**
Goodhope Ho. E14 . . . . .1A **84**
Goodman's Ct. E1 . . . . .5B **50**
Goodman's Stile E1 . . . . . . .3D **51**
Goodmans Yd. E1 . . . . .5B **50**
Goodrich Ct. W10 . . . . .4D **37**
Goodson St. N1 . . . . .5D **13**

Goodspeed Ho. E14 ....1A 84
Goods Way NW1 ....5F 11
Goodway Gdns. E14 ....3D 57
Goodwill Ho. E14 ....1A 84
Goodwin Cl. SE16 ....2C 106
Goodwins Ct. WC2 ....5F 45
Goodwood Ct. W1 ....1A 44
Goodwood Rd. SE14 ......5F 131
Goodyear Pl. SE5 ....3C 126
Goodyer Ho. SW1 ....5D 101
Goose Sq. E6 ....4B 62
Gophir La. EC4 ....5D 49
Gopsall St. N1 ....4E 15
Gordon Ct. W12 ....4B 36
Gordon Ho. E1 ....5C 52
   SE10 ....4A 134
   SW1 ....2C 100
Gordon Mans. W14 ....1D 93
   WC1 ....5D 27
Gordon Pl. W8 ....4E 67
Gordon Sq. WC1 ....4D 27
Gordon St. WC1 ....4D 27
Gorefield Ho. NW6 ....5E 5
Gorefield Pl. NW6 ....5D 5
Gore St. SW7 ....1C 96
Gorham Ho. SE16 ....5E 81
Gorham Pl. W11 ....1F 65
Goring St. EC3 ....3A 50
Gorleston St. W14 ....3A 94
   (not continuous)
Gorse Cl. E16 ....4D 59
Gorsefield Ho. E14 ....5D 55
Gorsuch Pl. E2 ....2B 32
Gorsuch St. E2 ....2B 32
Gosfield St. W1 ....1B 44
Goslett Yd. WC2 ....4E 45
Gosling Ho. E1 ....5B 52
Gosling Way SW9 ....5E 125
Gosset St. E2 ....2C 32
Gosterwood St. SE8 .....2A 132
Goswell Pl. EC1 ....3A 30
Goswell Rd. EC1 ....1F 29
Gothic Ct. SE5 ....4B 126
Gough Ho. N1 ....3A 14
Gough Sq. EC4 ....3E 47
Gough St. WC1 ....4C 28
Gough Wlk. E14 ....4D 55
Gouldman Ho. E1 ....5B 34
Goulston St. E1 ....3B 50
Govan St. E2 ....4E 17
Gowan Ho. E2 ....3C 32
Gower Ct. WC1 ....4D 27
Gower Ho. SE17 ....5C 104
Gower M. WC1 ....2E 45
Gower M. Mans. WC1 .....1E 45
Gower Pl. WC1 ....4C 26
Gower St. WC1 ....4C 26
Gower's Wlk. E1 ....3D 51
Gracechurch St. EC3 .....5E 49
Gracehill E1 ....1C 52
Grace Ho. SE11 ....2C 124
Grace Jones Cl. E8 ......1D 17
Graces All. E1 ....5D 51
Graces M. NW8 ....1C 22
Graduate Pl. SE1 ....1F 105
Grafton Ho. SE8 ....1B 132
Grafton M. W1 ....5B 26
Grafton Pl. NW1 ....3E 27
Grafton St. W1 ....1A 72
Grafton Way W1 ....5B 26
   WC1 ....5C 26

Graham Ct. SE14 ....2D 131
Graham St. N1 ....1A 30
Graham Ter. SW1 ....4D 99
Grainger Ct. SE5 ....5B 126
Grainstore, The E16 ......5F 59
Grampians, The W6 ......6D 66
Granary Rd. E1 ....5F 33
Granary St. NW1 ....4D 11
Granby Pl. SE1 ....5D 75
Granby St. E2 ....4C 32
   (not continuous)
Granby Ter. NW1 ....1B 26
Grand Av. EC1 ....1A 48
   (not continuous)
Grand Junc. Wharf N1 .....1B 30
Grand Union W2 ....2E 41
Grand Union Cen. W10 ....4E 19
Grand Union Cl. W9 ......1C 38
Grand Union Cres. E8 .....3E 17
Grand Union Wlk. NW1 ....2A 10
Grand Vitesse Ind. Cen.
   SE1 ....3A 76
Grand Wlk. E1 ....4F 35
Grange, The SE1 ....1B 106
   W14 ....4B 94
Grange Ct. WC2 ....4C 46
Grangefield NW1 ....1E 11
Grange Ho. SE1 ....2B 106
Grange Pl. NW6 ....2D 5
Grange Rd. SE1 ....2A 106
Grange St. N1 ....4E 15
Grange Wlk. SE1 ....1A 106
Grange Wlk. M. SE1 ....2A 106
Grange Way NW6 ....2D 5
Grange Yd. SE1 ....2B 106
Gransden Av. E8 ....2F 17
Gransden Ho. SE8 ......5B 110
Grantbridge St. N1 ......5A 14
Grantham Ct. SE16 ......4D 81
Grantham Ho. SE15 .....3E 129
Grantham Pl. W1 ....3F 71
Grantley Ho. SE14 ......2D 131
Grantley St. E1 ....3D 35
Grant Mus. of Zoology &
   Comparative Anatomy
   ....5D 27
   (off Gower St.)
Grants Quay Wharf EC3 ...1E 77
Grant St. N1 ....5D 13
Grantully Rd. W9 ....3F 21
Granville Ct. N1 ....3E 15
   SE14 ....4F 131
Granville Ho. E14 ....4E 55
Granville Mans. W12 .....4C 64
Granville Pl. SW6 ....5F 117
   W1 ....4D 43
Granville Rd. NW6 ......1D 21
   (not continuous)
Granville Sq. SE15 ......4A 128
   WC1 ....3C 28
Granville St. WC1 ....3C 28
Grape St. WC2 ....3F 45
Graphite Sq. SE11 ......5B 102
Grasmere NW1 ....3A 26
Grasmere Point SE15 ....4B 130
Gratton Rd. W14 ....2F 93
Gravel La. E1 ....3B 50
Gravely Ho. SE8 ....3F 109
Gray Ho. SE17 ....5C 104
Grayling Sq. E2 ....2E 33
Gray's Inn 1C 46

Gray's Inn Bldgs. EC1 .....5D 29
   (off Rosebery Av.)
Gray's Inn Pl. WC1 ....2C 46
Gray's Inn Rd. WC1 ......2A 28
Gray's Inn Sq. WC1 ......1D 47
Grayson Ho. EC1 ....3C 30
Gray St. SE1 ....5E 75
Gray's Yd. W1 ....3E 43
Gt. Arthur Ho. EC1 ......5B 30
Gt. Bell All. EC2 ....3D 49
Gt. Castle St. W1 ....3A 44
Gt. Central St. NW1 ......1B 42
Gt. Chapel St. W1 ....3D 45
Great Chu. La. W6 ......5D 93
Great Coll. St. SW1 ......1F 101
Great Cft. WC1 ....3A 28
Gt. Cross Av. SE10 ......5E 135
   (not continuous)
Gt. Cumberland M. W1 ....4B 42
Gt. Cumberland Pl. W1 ...3B 42
Gt. Dover St. SE1 ....5C 76
Gt. Eastern Ent. Cen.
   E14 ....5F 83
Gt. Eastern St. EC2 ......3F 31
Gt. Eastern Wlk. EC2 .....2A 50
Gt. Eastern Wharf SW11 ..4A 120
Gt. George St. SW1 ......5E 73
Gt. Guildford Bus. Sq.
   SE1 ....3B 76
Gt. Guildford St. SE1 .....2B 76
Great Hall 1C 120
Gt. James St. WC1 ......1B 46
Gt. Marlborough St. W1 ...4B 44
Gt. Maze Pond SE1 ......4E 77
   (not continuous)
Gt. Newport St. WC2 .....5E 45
Gt. New St. EC4 ....3E 47
Greatorex Ho. E1 ....1D 51
Greatorex St. E1 ....1D 51
Gt. Ormond St. WC1 .....1A 46
Gt. Percy St. WC1 ....2C 28
Gt. Peter St. SW1 ....2D 101
Gt. Portland St. W1 ......5A 26
Gt. Pulteney St. W1 ......5C 44
Gt. Queen St. WC2 ......4A 46
Gt. Russell St. WC1 ......3E 45
Gt. St Helen's EC3 ....3F 49
Gt. St Thomas Apostle
   EC4 ....5C 48
Gt. Scotland Yd. SW1 ....3F 73
Gt. Smith St. SW1 ....1E 101
Gt. Suffolk St. SE1 ......3A 76
Gt. Sutton St. EC1 ......5A 30
Gt. Swan All. EC2 ....3D 49
   (not continuous)
Gt. Titchfield St. W1 .....5A 26
Great Twr. St. EC3 ......5F 49
Gt. Trinity La. EC4 ......5C 48
Great Turnstile WC1 .....2C 46
Gt. Turnstile Ho. WC1 ....2C 46
Gt. Western Rd. W9 ......5C 20
   W11 ....1C 38
Great W. Rd. W4 ....5A 92
   W6 ....5A 92
Gt. Winchester St. EC2 ...3E 49
Gt. Windmill St. W1 .....5D 45
Greaves Cotts. E14 ......2A 54
Greaves Twr. SW10 .....4C 118
Grebe Ct. E14 ....5C 84
   SE8 ....2B 132

Greek Ct. W1 ....4E **45**	Greenwood Theatre 4E **77**	Groom Pl. SW1 ....1E **99**
Greek St. W1 ....4E **45**	Green Yd. WC1 ....4C **28**	Grosvenor Cotts. SW1 .....3D **99**
Greenacre Sq. SE16 ....4E **81**	Green Yd., The EC3 ....4F **49**	Grosvenor Ct. SE5 ....3C **126**
Grn. Arbour Ct. EC1 ......3F **47**	Greet Ho. SE1 ....5E **75**	Grosvenor Ct. Mans. W2 ...4B **42**
Greenaway Ho. NW8 ....3B **6**	Greet St. SE1 ....3E **75**	Grosvenor Cres. SW1 ......5E **71**
WC1 ....3D **29**	Gregory Pl. W8 ....4F **67**	Grosvenor Cres. M. SW1 ...5D **71**
Green Bank E1 ....3F **79**	Greig Ter. SE17 ....2A **126**	Grosvenor Est. SW1 ....3E **101**
Greenberry St. NW8 ....1F **23**	Grenada Ho. E14 ....5C **54**	Grosvenor Gdns. SW1 ......1F **99**
Greencoat Mans. SW1 ....2C **100**	Grenade St. E14 ....5C **54**	Grosvenor Gdns. M. E.
Greencoat Pl. SW1 ....3C **100**	Grenadier St. E16 ....3D **91**	SW1 ....1A **100**
Greencoat Row SW1 ......2C **100**	Grenard Cl. SE15 ....5D **129**	Grosvenor Gdns. M. Nth.
Greencourt Ho. E1 ....5D **35**	Grendon Ho. N1 ....1B **28**	SW1 ....2F **99**
Greencroft Cl. E6 ....2F **61**	Grendon St. NW8 ....4F **23**	Grosvenor Gdns. M. Sth.
Greencroft Gdns. NW6 .....2F **5**	Grenfell Ho. SE5 ....5B **126**	SW1 ....2A **100**
Grn. Dragon Ct. SE1 ......3D **77**	Grenfell Rd. W11 ....5E **37**	Grosvenor Ga. W1 ....1D **71**
Grn. Dragon Ho. WC2 .....3A **46**	Grenfell Twr. W11 ....5E **37**	Grosvenor Hill W1 ....5F **43**
Grn. Dragon Yd. E1 ....2D **51**	Grenfell Wlk. W11 ....5E **37**	Grosvenor Hill Ct. W1 .....5F **43**
Greene Ct. SE14 ....3D **131**	Grenier Apartments	Grosvenor Pk. SE5 ....3B **126**
Greene Ho. SE1 ....2D **105**	SE15 ....4A **130**	Grosvenor Pl. SW1 ....4E **71**
Greenfell Mans. SE8 ......2F **133**	Grenville Ho. E3 ....1F **35**	Grosvenor Rd. SW1 ....2F **121**
Greenfield Rd. E1 ....2E **51**	SE8 ....2D **133**	Grosvenor Sq. W1 ....5E **43**
Greenham Cl. SE1 ....5D **75**	SW1 ....2D **123**	Grosvenor St. W1 ....5F **43**
Greenheath Bus. Cen. E2 ..4A **34**	Grenville M. SW7 ....3B **96**	Grosvenor Studios SW1 ....3D **99**
Greenhill's Rents EC1 .....1F **47**	Grenville Pl. SW7 ....2B **96**	Grosvenor Ter. SE5 ....4A **126**
Grn. Hundred Rd. SE15 ....3E **129**	Grenville St. WC1 ....5A **28**	Grosvenor Wharf Rd.
Greenland Ho. E1 ....5F **35**	Gresham Rd. E16 ....4A **60**	E14 ....4D **113**
Greenland M. SE8 ....1E **131**	Gresham St. EC2 ....3B **48**	Grotto Ct. SE1 ....4B **76**
Greenland Pl. NW1 ....3A **10**	Gresse St. W1 ....2D **45**	Grotto Pas. W1 ....1E **43**
Greenland Quay SE16 .....3E **109**	Gretton Ho. E2 ....2B **34**	Grove Cotts. SW3 ....2A **120**
Greenland Rd. NW1 ....3A **10**	Greville Hall NW6 ....5A **6**	Grove Ct. NW8 ....2D **23**
Greenland St. NW1 ....3A **10**	Greville Ho. SW1 ....1C **98**	SW10 ....1C **118**
Greenman St. N1 ....2B **14**	Greville M. NW6 ....4F **5**	Grove Dwellings E1 ....1B **52**
Green Pk. 3A **72**	Greville Pl. NW6 ....5A **6**	Grove End Gdns. NW8 .....1D **23**
Greenroof Way SE10 ......2C **114**	Greville Rd. NW6 ....5F **5**	Grove End Ho. NW8 ....3D **23**
Greenscape SE10 ....2C **114**	Greville St. EC1 ....2D **47**	Grove End Rd. NW8 ....1D **23**
(not continuous)	(not continuous)	Grove Gdns. NW8 ....3A **24**
Green's Ct. W1 ....5D **45**	Greycoat Gdns. SW1 .....2D **101**	Grove Hall Ct. NW8 ....2C **22**
W11 ....3B **66**	Greycoat Pl. SW1 ....2D **101**	Grove Ho. SW3 ....2A **120**
Greenshields Ind. Est. E16 ..3F **87**	Greycoat St. SW1 ....2D **101**	Groveland Ct. EC4 ....4C **48**
Green St. W1 ....5C **42**	Grey Eagle St. E1 ....1B **50**	Grove Mans. W6 ....5B **64**
Green Ter. EC1 ....3E **29**	Greyfriars Pas. EC1 ......3A **48**	Grove M. W6 ....1B **92**
Green Wlk. SE1 ....2F **105**	Greyhound Ct. WC2 ....5C **46**	Grove Pas. E2 ....5F **17**
Greenwell St. W1 ....5A **26**	Greyhound Mans. W6 .....2A **116**	Grover Ho. SE11 ....1C **124**
GREENWICH 4B **134**	Greyhound Rd. NW10 .....2A **18**	Grove Rd. E3 ....1E **35**
Greenwich Bus. Pk.	W6 ....2A **116**	Grove St. SE8 ....3B **110**
SE10 ....4A **134**	W14 ....2A **116**	Grove Vs. E14 ....5A **56**
Greenwich Chu. St. SE10 ..2C **134**	Grey Ho. W12 ....1A **64**	Grundy St. E14 ....4F **55**
Greenwich Cinema 4C **134**	Greystoke Ho. SE15 ......3E **129**	Guards Memorial 3E **73**
Greenwich Commercial Cen.	Greystoke Pl. EC4 ....3D **47**	Guards' Mus. 5C **72**
SE10 ....5F **133**	Griffin Ho. E14 ....4F **55**	Guildford Ct. SW8 ....5A **124**
Greenwich Ct. E1 ....3A **52**	N1 ....4F **15**	Guildford Rd. E6 ....4A **62**
Greenwich Cres. E6 ....2F **61**	(off New Era Est.)	SW8 ....5A **124**
Greenwich Gateway Vis. Cen.	W6 ....4E **93**	Guildhall
....................2C **134**	Griggs Ct. SE1 ....2A **106**	City 3C **48**
Greenwich High Rd.	Grigg's Pl. SE1 ....2A **106**	Westminster 5F **73**
SE10 ....5F **133**	Grimaldi Ho. N1 ....5B **12**	Guildhall Art Gallery 3D **49**
Greenwich Ind. Est. SE7 ...4F **115**	Grimsby Gro. E16 ....3F **91**	Guildhall Bldgs. EC2 ......3D **49**
SE10 ....4A **134**	Grimsby St. E2 ....5C **32**	Guildhall Library 3C **48**
Greenwich Mkt. SE10 .....3C **134**	Grimsel Path SE5 ....4A **126**	Guildhall Offices EC2 .....3C **48**
GREENWICH MILLENNIUM	Grimthorpe Ho. EC1 ......4F **29**	Guildhall Yd. EC2 ....3C **48**
VILLAGE 2C **114**	Grindall Ho. E1 ....5A **34**	Guildhouse St. SW1 ....3B **100**
Greenwich Pk. 4E **135**	Grindal St. SE1 ....5D **75**	Guilford Pl. WC1 ....5B **28**
Greenwich Pk. St. SE10 ...1E **135**	Grindley Ho. E3 ....1C **54**	Guilford St. WC1 ....5F **27**
Greenwich Quay SE8 ......3F **133**	Grinling Pl. SE8 ....3D **133**	Guillemot Ct. SE8 ....2B **132**
Greenwich Shop. Pk.	Grinstead Rd. SE8 ....1F **131**	Guinea Ct. E1 ....5D **51**
SE7 ....4E **115**	Grisedale NW1 ....2B **26**	Guinness Ct. E1 ....4B **50**
Greenwich Sth. St. SE10 ..5B **134**	Grittleton Rd. W9 ....4D **21**	EC1 ....3C **30**
Greenwich Theatre 4C **134**	Grocer's Hall Ct. EC2 .....4D **49**	NW8 ....4A **8**
Greenwich Vw. Pl. E14 ....2F **111**	Grocer's Hall Gdns. EC2 ...4D **49**	SE1 ....4F **77**
Greenwich Yacht Club 2D **115**	Groombridge Ho. SE17 ....5A **106**	SW3 ....4B **98**
Greenwood Ho. E8 ....1E **17**	Groome Ho. SE11 ....4C **102**	Guinness Sq. SE1 ....2F **105**

Guinness Trust SW3 . . . . . . .4B 98	
Guinness Trust Bldgs.	
SE11 . . . . .5F 103	
W6 . . . . .5C 92	
Gulland Wlk. N1 . . . . .1C 14	
Gulliver's Ho. EC1 . . . . . . .5B 30	
Gulliver St. SE16 . . . . . . .1B 110	
Gulston Wlk. SW3 . . . . . . .4C 98	
Gun Ho. E1 . . . . .3A 80	
Gunpowder Sq. EC4 . . . . . . .3E 47	
(not continuous)	
Gun St. E1 . . . . .2B 50	
Gunter Gro. SW10 . . . . . . .3B 118	
Gunter Hall Studios	
SW10 . . . . .3B 118	
Gunterstone Rd. W14 . . . . . .4F 93	
Gunthorpe St. E1 . . . . .2C 50	
Gunwhale Cl. SE16 . . . . . . .3E 81	
Gun Wharf E1 . . . . .3B 80	
Gurdon Ho. E14 . . . . .3D 55	
Gurdon Rd. SE7 . . . . .5E 115	
Gurney Ho. E2 . . . . .5E 17	
Guthrie Ct. SE1 . . . . .5E 75	
Guthrie St. SW3 . . . . .5F 97	
Gutter La. EC2 . . . . .3C 48	
Guy St. SE1 . . . . .4E 77	
Gwendwr Rd. W14 . . . . .5A 94	
Gwent Ct. SE16 . . . . .2E 81	
Gwilym Maries Ho.	
E2 . . . . .2F 33	
Gwyn Cl. SW6 . . . . .5B 118	
Gwynne Ho. E1 . . . . .2F 51	
SW1 . . . . .5D 99	
WC1 . . . . .3D 29	
Gwynne Pl. WC1 . . . . .3C 28	

H

Haarlem Rd. W14 . . . . .2D 93	
Haberdasher Est. N1 . . . . . .2E 31	
Haberdasher Pl. N1 . . . . . . .2E 31	
Haberdasher St. N1 . . . . . . .2E 31	
Habington Ho. SE5 . . . . . .4D 127	
Habitat Sq. SE10 . . . . .1C 114	
Hackford Rd. SW9 . . . . . . .5D 125	
Hackney City Farm 5D 17	
Hackney Rd. E2 . . . . .3B 32	
Haddington Ct. SE10 . . . . . .4A 134	
Haddo Ho. SE10 . . . . .3A 134	
Haddonfield SE8 . . . . .4E 109	
Haddon Hall St. SE1 . . . . . .2E 105	
Haddo St. SE10 . . . . .3A 134	
Hadfield Ho. E1 . . . . .4E 51	
Hadleigh Cl. E1 . . . . .4B 34	
Hadleigh Ho. E1 . . . . .4B 34	
Hadleigh St. E2 . . . . .4C 34	
Hadleigh Wlk. E6 . . . . .3A 62	
Hadley St. NW1 . . . . .1F 9	
(not continuous)	
Hadlow Ho. SE17 . . . . .5A 106	
Hadrian Est. E2 . . . . .1E 33	
Hadrian St. SE10 . . . . .5F 113	
Hadstock Ho. NW1 . . . . . . .2E 27	
HAGGERSTON 1B 32	
Haggerston Rd. E8 . . . . . . .2B 16	
Haggerston Studios E8 . . . . .3B 16	
Hague St. E2 . . . . .3E 33	
Haig Ho. E2 . . . . .1D 33	
Haines St. SW8 . . . . .4C 122	
Hainton Cl. E1 . . . . .4A 52	
Halcomb St. N1 . . . . .4F 15	

Halcrow St. E1 . . . . .2A 52	
Halcyon Wharf E1 . . . . .3E 79	
Haldane Rd. SW6 . . . . .4C 116	
Hale Ho. SW1 . . . . .5E 101	
Hales Prior N1 . . . . .1B 28	
Hales St. SE8 . . . . .6D 133	
Hale St. E14 . . . . .5F 55	
Half Moon Ct. EC1 . . . . . . .2B 48	
Half Moon Cres. N1 . . . . . . .5C 12	
(not continuous)	
Half Moon Pas. E1 . . . . .4C 50	
(not continuous)	
Half Moon St. W1 . . . . .2A 72	
Halford Rd. SW6 . . . . .3D 117	
Haliwell Ho. NW6 . . . . .4F 5	
Halkin Arc. SW1 . . . . .1C 98	
Halkin M. SW1 . . . . .1D 99	
Halkin Pl. SW1 . . . . .1D 99	
Halkin St. SW1 . . . . .5E 71	
Hallam Ct. W1 . . . . .1A 44	
Hallam Ho. SW1 . . . . .1C 122	
Hallam M. W1 . . . . .1A 44	
Hallam St. W1 . . . . .5A 26	
Halley Ho. E2 . . . . .1E 17	
SE10 . . . . .5B 114	
Halley St. E14 . . . . .2F 53	
Hallfield Est. W2 . . . . .4A 40	
(not continuous)	
Hall Ga. NW8 . . . . .2D 23	
Halliford St. N1 . . . . .1C 14	
Halling Ho. SE1 . . . . .5E 77	
Hall Pl. W2 . . . . .5D 23	
(not continuous)	
Hall Rd. NW8 . . . . .3C 22	
Hall St. EC1 . . . . .2A 30	
Hallsville Rd. E16 . . . . .4B 58	
Hall Twr. W2 . . . . .1E 41	
Hallywell Cres. E6 . . . . .1C 62	
Halpin Pl. SE17 . . . . .4E 105	
Halsey M. SW3 . . . . .3B 98	
Halsey St. SW3 . . . . .3B 98	
Halstead Ct. N1 . . . . .1E 31	
Halstow Rd. NW10 . . . . .3D 19	
SE10 . . . . .5D 115	
Halton Cross St. N1 . . . . . . .3A 14	
Halton Mans. N1 . . . . .2A 14	
Halton Pl. N1 . . . . .3B 14	
Halton Rd. N1 . . . . .1A 14	
Halyard Ho. E14 . . . . .1C 112	
Hambledon SE17 . . . . .2E 127	
Hambley Ho. SE16 . . . . . . .4F 107	
Hamilton Bldgs. EC2 . . . . . .5A 32	
Hamilton Cl. NW8 . . . . .3D 23	
SE16 . . . . .5A 82	
Hamilton Ct. W9 . . . . .2B 22	
Hamilton Gdns.	
NW8 . . . . .2C 22	
Hamilton Hall NW8 . . . . . . .1B 22	
Hamilton Ho. E14 . . . . .5A 112	
(St Davids Sq.)	
E14 . . . . .5A 112	
(Victory Pl.)	
NW8 . . . . .2D 23	
W8 . . . . .4F 67	
Hamilton Lodge E1 . . . . . . .5B 34	
Hamilton M. W1 . . . . .4F 71	
Hamilton Pl. W1 . . . . .3E 71	
Hamilton Sq. SE1 . . . . .4E 77	
Hamilton St. SE8 . . . . .4D 133	
Hamilton Ter. NW8 . . . . .5A 6	
Hamlet Ct. SE11 . . . . .5F 103	

Hamlet Way SE1 . . . . .5E 77	
Hammerfield Ho.	
SW3 . . . . .5A 98	
Hammersley Ho. SE14 . . . . .5C 130	
HAMMERSMITH 4C 92	
Hammersmith Bri. Rd.	
W6 . . . . .5B 92	
HAMMERSMITH BROADWAY	
. . . . .4C 92	
Hammersmith B'way. W6 . .4C 92	
HAMMERSMITH FLYOVER . . .6C 02	
Hammersmith Flyover W6 . .5A 92	
Hammersmith Gro. W6 . . . .5B 64	
Hammersmith Rd. W6 . . . .4D 93	
W14 . . . . .4D 93	
Hammett St. EC3 . . . . .5B 50	
Hammond Ho. E14 . . . . . . .1E 111	
SE14 . . . . .5C 130	
Hammond Lodge *W9* *1E 39*	
(off Admiral Wlk.)	
Hamond Sq. N1 . . . . .5F 15	
Hampden Cl. NW1 . . . . .1E 27	
Hampden Gurney St. W1 . . .4B 42	
Hampson Way SW8 . . . . . . .5B 124	
Hampstead Lodge NW1 . . . . .1F 41	
Hampstead Rd. NW1 . . . . . .5B 10	
Hampstead Theatre 1D 7	
Hampton Cl. NW6 . . . . .3D 21	
Hampton Ct. SE16 . . . . .1E 81	
Hampton St. SE17 . . . . . . .4A 104	
Hamston Ho. W8 . . . . .1A 96	
Ham Yd. W1 . . . . .5D 45	
Hanameel St. E16 . . . . .2E 87	
Hanbury Ho. E1 . . . . .1D 51	
SW8 . . . . .3A 124	
Hanbury M. N1 . . . . .4C 14	
Hanbury St. E1 . . . . .1B 50	
Hancock Nunn Ho. NW3 . . . . .1B 8	
Hand Ct. WC1 . . . . .2C 46	
Handel House Mus. *5F 43*	
(off Brook St.)	
Handel Mans. WC1 . . . . . . .4A 28	
Handels Bus. Cen. SW8 . . .2A 124	
Handel St. WC1 . . . . .4F 27	
Handforth Rd. SW9 . . . . . . .4D 125	
Hands Wlk. E16 . . . . .3E 59	
Hanging Sword All. EC4 . . . .4E 47	
Hankey Ho. SE1 . . . . .5D 77	
Hankey Pl. SE1 . . . . .5E 77	
Hannah Mary Way SE1 . . . .4E 107	
Hannell Rd. SW6 . . . . .4A 116	
Hannibal Rd. E1 . . . . .1C 52	
Hanover Av. E16 . . . . .2D 87	
Hanover Flats W1 . . . . .5E 43	
(not continuous)	
Hanover Gdns. SE11 . . . . . .3D 125	
Hanover Ga. NW1 . . . . .3A 24	
Hanover Ga. Mans. NW1 . . . .4A 24	
Hanover Ho. E14 . . . . .2C 82	
NW8 . . . . .1F 23	
Hanover Pl. WC2 . . . . .4A 46	
Hanover Sq. W1 . . . . .4A 44	
Hanover Steps W2 . . . . .4A 42	
Hanover St. W1 . . . . .4A 44	
Hanover Ter. NW1 . . . . .3A 24	
Hanover Ter. M. NW1 . . . . . .3A 24	
Hanover Yd. N1 . . . . .5A 14	
Hansard M. W14 . . . . .4E 65	
Hans Ct. SW3 . . . . .1B 98	
Hans Cres. SW1 . . . . .1B 98	
Hanson St. W1 . . . . .1B 44	

Hans Pl. SW1 . . . . .1C 98
Hans Rd. SW3 . . . . .1B 98
Hans St. SW1 . . . . .2C 98
Hanway Pl. W1 . . . . .3D 45
Hanway St. W1 . . . . .3D 45
Hanwell Ho. W2 . . . . .2D 39
Hanworth Ho. SE5 . . . . .4F 125
    (not continuous)
Harad's Pl. E1 . . . . .1E 79
Harben Pde. NW3 . . . . .1C 6
Harben Rd. NW6 . . . . .1C 6
Harbet Rd. W2 . . . . .2E 41
Harbinger Rd. E14 . . . . .4F 111
Harbledown Ho. SE1 . . . . . . .5D 77
Harbord Ho. SE16 . . . . .3D 109
Harbour Exchange Sq.
    E14 . . . . .5A 84
Harbour Quay E14 . . . . .3B 84
Harcourt Bldgs. EC4 . . . . .5D 47
Harcourt Ho. W1 . . . . .3F 43
Harcourt St. W1 . . . . .2A 42
Harcourt Ter. SW10 . . . . .1A 118
Harding Cl. SE17 . . . . .2B 126
Hardinge La. E1 . . . . .4C 52
    (not continuous)
Hardinge St. E1 . . . . .4C 52
    (not continuous)
Hardington NW1 . . . . .1E 9
Hardman Rd. SE7 . . . . .5F 115
Hardwicke M. WC1 . . . . .3C 28
Hardwick Ho. NW8 . . . . .4A 24
Hardwick St. EC1 . . . . .3E 29
Hardwidge St. SE1 . . . . .4F 77
Hardy Av. E16 . . . . .2E 87
Hardy Cl. SE16 . . . . .5E 81
Hardy Cotts. SE10 . . . . .2E 135
Harebell Dr. E6 . . . . .2E 63
Hare Ct. EC4 . . . . .4D 47
Hare Marsh E2 . . . . .4D 33
Hare Pl. EC4 . . . . .4E 47
Hare Row E2 . . . . .5F 17
Hare Wlk. N1 . . . . .1A 32
    (not continuous)
Harewood Av. NW1 . . . . .5A 24
Harewood Pl. W1 . . . . .4A 44
Harewood Row NW1 . . . . . . .1A 42
Harfleur Ct. SE11 . . . . .4F 103
Harford Ho. SE5 . . . . .3C 126
    W11 . . . . .2C 38
Harford St. E1 . . . . .5F 35
Hargraves Ho. W12 . . . . .5A 36
Harkness Ho. E1 . . . . .4E 51
Harlequin Ct. E1 . . . . .1D 79
Harleyford Ct. SE11 . . . . .2B 124
Harleyford Rd. SE11 . . . . .2B 124
Harleyford St. SE11 . . . . .3D 125
Harley Gdns. SW10 . . . . .1C 116
Harley Ho. NW1 . . . . .5E 25
Harley Pl. W1 . . . . .2F 43
Harley Rd. NW3 . . . . .2E 7
Harley St. W1 . . . . .5F 25
Harlowe Cl. E8 . . . . .3E 17
Harlowe Ho. E8 . . . . .3B 16
Harlynwood SE5 . . . . .5B 126
Harman Cl. SE1 . . . . .1D 129
Harmon Ho. SE8 . . . . .4B 110
Harmont Ho. W1 . . . . .2F 43
Harmood Gro. NW1 . . . . .1F 9
Harmood Ho. NW1 . . . . .1F 9
Harmood Pl. NW1 . . . . .1E 9
Harmood St. NW1 . . . . .1F 9

Harmsworth M. SE11 . . . . . .2F 103
Harmsworth St. SE17 . . . . . .1F 125
Harold Ct. SE16 . . . . .4D 81
Harold Est. SE1 . . . . .2A 106
Harold Ho. E2 . . . . .1D 35
Harold Laski Ho. EC1 . . . . . . .3A 30
Harold Maddison Ho.
    SE17 . . . . .5A 104
Harold Pl. SE11 . . . . .1D 125
Harold Wilson Ho. SW6 . . . .3C 116
Harp All. EC4 . . . . .3F 47
Harper Rd. E6 . . . . .4B 62
    SE1 . . . . .1B 104
Harp La. EC3 . . . . .1F 77
Harpley Sq. E1 . . . . .3D 35
Harpur M. WC1 . . . . .1B 46
Harpur St. WC1 . . . . .1B 46
Harrier Way E6 . . . . .1B 62
Harriet Cl. E8 . . . . .3D 17
Harriet Ho. SW6 . . . . .5A 118
Harriet St. SW1 . . . . .5C 70
Harriet Wlk. SW1 . . . . .5C 70
Harrington Ct. SW7 . . . . .3E 97
    W10 . . . . .2B 20
Harrington Gdns. SW7 . . . . . .4A 96
Harrington Ho. NW1 . . . . .2B 26
Harrington Rd. SW7 . . . . .3D 97
Harrington Sq. NW1 . . . . .5B 10
Harrington St. NW1 . . . . .1B 26
    (not continuous)
Harriott Cl. SE10 . . . . .4B 114
Harriott Ho. E1 . . . . .2C 52
Harrison Ho. SE17 . . . . .5D 105
Harrisons Ct. SE14 . . . . .2D 131
Harrison St. WC1 . . . . .3A 28
Harris St. SE5 . . . . .5E 127
Harrods 1B 98
Harrold Ho. NW3 . . . . .1C 6
Harrowby St. W1 . . . . .3A 42
Harrow Club Sports Cen. . . .5D 37
Harrow La. E14 . . . . .1B 84
Harrow Lodge NW8 . . . . .4D 23
Harrow Pl. E1 . . . . .3A 50
Harrow Rd. NW10 . . . . .2A 18
    W2 . . . . .2A 40
    (not continuous)
    W9 . . . . .5C 20
    W10 . . . . .4E 19
Harrow Rd. Bri. W2 . . . . .1C 40
Harrow St. NW1 . . . . .1A 42
Harry Hinkins Ho.
    SE17 . . . . .1C 126
Harry Lambourn Ho.
    SE15 . . . . .4A 130
Hartington Ho. SW1 . . . . .5E 101
Hartington Rd. E16 . . . . .4F 59
    SW8 . . . . .5F 123
Hartismere Rd. SW6 . . . . .4C 116
Hartland NW1 . . . . .4C 10
Hartland Rd. NW1 . . . . .1F 9
    NW6 . . . . .5B 4
Hartley Ho. SE1 . . . . .3C 106
Hartley St. E2 . . . . .2C 34
    (not continuous)
Hartmann Rd. E16 . . . . .2E 89
Hartop Point SW6 . . . . .4A 116
Hartshorn All. EC3 . . . . .4A 50
Hart's La. SE14 . . . . .5F 131
Hart St. EC3 . . . . .5A 50
Hartwell Ho. SE7 . . . . .5F 115

Harvard Ho.
    SE17 . . . . .2F 125
Harvey Ho. E1 . . . . .5F 33
    N1 . . . . .4E 15
    SW1 . . . . .1E 123
Harvey Lodge W9 . . . . .1E 39
Harvey Point E16 . . . . .2E 59
Harvey's Bldgs. WC2 . . . . . . .1A 74
Harvey St. N1 . . . . .4E 15
Harvington Wlk. E8 . . . . .1E 17
Harvist Rd. NW6 . . . . .2E 19
Harwood Ct. N1 . . . . .4E 15
Harwood M. SW6 . . . . .5E 117
Harwood Point SE16 . . . . .4B 82
Harwood Rd. SW6 . . . . .5E 117
Hasker St. SW3 . . . . .3A 98
Haslam Cl. N1 . . . . .1E 13
Haslam St. SE15 . . . . .5C 128
Hassard St. E2 . . . . .1C 32
Hastings Cl. SE15 . . . . .5D 129
Hastings Ho. W12 . . . . .5A 36
    WC1 . . . . .3F 27
Hastings St. WC1 . . . . .3F 27
Hat & Mitre Ct. EC1 . . . . .5A 30
Hatcham M. Bus. Cen.
    SE14 . . . . .5E 131
Hatcham Pk. M. SE14 . . . . . . .5E 131
Hatcham Pk. Rd.
    SE14 . . . . .5E 131
Hatcham Rd. SE15 . . . . .3B 130
Hatchers M. SE1 . . . . .5A 78
Hatcliffe Almshouses
    SE10 . . . . .1F 135
Hatcliffe St. SE10 . . . . .5B 114
Hatfield Cl. SE14 . . . . .5D 131
Hatfield Ho. EC1 . . . . .5B 30
Hatfields SE1 . . . . .2E 75
Hathaway Ho. N1 . . . . .2F 31
Hatherley Ct. W2 . . . . .4F 39
Hatherley Gro. W2 . . . . .3F 39
Hatherley St. SW1 . . . . .4C 100
Hatteraick St. SE16 . . . . .4C 80
Hatton Gdn. EC1 . . . . .1E 47
Hatton Pl. EC1 . . . . .1E 47
Hatton Row NW8 . . . . .5E 23
Hatton St. NW8 . . . . .5E 23
Hatton Wall EC1 . . . . .1E 47
Haunch of Venison Yd. W1 . . .4F 43
Havannah St. E14 . . . . .5E 83
Havelock Cl. W12 . . . . .5A 36
Havelock St. N1 . . . . .3A 12
Havelock Ter. SW8 . . . . .5A 122
Havelock Ter. Arches
    SW8 . . . . .5A 122
Haven M. E3 . . . . .2B 54
    N1 . . . . .2E 13
Havenpool NW8 . . . . .4A 6
Haven St. NW1 . . . . .2A 10
Haverfield Rd. E3 . . . . .2F 35
Havering NW1 . . . . .1A 10
Havering St. E1 . . . . .4D 53
Haverstock Hill NW3 . . . . .1D 9
Haverstock Pl. N1 . . . . .2A 30
Haverstock St. N1 . . . . .1A 30
Havil St. SE5 . . . . .5F 127
Havisham Ho. SE16 . . . . .5D 79
Hawes St. N1 . . . . .2A 14
Hawgood St. E3 . . . . .2E 55
Hawke Ho. E1 . . . . .5E 35
Hawke Pl. SE16 . . . . .4E 81
Hawke Twr. SE14 . . . . .3A 132

Hawkins Ho. SE8 ....2D **133**
  SW1 ....2C **122**
Hawkshead NW1 ....2B **26**
Hawks M. SE10 ....5C **134**
Hawksmoor Cl. E6 ....3F **61**
Hawksmoor M. E1 ....5F **51**
Hawksmoor Pl. E2 ......2.4D **33**
Hawkstone Rd. SE16 ....3C **108**
Hawkwell Wlk. N1 ....3C **14**
Hawley Cres. NW1 ....2A **10**
Hawley M. NW1 ....1F **9**
Hawley Rd. NW1 ....1F **9**
  (not continuous)
Hawley St. NW1 ....1F **9**
Hawthorne Ho. SW1 ....1C **122**
Hawthorn Wlk. W10 ......4F **19**
Hawtrey Rd. NW3 ....2F **7**
Hay Currie St. E14 ......3A **56**
Hayday Rd. E16 ....1D **59**
  (not continuous)
Hayden Piper Ho. SW3 ...2B **120**
Hayden's Pl. W11 ....3B **38**
Haydon St. EC3 ....5B **50**
Haydon Wlk. E1 ....5C **50**
Hayes Ct. SE5 ....5B **126**
Hayes Pl. NW1 ....5A **24**
Hayfield Pas. E1 ....5C **34**
Hayfield Yd. E1 ....5C **34**
Hay Hill W1 ....1A **72**
Hayles Bldgs. SE11 ....3A **104**
Hayles St. SE11 ....3F **103**
Haymans Point SE11 ....5B **102**
Hayman St. N1 ....2A **14**
Haymarket SW1 ....1D **73**
Haymarket Arc. SW1 ....1D **73**
Haymarket Ct. E8 ....2C **16**
  (off Jacaranda Gro.)
Haymarket Theatre Royal ...2E **73**
Haymerle Ho. SE15 ....3D **129**
Haymerle Rd. SE15 ....3D **129**
Hayne Ho. W11 ....2F **65**
Hayne St. EC1 ....1A **48**
Hay's Galleria SE1 ....2F **77**
Hays La. SE1 ....3F **77**
Hay's M. W1 ....1F **71**
Hay St. E2 ....4E **17**
Hayward Gallery **3C 74**
Hayward Ho. N1 ....5D **13**
Hayward's Pl. EC1 .....5F **29**
Hazelmere Rd. NW6 .....3C **4**
Hazel Rd. NW10 ....2A **18**
  (not continuous)
Hazel Way SE1 ....3B **106**
Hazelwood Ho. SE8 ....4F **109**
Hazlewood Cres. W10 ...5A **20**
Hazlewood Twr. W10 ...5A **20**
Hazlitt M. W14 ....2F **93**
Hazlitt Rd. W14 ......2F **93**
Headbourne Ho. SE1 ...1E **105**
Headfort Pl. SW1 .....5E **71**
Headlam St. E1 ....5A **34**
Head's M. W11 ....4D **39**
Head St. E1 ....3D **53**
  (not continuous)
Healey Ho. SW9 ....5E **125**
Hearn's Bldgs. SE17 ..4E **105**
Hearnshaw St. E14 ....3F **53**
Hearn St. EC2 ....5A **32**
Heathcock Ct. WC2 .....1A **74**
  (off Exchange Ct.)
Heathcote St. WC1 ....4B **28**

Heather Cl. E6 ....4F **63**
Heather Ho. E14 ....3C **56**
Heather Wlk. W10 ......4A **20**
Heathfield Cl. E16 ....1D **61**
Heathfield St. W11 ....1F **65**
Heathpool Ct. E1 ......5F **33**
Heaton Ho. SW10 ......2C **118**
Hebden Ct. E2 ....4B **16**
Heber Mans. W14 ......2A **116**
Hebron Rd. W6 ....2A **92**
Heckfield Pl. SW6 ....5D **117**
Heckford Ho. E14 .....4F **55**
Heckford St. E1 ......5E **53**
Hector Ct. SW9 ....5D **125**
Hector Ho. E2 ....1F **33**
Heddon St. W1 ....5B **44**
  (not continuous)
Hedgegate Ct. W11 ....3C **38**
Hedger St. SE11 ......3F **103**
Hedingham Cl. N1 .....2B **14**
Hedley Ho. E14 ....1C **112**
Hedsor Ho. E2 ....4B **32**
Hega Ho. E14 ....2B **56**
Heiron St. SE17 ......3A **126**
Heldar Ct. SE1 ....5E **77**
Helena Sq. SE16 ......1F **81**
Helen Gladstone Ho. SE1 ..4F **75**
Helen Ho. E2 ....1F **33**
Helen Mackay Ho. E14 ..3D **57**
Helen Peele Cotts.
  SE16 ....1B **108**
Helen's Pl. E2 ....2B **34**
Helen Taylor Ho. SE16 ..2D **107**
Helix Ct. W11 ....3E **65**
Hellings St. E1 ......3E **79**
Helmet Row EC1 ....3C **30**
Helmsdale Ho. NW6 ....1F **21**
Helmsley Pl. E8 ......2F **17**
Helmsley St. E8 ......2F **17**
Helsby St. NW8 ....4D **23**
Helsinki Sq. SE16 ....1A **110**
Helston NW1 ....5C **10**
Helston Ho. SE11 .....5E **103**
Hemans St. SW8 ....4E **123**
Hemingford Rd. N1 ....4C **12**
Hemming St. E1 ....5E **33**
Hemp Wlk. SE17 ....3E **105**
Hemstal Rd. NW6 ......1D **5**
Hemsworth Ct. N1 .....5F **15**
Hemsworth St. N1 .....5F **15**
Hemus Pl. SW3 ....1A **120**
Hen & Chicken Ct. EC4 ..4D **47**
Henderson Ct. SE14 ...2D **131**
Henderson Dr. NW8 ....4D **23**
Hendre Ho. SE1 ....4A **106**
Hendre Rd. SE1 ....4A **106**
Heneage La. EC3 ......4A **50**
Heneage Pl. EC3 ......4A **50**
Heneage St. E1 ....1C **50**
Henley Cl. SE16 ......4B **80**
Henley Dr. SE1 ....3C **106**
Henley Ho. E2 ....4C **32**
Henley Prior N1 ......1B **28**
Henley Rd. E16 ....4C **90**
Henniker M. SW3 ......2D **119**
Henrietta Cl. SE8 ....2E **133**
Henrietta Ho. W6 .....5B **92**
Henrietta M. WC1 .....4A **28**
Henrietta Pl. W1 .....4F **43**
Henrietta St. WC2 ....5A **46**
Henriques St. E1 .....3E **51**

Henry Addlington Cl. E6 ..2F **63**
Henry Dickens Ct. W11 ...1E **65**
Henry Ho. SE1 ....3E **75**
  SW8 ....4A **124**
Henry Purcell Ho. E16 ....2A **88**
  (off Evelyn Rd.)
Henry Wise Ho. SW1 ...4C **100**
Henshaw St. SE17 .....3D **105**
Henslow Ho. SE15 .....4D **129**
Henstridge Pl. NW8 ....5F **7**
Henty Cl. SW11 ......5A **120**
Hepworth Ct. N1 ......3F **13**
Hera Ct. E14 ....3D **111**
Herald's Pl. SE11 ....3F **103**
Herald St. E2 ....4A **34**
Herbal Hill EC1 ......5E **29**
Herbal Hill Gdns. EC1 ..5E **29**
Herbal Pl. EC1 ....5E **29**
Herbert Cres. SW1 ....1C **98**
Herbert Gdns. NW10 ...1A **18**
Herbert Ho. E1 ....3B **50**
Herbert Morrison Ho.
  SW6 ....3B **116**
Herbrand Est. WC1 ....4F **27**
Herbrand St. WC1 .....4F **27**
Hercules Ct. SE14 ....3A **132**
Hercules Rd. SE1 .....2C **102**
Hercules Wharf E14 ...5A **58**
Hereford Bldgs. SW3 ..2E **119**
Hereford Ho. NW6 .....1D **21**
  SW3 ....1A **98**
  SW10 ....4A **118**
Hereford M. W2 ....4E **39**
Hereford Pl. SE14 ....4B **132**
Hereford Retreat SE15 ..4D **129**
Hereford Rd. W2 ......3E **39**
Hereford Sq. SW7 .....4C **96**
Hereford St. E2 ......4D **33**
Heritage Ct. SE8 .....1E **131**
Her Majesty's Theatre ...2D **73**
Hermes Cl. W9 ....5D **21**
Hermes Ct. SW9 ....5D **125**
Hermes St. N1 ....1D **29**
Hermitage Ct. E1 .....3F **79**
Hermitage Rooms **5C 46**
Hermitage St. W2 .....2D **41**
Hermitage Vs. SW6 ....2D **117**
Hermitage Wall E1 ....3E **79**
Hermitage Waterside
  E1 ....2D **79**
Hermit Pl. NW6 ....4F **5**
Hermit Rd. E16 ....1B **58**
Hermit St. EC1 ....2F **29**
Heron Ct. E14 ....1C **112**
Heron Ho. NW8 ....1F **23**
  SW11 ....5A **120**
Heron Pl. SE16 ....2A **82**
  W1 ....3E **43**
Heron Quay E14 ......3D **83**
Herrick Ho. SE5 ......5D **127**
Herrick St. SW1 ......4E **101**
Herries St. W10 ......1A **20**
Hertford Pl. W1 ......5B **26**
Hertford Rd. N1 ......3A **16**
  (not continuous)
Hertford St. W1 ......3F **71**
Hertsmere Ho. E14 ....1D **83**
Hertsmere Rd. E14 ....2D **83**
Hesketh Pl. W11 ......1F **65**
Hesper M. SW5 ....5F **95**
Hesperus Cres. E14 ...4F **111**

Hessel St. E1 . . . . .4F **51**
Hester Rd. SW11 . . . . . . .5F **119**
Hestia Ho. SE1 . . . . .5F **77**
Hethpool Ho. W2 . . . . .5D **23**
Hetley Rd. W12 . . . . .3A **64**
Hevelius Cl. SE10 . . . . . . .5B **114**
Hever Ho. SE15 . . . . .2D **131**
Heversham Ho. SE15 . . . .3B **130**
Hewer St. W10 . . . . .1E **37**
Hewett St. EC2 . . . . .5A **32**
Hewlett Ho. SW8 . . . . . . .5A **122**
Hewlett Rd. E3 . . . . .1F **35**
Heybridge NW1 . . . . .1F **9**
Heyford Av. SW8 . . . . . . .4A **124**
Heyford Ter. SW8 . . . . . . .4A **124**
Heygate St. SE17 . . . . . . .4B **104**
Heywood Ho. SE14 . . . . . .2D **131**
Hibbert Ho. E14 . . . . .1E **111**
Hickes Ho. NW6 . . . . .1D **7**
Hickin St. E14 . . . . .1B **112**
Hickleton NW1 . . . . .4B **10**
Hickling Ho. SE16 . . . . . . .2A **108**
Hickman Cl. E16 . . . . .2D **61**
Hicks St. SE8 . . . . .5F **109**
Hide E6 . . . . .3E **63**
Hide Pl. SW1 . . . . .4D **101**
Hide Twr. SW1 . . . . .4D **101**
Higgins Ho. N1 . . . . .4F **15**
Higginson Ho. NW3 . . . . . . .1B **8**
High Bri. SE10 . . . . .1E **135**
Highbridge Ct. SE14 . . . . .4C **130**
High Bri. Wharf SE10 . . . . .1E **135**
Highfield M. NW6 . . . . .1F **5**
High Holborn WC1 . . . . . . .3F **45**
Highlever Rd. W10 . . . . . . .1B **36**
High Meads Rd. E16 . . . . . .3D **61**
Highstone Mans. NW1 . . . . .2B **10**
High Timber St. EC4 . . . . . .5B **48**
Highway, The E1 . . . . .1E **79**
Highway Bus. Pk., The E1 . .5E **53**
Highway Trad. Cen., The
  E1 . . . . .5D **53**
Highworth St. NW1 . . . . . .1A **42**
Hi-Gloss Cen. SE8 . . . . . .1A **132**
Hilary Cl. SW6 . . . . .4F **117**
Hilborough Ct. E8 . . . . . . .2C **16**
Hildyard Rd. SW6 . . . . . . .2E **117**
Hiley Rd. NW10 . . . . .2B **18**
Hilgrove Rd. NW6 . . . . .2C **6**
Hillary Ct. W12 . . . . .5B **64**
Hillbeck Cl. SE15 . . . . . . .4B **130**
Hillbeck Ho. SE15 . . . . . . .3B **130**
Hillcrest W11 . . . . .1B **66**
Hillcroft Rd. E6 . . . . .1F **63**
Hillersden Ho. SW1 . . . . . .5F **99**
Hillery Cl. SE17 . . . . .4E **105**
Hill Farm Rd. W10 . . . . . . .1C **36**
Hillgate Pl. W8 . . . . .2D **67**
Hillgate St. W8 . . . . .2D **67**
Hilliard Ho. E1 . . . . .2A **80**
Hilliards Ct. E1 . . . . .2A **80**
Hillier Ho. NW1 . . . . .1D **11**
Hillingdon St. SE17 . . . . . .3F **125**
Hillman Dr. W10 . . . . .1C **36**
Hill Rd. NW8 . . . . .2C **22**
Hillsborough Ct. NW6 . . . . .4F **5**
Hillside SE10 . . . . .5D **135**
Hillside Cl. NW8 . . . . .5A **6**
Hillsleigh Rd. W8 . . . . . . .2C **66**
Hills Pl. W1 . . . . .4B **44**
Hill St. W1 . . . . .2E **71**

Hilltop Ct. NW8 . . . . .2C **6**
Hilltop Rd. NW6 . . . . .1E **5**
Hill Vw. NW3 . . . . .3B **8**
Hill-Wood Ho. NW1 . . . . . .1C **26**
Hilton's Wharf SE10 . . . . .3A **134**
Hinchinbrook Ho.
  NW6 . . . . .4F **5**
Hind Ct. EC4 . . . . .4E **47**
Hinde Ho. W1 . . . . .3E **43**
Hinde M. W1 . . . . .3E **43**
Hinde St. W1 . . . . .3E **43**
Hind Gro. E14 . . . . .4D **55**
Hind Ho. SE14 . . . . .3D **131**
Hindmarsh Cl. E1 . . . . .5E **51**
Hindon Ct. SW1 . . . . .3B **100**
Hinstock NW6 . . . . .3F **5**
Hippodrome M. W11 . . . . .1F **65**
Hippodrome Pl. W11 . . . . .1F **65**
Hithe Gro. SE16 . . . . .2C **108**
HMP Pentonville N7 . . . . .1B **12**
HMS Belfast 2A **78**
Hoadly Ho. SE1 . . . . .3B **76**
Hobart Pl. SW1 . . . . .2F **99**
Hobbs Ct. SE1 . . . . .4C **78**
Hobbs Pl. N1 . . . . .4F **15**
Hobbs Pl. Est. N1 . . . . . . .5F **15**
Hobday St. E14 . . . . .3F **55**
Hobson's Pl. E1 . . . . .1D **51**
Hobury St. SW10 . . . . . . .3C **118**
Hocker St. E2 . . . . .3B **32**
Hockett Cl. SE8 . . . . .3A **110**
Hockliffe Ho. W10 . . . . . . .1B **36**
Hockney Ct. SE16 . . . . . . .5A **108**
Hodister Cl. SE5 . . . . .5B **126**
Hodnet Gro. SE16 . . . . . . .3C **108**
Hoffman Sq. N1 . . . . .2E **31**
Hofland Rd. W14 . . . . .1E **93**
Hogan M. W2 . . . . .1D **41**
Hogarth Cl. E16 . . . . .1D **61**
Hogarth Ct. E1 . . . . .3E **51**
  EC3 . . . . .5A **50**
  NW1 . . . . .1C **10**
Hogarth Ho. SW1 . . . . . . .4E **101**
Hogarth Pl. SW5 . . . . .4F **95**
Hogarth Rd. SW5 . . . . . . .4F **95**
Hogshead Pas. E1 . . . . . . .1A **80**
Holbeck Row SE15 . . . . . .5E **129**
Holbein Ho. SW1 . . . . .5D **99**
Holbein M. SW1 . . . . .5D **99**
Holbein Pl. SW1 . . . . .4D **99**
Holberton Gdns. NW10 . . . .2A **18**
HOLBORN 2D **47**
Holborn EC1 . . . . .2D **47**
Holborn Cir. EC1 . . . . .2E **47**
Holborn Pl. WC1 . . . . .2B **46**
Holborn Rd. E13 . . . . .1F **59**
Holborn Viaduct EC1 . . . . .2E **47**
Holcombe St. W6 . . . . .5A **92**
Holcroft Ct. W1 . . . . .1B **44**
Holden Ho. N1 . . . . .8B **14**
  SE8 . . . . .4E **133**
Holford Ho. SE16 . . . . . . .4F **107**
  WC1 . . . . .2C **28**
Holford M. WC1 . . . . .1D **29**
Holford Pl. WC1 . . . . .2C **28**
Holford St. WC1 . . . . .2D **29**
Holford Yd. WC1 . . . . .1D **29**
Holland Gdns. W14 . . . . . .1A **94**
Holland Gro. SW9 . . . . . . .5E **125**
Holland Ho. NW10 . . . . . . .1A **18**
HOLLAND PARK 3B **66**

Holland Pk. 4B **66**
Holland Pk. W11 . . . . .3A **66**
Holland Pk. Av. W11 . . . . .4E **65**
Holland Pk. Ct. W14 . . . . .4A **66**
Holland Pk. Gdns. W14 . . .3F **65**
Holland Pk. Mans. W14 . . .3A **66**
Holland Pk. M. W11 . . . . . .3A **66**
Holland Pk. Rd. W14 . . . . .2B **94**
HOLLAND PARK RDBT. 4E **65**
Holland Pk. Ter. W11 . . . . .3A **66**
Holland Pk. Theatre (Open Air)
  . . . . .5C **66**
  (in Holland Pk.)
Holland Pas. N1 . . . . .3B **14**
Holland Pl. W8 . . . . .4F **67**
Holland Pl. Chambers W8 . . .4F **67**
Holland Ri. Ho. SW9 . . . . .5C **124**
Holland Rd. NW10 . . . . . . .1A **18**
  W14 . . . . .4E **65**
Holland St. SE1 . . . . .2A **76**
  W8 . . . . .5E **67**
Holland Vs. Rd. W14 . . . . .4F **65**
Holland Wlk. W8 . . . . .3C **66**
Hollen St. W1 . . . . .3D **45**
Holles St. W1 . . . . .3A **44**
Hollisfield WC1 . . . . .3A **28**
Hollybush Gdns. E2 . . . . . .2A **34**
Hollybush Ho. E2 . . . . .2A **34**
Hollybush Pl. E2 . . . . .2A **34**
Holly Ho. W10 . . . . .4F **19**
Holly M. SW10 . . . . .1C **118**
Holly St. E8 . . . . .1C **16**
Holly Vs. W6 . . . . .2A **92**
  (off Wellesley Av.)
Hollywood Bowl
  Surrey Quays 1E **109**
Hollywood Ct. SW10 . . . . .2B **118**
Hollywood M. SW10 . . . . .2B **118**
Hollywood Rd. SW10 . . . . .2B **118**
Holman Ho. E2 . . . . .2D **35**
Holman Hunt Ho. W6 . . . . .1A **116**
Holmbrook NW1 . . . . .1C **26**
Holmead Rd. SW6 . . . . . . .5A **118**
Holmefield Ho. W10 . . . . . .5A **20**
Holmesdale Ho. NW6 . . . . . .3E **5**
Holmes Pl. SW10 . . . . . . .2C **118**
Holmes Place Health Club
  Barbican 1B **48**
  (off Aldersgate St.)
  Hammersmith 4D **93**
  St Luke's 5D **31**
Holmes Ter. SE1 . . . . .4D **75**
Holmsdale Ho. E14 . . . . . .1A **84**
Holmwood Vs. SE7 . . . . . .5E **115**
Holocaust Memorial Garden
  . . . . .4C **70**
Holst Ct. SE1 . . . . .1D **103**
Holsworthy Sq. WC1 . . . . .5C **28**
Holton St. E1 . . . . .4D **35**
Holt Rd. E16 . . . . .3A **90**
Holyhead Cl. E6 . . . . .1B **62**
Holyoake Ct. SE16 . . . . . .4A **82**
Holyoak Rd. SE11 . . . . . . .4F **103**
Holyrood M. E16 . . . . .2E **87**
Holyrood St. SE1 . . . . .3F **77**
Holywell Cen. 4F **31**
Holywell Cl. SE16 . . . . . . .5A **108**
Holywell La. EC2 . . . . .4A **32**
Holywell Row EC2 . . . . . . .5F **31**
Homefield St. N1 . . . . .1F **31**
Homer Dr. E14 . . . . .3D **111**

Homer Row W1 . . . . .2A **42**
Homer St. W1 . . . . .2A **42**
Homestead Rd. SW6 . . . . .5B **116**
Honduras St. EC1 . . . . .4B **30**
Honey La. EC2 . . . . .4C **48**
Honey La. Ho. SW10 . . . . .2A **118**
Honiton Rd. NW6 . . . . .5B **4**
Hood Ct. EC4 . . . . .4E **47**
Hood Ho. SE5 . . . . .5D **127**
   SW1 . . . . .1D **123**
Hooke Ho. E3 . . . . .1F **35**
Hooper Rd. E16 . . . . .4E **59**
Hooper's Ct. SW3 . . . . .5B **70**
Hooper Sq. E1 . . . . .4D **51**
Hooper St. E1 . . . . .4D **51**
Hope Ct. NW10 . . . . .2E **19**
Hopefield Av. NW6 . . . . .5A **4**
Hope Sq. EC2 . . . . .2F **49**
Hopetown St. E1 . . . . .2C **50**
Hopewell St. SE5 . . . . .5E **127**
Hopewell Yd. SE5 . . . . .5E **127**
Hope Wharf SE16 . . . . .4B **80**
Hop Gdns. WC2 . . . . .1F **73**
Hopgood St. W12 . . . . .3C **64**
Hopkins Ho. E14 . . . . .4D **55**
Hopkinsons Pl. NW1 . . . . . . .3D **9**
Hopkins St. W1 . . . . .4C **44**
Hop St. SE10 . . . . .3C **114**
Hopton's Gdns. SE1 . . . . . . .2A **76**
Hopton St. SE1 . . . . .1F **75**
Hopwood Rd. SE17 . . . . . . .2E **127**
Hopwood Wlk. E8 . . . . .1E **17**
Horatio Ct. SE16 . . . . .3C **80**
Horatio Ho. E2 . . . . .1C **32**
   W6 . . . . .5D **93**
Horatio Pl. E14 . . . . .4C **84**
Horatio St. E2 . . . . .1C **32**
Horbury Cres. W11 . . . . .1D **67**
Horbury M. W11 . . . . .1C **66**
Hordle Prom. E. SE15 . . . .4C **128**
Hordle Prom. Sth. SE15 . . .4B **128**
Horizon Bldg. E14 . . . . .1E **83**
Horizon Way SE7 . . . . .4F **115**
Hormead Rd. W9 . . . . .5B **20**
Hornbeam Cl. SE11 . . . . . . .3D **103**
Hornblower Cl. SE16 . . . . . .3F **109**
Hornby Cl. NW3 . . . . .1E **7**
Hornby Ho. SE11 . . . . .2D **125**
Horner Ho. N1 . . . . .4A **16**
Horn La. SE10 . . . . .5D **115**
   (not continuous)
Horn Link Way SE10 . . . . . .3E **115**
Hornshay St. SE15 . . . . . . .3C **130**
Hornton Ct. W8 . . . . .5E **67**
Hornton Pl. W8 . . . . .5E **67**
Hornton St. W8 . . . . .4E **67**
Horse & Dolphin Yd. W1 . . .5E **45**
Horseferry Pl. SE10 . . . . . . .3B **134**
Horseferry Rd. E14 . . . . . . .5F **53**
   SW1 . . . . .2D **101**
Horseferry Rd. Est. SW1 . . .2D **101**
Horseguards Av. SW1 . . . . .3F **73**
Horse Guards Parade 3F **73**
Horse Guards Rd. SW1 . . . .3E **73**
Horse Leaze E6 . . . . .3E **63**
Horselydown La. SE1 . . . . . .4B **78**
Horselydown Mans. SE1 . . . .4B **78**
Horsemongers M. SE1 . . . . .5C **76**
Horse Ride SW1 . . . . .4B **72**
Horseshoe Cl. E14 . . . . . . .5B **112**
Horseshoe Ct. EC1 . . . . . . .4A **30**

Horseshoe Wharf SE1 . . . . . .2D **77**
Horse Yd. N1 . . . . .3A **14**
Horsfield Ho. N1 . . . . .2B **14**
Horsley St. SE17 . . . . .2D **127**
Horsman Ho. SE5 . . . . .3B **126**
Horsman St. SE5 . . . . .2C **126**
Hortensia Ho. SW10 . . . . . .4B **118**
Hortensia Rd. SW10 . . . . . .3B **118**
Horton Ho. SE15 . . . . .3C **130**
   SW8 . . . . .4B **124**
Horwood Ho. E2 . . . . .3A **34**
   NW8 . . . . .4A **24**
Hosier La. EC1 . . . . .2F **47**
Hoskins Cl. E16 . . . . .3C **60**
Hoskins St. SE10 . . . . .1E **135**
Hothfield Pl. SE16 . . . . .2C **108**
Hotspur St. SE11 . . . . .5D **103**
Houghton St. WC2 . . . . .4C **46**
   (not continuous)
Houndsditch EC3 . . . . .3A **50**
Houseman Way
   SE5 . . . . .5E **127**
Houses of Parliament 1A **102**
Hove St. SE15 . . . . .5B **130**
Howard Bldg. SW8 . . . . .3F **121**
Howard Ho. E16 . . . . .2F **87**
   SE8 . . . . .2C **132**
   SW1 . . . . .1C **122**
   W1 . . . . .5A **26**
Howell Wlk. SE1 . . . . .4A **104**
Howick Pl. SW1 . . . . .2C **100**
Howie St. SW11 . . . . .5F **119**
Howland Est. SE16 . . . . . . .1B **108**
Howland M. E. W1 . . . . .1C **44**
Howland St. W1 . . . . .1B **44**
Howland Way SE16 . . . . . . .5A **82**
Howley Pl. W2 . . . . .1C **40**
How's St. E2 . . . . .5B **16**
HOXTON 1F **31**
Hoxton Hall Theatre 1A **32**
Hoxton Mkt. N1 . . . . .3F **31**
Hoxton Sq. N1 . . . . .3F **31**
Hoxton St. N1 . . . . .4F **15**
Hoyland Cl. SE15 . . . . .4F **129**
Hoy St. E16 . . . . .4C **58**
HQS Wellington 1D **75**
Huberd Ho. SE1 . . . . .1E **105**
Hubert Ho. NW8 . . . . .5F **23**
Hucknall Ct. NW8 . . . . .4D **23**
Huddart St. E3 . . . . .1C **54**
   (not continuous)
Huddleston Cl. E2 . . . . .1A **34**
Hudson Bldg. E1 . . . . .1D **51**
Hudson Cl. W12 . . . . .5A **36**
Hudson Ct. E14 . . . . .5E **111**
Hudson Ho. SW10 . . . . .4B **118**
   W11 . . . . .4A **38**
Hudson's Pl. SW1 . . . . .3B **100**
Huggin Ct. EC4 . . . . .5C **48**
Huggin Hill EC4 . . . . .5C **48**
Hugh Astor Ct. SE1 . . . . . . .1A **104**
Hugh Cubitt Ho. N1 . . . . . . .1C **28**
Hugh Dalton Av. SW6 . . . . .3B **116**
Hughenden Ho. NW8 . . . . . .4F **23**
Hughes Ho. E2 . . . . .3B **34**
   SE8 . . . . .2E **133**
   SE17 . . . . .4A **104**
Hughes Mans. E1 . . . . .5E **33**
Hughes Ter. E16 . . . . .2B **58**
Hugh Gaitskell Cl. SW6 . . .3B **116**
Hugh M. SW1 . . . . .4A **100**

Hugh Platt Ho. E2 . . . . .1A **34**
Hugh St. SW1 . . . . .4A **100**
Hugo Ho. SW1 . . . . .1C **98**
Huguenot Pl. E1 . . . . .1C **50**
Hullbridge M. N1 . . . . .3D **15**
Hull Cl. SE16 . . . . .3E **81**
Hull St. EC1 . . . . .3B **30**
Hulme Pl. SE1 . . . . .5C **76**
Humber Dr. W10 . . . . .5D **19**
Humbolt Rd. W6 . . . . .3A **116**
Hume Ct. N1 . . . . .2A **14**
Hume Ho. W11 . . . . .3E **65**
Hume Ter. E16 . . . . .3A **60**
Humphrey St. SE1 . . . . .5B **106**
Hungerford Ho. SW1 . . . . . .2C **122**
Hungerford La. WC2 . . . . . . .2F **73**
   (not continuous)
Hungerford St. E1 . . . . .4A **52**
Hunsdon Rd. SE14 . . . . . . .3D **131**
Hunslett St. E2 . . . . .1C **34**
Hunstanton Ho. NW1 . . . . . .1A **42**
Hunt Cl. W11 . . . . .2E **65**
Hunter Cl. SE1 . . . . .2E **105**
Hunter Ho. SE1 . . . . .5A **76**
   SW5 . . . . .1E **117**
   SW8 . . . . .5E **123**
   WC1 . . . . .4F **27**
Hunterian Mus., The 4C **46**
Hunter Lodge W9 . . . . .1E **39**
Hunter St. WC1 . . . . .4A **28**
Huntingdon St. E16 . . . . . . .4C **58**
   N1 . . . . .2B **12**
Huntley St. WC1 . . . . .5C **26**
Hunton St. E1 . . . . .5D **33**
Hunt's Ct. WC2 . . . . .1E **73**
Huntsman St. SE17 . . . . . . .4E **105**
Huntsworth M. NW1 . . . . . . .4B **24**
Hurdwick Pl. *NW1* *5B* **10**
   (off Hampstead Rd.)
Hurleston Ho. SE8 . . . . .1B **132**
Hurley Cres. SE16 . . . . .4E **81**
Hurley Ho. SE11 . . . . .4F **103**
Huron University 1E **97**
Hurst Ct. E6 . . . . .1E **61**
Hurst Ho. WC1 . . . . .1C **28**
Hurstway Rd. W11 . . . . .5E **37**
Hurstway Wlk. W11 . . . . .5E **37**
Husborne Ho. SE8 . . . . .3F **109**
Huson Cl. NW3 . . . . .1F **7**
Hutchings St. E14 . . . . .5D **83**
Hutchings Wharf E14 . . . . . .5D **83**
Hutchinson Ho. NW3 . . . . . . .1B **8**
   SE14 . . . . .5C **130**
Hutton St. EC4 . . . . .4F **47**
Huxley Ho. NW8 . . . . .5E **23**
Huxley St. W10 . . . . .3F **19**
Hyde Pk. 1A **70**
Hyde Pk. Barracks 5A **70**
HYDE PARK CORNER 4E **71**
Hyde Pk. Cnr. W1 . . . . .4E **71**
Hyde Pk. Cres. W2 . . . . .4F **41**
Hyde Pk. Gdns. W2 . . . . .5E **41**
Hyde Pk. Gdns. M. W2 . . . . .5E **41**
   (not continuous)
Hyde Pk. Ga. SW7 . . . . .5B **68**
   (not continuous)
Hyde Pk. Ga. M. SW7 . . . . . .5C **68**
Hyde Pk. Mans. NW1 . . . . . .2F **41**
   (not continuous)
Hyde Pk. Pl. W2 . . . . .5A **42**
Hyde Pk. Sq. W2 . . . . .4F **41**

Hyde Pk. Sq. M. W2 . . . . . . .4F **41**
Hyde Pk. St. W2 . . . . .4F **41**
Hyde Pk. Towers W2 . . . . . .1B **68**
Hyde Rd. N1 . . . . .4F **15**
Hyde's Pl. N1 . . . . .1F **13**
Hyde St. SE8 . . . . .3D **133**
Hyde Va. SE10 . . . . .5C **134**
Hydra Bldg., The EC1 . . . . . .3E **29**
Hyndman St. SE15 . . . . . . .3F **129**
Hyperion Ho. E3 . . . . .1F **35**
Hyson Rd. SE16 . . . . .5A **108**
Hythe Ho. SE16 . . . . .4C **80**
  W6 . . . . .3C **92**

I

Ian Bowater Ct. N1 . . . . .2E **31**
Ibberton Ho. SW8 . . . . .4B **124**
  W14 . . . . .2A **94**
Ibbotson Av. E16 . . . . .3C **58**
Ibbott St. E1 . . . . .4C **34**
Ibis Ct. SE8 . . . . .3C **132**
ICA Cinema 3E **73**
ICA Theatre *3C 78*
  (off Lafone St.)
Ice Wharf Marina N1 . . . . . .5A **12**
Icknield Ho. SW3 . . . . .5A **98**
Icon Apartments SE1 . . . . . .1F **105**
Ida St. E14 . . . . .3B **56**
  (not continuous)
Idol La. EC3 . . . . .1F **77**
Idonia St. SE8 . . . . .4D **133**
Iffley Rd. W6 . . . . .1A **92**
Ifield Rd. SW10 . . . . .2A **118**
Ifor Evans Pl. E1 . . . . .5E **35**
Ightham Ho. SE17 . . . . .4F **105**
Ikon Ho. E1 . . . . .5C **52**
Ilbert St. W10 . . . . .3E **19**
Ilchester Gdns. W2 . . . . . . .5F **39**
Ilchester Mans. W8 . . . . . . .1D **95**
Ilchester Pl. W14 . . . . .1B **94**
Ilderton Rd. SE16 . . . . .5A **108**
Ilderton Wharf SE15 . . . . . .2C **130**
Ilfracombe Flats *SE1* *4C 76*
  (off Marshalsea Rd.)
Iliffe St. SE17 . . . . .5A **104**
Iliffe Yd. SE17 . . . . .5A **104**
Ilkley Rd. E16 . . . . .2B **60**
IMAX Cinema 3D **75**
Imber St. N1 . . . . .4D **15**
Imperial College of Science,
  Technology & Medicine
  Imperial Coll. Rd. 1D **97**
  Wilson House 3F **41**
Imperial Coll. Rd.
  SW7 . . . . .2C **96**
Imperial Ct. NW8 . . . . .5A **8**
  SE11 . . . . .1D **125**
Imperial Ho. E3 . . . . .2F **35**
  E14 . . . . .5B **54**
Imperial Pde. EC4 . . . . .4F **47**
Imperial War Mus. 2E **103**
Imre Cl. W12 . . . . .2A **64**
Indescon Ct. E14 . . . . .5E **83**
India Pl. WC2 . . . . .5B **46**
India St. EC3 . . . . .4B **50**
India Way W12 . . . . .5A **36**
Indigo M. E14 . . . . .4C **56**
Indus Ct. SE15 . . . . .4C **128**
Infirmary Ct. SW3 . . . . .2C **120**
Ingal Rd. E13 . . . . .1E **59**

Ingelow Ho. W8 . . . . .4F **67**
Ingersoll Rd. W12 . . . . .3A **64**
Ingestre Pl. W1 . . . . .4C **44**
Inglebert St. EC1 . . . . .2D **29**
Inglefield Sq. E1 . . . . .2A **80**
Inglewood Cl. E14 . . . . .3E **111**
Ingoldisthorpe Gro.
  SE15 . . . . .2C **128**
Ingram Cl. SE11 . . . . .3C **102**
Ingrebourne Ho. NW8 . . . . . .1E **41**
Inigo Pl. WC2 . . . . .5F **45**
Inkerman Ter. W8 . . . . .2E **95**
Inner Circ. NW1 . . . . .3D **25**
Inner Ct. SW3 . . . . .3F **119**
Inner Temple La. EC4 . . . . . .4D **47**
Innis Ho. SE17 . . . . .5F **105**
Innis St. SE15 . . . . .4A **128**
Innovation Cen., The E14 . . .4B **84**
Inns of Court &
  City Yeomanry Mus. 2C **46**
Institute of Archaeology 4D **27**
Institute of Classical Studies
  . . . . .4D **27**
Institute of Contemporary Arts
  . . . . .3E **73**
International Ho. E1 . . . . .1C **78**
Inver Ct. W2 . . . . .4A **40**
Invergarry Ho. NW6 . . . . . . .1F **21**
Inverine Rd. SE7 . . . . .5F **115**
Inverness Gdns. W8 . . . . . . .3F **67**
Inverness M. W2 . . . . .5A **40**
Inverness Pl. W2 . . . . .5A **40**
Inverness St. NW1 . . . . .3F **9**
Inverness Ter. W2 . . . . .4A **40**
Invicta Plaza SE1 . . . . .2F **75**
Invicta Sq. E3 . . . . .2E **55**
Inville Rd. SE17 . . . . .1E **127**
Inville Wlk. SE17 . . . . .1E **127**
Inwen Ct. SE8 . . . . .1F **131**
Inwood Ct. NW1 . . . . .1C **10**
Inworth Wlk. N1 . . . . .3B **14**
Ion Ct. E2 . . . . .1D **33**
Ionian Bldg. E14 . . . . .5F **53**
Ionian Ho. E1 . . . . .5E **35**
Ion Sq. E2 . . . . .1D **33**
Ipsden Bldgs. SE1 . . . . .4E **75**
Ireland Cl. E6 . . . . .2B **62**
Ireland Yd. EC4 . . . . .4A **48**
Iris Cl. E6 . . . . .1A **62**
Iris Ct. SE14 . . . . .5C **130**
Iron Bri. Ho. NW1 . . . . .1C **8**
Ironmonger La. EC2 . . . . . . .4C **48**
Ironmonger Pas. EC1 . . . . . .3C **30**
Ironmonger Row EC1 . . . . . .3C **30**
Ironmonger Row Baths 3B **30**
Ironmongers Pl. E14 . . . . . .4E **111**
Ironside Cl. SE16 . . . . .4D **81**
Irvine Cl. E14 . . . . .1A **56**
Irving Ho. SE17 . . . . .1F **125**
Irving Mans. W14 . . . . .2A **116**
Irving Rd. W14 . . . . .1E **93**
Irving St. WC2 . . . . .1E **73**
Irwell Est. SE16 . . . . .5B **80**
Isaac Way SE1 . . . . .4C **76**
Isabella Ho. SE11 . . . . .5F **103**
  W6 . . . . .5B **92**
Isabella St. SE1 . . . . .3F **75**
Isambard M. E14 . . . . .2C **112**
Isambard Pl. SE16 . . . . .3C **80**
Isis Ho. NW8 . . . . .5E **23**
Island Row E14 . . . . .4B **54**

Isleden Ho. N1 . . . . .3B **14**
ISLINGTON 4F **13**
Islington Grn. N1 . . . . .4F **13**
Islington High St. N1 . . . . . .1E **29**
  (not continuous)
Islington Mus. 2F **13**
Islington Pk. M. N1 . . . . .1F **13**
Islington Pk. St. N1 . . . . .1E **13**
Islington Pl. N1 . . . . .4D **13**
Ivanhoe Ho. E3 . . . . .1F **35**
Ivatt Pl. W14 . . . . .1C **116**
Iveagh Ct. E1 . . . . .4B **50**
Iveagh Ho. SW10 . . . . .4C **118**
Iver Ho. *N1* *4F 15*
  (off New Era Est.)
Iverna Ct. W8 . . . . .1E **95**
Iverna Gdns. W8 . . . . .1E **95**
Iverson Rd. NW6 . . . . .1C **4**
Ives Rd. E16 . . . . .2F **57**
Ives St. SW3 . . . . .3A **98**
Ivimey St. E2 . . . . .2E **33**
Ivor Ct. NW1 . . . . .4B **24**
Ivories, The N1 . . . . .1B **14**
Ivor Pl. NW1 . . . . .5B **24**
Ivor St. NW1 . . . . .2B **10**
Ivory Ho. E1 . . . . .2C **78**
Ivybridge Cl. NW1 . . . . .1A **10**
Ivybridge La. WC2 . . . . .1A **74**
Ivychurch La. SE17 . . . . .5B **106**
Ivy Cotts. E14 . . . . .5A **56**
Ivy Ct. SE16 . . . . .1E **129**
Ivy Lodge W11 . . . . .2D **67**
Ivy Rd. E16 . . . . .3D **59**
Ivy St. N1 . . . . .5F **15**
Ixworth Pl. SW3 . . . . .5F **97**

J

Jacana Ct. E1 . . . . .1C **78**
Jacaranda Gro. E8 . . . . .2C **16**
Jack Dash Ho. *E14* *4B 84*
  (off Lawn Ho. Cl.)
Jackman Ho. E1 . . . . .3A **80**
Jackman St. E8 . . . . .4F **17**
Jacks Pl. E1 . . . . .1B **50**
Jacob Mans. E1 . . . . .3F **51**
Jacob St. SE1 . . . . .4C **78**
Jacob's Well M. W1 . . . . .3E **43**
Jacotts Ho. W10 . . . . .1B **36**
Jacqueline Ho. NW1 . . . . .3C **8**
Jade Cl. E16 . . . . .4E **61**
Jade Ter. NW6 . . . . .1C **6**
Jagger Ho. SW11 . . . . .5B **120**
Jago Wlk. SE5 . . . . .5D **127**
Jake Russell Wlk. E16 . . . . . .5C **60**
Jamaica Rd. SE1 . . . . .5C **78**
  SE16 . . . . .5C **78**
Jamaica St. E1 . . . . .3C **52**
James Anderson Ct. E2 . . . .5A **16**
James Brine Ho. E2 . . . . . . .2C **32**
James Campbell Ho. E2 . . . .1B **34**
James Collins Cl. W9 . . . . . .5B **20**
James Ct. N1 . . . . .3C **14**
James Docherty Ho. E2 . . . .1A **34**
James Hammett Ho.
  E2 . . . . .2C **32**
James Hill Ho. W10 . . . . . . .4A **20**
James Ho. E1 . . . . .5F **35**
  SE16 . . . . .5E **81**
  SW8 . . . .*4F 123*
  (off Wheatsheaf La.)

James Lind Ho. SE8 . . . . . .4B **110**
James Middleton Ho. E2 . . . .2A **34**
Jameson Ct. E2 . . . . .1B **34**
Jameson Ho. SE11 . . . . . .5B **102**
Jameson St. W8 . . . . .2E **67**
James Stewart Ho. NW6 . . . .1C **4**
James St. W1 . . . . .3E **43**
  WC2 . . . . .4A **46**
James Stroud Ho. SE17 . . . .1C **126**
Jamestown Rd. NW1 . . . . . . .3F **9**
Jamestown Way E14 . . . . . .1E **85**
Jamilah Ho. E16 . . . . .1F **91**
Jamuna Cl. E14 . . . . .2A **54**
Jane Austen Hall E16 . . . . .2A **88**
Jane Austen Ho. SW1 . . . .1B **122**
Jane St. E1 . . . . .3F **51**
Janet St. E14 . . . . .1D **111**
Janeway Pl. SE16 . . . . .5F **79**
Janeway St. SE16 . . . . .5E **79**
Jardine Rd. E1 . . . . .5E **53**
Jarman Ho. E1 . . . . .2B **52**
  SE16 . . . . .3D **109**
Jarrow Rd. SE16 . . . . .4B **108**
Jasmin Lodge SE16 . . . . . . .1F **129**
Jason Ct. SW9 . . . . .5D **125**
  W1 . . . . .3E **43**
Jasper Rd. E16 . . . . .4E **61**
Jasper Wlk. N1 . . . . .2D **31**
Java Wharf SE1 . . . . .4C **78**
Jay M. SW7 . . . . .5C **68**
Jean Darling Ho. SW10 . . . .3D **119**
Jean Pardies Ho. E1 . . . . . .2B **52**
Jefferson Bldg. E14 . . . . . . .4D **83**
Jeffrey's Pl. NW1 . . . . .1B **10**
Jeffrey's St. NW1 . . . . .1A **10**
Jeger Av. E2 . . . . .4B **16**
Jellicoe Ho. E2 . . . . .1D **33**
  NW1 . . . . .5A **26**
Jemotts Ct. SE14 . . . . .2D **131**
Jenkinson Ho. E2 . . . . .2D **35**
Jenner Ho. SE3 . . . . .2F **135**
  WC1 . . . . .4A **28**
Jennifer Ho. SE11 . . . . .4E **103**
Jenningsbury Ho. SW3 . . . . .5A **98**
  (off Cale St.)
Jennings Ho. SE10 . . . . . . .1E **135**
Jephson Ho. SE17 . . . . . . .2F **125**
Jerdan Pl. SW6 . . . . .4D **117**
Jeremiah St. E14 . . . . .4F **55**
Jeremy Bentham Ho. E2 . . . .2E **33**
Jermyn St. SW1 . . . . .2B **72**
Jermyn Street Theatre 1D **73**
Jerome Cres. NW8 . . . . .4F **23**
Jerome Ho. NW1 . . . . .1A **42**
  SW7 . . . . .3D **97**
Jerome St. E1 . . . . .1B **50**
Jerrold St. N1 . . . . .1A **32**
Jersey Rd. E16 . . . . .3B **60**
Jersey St. E2 . . . . .3F **33**
Jerusalem Pas. EC1 . . . . . . .5F **29**
Jervis Bay Ho. E14 . . . . . . .4D **57**
Jervis Ct. SE10 . . . . .5B **134**
  W1 . . . . .4A **44**
Jervis Ho. SW6 . . . . .3C **116**
Jerwood Space Art Gallery
  .4B **76**
Jessel Ho. SW1 . . . . .3E **101**
  WC1 . . . . .3F **27**
Jessel Mans. W14 . . . . .2A **116**
Jessie Duffett Ho. SE5 . . . .4B **126**
Jessie Wood Ct. SW9 . . . . .5D **125**

Jesson Ho. SE17 . . . . .4D **105**
Jessop Ct. N1 . . . . .1A **30**
Jessop Sq. E14 . . . . .3E **83**
Jevons Ho. NW8 . . . . .2D **7**
Jewel House 1B **78**
  (in The Tower of London)
Jewel Tower 1F **101**
Jewish Mus. 4A **10**
Jewry St. EC3 . . . . .4B **50**
Jim Griffiths Ho. SW6 . . . . .3B **116**
Joanna Ho. W6 . . . . .5B **92**
Joan St. SE1 . . . . .3F **75**
Jocelin Ho. N1 . . . . .4C **12**
Jocelyn St. SE15 . . . . .5D **129**
Jockey's Flds. WC1 . . . . . . .1C **46**
Jodane St. SE8 . . . . .4B **110**
Johanna St. SE1 . . . . .5D **75**
John Adam St. WC2 . . . . . . .1A **74**
John Aird Ct. W2 . . . . .1C **40**
  (not continuous)
John Brent Ho. SE8 . . . . . . .4E **109**
John Carpenter St. EC4 . . . .5F **47**
John Cartwright Ho. E2 . . . .2F **33**
John Fearon Wlk. W10 . . . . .2A **20**
  (off Dart St.)
John Felton Rd. SE16 . . . . .5D **79**
John Fielden Ho. E2 . . . . . .2F **33**
John Fisher St. E1 . . . . . . .5D **51**
John Harrison Way
  SE10 . . . . .2B **114**
John Horner M. N1 . . . . . . .5B **14**
John Islip St. SW1 . . . . . . .5E **101**
John Kennedy Ho. SE16 . . .3D **109**
John Kirk Ho. E14 . . . . .3D **63**
John Knight Lodge SW6 . . . .4E **117**
John McDonald Ho. E14 . . . .1B **112**
John McKenna Wlk.
  SE16 . . . . .1E **107**
John Maurice Cl. SE17 . . . .3D **105**
John Orwell Sports Cen. 3F **79**
John Parry Ct. N1 . . . . .5A **16**
John Penn Ho. SE14 . . . . . .4C **132**
John Penry Ho. SE1 . . . . . .1D **129**
John Prince's St. W1 . . . . . .3A **44**
John Pritchard Ho. E1 . . . . .5E **33**
John Ratcliffe Ho. NW6 . . . .3D **21**
John Rennie Wlk. E1 . . . . . .2A **80**
John Roll Way SE16 . . . . . .1E **107**
John Ruskin St. SE5 . . . . . .4F **125**
John Scurr Ho. E14 . . . . . . .4F **53**
John Silkin La. SE8 . . . . . .4E **109**
John's M. WC1 . . . . .5C **28**
John Smith Av. SW6 . . . . . .4B **116**
John Smith M. E14 . . . . . . .5D **57**
Johnson Cl. E8 . . . . .3D **17**
Johnson Ho. E2 . . . . .3E **33**
  NW1 . . . . .1C **26**
  NW3 . . . . .1B **8**
  SW1 . . . . .4E **99**
  SW8 . . . . .5E **123**
Johnson Lodge W9 . . . . . . .1E **39**
Johnson Mans. W14 . . . . . .2A **116**
Johnson's Ct. EC4 . . . . .4E **47**
Johnson's Pl. SW1 . . . . . . .1B **122**
Johnson St. E1 . . . . .4C **52**
John's Pl. E1 . . . . .3A **52**
John Strachey Ho. SW6 . . . .3C **116**
John St. WC1 . . . . .5C **28**
John Trundle Ct. EC2 . . . . . .1B **48**
John Trundle Highwalk
  EC2 . . . . .1B **48**

John Tucker Ho. E14 . . . . . . .1E **111**
John Wesley Highwalk
  EC2 . . . . .2B **48**
John Wheatley Ho. SW6 . . .3C **116**
John Williams Cl. SE14 . . . .3D **131**
Joiner Ct. CL1 . . . . .0E **77**
Joiners Yd. N1 . . . . .1A **28**
Jonathan St. SE11 . . . . . . .5B **102**
Jones Ho. E14 . . . . .4D **57**
Jones Rd. E13 . . . . .1A **60**
Jones St. W1 . . . . .1F **71**
Jonson Ho. SE1 . . . . .2E **105**
Jordan Ho. N1 . . . . .3E **15**
Jordans Ho. NW8 . . . . .4E **23**
Joscoyne Ho. E1 . . . . .3A **52**
Joseph Conrad Ho.
  SW1 . . . . .4C **100**
Joseph Hardcastle Cl.
  SE14 . . . . .4E **131**
Joseph Irwin Ho. E14 . . . . .5C **54**
Joseph Priestley Ho. E2 . . .2F **33**
  (off Canrobert St.)
Joseph St. E3 . . . . .1C **54**
Joseph Trotter Cl. EC1 . . . .3E **29**
Joshua St. E14 . . . . .2B **56**
Joubert Mans. SW3 . . . . . . .5A **98**
Jowett St. SE15 . . . . .5C **128**
Jowitt Ho. E2 . . . . .2D **35**
Jubilee, The SE10 . . . . . . .5A **134**
Jubilee Bldgs. NW8 . . . . . . .4D **7**
Jubilee Cres. E14 . . . . .2C **112**
Jubilee Hall Sports Cen. 5A **46**
Jubilee Ho. SE11 . . . . .4E **103**
  WC1 . . . . .4B **28**
Jubilee Mans. E1 . . . . .3B **52**
Jubilee Mkt. WC2 . . . . .5A **46**
Jubilee Pl. SW3 . . . . .5A **98**
Jubilee Pl. Shop. Mall
  E14 . . . . .3F **83**
Jubilee Sports Cen. & Baths
  .3B **20**
Jubilee St. E1 . . . . .3B **52**
Jubilee Walkway SE1 . . . . . .1A **76**
Jubilee Yd. SE1 . . . . .4B **78**
Judd St. WC1 . . . . .2F **27**
Jude St. E16 . . . . .4B **58**
Juer St. SW11 . . . . .5A **120**
Julia Garfield M. E16 . . . . . .2A **88**
  (not continuous)
Julian Pl. E14 . . . . .5A **112**
Juliet Ho. N1 . . . . .1F **31**
Julius Ho. E14 . . . . .4D **57**
Julius Nyerere Cl. N1 . . . . .4B **12**
Junction Av. NW10 . . . . .4C **18**
Junction M. W2 . . . . .3F **41**
Junction Pl. W2 . . . . .3F **41**
Juniper Ct. W8 . . . . .2F **95**
Juniper Cres. NW1 . . . . .2E **9**
Juniper Ho. SE14 . . . . .5C **130**
  W10 . . . . .4F **19**
Juniper La. E6 . . . . .2A **62**
Juniper St. E1 . . . . .5B **52**
Juno Ct. SW9 . . . . .5D **125**
Juno Way SE14 . . . . .2E **131**
Juno Way Ind. Est.
  SE14 . . . . .2E **131**
Jupiter Ct. SW9 . . . . .5D **125**
Jupiter Ho. E14 . . . . .5A **112**
Jura Ho. SE16 . . . . .3E **109**
Jurston Ct. SE1 . . . . .5E **75**
Justice Wlk. SW3 . . . . .3F **119**

Justines Pl. E2 . . . . .1E 35
Juxon Ho. EC4 . . . . .4A 48
Juxon St. SE11 . . . . .3C 102

K

Katherine Cl. SE16 . . . . . . .3D 81
Katherine Ho. W10 . . . . . . .1F 37
Katherine Sq. W11 . . . . . . .2F 65
Kay St. E2 . . . . .5E 17
Kean Ho. SE17 . . . . .2F 125
Kean St. WC2 . . . . .4B 46
Keats Av. E16 . . . . .2F 87
Keats Cl. SE1 . . . . .4B 106
Keats Ho. E2 . . . . .2B 34
    SE5 . . . . .5C 126
    SW1 . . . . .2C 122
Keats Pl. EC2 . . . . .2D 49
Kedge Ho. E14 . . . . .1E 111
Kedleston Wlk. E2 . . . . .2A 34
Keel Cl. SE16 . . . . .3E 81
Keel Ct. E14 . . . . .5E 57
Keeley St. WC2 . . . . .4B 46
Keeling Ho. E2 . . . . .1F 33
Keelson Ho. E14 . . . . .1E 111
Keepier Wharf E14 . . . . . . .5E 53
Keeton's Rd. SE16 . . . . . .1F 107
    (not continuous)
Keith Ho. NW6 . . . . .2F 21
    SW8 . . . . .4F 123
Kelby Ho. N7 . . . . .1B 12
Kelfield Ct. W10 . . . . .3E 37
Kelfield Gdns. W10 . . . . . . .3C 36
Kelfield M. W10 . . . . .3D 37
Kellet Ho's. WC1 . . . . .3A 28
    (off Tankerton St.)
Kellett Ho. N1 . . . . .4F 15
Kellow Ho. SE1 . . . . .4D 77
Kell St. SE1 . . . . .1A 104
Kelly Av. SE15 . . . . .5B 128
Kelly Ct. E14 . . . . .1D 83
Kelly M. W9 . . . . .5C 20
Kelsey St. E2 . . . . .4F 33
Kelson Ho. E14 . . . . .1C 112
Kelso Pl. W8 . . . . .1F 95
Kelvedon Ho. SW8 . . . . . .5A 124
Kelvedon Rd. SW6 . . . . . .5C 116
Kelvin Ct. W11 . . . . .1D 67
Kember St. N1 . . . . .2B 12
Kemble St. WC2 . . . . .4B 46
Kemp Ct. SW8 . . . . .5F 123
Kempe Ho. SE1 . . . . .2E 105
Kempe Rd. NW6 . . . . .1D 19
Kemp Ho. W1 . . . . .5D 45
Kemps Ct. W1 . . . . .4D 45
Kemps Dr. E14 . . . . .5E 55
Kempsford Gdns. SW5 . . . .1E 117
Kempsford Rd. SE11 . . . . . .4E 103
    (not continuous)
Kempson Rd. SW6 . . . . . . .5E 117
Kempthorne Rd. SE8 . . . . .3A 110
Kempton Ct. E1 . . . . .1F 51
Kempton Ho. N1 . . . . .4F 15
Kemsing Ho. SE1 . . . . .5E 77
Kemsing Rd. SE10 . . . . . . .5D 115
Kenbrook Ho. W14 . . . . . . .1C 94
Kenchester Cl. SW8 . . . . . .5A 124
Kendal NW1 . . . . .2A 26
Kendal Cl. SW9 . . . . .4F 125
Kendal Ho. N1 . . . . .5C 12
Kendall Pl. W1 . . . . .2D 43

Kendal Steps W2 . . . . .4A 42
Kendal St. W2 . . . . .4A 42
Kender St. SE14 . . . . .5C 130
Kendrick M. SW7 . . . . .3D 97
Kendrick Pl. SW7 . . . . .4D 97
Kenilworth Rd. E3 . . . . .1F 35
    NW6 . . . . .3C 4
Kenley Wlk. W11 . . . . .2F 65
Kennacraig Cl. E16 . . . . . . .3E 87
Kennard St. E16 . . . . .3B 90
Kennedy Cox Ho. E16 . . . . .2B 58
Kennedy Ho. SE11 . . . . . . .5B 102
Kennedy Wlk. SE17 . . . . . .4E 105
Kennet Ct. W9 . . . . .1E 39
Kenneth Campbell Ho.
    NW8 . . . . .4E 23
Kenneth Ct. SE11 . . . . . . .3E 103
Kennet Ho. NW8 . . . . .5E 23
Kenneth Younger Ho.
    SW6 . . . . .3C 116
Kennet Rd. W9 . . . . .4C 20
Kennet St. E1 . . . . .2E 79
Kennett Wharf La.
    EC4 . . . . .1C 76
Kenning Ho. N1 . . . . .3F 15
Kenning St. SE16 . . . . .4C 80
Kennings Way SE11 . . . . . .5E 103
KENNINGTON 2E 125
Kennington Grn. SE11 . . . . .1D 125
Kennington Gro. SE11 . . . . .2C 124
Kennington La. SE11 . . . . . .1B 124
KENNINGTON OVAL 3D 125
Kennington Oval SE11 . . . . .2C 124
Kennington Pal. Ct.
    SE11 . . . . .5D 103
Kennington Pk. Gdns.
    SE11 . . . . .2F 125
Kennington Pk. Ho.
    SE11 . . . . .1E 125
Kennington Pk. Pl. SE11 . . .2E 125
Kennington Pk. Rd. SE11 . .3D 125
Kennington Rd. SE1 . . . . . .1D 103
    SE11 . . . . .2D 103
Kenrick Pl. W1 . . . . .1D 43
KENSAL GREEN 2C 18
Kensal Ho. W10 . . . . .5E 19
KENSAL RISE 1D 19
Kensal Rd. W10 . . . . .4E 19
KENSAL TOWN 5A 20
Kensal Wharf W10 . . . . .4E 19
KENSINGTON 5F 67
Kensington Arc. W8 . . . . . . .5F 67
Kensington Cen. W14 . . . . . .3F 93
    (not continuous)
Kensington Chu. Ct. W8 . . . .5F 67
Kensington Chu. St. W8 . . . .2E 67
Kensington Chu. Wlk. W8 . . .4F 67
    (not continuous)
Kensington Ct. SE16 . . . . . . .2E 81
    W8 . . . . .5A 68
Kensington Ct. Gdns. W8 . . .1A 96
Kensington Ct. M. W8 . . . . .1A 96
Kensington Ct. Pl. W8 . . . . .1A 96
Kensington Gdns. 2B 68
Kensington Gdns. Sq. W2 . . .4F 39
    (not continuous)
Kensington Ga. W8 . . . . . . .1B 96
Kensington Gore SW7 . . . . .5C 68
Kensington Hall Gdns.
    W14 . . . . .5B 94
Kensington Hgts. W8 . . . . . .3D 67

Kensington High St. W8 . . . . .2C 94
    W14 . . . . .3B 94
Kensington Ho. W8 . . . . . . .5A 68
    W14 . . . . .5E 65
Kensington Mall W8 . . . . . . .2E 67
Kensington Mans. SW5 . . . . .5E 95
    (not continuous)
Kensington Palace 3A 68
Kensington Pal. Gdns. W8 . . .2F 67
Kensington Pk. Gdns.
    W11 . . . . .1B 66
Kensington Pk. M. W11 . . . . .4B 38
Kensington Pk. Rd. W11 . . . .4B 38
Kensington Pl. W8 . . . . .3D 67
Kensington Rd. SW7 . . . . . .5A 68
    W8 . . . . .5A 68
Kensington Sports Cen. 5E 37
Kensington Sq. W8 . . . . . . .5F 67
Kensington Village W14 . . . . .4C 94
Kensington W. W14 . . . . . . .3F 93
Kensworth Ho. EC1 . . . . . . .3E 31
Kent Ct. E2 . . . . .5C 16
Kent Ho. SE1 . . . . .1C 128
    SW1 . . . . .1D 123
    W8 . . . . .5A 68
    W11 . . . . .2B 66
Kentish Bldgs. SE1 . . . . . . .3D 77
Kentish Town Rd. NW1 . . . . .3A 10
Kentmere Ho. SE15 . . . . . . .3B 130
Kenton Ct. W14 . . . . .2B 94
Kenton Ho. E1 . . . . .4C 34
Kenton St. WC1 . . . . .4F 27
Kent Pk. Ind. Est. SE15 . . .2F 129
Kent Pas. NW1 . . . . .4B 24
Kent St. E2 . . . . .5C 16
Kent Ter. NW1 . . . . .3A 24
Kent Wharf SE8 . . . . .4F 133
Kent Yd. SW7 . . . . .5A 70
Kenway Rd. SW5 . . . . .4F 95
Ken Wilson Ho. E2 . . . . . . .5E 17
Kenwrick Ho. N1 . . . . .4C 12
Kenyon Mans. W14 . . . . . . .2A 116
Kepler Ho. SE10 . . . . .5B 114
Keppel Ho. SE8 . . . . .1B 132
    SW3 . . . . .4F 97
Keppel Row SE1 . . . . .3B 76
Keppel St. WC1 . . . . .1E 45
Kerbela St. E2 . . . . .4D 33
Kerbey St. E14 . . . . .3A 56
Kerrier Ho. SW10 . . . . .5C 118
Kerrington Ct. W10 . . . . .5F 19
    W12 . . . . .4C 64
Kerry Cl. E16 . . . . .4F 59
Kerry Ho. E1 . . . . .3B 52
Kerry Path SE14 . . . . .3B 132
Kerry Rd. SE14 . . . . .3B 132
Kerwick Cl. N7 . . . . .1B 12
Keslake Mans. NW10 . . . . . .1D 19
Keslake Rd. NW6 . . . . .1D 19
Keston Ho. SE17 . . . . .5A 106
Kestrel Av. E6 . . . . .2F 61
Kestrel Ho. EC1 . . . . .2B 30
Kestrel Pl. SE14 . . . . .3A 132
Ketton Ho. W10 . . . . .1B 36
Kevan Ho. SE5 . . . . .5B 126
Keybridge Ho. SW8 . . . . . .3A 124
Key Cl. E1 . . . . .5A 34
Keyes Ho. SW1 . . . . .1D 123
Keyham Ho. W2 . . . . .2D 39
Key Ho. SE11 . . . . .2D 125
Keyse Rd. SE1 . . . . .2B 106

Keystone Cres. N1 . . . . .1A 28	King Edward Mans. E8 . . . . . .4F 17	King's Gro. SE15 . . . . .5A 130
Keyworth Pl. SE1 . . . . .1A 104	King Edwards Mans.	(not continuous)
Keyworth St. SE1 . . . . .1A 104	SW6 . . . . .5D 117	Kings Head Theatre 3F 13
Kezia M. SE8 . . . . .1F 131	King Edward's Rd. E9 . . . . . .3F 17	King's Head Yd. SE1 . . . . . . .3D 77
Kezia St. SE8 . . . . .1F 131	King Edward St. EC1 . . . . . . .3B 48	Kingshill SE17 . . . . .4C 104
Kibworth St. SW8 . . . . .5B 124	King Edward Wlk. SE1 . . . . . .1E 103	Kings Ho. SW8 . . . . .1A 124
Kierbeck Bus. Complex	Kingfield St. E14 . . . . .3C 112	SW10 . . . . .3D 119
E16 . . . . .3F 87	SE1 . . . . .5C 76	(off Park Wlk.)
Kiffen St. EC2 . . . . .4E 31	Kingfisher Ho. W14 . . . . .1B 94	King's Ho. Studios SW10 . . .3D 119
Kilbrennan Ho. E14 . . . . .3C 56	Kingfisher Sq. SE8 . . . . .3C 132	KINGSLAND 1F 15
KILBURN 5B 4	Kingfisher St. E6 . . . . .2A 62	Kingsland NW8 . . . . .4A 8
Kilburn Bri. NW6 . . . . .4E 5	King Frederick IX Twr.	Kingsland Rd. E2 . . . . .2A 32
Kilburn Ga. NW6 . . . . .5F 5	SE16 . . . . .1B 110	E8 . . . . .3A 16
Kilburn High Rd. NW6 . . . . . .1B 4	King George IV Ct.	Kingsley Flats SE1 . . . . .3F 105
Kilburn Ho. NW6 . . . . .1C 20	SE17 . . . . .5D 105	Kingsley Ho. SW3 . . . . .3E 119
Kilburn La. W9 . . . . .2E 19	(off Dawes St.)	Kingsley Mans. W14 . . . . . . .2A 116
W10 . . . . .2E 19	King George VI Memorial . . .3D 73	Kingsley M. E1 . . . . .1A 80
Kilburn Pk. Rd. NW6 . . . . . . .3D 21	King George Av. E16 . . . . . . .3C 60	W8 . . . . .2A 96
Kilburn Pl. NW6 . . . . .4E 5	King George St. SE10 . . . . . .5C 134	Kingsley Rd. NW6 . . . . .3C 4
Kilburn Priory NW6 . . . . .4F 5	Kingham Cl. W11 . . . . .4E 65	Kings Mall W6 . . . . .4B 92
Kilburn Sq. NW6 . . . . .3D 5	King Henry's Rd. NW3 . . . . . .2E 7	Kings Mans. SW3 . . . . .3F 119
Kilburn Va. NW6 . . . . .4F 5	King Henry's Stairs E1 . . . . . .3A 80	King's M. WC1 . . . . .5C 28
Kilburn Va. Est. NW6 . . . . . . .3E 5	King Henry Ter. E1 . . . . .1A 80	Kingsmill NW8 . . . . .5A 98
Kilby St. SE10 . . . . .2C 114	Kinghorn St. EC1 . . . . .1A 48	Kingsmill Ho. SW3 . . . . .5A 98
Kildare Ct. W2 . . . . .3E 39	King Ho. W12 . . . . .4A 36	(off Cale St.)
Kildare Gdns. W2 . . . . .3E 39	King James Ct. SE1 . . . . .5A 76	Kingsmill Ter. NW8 . . . . .5E 7
Kildare Rd. E16 . . . . .1D 59	King James St. SE1 . . . . .5A 76	Kingsnorth Ho. W10 . . . . . . .4E 37
Kildare Ter. W2 . . . . .3E 39	King John Ct. EC2 . . . . .4A 32	King's Pl. SE1 . . . . .5B 76
Kildare Wlk. E14 . . . . .4D 55	King John St. E1 . . . . .2E 53	King Sq. EC1 . . . . .3B 30
Killick St. N1 . . . . .5B 12	Kinglake Est. SE17 . . . . .5A 106	Kings Reach Twr. SE1 . . . . . .2E 75
Killip Cl. E16 . . . . .3C 58	Kinglake St. SE17 . . . . .1F 127	King's Rd. SW3 . . . . .4C 118
Killoran Ho. E14 . . . . .1B 112	(not continuous)	SW6 . . . . .5A 118
Kilmaine Rd. SW6 . . . . .5A 116	Kingly Ct. W1 . . . . .5B 44	SW10 . . . . .4C 118
Kilmarsh Rd. W6 . . . . .3B 92	Kingly St. W1 . . . . .4B 44	King's Scholars' Pas.
Kilmore Ho. E14 . . . . .4A 56	Kings Arms Ct. E1 . . . . .2D 51	SW1 . . . . .2B 100
Kilmuir Ho. SW1 . . . . .4E 99	Kings Arms Yd. EC2 . . . . .3D 49	King Stairs Cl. SE16 . . . . . . .4A 80
Kiln Ct. E14 . . . . .5B 54	King's Bench St. SE1 . . . . . . .4A 76	King's Ter. NW1 . . . . .4B 10
Kilner Ho. E16 . . . . .2F 59	King's Bench Wlk. EC4 . . . . . .5E 47	Kingston Ho. NW6 . . . . .2A 4
SE11 . . . . .2D 125	Kingsbridge Ct. E14 . . . . .2E 111	Kingston Ho. E. SW7 . . . . . . .5F 69
Kilner St. E14 . . . . .2D 55	NW1 . . . . .1A 10	Kingston Ho. Nth. SW7 . . . . .5F 69
Kilravock St. W10 . . . . .3F 19	Kingsbridge Rd. W10 . . . . . . .3C 36	Kingston Ho. Sth. SW7 . . . . .5F 69
Kimber Ct. SE1 . . . . .1F 105	Kings Coll. Ct. NW3 . . . . .1A 8	Kingstown St. NW1 . . . . .3D 9
(off Long La.)	Kings College London	(not continuous)
Kimberley Ho. E14 . . . . .1B 112	Chelsea Campus 1E 119	King St. EC2 . . . . .4C 48
Kimberley Rd. NW6 . . . . .3A 4	St Thomas' Campus . . .1B 102	SW1 . . . . .3C 72
Kimble Ho. NW8 . . . . .4A 24	(off Lambeth Pal. Rd.)	W6 . . . . .4A 92
Kimbolton Ct. SW3 . . . . .4F 97	Strand Campus 5C 46	WC2 . . . . .5F 45
Kimbolton Row SW3 . . . . . . .4F 97	Waterloo Campus 3D 75	King St. Cloisters W6 . . . . . .4A 92
Kimpton Rd. SE5 . . . . .5D 127	King's College London School of	(off Clifton Wlk.)
Kinburn St. SE16 . . . . .4D 81	Medicine 2A 102	Kings Wlk. Shop. Cen.
Kincaid Rd. SE15 . . . . .5F 129	King's Coll. Rd. NW3 . . . . . . .1F 7	SW3 . . . . .5B 98
Kincardine Gdns. W9 . . . . . . .5D 21	Kingscote St. EC4 . . . . .5F 47	Kingswater Pl. SW11 . . . . . . .5F 119
Kinder Ho. N1 . . . . .5E 15	Kings Ct. N7 . . . . .1B 12	Kingsway WC2 . . . . .3B 46
Kindersley Ho. E1 . . . . .4E 51	NW8 . . . . .4B 8	Kingsway Mans. WC1 . . . . . .2B 46
Kinder St. E1 . . . . .4F 51	SE1 . . . . .4B 76	Kingsway Pl. EC1 . . . . .4E 29
King & Queen St. SE17 . . .5C 104	Kings Ct. Nth. SW3 . . . . .1F 119	Kings Wharf E8 . . . . .3A 16
King & Queen Wharf	Kings Ct. Sth. SW3 . . . . .2F 119	Kingswood E2 . . . . .1B 34
SE16 . . . . .1E 81	KING'S CROSS 2F 27	Kingswood Av. NW6 . . . . .4A 4
King Arthur Cl. SE15 . . . . . . .5B 130	King's Cross Bri. N1 . . . . .2A 28	Kingswood Cl. SW8 . . . . .5A 124
King Charles I Island	King's Cross Rd. WC1 . . . . . . .2B 28	Kingswood Ct. NW6 . . . . .2E 5
WC2 . . . . .2F 73	Kingsdale Gdns. W11 . . . . . . .3E 65	Kington Ho. NW6 . . . . .4A 6
(off Trafalgar Sq.)	Kingsdown Cl. SE16 . . . . . . .1A 130	Kingward Ho. E1 . . . . .1D 51
King Charles Ct. SE17 . . . .2F 125	W10 . . . . .4E 37	King William La. SE10 . . . . . .1F 135
King Charles Ho. SW6 . . . . .4A 118	Kingsford Way E6 . . . . .2C 62	King William's Ct. SE10 . . . . .2D 135
King Charles's Ct. SE10 . . . .2C 134	King's Gdns. NW6 . . . . .2E 5	King William St. EC4 . . . . . . .4E 49
King Charles St. SW1 . . . . . .4E 73	Kingsgate Mans.	King William Wlk. SE10 . . . .2C 134
King Charles Ter. E1 . . . . . . .1A 80	WC1 . . . . .2B 46	(not continuous)
King David La. E1 . . . . .5B 52	Kingsgate Pde. SW1 . . . . . .2C 100	Kingwood Rd. SW6 . . . . .5A 116
Kingdon Ho. E14 . . . . .1B 112	Kingsgate Pl. NW6 . . . . .2D 5	Kinnerton Pl. Nth. SW1 . . . . .5C 70
King Edward III M. SE16 . . .5A 80	Kingsgate Rd. NW6 . . . . .1D 5	Kinnerton Pl. Sth. SW1 . . . . .5C 70
King Edward Bldg. EC1 . . . .3A 48		Kinnerton St. SW1 . . . . .5D 71

Kinnerton Yd. SW1 . . . . .5C **70**	Kynance M. SW7 . . . . .2A **96**	Lambeth Wlk. SE11 . . . . .2D **103**
Kinnoul Rd. W6 . . . . .2A **116**	Kynance Pl. SW7 . . . . .2B **96**	(not continuous)
Kinsham Ho. E2 . . . . .4E **33**		Lamb Ho. SE5 . . . . .5C **126**
Kintore Way SE1 . . . . .3B **106**		SE10 . . . . .3B **134**
Kintyre Ho. E14 . . . . .3C **84**	**L**	Lamb La. E8 . . . . .2F **17**
Kipling Est. SE1 . . . . .5E **77**	Laburnum Cl. SE15 . . . . . .5B **130**	Lambourne Gro. SE16 . . . .5D **109**
Kipling Ho. *E16* *2F 87*	Laburnum Ct. E2 . . . . .4B **16**	Lambourne Ho. NW8 . . . . . . .1E **41**
(off Southampton M.)	SE16 . . . . .5C **80**	SE16 . . . . .4D **109**
SE5 . . . . .5C **126**	Laburnum St. E2 . . . . .4B **16**	Lamb's Bldgs. EC1 . . . . .5D **31**
Kipling St. SE1 . . . . .5E **77**	La Caye Apartments E14 . .4D **113**	Lamb's Conduit Pas. WC1 . .1B **46**
Kirby Est. SE16 . . . . .1A **108**	Lacine Ct. SE16 . . . . .4D **81**	Lamb's Conduit St. WC1 . . .5B **28**
Kirby Gro. SE1 . . . . .4F **77**	Lackington St. EC2 . . . . . . .1E **49**	(not continuous)
Kirby St. EC1 . . . . .1E **47**	Lackland Ho. SE1 . . . . .5C **106**	Lambs Health & Fitness 5C **30**
Kirkeby Ho. EC1 . . . . .1D **47**	Lacland Ho. SW10 . . . . . . .4D **119**	Lamb's M. N1 . . . . .4F **13**
Kirkham Rd. E6 . . . . .3A **62**	Lacon Ho. WC1 . . . . .1B **46**	Lamb's Pas. EC1 . . . . .1D **49**
Kirkland Ho. E14 . . . . .1A **134**	Ladbroke Cres. W11 . . . . . .4A **38**	Lamb St. E1 . . . . .1B **50**
(St Davids Sq.)	Ladbroke Gdns. W11 . . . . .5B **38**	Lambton Pl. W11 . . . . .5C **38**
E14 . . . . .5A **112**	Ladbroke Gro. W10 . . . . . . .4E **19**	Lamb Wlk. SE1 . . . . .5F **77**
(Westferry Rd.)	W11 . . . . .3A **38**	LAMDA Theatre 3D **95**
Kirkman Pl. W1 . . . . .2D **45**	Ladbroke Gro. Ho. W11 . . .1B **66**	Lamerton St. SE8 . . . . .3D **135**
Kirkmichael Rd. E14 . . . . .3C **56**	Ladbroke M. W11 . . . . .3A **66**	Lamington St. W6 . . . . .3A **92**
Kirkstall Ho. SW1 . . . . .5F **99**	Ladbroke Rd. W11 . . . . . . .2A **66**	Lamlash St. SE11 . . . . .3F **103**
Kirkstone NW1 . . . . .2B **26**	Ladbroke Sq. W11 . . . . . . .1B **66**	Lamley Ho. SE10 . . . . .5A **134**
Kirk St. WC1 . . . . .5C **28**	Ladbroke Ter. W11 . . . . . . .1C **66**	Lamont Rd. SW10 . . . . .3C **118**
Kirkwall Pl. E2 . . . . .2C **34**	Ladbroke Wlk. W11 . . . . . . .2C **66**	Lamont Rd. Pas. SW10 . . . .3D **119**
Kirkwood Pl. NW1 . . . . .1D **9**	Lady Dock Path SE16 . . . . .5F **81**	Lampern Sq. E2 . . . . .2E **33**
Kirtling St. SW8 . . . . .4B **122**	Ladyfern Ho. E3 . . . . .1E **55**	Lampeter Sq. W6 . . . . .3A **116**
Kirton Gdns. E2 . . . . .3C **32**	Lady Margaret Ho.	Lamplighter Cl. E1 . . . . .5B **34**
Kirwyn Way SE5 . . . . .4A **126**	SE17 . . . . .2D **127**	Lamp Office Ct. WC1 . . . . . .5B **28**
Kite Pl. E2 . . . . .2E **33**	Lady May Ho. SE5 . . . . . . .5B **126**	Lanark Ho. SE1 . . . . .1D **129**
Kitson Rd. SE5 . . . . .4D **127**	Lady Micos Almshouses	Lanark Mans. W9 . . . . .4C **22**
Kittiwake Ct. *SE1* *5C 76*	E1 . . . . .3C **52**	W12 . . . . .5C **64**
(off Swan St.)	LA Fitness	Lanark M. W9 . . . . .3B **22**
SE8 . . . . .2C **132**	Aldgate 5C **50**	Lanark Pl. W9 . . . . .4C **22**
Kleine Wharf N1 . . . . .4A **16**	Bayswater 5F **39**	Lanark Rd. W9 . . . . .1A **22**
Klein's Wharf E14 . . . . .2D **111**	Bloomsbury 1B **46**	Lanark Sq. E14 . . . . .1A **112**
Knaresborough Pl. SW5 . . .3F **95**	Leadenhall 4A **50**	Lancashire Ct. W1 . . . . .5F **43**
Knighten St. E1 . . . . .3F **79**	Marylebone 1B **42**	Lancaster Cl. N1 . . . . .2A **16**
Knighthead Point E14 . . . . .5D **83**	Novello 5B **46**	W2 . . . . .1F **67**
Knight Ho. SE17 . . . . .4F **105**	Piccadilly 2D **73**	Lancaster Ct. SW6 . . . . . . .5C **116**
Knightrider Ct. EC4 . . . . . . .5B **48**	St Pauls 2B **48**	W2 . . . . .5C **40**
Knightrider St. EC4 . . . . . . .5A **48**	South Kensington 3F **97**	Lancaster Dr. E14 . . . . .3C **84**
Knights Arc. SW1 . . . . .5B **70**	Victoria 1B **100**	Lancaster Ga. W2 . . . . .1B **68**
KNIGHTSBRIDGE 5B **70**	West India Quay 1E **83**	Lancaster Gro. NW3 . . . . . .1A **8**
Knightsbridge SW1 . . . . . . .5A **70**	Lafone St. SE1 . . . . .4B **78**	Lancaster Hall E16 . . . . . . .2E **87**
SW7 . . . . .5A **70**	Lagado M. SE16 . . . . .3E **81**	(not continuous)
Knightsbridge Ct. SW1 . . . .5C **70**	Lagonier Ho. EC1 . . . . .3C **30**	Lancaster House 4C **72**
Knightsbridge Grn. SW1 . . .5B **70**	Laing Ho. SE5 . . . . .5B **126**	Lancaster Lodge W11 . . . . .3A **38**
(not continuous)	Laird Ho. SE5 . . . . .5B **126**	Lancaster M. W2 . . . . .5C **40**
Knights Ho. SW8 . . . . .5A **124**	Lake Ho. SE1 . . . . .5B **76**	Lancaster Pl. WC2 . . . . .5B **46**
SW10 . . . . .4B **118**	Lakeside Rd. W14 . . . . .1D **93**	Lancaster Rd. W11 . . . . . . .4F **37**
Knight's Rd. E16 . . . . .4E **87**	Lakeside Ter. EC2 . . . . .1C **48**	Lancaster St. SE1 . . . . .5F **75**
Knight's Wlk. SE11 . . . . . . .4F **103**	Lake Vw. Ct. SW1 . . . . .1A **100**	Lancaster Ter. W2 . . . . .5D **41**
(not continuous)	Laleham Ho. E2 . . . . .4B **32**	Lancaster Wlk. W2 . . . . .1C **68**
Knivet Rd. SW6 . . . . .3D **117**	Lambard Ho. SE10 . . . . . . .5B **134**	Lancefield Ct. W10 . . . . . . .1A **20**
Knoll Ho. NW8 . . . . .5B **6**	Lamb Ct. E14 . . . . .5A **54**	Lancefield St. W10 . . . . . . .2B **20**
Knolly's Ho. WC1 . . . . .4F **27**	Lamberhurst Ho.	Lancelot Pl. SW7 . . . . .5B **70**
Knot Ho. SE1 . . . . .3B **78**	SE15 . . . . .3C **130**	Lancer Sq. W8 . . . . .4F **67**
Knottisford St. E2 . . . . .2C **34**	Lambert Jones M.	Lanchester Ct. W2 . . . . .4B **42**
Knowlden Ho. E1 . . . . .5B **52**	EC2 . . . . .1B **48**	Lancing St. NW1 . . . . .3D **27**
Knowlton Ho. SW9 . . . . .5E **125**	Lambert Rd. E16 . . . . .3F **59**	Lancresse Ct. N1 . . . . .3F **15**
Knox St. W1 . . . . .1B **42**	Lambert St. N1 . . . . .2D **13**	Landale Ho. SE16 . . . . .1C **108**
Knoyle Ho. W14 . . . . .1F **93**	LAMBETH 2B **102**	Landin Ho. E14 . . . . .3D **55**
Knoyle St. SE14 . . . . .3F **131**	Lambeth Bri. SE1 . . . . .3A **102**	Landmann Ho. SE16 . . . . . .4A **108**
Kossuth St. SE10 . . . . .5F **113**	SW1 . . . . .3A **102**	Landmann Way SE14 . . . . .2E **131**
Kotree Way SE1 . . . . .4E **107**	Lambeth High St. SE1 . . . . .4B **102**	Landmark Ho. W6 . . . . .5B **92**
Kramer M. SW5 . . . . .1E **117**	Lambeth Hill EC4 . . . . .5B **48**	Landon Pl. SW1 . . . . .5B **70**
Krupnik Pl. EC2 . . . . .4A **32**	Lambeth Palace 2B **102**	Landon's Cl. E14 . . . . .2C **84**
Kwame Ho. E16 . . . . .1F **91**	Lambeth Pal. Rd. SE1 . . . . .2B **102**	Landon Wlk. E14 . . . . .5A **56**
Kwame Ho. E16 . . . . .1F **91**	Lambeth Rd. SE1 . . . . .3B **102**	Landor Ho. SE5 . . . . .5D **127**
Kylemore Rd. NW6 . . . . . . .1D **5**	Lambeth Rd. SE1 . . . . .3B **102**	Landor Ho. SE5 . . . . .5D **127**
Kylestrome Ho. SW1 . . . . . .4E **99**	Lambeth Towers SE11 . . . .2D **103**	W2 . . . . .2D **39**

Landrake NW1 . . . . .4C **10**
Landseer Ho. NW8 . . . . .4E **23**
 SW1 . . . . .4E **101**
Landulph Ho. SE11 . . . . . .5E **103**
Landward Ct. W1 . . . . .3A **42**
Lane, The NW8 . . . . .5B **6**
Lanesborough Ct. N1 . . . . . .2F **31**
 (off Fanshaw St.)
Lanesborough Pl. SW1 . . . . .4E **71**
Laney Ho. EC1 . . . . .1D **47**
Lanfranc Rd. E3 . . . . .1F **35**
Lanfrey Pl. W14 . . . . .1B **116**
Langbourne Pl. E14 . . . . . .5F **111**
Langdale NW1 . . . . .2B **26**
Langdale Cl. SE17 . . . . . . .2B **126**
Langdale Ho. SW1 . . . . . . .1B **122**
Langdale Rd. SE10 . . . . . . .5B **134**
Langdale St. E1 . . . . .4F **51**
Langdon Ct. EC1 . . . . .1A **30**
Langdon Ho. E14 . . . . .4B **56**
Langdon Way SE1 . . . . . . .4E **107**
Langford Cl. NW8 . . . . .5C **6**
Langford Ct. NW8 . . . . .5C **6**
Langford Ho. SE8 . . . . . . .2D **133**
Langford M. N1 . . . . .1E **13**
Langford Pl. NW8 . . . . .5C **6**
Langham Mans. SW5 . . . . .1F **117**
Langham Pl. W1 . . . . .2A **44**
Langham St. W1 . . . . .2A **44**
Langhorne Ct. NW8 . . . . . . .3D **7**
Lang Ho. SW8 . . . . .5F **123**
Langland Ho. SE5 . . . . .4E **127**
Langler Rd. NW10 . . . . .1C **18**
Langley Ct. WC2 . . . . .5F **45**
Langley Ho. W2 . . . . .1E **39**
Langley La. SW8 . . . . .2A **124**
Langley Mans. SW8 . . . . . .2B **124**
Langley St. WC2 . . . . .4F **45**
Langmore Ho. E1 . . . . .4E **51**
Lang St. E1 . . . . .4B **34**
Langthorn Ct. EC2 . . . . .3E **49**
Langton Cl. WC1 . . . . .4C **28**
Langton Ho. SE11 . . . . . . .3C **102**
Langton Rd. SW9 . . . . .5A **126**
Langton St. SW10 . . . . . . .3C **118**
Langtry Pl. SW6 . . . . .2E **117**
Langtry Rd. NW8 . . . . .4F **5**
Langtry Wlk. NW8 . . . . .3A **6**
Lanhill Rd. W9 . . . . .4D **21**
Lannoy Point SW6 . . . . . . .4A **116**
Lanrick Ho. E14 . . . . .3E **57**
Lanrick Rd. E14 . . . . .3E **57**
Lansbury Est. E14 . . . . .3F **55**
Lansbury Gdns. E14 . . . . . .3D **57**
Lanscombe Wlk. SW8 . . . . .5F **123**
Lansdowne Ct. W11 . . . . . .1A **66**
Lansdowne Cres. W11 . . . . .1A **66**
Lansdowne Dr. E8 . . . . .1E **17**
Lansdowne Gdns. SW8 . . . .5F **123**
Lansdowne Grn. Est.
 SW8 . . . . .5F **123**
Lansdowne Ho. W11 . . . . . .2B **66**
Lansdowne M. W11 . . . . . . .3B **66**
Lansdowne Pl. SE1 . . . . . .1E **105**
Lansdowne Ri. W11 . . . . . . .1A **66**
Lansdowne Rd. W11 . . . . . .1A **66**
Lansdowne Row SW1 . . . . .2A **72**
Lansdowne Ter. WC1 . . . . . .5A **28**
Lansdowne Wlk. W11 . . . . . .2A **66**
Lanterns Ct. E14 . . . . .5F **83**
Lant Ho. SE1 . . . . .5B **76**

Lant St. SE1 . . . . .4B **76**
Lanyard Ho. SE8 . . . . .4A **110**
Lapford Cl. W9 . . . . .4C **20**
Lapwing Ct. SE1 . . . . .5C **76**
 (off Swan St.)
Lapwing Twr. SE8 . . . . .2B **122**
Lapworth Ct. W2 . . . . .1A **40**
Larch Cl. SE8 . . . . .3C **132**
Larch Ct. SE1 . . . . .5F **77**
 W9 . . . . .1D **39**
Larch Ho. SE16 . . . . .4C **80**
Larcom St. SE17 . . . . .4B **104**
Larissa St. SE17 . . . . .5E **105**
Larkspur Cl. E6 . . . . .1F **61**
Lascelles Ho. NW1 . . . . . . .5A **24**
Lassell St. SE10 . . . . .1E **135**
Latham Cl. E6 . . . . .3A **62**
Latham Ct. SW5 . . . . .4D **95**
Latham Ho. E1 . . . . .3E **53**
Latimer Ho. W11 . . . . .1C **66**
Latimer Ind. Est. W10 . . . . .3B **36**
Latimer Pl. W10 . . . . .3C **36**
Latimer Rd. W10 . . . . .2B **36**
 (not continuous)
Latona Ct. SW9 . . . . .5D **125**
Latona Rd. SE15 . . . . .3D **129**
Latvia Ct. SE17 . . . . .1C **126**
Latymer Ct. W6 . . . . .4E **93**
Lauderdale Ho. SW9 . . . . . .5D **125**
Lauderdale Mans. W9 . . . . . .3F **21**
 (not continuous)
Lauderdale Pde. W9 . . . . . . .3F **21**
Lauderdale Pl. EC2 . . . . . . .1B **48**
Lauderdale Rd. W9 . . . . .3F **21**
Lauderdale Twr. EC2 . . . . . .1B **48**
Laud St. SE11 . . . . .5B **102**
Laugan Wlk. SE17 . . . . . . .5C **104**
Launcelot St. SE1 . . . . .5D **75**
Launceston Pl. W8 . . . . .1B **96**
Launch St. E14 . . . . .1B **112**
Laundry La. N1 . . . . .2B **14**
Laundry Rd. W6 . . . . .3A **116**
Laurel Ho. SE8 . . . . .2B **132**
Laurence Pountney Hill
 EC4 . . . . .5D **49**
Laurence Pountney La.
 EC4 . . . . .1D **77**
Laurie Gro. SE14 . . . . .5A **132**
Laurie Ho. SE1 . . . . .2A **104**
 W8 . . . . .3D **67**
Lavender Cl. SW3 . . . . .3E **119**
Lavender Gro. E8 . . . . .2C **16**
Lavender Ho. SE16 . . . . . . .2E **81**
Lavender Pond Nature Pk.
 .2A **82**
Lavender Rd. SE16 . . . . . . .2F **81**
Lavendon Ho. NW8 . . . . . . .4A **24**
Laverton M. SW5 . . . . .4A **96**
Laverton Pl. SW5 . . . . .4A **96**
Lavina Gro. N1 . . . . .5B **12**
Lavington St. SE1 . . . . .3A **76**
Lawes Ho. W10 . . . . .2B **20**
Lawford Rd. N1 . . . . .2F **15**
Lawless Ho. E14 . . . . .5B **56**
Lawless St. E14 . . . . .5A **56**
Lawn Ho. Cl. E14 . . . . .4B **84**
Lawn La. SW8 . . . . .2A **124**
Lawrence Cl. W12 . . . . .5A **36**
Lawrence Ho. SW1 . . . . . . .4E **101**

Lawrence La. EC2 . . . . .4C **48**
Lawrence Mans. SW3 . . . . .3F **119**
Lawrence Pl. N1 . . . . .3A **12**
Lawrence St. E16 . . . . .2C **58**
 SW3 . . . . .3F **119**
Lawrence Trad. Est.
 SE10 . . . . .4A **114**
Lawson Cl. E16 . . . . .2C **60**
Lawson Ho. W12 . . . . .5A **36**
Law St. SE1 . . . . .1E **105**
Lawton Rd. E3 . . . . .2F **35**
 (not continuous)
Laxfield Ct. E8 . . . . .4E **17**
Laxford Ho. SW1 . . . . .4E **99**
Laxley Cl. SE5 . . . . .4A **126**
Laxton Pl. NW1 . . . . .4A **26**
Layard Rd. SE16 . . . . .3A **108**
Layard Sq. SE16 . . . . .3A **108**
Laybourne Ho. E14 . . . . . . .4F **83**
Laycock St. N1 . . . . .1E **13**
Layfield Ho. SE10 . . . . . . .5D **115**
Laystall Ct. WC1 . . . . .5D **29**
Laystall St. EC1 . . . . .5D **29**
Layton's Bldgs. SE1 . . . . . .4D **77**
Lazenby Ct. WC2 . . . . .5F **45**
Leadenhall Mkt. EC3 . . . . . .4F **49**
Leadenhall Pl. EC3 . . . . . . .4F **49**
Leadenhall St. EC3 . . . . . . .4F **49**
Lea Ho. NW8 . . . . .5F **23**
Leake Ct. SE1 . . . . .5C **74**
Leake St. SE1 . . . . .4C **74**
 (not continuous)
Leamington Ho. W11 . . . . . .2C **38**
Leamington Rd. Vs. W11 . . .2C **38**
Leamore St. W6 . . . . .4A **92**
LEAMOUTH 5F **57**
Leamouth Rd. E6 . . . . .3F **61**
 E14 . . . . .4E **57**
Learoyd Gdns. E6 . . . . .5D **63**
Leary Ho. SE11 . . . . .1C **124**
Leatherdale St. E1 . . . . .4C **34**
 (Harpley Sq.)
 E1 . . . . .3D **35**
 (Portelet Rd.)
Leather La. EC1 . . . . .1D **47**
 (not continuous)
Leathermarket, The SE1 . . . .5F **77**
Leathermarket Ct. SE1 . . . . .5F **77**
Leathermarket St. SE1 . . . . .5F **77**
Leather St. E1 . . . . .5D **53**
Lebus Ho. NW8 . . . . .1F **23**
Lecky St. SW7 . . . . .5D **97**
Le Cordon Bleu London Culinary
 Arts Institute 2E **43**
 (off Marylebone La.)
Leda Ct. SW9 . . . . .5D **125**
Ledam Ho. EC1 . . . . .1D **47**
Ledbury Ho. W11 . . . . .4C **38**
Ledbury M. Nth. W11 . . . . . .4D **39**
Ledbury M. W. W11 . . . . . . .5D **39**
Ledbury Rd. W11 . . . . .5D **39**
Ledbury St. SE15 . . . . .4E **129**
Leeds Ct. EC1 . . . . .4F **29**
Lee Ho. EC2 . . . . .2C **48**
Leeke St. WC1 . . . . .2B **28**
Leerdam Dr. E14 . . . . .2C **112**
Lees Ct. W1 . . . . .5D **43**
Lees Ho. SE17 . . . . .1E **127**
Leeside Ct. SE16 . . . . .2D **81**
Lees Pl. W1 . . . . .5D **43**
Lee St. E8 . . . . .3B **16**

Leeve Ho. W10 . . . . .3B 20
Leeward Ct. E1 . . . . .2E 79
Leeward Ho. N1 . . . . .4F 15
  (off New Era Est.)
Leeway SE8 . . . . .5B 110
Leff Ho. NW6 . . . . .2A 4
Lefroy Ho. SE1 . . . . .5B 76
Legion Cl. N1 . . . . .1E 13
Leicester Ct. W9 . . . . .1D 39
  WC2 . . . . .5E 45
Leicester Flds. WC2 . . . . . . .1E 73
Leicester Pl. WC2 . . . . .5E 45
Leicester Sq. WC2 . . . . .1E 73
Leicester St. WC2 . . . . .5E 45
Leigh Gdns. NW10 . . . . .1B 18
Leigh Pl. EC1 . . . . .1D 47
Leigh St. WC1 . . . . .4F 27
Leighton Ho. SW1 . . . . .4E 101
Leighton House Art Gallery & Mus.
   . . . . .1C 94
Leighton Mans. W14 . . . . .2A 116
Leinster Gdns. W2 . . . . .4B 40
Leinster M. W2 . . . . .1B 68
Leinster Pl. W2 . . . . .4B 40
Leinster Sq. W2 . . . . .4E 39
  (not continuous)
Leinster Ter. W2 . . . . .5B 40
Leitch Ho. NW8 . . . . .2D 7
Leith Mans. W9 . . . . .3F 21
Leith Yd. NW6 . . . . .3D 5
Lelitia Cl. E8 . . . . .4D 17
Leman Pas. E1 . . . . .4D 51
Leman St. E1 . . . . .4C 50
Lemmon Rd. SE10 . . . . . . .2F 135
Le Moal Ho. E1 . . . . .2C 52
Lena Gdns. W6 . . . . .2C 92
Lenanton Steps E14 . . . . . .4E 83
Len Freeman Pl. SW6 . . . . .3B 116
Lenham Ho. SE1 . . . . .1E 105
Lennox Gdns. SW1 . . . . .2B 98
Lennox Gdns. M. SW1 . . . . . .2B 98
Lenthall Ho. SW1 . . . . .1C 122
Lenthall Rd. E8 . . . . .1C 16
Lenthorp Rd. SE10 . . . . . . .4B 114
Len Williams Ct. NW6 . . . . . .1E 21
Leonard Ct. W8 . . . . .1D 95
  WC1 . . . . .4E 27
Leonard St. E16 . . . . .3A 90
  EC2 . . . . .4E 31
Leonora Ho. W9 . . . . .4B 22
Leontine Cl. SE15 . . . . .5E 129
Leopards Ct. EC1 . . . . .1D 47
Leopold Bldgs. E2 . . . . . . .2B 32
Leopold St. E3 . . . . .1C 54
Leopold Wlk. SE11 . . . . . . .1B 124
Leo St. SE15 . . . . .4A 130
Leo Yd. EC1 . . . . .5A 30
Leroy St. SE1 . . . . .2F 105
Lesley Ct. SW1 . . . . .2D 101
Leslie Ho. SW8 . . . . .4F 123
Leslie Prince Ct. SE5 . . . . .4D 127
Leslie Rd. E16 . . . . .4F 59
Letchmore Ho. W10 . . . . . .1B 36
Letterstone Rd. SW6 . . . . .5B 116
Levant Ho. E1 . . . . .5E 35
Leven Rd. E14 . . . . .2C 56
Leverett St. SW3 . . . . .3A 98
Leverington Pl. N1 . . . . .3F 31
Leverstock Ho. SW3 . . . . . .5A 98
Lever St. EC1 . . . . .3A 30

Levita Ho. NW1 . . . . .2E 27
  (not continuous)
Lewes Ho. SE1 . . . . .4A 78
  SE15 . . . . .3E 129
Lewey Ho. E3 . . . . .1C 54
Lewis Ct. SE16 . . . . .5A 108
Lewisham Bus. Cen.
  SE14 . . . . .2D 131
Lewisham Lions Cen. 1C 130
Lewisham St. SW1 . . . . .5E 73
Lewisham Way SE14 . . . . . .5B 132
Lewis Ho. E14 . . . . .3C 84
Lewis Silkin Ho. SE15 . . . . .2C 130
Lewis St. NW1 . . . . .1F 9
  (not continuous)
Lexham Gdns. W8 . . . . .3E 95
Lexham Gdns. M. W8 . . . . . .2A 96
Lexham M. W8 . . . . .3F 95
Lexham M. W8 . . . . .3E 95
Lexham Wlk. W8 . . . . .2A 96
Lexington Apartments EC1 . . .4D 31
Lexington St. W1 . . . . .4C 44
Leybourne Ho. E14 . . . . . . .4C 54
  SE15 . . . . .3C 130
Leybourne Rd. NW1 . . . . . . .2A 10
Leybourne St. NW1 . . . . . . .2F 9
Leyden St. E1 . . . . .2B 50
Leydon Cl. SE16 . . . . .3E 81
Leyes Rd. E16 . . . . .4D 61
Leyland Ho. E14 . . . . .5F 55
Leylang Rd. SE14 . . . . .4E 131
Liardet St. SE14 . . . . .3A 132
Liberty Ho. E1 . . . . .5D 51
Liberty St. SW9 . . . . .5C 124
Library Mans. W12 . . . . .4B 64
Library Pl. E1 . . . . .5A 52
Library St. SE1 . . . . .5F 75
Lichfield Rd. E3 . . . . .2F 35
Lickey Ho. W14 . . . . .2C 116
Lidgate Rd. SE15 . . . . .5B 128
Lidlington Pl. NW1 . . . . .1C 26
Lighter Cl. SE16 . . . . .3A 110
Lighterman Ho. E14 . . . . . . .5C 56
Lighterman M. E1 . . . . .3E 53
Lightermans Rd.
  E14 . . . . .5E 83
Light Horse Ct. SW3 . . . . . .1D 121
Ligonier St. E2 . . . . .4B 32
Lilac Pl. SE11 . . . . .4B 102
Lilestone Ho. NW8 . . . . . . .4E 23
Lilestone St. NW8 . . . . .4F 23
Lilley Cl. E1 . . . . .3E 79
Lillie Mans. SW6 . . . . .3B 116
Lillie Rd. SW6 . . . . .4A 116
Lillie Yd. SW6 . . . . .2E 117
Lillington Gdns. Est.
  SW1 . . . . .4C 100
Lily Cl. W14 . . . . .4E 93
  (not continuous)
Lily Nichols Ho. E16 . . . . . . .3E 89
Lily Pl. EC1 . . . . .1E 47
  (not continuous)
Lilyville Rd. SW6 . . . . .5B 116
Limborough Ho. E14 . . . . . .2D 55
Limeburner La. EC4 . . . . . . .4F 47
Lime Cl. E1 . . . . .2E 79
Lime Gro. W12 . . . . .4B 64
Limeharbour E14 . . . . .1A 112
LIMEHOUSE 3B 54
Limehouse C'way. E14 . . . .5C 54

Limehouse Ct. E14 . . . . . . .3C 54
Limehouse Cut E14 . . . . . . .1A 56
Limehouse Flds. Est.
  E14 . . . . .2A 54
Limehouse Link E14 . . . . . . .4A 54
Limerston St. SW10 . . . . . .2C 118
Limes, The W2 . . . . .1E 67
Lime St. EC3 . . . . .5F 49
Lime St. Pas. EC3 . . . . .5F 49
Lime Tree Ct. E3 . . . . .1D 55
Linacre Ct. W6 . . . . .5E 93
Linale Ho. N1 . . . . .1D 31
Linberry Wlk. SE8 . . . . .4B 110
Lincoln Ho. SE5 . . . . .4E 125
  SW3 . . . . .5B 70
Lincoln M. NW6 . . . . .3B 4
Lincolns Inn Flds.
  WC2 . . . . .3B 46
Lincoln's Inn Hall 3C 46
Lincoln St. SW3 . . . . .4B 98
Linden Av. NW10 . . . . .1D 19
Linden Ct. W12 . . . . .3B 64
Linden Gdns. W2 . . . . .1E 67
Linden Ho. SE8 . . . . .2C 132
Linden M. W2 . . . . .1E 67
Lindfield St. E14 . . . . .3D 55
Lindley Est. SE15 . . . . .4E 129
Lindley Ho. E1 . . . . .1B 52
  SE15 . . . . .4D 129
Lindley St. E1 . . . . .1B 52
Lindop Ho. E1 . . . . .4F 35
Lindsay Ho. SW7 . . . . .1B 96
Lindsay Sq. SW1 . . . . .5E 101
Lindsey M. N1 . . . . .1C 14
Lindsey St. EC1 . . . . .1A 48
Lindwood Cl. E6 . . . . .2A 62
Linfield WC1 . . . . .3B 28
Linford Ho. E2 . . . . .4E 17
Lingard Ho. E14 . . . . .1B 112
Lingfield Ho. SE1 . . . . .5A 76
Ling Rd. E16 . . . . .1D 59
Linhope St. NW1 . . . . .4B 24
Link Ho. W10 . . . . .4E 37
Link Rd. E1 . . . . .5D 51
Links Yd. E1 . . . . .1C 50
Linkwood Wlk. NW1 . . . . . . .1E 11
Linley Sambourne House . . .5D 67
Linnell Ho. E1 . . . . .1B 50
Linsey St. SE16 . . . . .3D 107
  (not continuous)
Linslade Ho. E2 . . . . .4E 17
  NW8 . . . . .4A 24
Linstead Hall SW7 . . . . .1E 97
Linstead St. NW6 . . . . .1D 5
Lintaine Cl. W6 . . . . .3A 116
Linton Cl. NW1 . . . . .2C 10
Linton Gdns. E6 . . . . .3F 61
Linton Ho. E3 . . . . .2D 55
Linton St. N1 . . . . .4C 14
  (not continuous)
Lion Ct. E1 . . . . .5D 53
  N1 . . . . .4B 12
  SE1 . . . . .3A 78
Lionel Ho. W10 . . . . .1F 37
Lionel Mans. W14 . . . . .2D 93
Lionel M. W10 . . . . .1F 37
Lion Mills E2 . . . . .1E 33
Lion Rd. E6 . . . . .2C 62
Lipton Rd. E1 . . . . .4D 53
Lisford St. SE15 . . . . .5D 129
Lisgar Ter. W14 . . . . .3B 94

Liskeard Ho. SE11 . . . . .5E **103**
Lisle St. WC2 . . . . .5E **45**
Lisson Grn. Est. NW8 . . . . . .4F **23**
LISSON GROVE 1A **42**
Lisson Gro. NW1 . . . . .3E **23**
   NW8 . . . . .3F **23**
Lisson Ho. NW1 . . . . .1F **41**
Lisson St. NW1 . . . . .1F **41**
Lister Ho. E1 . . . . .1E **51**
   SE3 . . . . .2F **135**
Lister Lodge W9 . . . . .1E **39**
Listowel Cl. SW9 . . . . .4E **125**
Litcham Ho. E1 . . . . .3E **35**
Litchfield St. WC2 . . . . .5E **45**
Lit. Albany St. NW1 . . . . . . .3A **26**
                     (Albany St.)
   NW1 . . . . .4A **26**
                    (Longford St.)
Little Angel Theatre 3A **14**
Lit. Argyll St. W1 . . . . .4B **44**
Lit. Boltons, The SW5 . . . . . .5A **96**
   SW10 . . . . .5A **96**
Littlebourne Ho. SE17 . . . . . .5A **106**
Little Britain EC1 . . . . .2A **48**
Lit. Chelsea Ho. SW10 . . . . .3C **118**
Lit. Chester St. SW1 . . . . . . .1F **99**
Little Cloisters SW1 . . . . . . .1F **101**
Little Coll. La. EC4 . . . . .5D **49**
Little Coll. St. SW1 . . . . .1F **101**
Lit. Dean's Yd. SW1 . . . . . . .1F **101**
Lit. Dorrit Ct. SE1 . . . . .4C **76**
Lit. Edward St. NW1 . . . . . . .2A **26**
Lit. Essex St. WC2 . . . . .5D **47**
Lit. George St. SW1 . . . . . . .5F **73**
Lit. London Ct. SE1 . . . . .5C **78**
Lit. Marlborough St. W1 . . . .4B **44**
Lit. Newport St. WC2 . . . . . . .5E **45**
Lit. New St. EC4 . . . . .3E **47**
Lit. Portland St. W1 . . . . .3A **44**
Lit. Russell St. WC1 . . . . .2F **45**
Lit. St James's St. SW1 . . . . . .3B **72**
Little Sanctuary SW1 . . . . . . .5F **73**
Lit. Smith St. SW1 . . . . .1E **101**
Lit. Somerset St. E1 . . . . . . .4B **50**
Lit. Titchfield St. W1 . . . . . . .2B **44**
Littleton Ho. SW1 . . . . .1B **122**
Lit. Trinity La. EC4 . . . . .5C **48**
Little Turnstile WC1 . . . . .2B **46**
Livermere Ct. E8 . . . . .3C **16**
Livermere Rd. E8 . . . . .3B **16**
Liverpool Gro. SE17 . . . . . . .1C **126**
Liverpool Rd. E16 . . . . .1A **58**
   N1 . . . . .1E **13**
Liverpool St. EC2 . . . . .2F **49**
Livesey Mus. for Children
   .3F **129**
Livesey Pl. SE15 . . . . .2E **129**
Livingstone Ho. SE5 . . . . . . .4B **126**
Livingstone Lodge W9 . . . . . .1E **39**
Livingstone Mans. W14 . . . .2A **116**
Livingstone Pl. E14 . . . . .5B **112**
Livingwell Health Club *5F 5*
             (within Regents Plaza)
Livonia St. W1 . . . . .4C **44**
Lizard St. EC1 . . . . .3C **30**
Lizmans Ter. W8 . . . . .2E **95**
Llandovery Ho. E14 . . . . .5B **84**
Llewellyn St. SE16 . . . . .5E **79**
Lloyd Baker St. WC1 . . . . . . .3C **28**
             (not continuous)
Lloyd's Av. EC3 . . . . .4A **50**

Lloyds' Building 4F **49**
Lloyd Sq. WC1 . . . . .2D **29**
Lloyd's Row EC1 . . . . .3E **29**
Lloyd St. WC1 . . . . .2D **29**
Lloyds Wharf SE1 . . . . .4C **78**
Loanda Cl. E8 . . . .?B **16**
Lobelia Cl. E6 . . . . .1F **61**
Lochmore Ho. SW1 . . . . .4E **99**
Lochnagar St. E14 . . . . .2B **56**
Lockbridge Ct. W9 . . . . .1D **39**
Locke Ho. SW8 . . . . .5B **122**
Lockesfield Pl. E14 . . . . .5A **112**
Lockhart Ho. SE10 . . . . .4A **134**
Lockington Rd. SW8 . . . . . . .5A **122**
Lock Keepers Quay
   SE16 . . . . .2E **109**
Locksfields SE17 . . . . .4E **105**
Lockside E14 . . . . .5A **54**
Locksley Est. E14 . . . . .3B **54**
Locksley St. E14 . . . . .2B **54**
Locksons Cl. E14 . . . . .2F **55**
Lock Vw. Ct. E14 . . . . .5A **54**
Lockwood Ho. SE11 . . . . . . .3D **125**
Lockwood Sq. SE16 . . . . . . .1F **107**
Lockyer Est. SE1 . . . . .4E **77**
             (not continuous)
Lockyer Ho. SE10 . . . . .5B **114**
   SW8 . . . . .4E **123**
Lockyer St. SE1 . . . . .5E **77**
Loddon Ho. NW8 . . . . .5E **23**
Loder St. SE15 . . . . .5B **130**
Lodge Rd. NW8 . . . . .4E **23**
Lodore St. E14 . . . . .4B **56**
Loftie St. SE16 . . . . .5E **79**
Lofting Ho. N1 . . . . .2E **13**
Lofting Rd. N1 . . . . .2C **12**
Loftus Road 2A **64**
Loftus Rd. W12 . . . . .3A **64**
Loftus Vs. W12 . . . . .3A **64**
Logan M. W8 . . . . .3D **95**
Logan Pl. W8 . . . . .3D **95**
Lohmann Ho. SE11 . . . . .2D **125**
Lolesworth Cl. E1 . . . . .2C **50**
Lollard St. SE11 . . . . .3C **102**
             (not continuous)
Loman St. SE1 . . . . .4A **76**
Lomas Dr. E8 . . . . .1C **16**
Lomas St. E1 . . . . .1E **51**
Lombard Ct. EC3 . . . . .5E **49**
Lombard La. EC4 . . . . .4E **47**
Lombard St. EC3 . . . . .4E **49**
Lombard Trad. Est. SE7 . . . .3F **115**
Lombard Wall SE7 . . . . .2F **115**
             (not continuous)
Lombardy Pl. W2 . . . . .1F **67**
Lomond Gro. SE5 . . . . .4D **127**
Lomond Ho. SE5 . . . . .5D **127**
Loncroft Rd. SE5 . . . . .2A **128**
Londinium Twr. E1 . . . . .5C **50**
London Apollo 5C **92**
London Aquarium 4B **74**
London Arena 1A **112**
London Bri. EC4 . . . . .2E **77**
   SE1 . . . . .2E **77**
London Bri. St. SE1 . . . . .3E **77**
London Bri. Wlk. SE1 . . . . . . .2E **77**
London Business School 4B **24**
London Canal Mus. 5A **12**
LONDON CITY AIRPORT 2A **90**
London City College 3D **75**
London Coliseum 1F **73**

London College of Fashion, The
   .5B **30**
London Dungeon 3E **77**
London Eye 4B **74**
London Flds. E. Side E8 . . . . .2F **17**
London Fields Lido 1F **17**
London Flds. W. Side E8 . . . .1E **17**
London Fire Brigade Mus. . . .4B **76**
London Fruit Exchange E1 . . .2B **50**
London Guildhall University
   .3E **51**
London Ho. NW8 . . . . .5A **8**
   WC1 . . . . .4B **28**
London Ind. Pk., The E6 . . . . .1F **63**
             (not continuous)
London La. E8 . . . . .1F **17**
London Metropolitan University
   City of London 4B **50**
   Manningtree St. 3D **51**
London M. W2 . . . . .4E **41**
London Palladium 4B **44**
London Regatta Cen. 1E **89**
London Rd. SE1 . . . . .1F **103**
London School of Economics &
   Politics, The 4C **46**
London South Bank University
   .1A **104**
London South Bank University
   Sports Cen. 1A **104**
London Stock Exchange 3A **48**
London St. EC3 . . . . .5A **50**
   W2 . . . . .3D **41**
London Telecom Tower, The
   .1B **44**
London Television Cen., The
   .2D **75**
London Ter. E2 . . . . .1D **33**
London Transport Mus. 5A **46**
London Underwriting Cen.
   EC3 . . . . .5A **50**
London Wall EC2 . . . . .2C **48**
London Wall Bldgs. EC2 . . . . .2E **49**
London Wharf E2 . . . . .4F **17**
London Wildlife Trust 4E **11**
London Zoo 5D **9**
Long Acre WC2 . . . . .5F **45**
Longfellow Way SE1 . . . . . . .4C **106**
Longfield Est. SE1 . . . . .3C **106**
Longford Ho. E1 . . . . .3B **52**
Longford St. NW1 . . . . .4A **26**
Longhope Cl. SE15 . . . . .3A **128**
Longhurst Ho. W10 . . . . .2B **20**
Longland Ct. SE1 . . . . .5D **107**
Longlands Ct. W11 . . . . .5C **38**
Long La. EC1 . . . . .2A **48**
   SE1 . . . . .5D **77**
Longleat Ho. SW1 . . . . .5D **101**
Longley St. SE1 . . . . .4D **107**
Longman Ho. E2 . . . . .1D **35**
   E8 . . . . .4C **16**
Long Mark Rd. E16 . . . . .2D **61**
Long Mill SE10 . . . . .5F **133**
Longmoore St. SW1 . . . . .4B **100**
Longmore Gdns. Est.
   SW1 . . . . .4C **100**
Longnor Est. E1 . . . . .3E **35**
Longnor Rd. E1 . . . . .3E **35**
Longridge Ho. SE1 . . . . .2C **104**
Longridge Rd. SW5 . . . . .4D **95**
Long's Ct. WC2 . . . . .1E **73**
Longshore SE8 . . . . .4B **110**

Longshott Ct. SW5 . . . . . . .4D **95**
Longstone Ct. *SE1* *5C 76*
(off Gt. Dover St.)
Long St. E2 . . . . .2B **32**
Longville Rd. SE11 . . . . . . .3F **103**
Long Wlk. SE1 . . . . .1A **106**
Long Yd. WC1 . . . . .5B **28**
Lonsdale Ho. W11 . . . . .4C **38**
Lonsdale M. W11 . . . . .4C **38**
Lonsdale Pl. N1 . . . . .2E **13**
Lonsdale Rd. NW6 . . . . .5B **4**
W11 . . . . .4B **38**
Lonsdale Sq. N1 . . . . .2E **13**
Lonsdale Vw. W11 . . . . .1D **67**
Lord Amory Way E14 . . . . . .4B **84**
Lord Hills Bri. W2 . . . . .2A **40**
Lord Hills Rd. W2 . . . . .1A **40**
Lord North St. SW1 . . . . . . .2F **101**
Lord Roberts M. SW6 . . . . . .5F **117**
Lord's Cricket Ground 3E **23**
Lordship Pl. SW3 . . . . .3F **119**
Lord St. E16 . . . . .3A **90**
Lords Vw. NW8 . . . . .3E **23**
Lorenzo St. WC1 . . . . .2B **28**
Loris Rd. W6 . . . . .2C **92**
Lorne Cl. NW8 . . . . .3A **24**
Lorne Gdns. W11 . . . . .4E **65**
Lorne Ho. E1 . . . . .2F **53**
Lorraine Ct. NW1 . . . . .1A **10**
Lorrimore Rd. SE17 . . . . . . .3A **126**
Lorrimore Sq. SE17 . . . . . . .2A **126**
Lorton Ho. NW6 . . . . .4E **5**
Lothbury EC2 . . . . .3D **49**
Lothian Rd. SW9 . . . . .5A **126**
Lothrop St. W10 . . . . .2F **19**
Lots Rd. SW10 . . . . .5B **118**
Loudoun Rd. NW8 . . . . .2C **6**
Loughborough St. SE11 . . . .5C **102**
Louisa Gdns. E1 . . . . .5D **35**
Louisa St. E1 . . . . .5D **35**
Louise De Marillac Ho.
E1 . . . . .2B **52**
Lovage App. E6 . . . . .2A **62**
Lovat La. EC3 . . . . .5F **49**
(not continuous)
Lovegrove St. SE1 . . . . .1E **129**
Lovegrove Wlk. E14 . . . . . . .3B **84**
Lovelace Ho. E8 . . . . .3C **16**
Love La. EC2 . . . . .3C **48**
Lovelinch Cl. SE15 . . . . .3C **130**
Lovell Ho. E8 . . . . .3D **17**
Lovell Pl. SE16 . . . . .1A **110**
Lovers Wlk. SE10 . . . . .3E **135**
W1 . . . . .2D **71**
Lowder Ho. E1 . . . . .2A **80**
Lowe Av. E16 . . . . .2E **59**
Lowell Ho. SE5 . . . . .4C **126**
Lowell St. E14 . . . . .3A **54**
Lwr. Addison Gdns.
W14 . . . . .5F **65**
Lwr. Belgrave St. SW1 . . . . .2F **99**
Lwr. Clarendon Wlk.
W11 . . . . .4F **37**
Lwr. Grosvenor Pl. SW1 . . . .1F **99**
Lwr. James St. W1 . . . . .5C **44**
Lwr. John St. W1 . . . . .5C **44**
Lwr. Lea Crossing E14 . . . . .5F **57**
Lower Mall W6 . . . . .5A **92**
Lower Marsh SE1 . . . . .5D **75**
Lwr. Merton Ri. NW3 . . . . . . .1F **7**

Lower Rd. SE1 . . . . .4D **75**
SE8 . . . . .3D **109**
SE16 . . . . .5B **80**
(not continuous)
Lwr. Robert St. WC2 . . . . . . .1A **74**
Lwr. Sloane St. SW1 . . . . . .4D **99**
Lwr. Thames St. EC3 . . . . . .1E **77**
Lowerwood Ct. W11 . . . . . . .4A **38**
Lowestoft M. E16 . . . . .4F **91**
Lowfield Rd. NW6 . . . . .1D **5**
Lowndes Cl. SW1 . . . . .2E **99**
Lowndes Ct. SW1 . . . . .1C **98**
W1 . . . . .4B **44**
Lowndes Lodge SW1 . . . . . .1C **98**
Lowndes Pl. SW1 . . . . .2D **99**
Lowndes Sq. SW1 . . . . .5C **70**
Lowndes St. SW1 . . . . .1C **98**
Lowood Ho. E1 . . . . .5B **52**
Lowood St. E1 . . . . .5A **52**
Lowry Ct. SE16 . . . . .5A **108**
Lowry Ho. E14 . . . . .5E **83**
Lowther Gdns. SW7 . . . . . . .1E **97**
Lowther Ho. E8 . . . . .3B **16**
SW1 . . . . .1C **122**
Loxham St. WC1 . . . . .3A **28**
LSO St Lukes 4C **30**
Lubbock Ho. E14 . . . . .1A **84**
Lubbock St. SE14 . . . . .5C **130**
Lucan Ho. N1 . . . . .4E **15**
Lucan Pl. SW3 . . . . .4F **97**
Lucas Ho. SW10 . . . . .4A **118**
Lucerne M. W8 . . . . .2E **67**
Lucey Rd. SE16 . . . . .2D **107**
Lucey Way SE16 . . . . .2D **107**
Lucy Brown Ho. SE1 . . . . . .3C **76**
Ludgate B'way. EC4 . . . . . . .4F **47**
Ludgate Cir. EC4 . . . . .4F **47**
Ludgate Hill EC4 . . . . .4F **47**
Ludgate Sq. EC4 . . . . .4A **48**
Ludlow St. EC1 . . . . .4B **30**
Ludwell Ho. W14 . . . . .1F **93**
Ludwick M. SE14 . . . . .4F **131**
Lugard Ho. W12 . . . . .2A **64**
Luke Ho. E1 . . . . .4F **51**
Luke St. EC2 . . . . .4F **31**
Lukin St. E1 . . . . .4C **52**
Lullingstone Ho. SE15 . . . . .3C **130**
Lulworth NW1 . . . . .2D **11**
SE17 . . . . .5D **105**
Lulworth Ct. N1 . . . . .2A **16**
Lulworth Ho. SW8 . . . . .5B **124**
Lumina Bldgs. E14 . . . . .2C **84**
Lumley Ct. WC2 . . . . .5A **46**
Lumley Flats SW1 . . . . .5D **99**
Lumley St. W1 . . . . .4E **43**
Lumsdon NW8 . . . . .4A **6**
Luna Ho. SE16 . . . . .4D **79**
Luntley Pl. E1 . . . . .2D **51**
Lupino Ct. SE11 . . . . .3C **102**
Lupin Point SE1 . . . . .5C **78**
Lupus St. SW1 . . . . .2A **122**
Luralda Wharf E14 . . . . .5C **112**
Lurline Gdns. SW11 . . . . . . .5F **121**
Luscombe Way SW8 . . . . . . .4F **123**
Lushington Rd. NW10 . . . . . .1A **18**
Luton Pl. SE10 . . . . .5C **134**
Luton St. NW8 . . . . .5E **23**
Lutyens Ho. SW1 . . . . .1B **122**
Luxborough Ho. W1 . . . . . . .1D **43**
Luxborough St. W1 . . . . .5D **25**
Luxborough Twr. W1 . . . . . . .1D **43**

Luxemburg Gdns.
W6 . . . . .3D **93**
Luxford St. SE16 . . . . .4D **109**
Lyall M. SW1 . . . . .2D **99**
Lyall M. W. SW1 . . . . .2D **99**
Lyall St. SW1 . . . . .2D **99**
Lyal Rd. E3 . . . . .1F **35**
Lyceum Theatre 5B **46**
Lyden Ho. E1 . . . . .3E **35**
Lydford NW1 . . . . .4C **10**
Lydford Rd. W9 . . . . .4C **20**
Lygon Ho. E2 . . . . .2C **32**
Lygon Pl. SW1 . . . . .2F **99**
Lyly Ho. SE1 . . . . .2E **105**
Lyme St. NW1 . . . . .2B **10**
Lyme Ter. NW1 . . . . .2B **10**
Lymington Cl. E6 . . . . .1B **62**
Lymington Lodge E14 . . . . . .2D **113**
Lympstone Gdns. SE15 . . . . .4E **129**
Lynbrook Gro. SE15 . . . . . . .4A **128**
Lynch Wlk. SE8 . . . . .2C **132**
Lyndhurst Ct. NW8 . . . . .4D **7**
Lyndhurst Lodge E14 . . . . . .3D **113**
Lynne Ct. NW6 . . . . .2F **5**
Lynn Ho. SE15 . . . . .3F **129**
Lynton Est. SE1 . . . . .4D **107**
Lynton Ho. W2 . . . . .4B **40**
Lynton Mans. SE1 . . . . .1D **103**
Lynton Rd. NW6 . . . . .4C **4**
SE1 . . . . .4C **106**
Lynx Way E16 . . . . .5D **61**
Lyon Ho. NW8 . . . . .5F **23**
Lyons Pl. NW8 . . . . .5D **23**
Lyons St. N1 . . . . .2B **12**
Lyons Wlk. W14 . . . . .3F **93**
Lyric Ct. *E8* *2C 16*
(off Holly St.)
Lyric Theatre
Hammersmith 4B **92**
Westminster 5D **45**
Lysander Ho. E2 . . . . .1F **33**
Lytham St. SE17 . . . . .1D **127**
Lyttelton Cl. NW3 . . . . .2F **7**
Lyttelton Theatre *2C 74*
(in Royal National Theatre)

M

Mabledon Ct. WC1 . . . . .3E **27**
Mabledon Pl. WC1 . . . . .3E **27**
Mablethorpe Rd.
SW6 . . . . .5A **116**
Macartney Ho. SE10 . . . . . . .5E **135**
SW9 . . . . .5D **125**
McAuley Cl. SE1 . . . . .1D **103**
Macauley Ho. W10 . . . . .1F **37**
Macbeth Ho. N1 . . . . .5F **15**
Macbeth St. W6 . . . . .5A **92**
Macclesfield Ho. EC1 . . . . . .3B **30**
Macclesfield Rd. EC1 . . . . . .2B **30**
Macclesfield St. W1 . . . . . . .5E **45**
McCoid Way SE1 . . . . .5B **76**
McDowall Cl. E16 . . . . .2C **58**
Mace Cl. E1 . . . . .2F **79**
Mace St. E2 . . . . .1D **35**
Macey St. SE10 . . . . .2B **134**
Macfarland Gro. SE15 . . . . . .4A **128**
Macfarlane Rd. W12 . . . . . . .3B **64**
Macfarren Pl. NW1 . . . . .5E **25**
Macfarron Ho. W10 . . . . .2A **20**
McGlashon Ho. E1 . . . . .5D **33**

McGregor Ct. N1 . . . . .2A 32
Macgregor Rd. E16 . . . . .1C 60
McGregor Rd. W11 . . . . .2B 38
McIndoe Ct. N1 . . . . .3D 15
Macintosh Ho. W1 . . . . .1E 43
McIntosh Ho. SE16 . . . . .4C 108
Mackay Ho. W12 . . . . .1A 64
Mackennal St. NW8 . . . . .1A 24
Mackenzie Cl. W12 . . . . .5A 36
Mackenzie Wlk. E14 . . . . .2D 83
Macklin St. WC2 . . . . .3A 46
Mackonochie Ho. EC1 . . . . . . .1D 47
Mackrow Wlk. E14 . . . . .5C 56
Mack's Rd. SE16 . . . . .3E 107
Mackworth Ho. NW1 . . . . .2B 26
Mackworth St. NW1 . . . . .2B 26
McLaren Ho. SE1 . . . . .5F 75
McLeod's M. SW7 . . . . .2A 96
Macleod St. SE17 . . . . .1C 126
Maclise Ho. SW1 . . . . .4F 101
Maclise Rd. W14 . . . . .2F 93
Macmillan Ho. NW8 . . . . .3A 24
McMillan St. SE8 . . . . .3D 133
Macnamara Ho. SW10 . . . . . . .4D 119
Maconochies Rd. E14 . . . . . . .5F 111
Macquarie Way E14 . . . . .4A 112
Macready Ho. W1 . . . . .2A 42
Macroom Ho. W9 . . . . .2C 20
Macroom Rd. W9 . . . . .2C 20
Mac's Pl. EC4 . . . . .3E 47
Madame Tussaud's 5D 25
Maddams St. E3 . . . . .1F 55
Maddocks Ho. E1 . . . . .5A 52
Maddock Way SE17 . . . . .3A 126
Maddox St. W1 . . . . .5A 44
Madison, The SE1 . . . . .5D 77
Madison Ho. E1 . . . . .5B 54
Madrigal La. SE5 . . . . .5A 126
Madron St. SE17 . . . . .5A 106
Magazine Ga. W2 . . . . .2A 70
Magdalen Ho. E16 . . . . .2F 87
Magdalen Pas. E1 . . . . .5C 50
Magdalen St. SE1 . . . . .3F 77
Magee St. SE11 . . . . .2D 125
Magellan Ho. E1 . . . . .5E 35
Magellan Pl. E14 . . . . .4E 111
Magnin Cl. E8 . . . . .3D 17
Magnolia Ho. SE8 . . . . .2C 132
Magnolia Lodge W8 . . . . .2F 95
Magpie All. EC4 . . . . .4E 47
Magpie Pl. SE14 . . . . .3A 132
Magri Wlk. E1 . . . . .2B 52
Maguire St. SE1 . . . . .4C 78
Mahogany Cl. SE16 . . . . .3A 82
Maida Av. W2 . . . . .1C 40
MAIDA HILL 5C 20
MAIDA VALE 3F 21
Maida Va. W9 . . . . .5F 5
Maiden La. NW1 . . . . .1E 11
  SE1 . . . . .3C 76
  WC2 . . . . .1A 74
Maidstone Bldgs. M. SE1 . . . .3C 76
Maidstone Ho. E14 . . . . .3F 55
Mail Coach Yd. E2 . . . . .2A 32
Main Mill SE10 . . . . .5F 133
Maismore St. SE15 . . . . .3E 129
Maitland Cl. SE10 . . . . .5A 134
Maitland Ct. W2 . . . . .5D 41
Maitland Ho. SW1 . . . . .2B 122
Maize Row E14 . . . . .5B 54
Major Rd. SE16 . . . . .1E 107

Makins St. SW3 . . . . .4A 98
Malabar Ct. W12 . . . . .1A 64
Malabar St. E14 . . . . .5E 83
Malam Ct. SE11 . . . . .4D 103
Malam Gdns. E14 . . . . .5F 55
Malcolm Ho. N1 . . . . .1F 31
Malcolm Cl. N1 . . . . .3B 14
Malcolm Pl. E2 . . . . .4B 34
Malcolm Rd. E1 . . . . .4B 34
Malcolm Sargent Ho.
  E16 . . . . .2A 88
    (off Evelyn Rd.)
Malcolmson Ho. SW1 . . . . .1D 123
Malden Cres. NW1 . . . . .1E 9
Maldon Cl. N1 . . . . .3B 14
Malet Pl. WC1 . . . . .5D 27
Malet St. WC1 . . . . .5D 27
Mall, The SW1 . . . . .4B 72
Mallard Cl. NW6 . . . . .4E 5
Mallard Ho. NW8 . . . . .1F 23
Mall Chambers W8 . . . . .2E 67
Mall Galleries 2E 73
Mall Gallery WC2 . . . . .4F 45
    (in Thomas Neals Shop. Mall)
Mallon Gdns. E1 . . . . .3C 50
Mallord St. SW3 . . . . .2E 119
Mallory Bldgs. EC1 . . . . .5F 29
Mallory Cl. E14 . . . . .1A 56
Mallory St. NW8 . . . . .4A 24
Mallow St. EC1 . . . . .4D 31
Mall Rd. W6 . . . . .5A 92
Mall Vs. W6 . . . . .5A 92
Malmesbury E2 . . . . .1B 34
Malmesbury Rd. E16 . . . . . . .2A 58
Malmesbury Ter. E16 . . . . . . .1B 58
Malmsey Ho. SE11 . . . . .5C 102
Malta St. EC1 . . . . .4A 30
Maltby St. SE1 . . . . .5B 78
Malting Ho. E14 . . . . .5B 54
Maltings Pl. SE1 . . . . .5A 78
Malton M. W10 . . . . .3F 37
Malton Rd. W10 . . . . .3F 37
Maltravers St. WC2 . . . . .5C 46
Malt St. SE1 . . . . .2D 129
Malvern Cl. W10 . . . . .2B 38
Malvern Ct. SW7 . . . . .3E 97
Malvern M. NW6 . . . . .2D 21
Malvern Pl. NW6 . . . . .2C 20
Malvern Rd. E8 . . . . .2D 17
  NW6 . . . . .1C 20
    (not continuous)
Malvern Ter. N1 . . . . .3D 13
Managers St. E14 . . . . .3C 84
Manchester Ct. E16 . . . . .4A 60
Manchester Dr. W10 . . . . .5F 19
Manchester Gro. E14 . . . . . . .5B 112
Manchester Ho. SE17 . . . . . . .5C 104
Manchester M. W1 . . . . .2D 43
Manchester Rd. E14 . . . . .5C 84
Manchester Sq. W1 . . . . .3E 43
Manchester St. W1 . . . . .2D 43
Manciple St. SE1 . . . . .5D 77
Mandarin Ct. SE8 . . . . .3D 133
Mandarin St. E14 . . . . .5D 55
Mandela Cl. W12 . . . . .1A 64
Mandela Ho. E2 . . . . .3B 32
Mandela Rd. E16 . . . . .4E 59
Mandela St. NW1 . . . . .3C 10
  SW9 . . . . .5D 125
    (not continuous)
Mandela Way SE1 . . . . .3F 105
Manderley W14 . . . . .1B 94

Mandeville Ho. SE1 . . . . .5C 106
Mandeville Pl. W1 . . . . .3E 43
Manette St. W1 . . . . .4E 45
Manilla St. E14 . . . . .4D 83
Manitoba Ct. SE16 . . . . .5C 80
Manloy Ho. OE11 . . . . .5D 100
Manley St. NW1 . . . . .3D 9
Manneby Prior N1 . . . . .1C 28
Manningford Cl. EC1 . . . . .2F 29
Manning Ho. W11 . . . . .4A 38
Manningtree St. E1 . . . . .3D 51
Manny Shinwell Ho.
  SW6 . . . . .3C 116
Manor Est. SE16 . . . . .4F 107
Manor Gro. SE15 . . . . .3B 130
Manor Ho. NW1 . . . . .1A 42
Manor Ho. Ct. W9 . . . . .5B 22
Manor M. NW6 . . . . .5E 5
Manor Pl. SE17 . . . . .1A 126
Manresa Rd. SW3 . . . . .1F 119
Mansell St. E1 . . . . .4C 50
Mansfield Ct. E2 . . . . .4C 16
Mansfield Ho. N1 . . . . .4F 15
    (off New Era Est.)
Mansfield M. W1 . . . . .2F 43
Mansfield St. W1 . . . . .2F 43
Mansford St. E2 . . . . .1E 33
Mansion House 4D 49
Mansion Ho. Pl. EC4 . . . . . . .4D 49
Mansion Ho. St. EC4 . . . . . . .4D 49
Mansions, The SW5 . . . . .5F 95
Manson M. SW7 . . . . .4C 96
Manson Pl. SW7 . . . . .4D 97
Manston NW1 . . . . .2C 10
Manston Ho. W14 . . . . .2A 94
Mantus Cl. E1 . . . . .4C 34
Mantus Rd. E1 . . . . .4B 34
Manwood St. E16 . . . . .3C 90
Mapesbury Rd. NW2 . . . . .1A 4
Mapes Ho. NW6 . . . . .2A 4
Mape St. E2 . . . . .4F 33
    (not continuous)
Maple Ct. E6 . . . . .2E 63
Maplecroft Cl. E6 . . . . .3F 61
Mapledene Est. E8 . . . . .1D 17
Mapledene Rd. E8 . . . . .1C 16
Maple Ho. SE8 . . . . .4C 132
Maple Leaf Sq.
  SE16 . . . . .4E 81
Maple Lodge W8 . . . . .2F 95
Maple M. NW6 . . . . .5F 5
Maple Pl. W1 . . . . .5C 26
Maples Pl. E1 . . . . .1A 52
Maple St. E2 . . . . .1E 33
  W1 .1B 44
Maple Wlk. W10 . . . . .4E 19
Maplin Rd. E16 . . . . .3E 59
Marathon Ho. NW1 . . . . .1B 42
Marban Rd. W9 . . . . .2B 20
Marble Arch 5C 42
MARBLE ARCH 5B 42
Marble Arch W1 . . . . .5B 42
Marble Arch Apartments
  W1 .3B 42
Marble Ho. W9 . . . . .5C 20
Marble Quay E1 . . . . .2D 79
Marbles Ho. SE5 . . . . .2C 126
Marchant Ct. SE1 . . . . .5C 106
Marchant Ho. N1 . . . . .4F 15
    (off New Era Est.)

Marchant St. SE14 . . . . . .3F **131**
Marchbank Rd. W14 . . . . . .2C **116**
Marchmont St. WC1 . . . . . .4F **27**
Marchwood Cl. SE5 . . . . .5A **128**
Marcia Rd. SE1 . . . . .4A **106**
Marco Polo Ho. SW8 . . . . .4F **121**
Marco Rd. W6 . . . . .2A **92**
Marden Sq. SE16 . . . . . . .2F **107**
Mardyke Ho. SE17 . . . . . . .3E **105**
Mare St. E2 . . . . .5F **17**
Margaret Ct. W1 . . . . .3B **44**
Margaret Herbison Ho.
  SW6 . . . . .3C **116**
Margaret Ho. W6 . . . . .5B **92**
Margaret Ingram Cl.
  SW6 . . . . .3B **116**
Margaret St. W1 . . . . .3A **44**
Margaretta Ter. SW3 . . . . .2F **119**
Margaret White Ho.
  NW1 . . . . .2D **27**
Margery St. WC1 . . . . .3D **29**
Margravine Gdns. W6 . . . . .5E **93**
Maria Cl. SE1 . . . . .3E **107**
Marian Pl. E2 . . . . .5F **17**
Marian St. E2 . . . . .5F **17**
Maria Ter. E1 . . . . .1D **53**
Maribor SE10 . . . . .4C **134**
Marie Lloyd Ho. N1 . . . . . .1D **31**
Marie Lloyd Wlk. E8 . . . . .1D **17**
Marigold All. SE1 . . . . . . .1F **75**
Marigold St. SE16 . . . . . . .5F **79**
Marinel Ho. SE5 . . . . .5C **126**
Mariners M. E14 . . . . .3D **113**
Marine St. SE16 . . . . .1D **107**
Marine Twr. SE8 . . . . .2B **132**
Marion Ho. NW1 . . . . .3C **8**
Maritime Ind. Est. SE7 . . . .4F **115**
Maritime Quay E14 . . . . . .5E **111**
Marjorie M. E1 . . . . .4D **53**
Market Ct. W1 . . . . .3B **44**
Market Entrance SW8 . . . . .4C **122**
Market La. W12 . . . . .5B **64**
Market M. W1 . . . . .3F **71**
Market Pl. SE16 . . . . .3E **107**
  (not continuous)
  W1 . . . . .3B **44**
Market Sq. E14 . . . . .4A **56**
Market St. E1 . . . . .1B **50**
Market Way E14 . . . . .4A **56**
Market Yd. M. SE1 . . . . . .1A **106**
Markham Pl. SW3 . . . . . . .5B **98**
Markham Sq. SW3 . . . . . . .5B **98**
Markham St. SW3 . . . . . . .5A **98**
Mark Ho. E2 . . . . .1D **35**
Markland Ho. W10 . . . . . . .5D **37**
Mark La. EC3 . . . . .5A **50**
Mark Sq. EC2 . . . . .4F **31**
Markstone Ho. SE1 . . . . . .5F **75**
Mark St. EC2 . . . . .4F **31**
Markyate Ho. W10 . . . . . . .5B **18**
Marland Ho. SW1 . . . . . . .1C **98**
Marlborough W9 . . . . .2B **22**
Marlborough Av. E8 . . . . . .4D **17**
  (not continuous)
Marlborough Cl. SE17 . . . .4A **104**
Marlborough Ct. W1 . . . . . .4B **44**
  W8 . . . . .3D **95**
Marlborough Flats SW3 . . . .3A **98**
Marlborough Ga. Ho. W2 . . .5D **41**
Marlborough Gro. SE1 . . . .1D **129**
Marlborough Hill NW8 . . . . .3D **7**

Marlborough House 3C **72**
Marlborough Ho. E16 . . . . . .2E **87**
  NW1 . . . . .4A **26**
Marlborough Lodge NW8 . . .1B **22**
Marlborough Pl. NW8 . . . . .1B **22**
Marlborough Rd. SW1 . . . . .3C **72**
Marlborough St. SW3 . . . . .4F **97**
Marlbury NW8 . . . . .4A **6**
Marley Ho. W11 . . . . .1E **65**
Marloes Rd. W8 . . . . .2F **95**
Marlowe Bus. Cen. SE14 . . .5A **132**
Marlowe Ct. SW3 . . . . .4A **98**
Marlowe Ho. SE8 . . . . .5B **110**
Marlowe Path SE8 . . . . . . .2F **133**
Marlowes, The NW8 . . . . . .4D **7**
Marlow Ho. E2 . . . . .3B **32**
  SE1 . . . . .1B **106**
  W2 . . . . .4A **40**
  (off Hallfield Est.)
Marlow Way SE16 . . . . .4D **81**
Marlow Workshops E2 . . . . .3B **32**
Marlton St. SE10 . . . . .5C **114**
Marmara Apartments E16 . . .1E **87**
Marmont Rd. SE15 . . . . . . .5E **129**
Marmora Ho. E1 . . . . .1F **53**
Marne St. W10 . . . . .2F **19**
Marnock Ho. SE17 . . . . . . .5D **105**
Maroon St. E14 . . . . .2F **53**
Marqueen Ct. W8 . . . . .4F **67**
  (off Kensington Chu. St.)
Marquis Rd. NW1 . . . . .1E **11**
Marrick Ho. NW6 . . . . .4A **6**
Marryat Ho. SW1 . . . . .1B **122**
Marryat Sq. SW6 . . . . .5A **116**
Marshall Ho. N1 . . . . .5E **15**
  NW6 . . . . .5C **4**
  SE1 . . . . .2A **106**
  SE17 . . . . .5D **105**
Marshall's Pl. SE16 . . . . . .2C **106**
Marshall St. W1 . . . . .4C **44**
Marshalsea Rd. SE1 . . . . . .4C **76**
Marsham Ct. SW1 . . . . .3E **101**
Marsham St. SW1 . . . . .2E **101**
Marsh Cen., The E1 . . . . . .3C **50**
Marsh Ct. E8 . . . . .1D **17**
Marshfield St. E14 . . . . . . .1B **112**
Marsh Ho. SW1 . . . . .1E **123**
Marsh St. E14 . . . . .4F **111**
Marsh Wall E14 . . . . .3D **83**
Marshwood Ho. NW6 . . . . . .4E **5**
Marsland Cl. SE17 . . . . . . .1A **126**
Marsom Ho. N1 . . . . .1D **31**
Marston Cl. NW6 . . . . .1C **6**
Marsworth Ho. E2 . . . . .4D **17**
Martara M. SE17 . . . . .1B **126**
Martello St. E8 . . . . .1F **17**
Martello Ter. E8 . . . . .1F **17**
Martha Ct. E2 . . . . .5F **17**
Martha's Bldgs. EC1 . . . . . .4D **31**
Martha St. E1 . . . . .4A **52**
Martin Ct. E14 . . . . .5C **84**
Martindale Av. E16 . . . . . . .5E **59**
Martindale Ho. E14 . . . . . .1A **84**
Martineau Est. E1 . . . . .5B **52**
Martineau Ho. SW1 . . . . . . .1B **122**
Martin Ho. SE1 . . . . .2C **104**
  SW8 . . . . .4F **123**
Martin La. EC4 . . . . .5E **49**
  (not continuous)
Martlett Ct. WC2 . . . . .4A **46**
Marvell Ho. SE5 . . . . .5D **127**

Marville Rd. SW6 . . . . .5B **116**
Mary Ann Gdns. SE8 . . . . .3D **133**
Mary Bayly Ho. W11 . . . . . .2F **65**
Mary Datchelor Cl. SE5 . . . .5E **127**
Mary Flux Ct. SW5 . . . . . . .5F **95**
Mary Grn. NW8 . . . . .3A **6**
Mary Ho. W6 . . . . .5B **92**
Mary Jones Ho. E14 . . . . . .1D **83**
Marylands Rd. W9 . . . . . . .5E **21**
Maryland Wlk. N1 . . . . .3B **14**
MARYLEBONE 1E **43**
Marylebone Cricket Club . . .2E **23**
MARYLEBONE FLYOVER 2F **41**
Marylebone Fly-Over W2 . . .2E **41**
Marylebone High St. W1 . . .1E **43**
Marylebone La. W1 . . . . . . .2E **43**
Marylebone M. W1 . . . . . . .2F **43**
Marylebone Pas. W1 . . . . . .3C **44**
Marylebone Rd. NW1 . . . . . .1A **42**
Marylebone St. W1 . . . . . . .2E **43**
Marylee Way SE11 . . . . . . .4C **102**
Mary Macarthur Ho. E2 . . . .2D **35**
  W6 . . . . .2A **116**
Maryon Ho. NW6 . . . . .2C **6**
Mary Pl. W11 . . . . .1F **65**
Mary Rose Mall E6 . . . . . . .2C **62**
Marys Ct. NW1 . . . . .4A **24**
Mary Seacole Cl. E8 . . . . . .4B **16**
Mary Smith Ct. SW5 . . . . . .4E **95**
Marysmith Ho. SW1 . . . . . .5E **101**
Mary St. E16 . . . . .2B **58**
  N1 . . . . .4C **14**
Mary Ter. NW1 . . . . .4A **10**
Mary Wharrie Ho. NW3 . . . .1B **8**
Marzell Ho. W14 . . . . .1B **116**
Masbro' Rd. W14 . . . . .2E **93**
Masefield Ho. NW6 . . . . . . .2D **21**
Maskelyne Cl. SW11 . . . . . .5A **120**
Mason Cl. E16 . . . . .5D **59**
  SE16 . . . . .5E **107**
Mason Ho. SE1 . . . . .4E **107**
Mason's Arms M. W1 . . . . . .4A **44**
Mason's Av. EC2 . . . . .3D **49**
Masons Pl. EC1 . . . . .2A **30**
Mason St. SE17 . . . . .4E **105**
Masons Yd. EC1 . . . . .2A **30**
  SW1 . . . . .2C **72**
Massinger St. SE17 . . . . . .4F **105**
Massingham St. E1 . . . . . . .4D **35**
Mast Ct. SE16 . . . . .3A **110**
Masterman Ho. SE5 . . . . . .4D **127**
Masters Dr. SE16 . . . . .1F **129**
Masters Lodge E1 . . . . . . .4C **52**
Masters St. E1 . . . . .1E **53**
Mast Ho. Ter. E14 . . . . . . .4E **111**
  (not continuous)
Mastmaker Ct. E14 . . . . . . .5E **83**
Mastmaker Rd. E14 . . . . . . .5E **83**
Matheson Lang Ho.
  SE1 . . . . .5D **75**
Matheson Rd. W14 . . . . . . .4B **94**
Mathews Yd. WC2 . . . . .4F **45**
Mathieson Ct. SE1 . . . . . . .5A **76**
Mathison Ho. SW10 . . . . . .4B **118**
Matilda Ho. E1 . . . . .2D **79**
Matilda St. N1 . . . . .4C **12**
Matisse Ct. EC1 . . . . .4D **31**
Matlock Ct. NW8 . . . . .5B **6**
  W11 . . . . .1D **67**
Matlock St. E14 . . . . .3F **53**
Maton Ho. SW6 . . . . .4B **116**

Matson Ho. SE16 . . . . .2A **108**
Matthew Cl. W10 . . . . .1D **37**
Matthew Parker St.
  SW1 . . . . .5E **73**
Matthews Ho. E14 . . . . .2D **55**
Maude Ho. E2 . . . . .1D **33**
Maudlins Grn. E1 . . . . .2D **79**
Maud St. E16 . . . . .2B **58**
Maunsel St. SW1 . . . . .3D **101**
Maurer Ct. SE10 . . . . .1C **114**
Mauretania Bldg. E1 . . . . . .5E **53**
Maurice Ct. E1 . . . . .3F **35**
Maurice Drummond Ho.
  SE10 . . . . .5F **133**
Maurice St. W12 . . . . .4A **36**
Mauritius Rd. SE10 . . . . . .4A **114**
Mavis Wlk. E6 . . . . .2F **61**
Mavor Ho. N1 . . . . .4C **12**
Mawbey Ho. SE1 . . . . .1C **128**
Mawbey Pl. SE1 . . . . .1C **128**
Mawbey Rd. SE1 . . . . .1C **128**
Mawbey St. SW8 . . . . .5F **123**
Mawdley Ho. SE1 . . . . .5E **75**
Mawson Ct. N1 . . . . .4E **15**
Mawson Ho. EC1 . . . . .1D **47**
Maxilla Wlk. W10 . . . . .4E **37**
Maxwell Rd. SW6 . . . . . . .5F **117**
Maybury Ct. W1 . . . . .2E **43**
Maydew Ho. SE16 . . . . . . .3B **108**
Maydwell Ho. E14 . . . . . . .2D **55**
MAYFAIR 1F **71**
Mayfair M. NW1 . . . . .2C **8**
Mayfair Pl. W1 . . . . .2A **72**
Mayfield Cl. E8 . . . . .1B **16**
Mayfield Ho. E2 . . . . .1A **34**
Mayfield Rd. E8 . . . . .2B **16**
  E13 . . . . .1C **58**
Mayflower Cl. SE16 . . . . . .3E **109**
Mayflower St. SE16 . . . . . .5B **80**
Mayford NW1 . . . . .5C **10**
      (not continuous)
Maygood St. N1 . . . . .5D **13**
Maylands Ho. SW3 . . . . . . .4A **98**
Maylie Ho. SE16 . . . . .5F **79**
Maynard Cl. SW6 . . . . .5A **118**
Maynards Quay E1 . . . . . . .1B **80**
Mayo Ho. E1 . . . . .2B **52**
May's Bldgs. M.
  SE10 . . . . .5D **135**
Mays Ct. SE10 . . . . .5D **135**
  WC2 . . . . .1F **73**
May St. W14 . . . . .1C **116**
      (North End Rd.)
  W14 . . . . .1B **116**
      (Vereker Rd.)
May Wynne Ho. E16 . . . . . .5F **59**
Maze Hill SE3 . . . . .3F **135**
  SE10 . . . . .2F **135**
Maze Hill Lodge SE10 . . . . .2E **135**
Mazenod Av. NW6 . . . . . . .2E **5**
MCC Cricket Mus. and Tours
  . . . . .3D **23**
Meadbank Studios SW11 . .5A **120**
Mead Cl. NW1 . . . . .1E **9**
Meadcroft Rd. SE11 . . . . . .3F **125**
      (not continuous)
Meader Ct. SE14 . . . . .4E **131**
Mead Ho. W11 . . . . .2B **66**
Meadowbank NW3 . . . . . . .2B **8**
Meadow Ct. N1 . . . . .5F **15**
Meadow M. SW8 . . . . .3B **124**

Meadow Pl. SW8 . . . . .4A **124**
Meadow Rd. SW8 . . . . .4B **124**
Meadow Row SE1 . . . . .2B **104**
Meadowsweet Cl. E16 . . . . .2D **61**
Mead Row SE1 . . . . .1D **103**
Meakin Est. SE1 . . . . .1F **105**
Meard St. W1 . . . . .4D **45**
      (not continuous)
Mecca Bingo
  Camden 3A **10**
  Fulham Broadway 4D **117**
  Haggerston 1C **32**
  Islington 2B **14**
  Kilburn 2D **5**
Mecklenburgh Pl. WC1 . . . .4B **28**
Mecklenburgh Sq. WC1 . . . .4B **28**
Mecklenburgh St. WC1 . . . .4B **28**
Medburn St. NW1 . . . . .5D **11**
Medhurst Cl. E3 . . . . .1F **35**
      (not continuous)
Medland Ho. E14 . . . . .5F **53**
Medlar St. SE5 . . . . .5C **126**
Medway Bldgs. E3 . . . . . . .1F **35**
Medway Ct. WC1 . . . . .3F **27**
Medway Ho. NW8 . . . . .5F **23**
  SE1 . . . . .5E **77**
Medway M. E3 . . . . .1F **35**
Medway Rd. E3 . . . . .1F **35**
Medway St. SW1 . . . . .2D **101**
Meeting Ho. All. E1 . . . . . . .2A **80**
Meeting Ho. La. SE15 . . . . .5F **129**
Melbourne Ct. W9 . . . . .4C **22**
Melbourne Ho. W8 . . . . . . .3D **67**
Melbourne Mans. W14 . . . .2A **116**
Melbourne Pl. WC2 . . . . . . .5C **46**
Melbourne Ter. SW6 . . . . . .5F **117**
Melbury Ct. W8 . . . . .1C **94**
Melbury Dr. SE5 . . . . .5F **127**
Melbury Ho. SW8 . . . . .4B **124**
Melbury Rd. W14 . . . . .1B **94**
Melbury Ter. NW1 . . . . .5A **24**
Melchester W11 . . . . .3C **38**
Melcombe Ct. NW1 . . . . . . .1B **42**
Melcombe Ho. SW8 . . . . . .5B **124**
Melcombe Pl. NW1 . . . . . . .1B **42**
Melcombe Regis Ct. *W1* . . .*2E 43*
      (off Weymouth St.)
Melcombe St. NW1 . . . . . . .5C **24**
Melford Ct. SE1 . . . . .1A **106**
Melina Pl. NW8 . . . . .3D **23**
Melior Pl. SE1 . . . . .4F **77**
Melior St. SE1 . . . . .4F **77**
Mellish Ho. E1 . . . . .3F **51**
Mellish St. E14 . . . . .1D **111**
Mell St. SE10 . . . . .1F **135**
Melon Pl. W8 . . . . .4E **67**
Melrose Gdns. W6 . . . . .1C **92**
Melrose Ho. E14 . . . . .1A **112**
  NW6 . . . . .2E **21**
  SW1 . . . . .5F **99**
Melrose Ter. W6 . . . . .5C **64**
Melton Ct. SW7 . . . . .4E **97**
Melton St. NW1 . . . . .3C **26**
Melville Ct. SE8 . . . . .4F **109**
  W12 . . . . .1A **92**
Melville Pl. N1 . . . . .2B **14**
Melwood Ho. E1 . . . . .4A **52**
Memel Ct. EC1 . . . . .5B **30**
Memel St. EC1 . . . . .5B **30**
Menard Ct. EC1 . . . . .3C **30**
Mendham Ho. SE1 . . . . . . .1F **105**

Mendip Ct. SE14 . . . . .3C **130**
Mendip Ho's. E2 . . . . .2C **34**
Mendora Rd. SW6 . . . . . . .4A **116**
Menier Chocolate Factory . . .*3C 76*
      (off O'Meara St.)
Menotti St. E2 . . . . .1E **33**
Menteath Ho. E14 . . . . .3D **55**
Mentmore Ter. E8 . . . . .2F **17**
Mentone Mans. SW10 . . . . .4A **118**
Mepham St. SE1 . . . . .3D **75**
Mercator Pl. E14 . . . . .5E **111**
Mercer Bldg. EC2 . . . . .4A **32**
Mercer Ho. SW1 . . . . .5F **99**
Merceron Ho's. E2 . . . . . . .2B **34**
Merceron St. E1 . . . . .5F **33**
Mercers Cl. SE10 . . . . .4B **114**
Mercer's Cotts. E1 . . . . . . .3F **53**
Mercers Pl. W6 . . . . .3C **92**
Mercer St. WC2 . . . . .4F **45**
Merchant Ct. E1 . . . . .2C **80**
Merchants Ho. SE10 . . . . . .1E **135**
Merchants Row *SE10* *1E 135*
      (off Hoskins St.)
Mercury Ct. E14 . . . . .3D **111**
Mercury Way SE14 . . . . . . .2D **131**
Meredith St. EC1 . . . . .3F **29**
Mereworth Ho. SE15 . . . . . .2C **130**
Merganser Ct. SE8 . . . . . . .3C **132**
Meriden Ct. SW3 . . . . .1F **119**
Meriden Ho. *N1* *4A 16*
      (off Wilmer Gdns.)
Meridian Ct. *SE16* *4D 79*
      (off Nth. Flock St.)
Meridian Ga. E14 . . . . .4B **84**
Meridian Ho. SE10 . . . . . . .4A **114**
      (Azof St.)
  SE10 . . . . .4B **134**
      (Royal Hill)
Meridian Pl. E14 . . . . .4B **84**
Meridian Point SE8 . . . . . . .3F **133**
Meridian Trad. Est.
  SE7 . . . . .3F **115**
Merlins Ct. WC1 . . . . .3D **29**
Merlin St. WC1 . . . . .3D **29**
Mermaid Ct. E8 . . . . .2B **16**
  SE1 . . . . .4D **77**
  SE16 . . . . .3B **82**
Mermaid Ho. E14 . . . . .5B **56**
Mermaid Twr. SE8 . . . . .3B **132**
Merrick Sq. SE1 . . . . .1D **105**
Merrington Rd. SW6 . . . . . .2E **117**
Merritt's Bldgs. EC2 . . . . . .5F **31**
Merrivale NW1 . . . . .4C **10**
Merrow St. SE17 . . . . .2C **126**
Merrow Wlk. SE17 . . . . . . .5E **105**
Merton Ri. NW3 . . . . .1F **7**
Mertoun Ter. W1 . . . . .2B **42**
Messina Av. NW6 . . . . .2D **5**
Messiter Ho. N1 . . . . .4C **12**
Methley St. SE11 . . . . .1E **125**
Methwold Rd. W10 . . . . . . .1D **37**
Metro Central Hgts. SE1 . . .2B **104**
Metropolis SE11 . . . . .2A **104**
Metropolitan Bus. Cen.
  N1 . . . . .2A **16**
Metropolitan Cl. E14 . . . . . .2E **55**
Metropolitan Sta. Bldgs.
  W6 . . . .*4C 92*
      (off Beadon Rd.)
Metropolitan Wharf E1 . . . . .2B **80**
Mews, The N1 . . . . .3C **14**

Mews St. E1 . . . . .2D **79**	Millard Ho. SE8 . . . . .5B **110**	Minera M. SW1 . . . . .3E **99**
Mexborough NW1 . . . . .4B **10**	Millbank SW1 . . . . .2F **101**	Minerva Cl. SW9 . . . . .5E **125**
Meymott St. SE1 . . . . .3F **75**	Millbank Ct. SW1 . . . . .3F **101**	(not continuous)
Meyrick Ho. E14 . . . . .2D **55**	Millbank Twr. SW1 . . . . .4F **101**	Minerva St. E2 . . . . .1F **33**
Miah Ter. E1 . . . . .3E **79**	Millbrook Ho. SE15 . . . . . . .3E **129**	Minerva Wlk. EC1 . . . . .3A **48**
Micawber Ct. N1 . . . . .2C **30**	Millbrook Pl. *NW1* *5B 10*	Minford Gdns. W14 . . . . .5D **65**
Micawber Ho. SE16 . . . . .5E **79**	(off Hampstead Rd.)	Minford Ho. W14 . . . . .5D **65**
Micawber St. N1 . . . . .2C **30**	Millender Wlk. SE16 . . . . . . .4C **108**	Ming St. E14 . . . . .5E **55**
Michael Cliffe Ho. EC1 . . . . .3E **29**	Millennium Bridge 1A **76**	Miniver Pl. EC4 . . . . .5C **48**
Michael Faraday Ho.	Millennium Bri. Ho. EC4 . . . .5B **48**	Minnow St. SE17 . . . . .4A **106**
SE17 . . . . .1F **127**	Millennium Cl. E16 . . . . .3F **59**	Minnow Wlk. SE17 . . . . .4A **106**
Michael Rd. SW6 . . . . .5A **118**	Millennium Dome 3F **85**	Minories EC3 . . . . .4B **50**
Michael Stewart Ho.	Millennium Dr. E14 . . . . .3D **113**	Minster Ct. EC3 . . . . .5A **50**
SW6 . . . . .3C **116**	Millennium Pl. E2 . . . . .1A **34**	Minster Pavement EC3 . . . . .5A **50**
Michelangelo Ct. SE16 . . . . .5F **107**	Millennium Sq. SE1 . . . . . . .4C **78**	Mint Bus. Pk. E16 . . . . .2E **59**
Michelson Ho. SE11 . . . . . . .4C **102**	Millennium Way SE10 . . . . . .4F **85**	Mintern St. N1 . . . . .5E **15**
Michigan Ho. E14 . . . . .2D **111**	Miller St. NW1 . . . . .5B **10**	Minton Ho. SE11 . . . . .3D **103**
Mickledore NW1 . . . . .1C **26**	(not continuous)	Mint St. SE1 . . . . .4B **76**
Micklethwaite Rd. SW6 . . . . .3E **117**	Millers Way W6 . . . . .5C **64**	Mirabel Rd. SW6 . . . . .4C **116**
Mickleton Ho. W2 . . . . .2D **39**	Millers Wharf Ho. E1 . . . . . .3D **79**	Miranda Cl. E1 . . . . .2B **52**
MID BECKTON 3B **62**	Miller Wlk. SE1 . . . . .3E **75**	Miranda Ho. N1 . . . . .1F **31**
Middle Dartrey Wlk.	Millharbour E14 . . . . .1F **111**	Missenden SE17 . . . . .1E **127**
SW10 . . . .*4C 118*	Milligan St. E14 . . . . .1C **82**	Missenden Ho. NW8 . . . . . . .4F **23**
(off Dartrey Wlk.)	Milliners Ho. SE1 . . . . .5A **78**	Missenden Villa Wlk.
Middlefield NW8 . . . . .3D **7**	Millman Ct. WC1 . . . . .5B **28**	SE17 . . . . .1E **127**
Middle Row W10 . . . . .5F **19**	Millman M. WC1 . . . . .5B **28**	Mission, The E14 . . . . .4B **54**
Middlesex CC Club 2E **23**	Millman Pl. WC1 . . . . .5B **28**	Mitali Pas. E1 . . . . .4D **51**
Middlesex Pas. EC1 . . . . . . .2A **48**	Millman St. WC1 . . . . .5B **28**	(not continuous)
Middlesex St. E1 . . . . .2A **50**	Mill Pl. E14 . . . . .4A **54**	Mitchell Ho. W12 . . . . .1A **64**
Middle St. EC1 . . . . .1B **48**	Mill Pond Cl. SW8 . . . . .5E **123**	Mitchell St. EC1 . . . . .4B **30**
Middle Temple La. EC4 . . . . .4D **47**	Millpond Est. SE16 . . . . .5F **79**	(not continuous)
Middleton Dr. SE16 . . . . .4E **81**	Mill Rd. E16 . . . . .3A **88**	Mitchell Wlk. E6 . . . . .2E **61**
Middleton Ho. E8 . . . . .2C **16**	Mill Row N1 . . . . .4A **16**	(Allhallows Rd.)
SE1 . . . . .2D **105**	Mills Ct. EC2 . . . . .4F **31**	E6 . . . . .2B **62**
SW1 . . . . .4E **101**	Mills Gro. E14 . . . . .2B **56**	(Elmley Cl.)
Middleton Pl. W1 . . . . .2B **44**	Mills Ho. SW8 . . . . .5C **122**	Mitford Bldgs. SW6 . . . . . . .4D **117**
Middleton Rd. E8 . . . . .2B **16**	Millstream Ho. SE16 . . . . . . .5A **80**	Mitre, The E14 . . . . .5B **54**
Middleton St. E2 . . . . .2F **33**	Millstream Rd. SE1 . . . . .5B **78**	Mitre Bri. Ind. Pk. W10 . . . . .5A **18**
Middle Yd. SE1 . . . . .2F **77**	Mill St. SE1 . . . . .5C **78**	(not continuous)
Midford Pl. W1 . . . . .5C **26**	W1 . . . . .5B **44**	Mitre Ct. EC2 . . . . .4C **48**
Midhope Ho. WC1 . . . . .3A **28**	MILLWALL 4F **111**	Mitre Ho. SW3 . . . . .5B **98**
Midhope St. WC1 . . . . .3A **28**	Millwall Dock Rd. E14 . . . . . .1D **111**	Mitre Rd. SE1 . . . . .4E **75**
Midhurst Ho. E14 . . . . .3B **54**	Millwall FC 1C **130**	Mitre Sq. EC3 . . . . .4A **50**
Midland Pl. E14 . . . . .5B **112**	Millwood St. W10 . . . . .2F **37**	Mitre St. EC3 . . . . .4A **50**
Midland Rd. NW1 . . . . .1E **27**	Mill Yd. E1 . . . . .5D **51**	Mitre Way W10 . . . . .5A **18**
Midship Cl. SE16 . . . . .3E **81**	Milman Rd. NW6 . . . . .1F **19**	Mitre Yd. SW3 . . . . .3A **98**
Midship Point E14 . . . . .5D **83**	Milman's Ho. SW10 . . . . .3D **119**	Mizen Ct. E14 . . . . .5E **83**
Midway Ho. EC1 . . . . .2A **30**	Milman's St. SW10 . . . . .3D **119**	Moatlands Ho.
Milborne Gro. SW10 . . . . . .1C **118**	Milner Ct. SE15 . . . . .4C **128**	WC1 . . . . .3A **28**
Milcote St. SE1 . . . . .5F **75**	Milner Pl. N1 . . . . .3E **13**	Moberly Sports & Education Cen.
MILE END 4F **35**	Milner Rd. E16 . . . . .1F **57**	. . . .*2E 19*
Mile End Pk. 1A **54**	Milner Sq. N1 . . . . .2E **13**	(off Chamberlayne Rd.)
Mile End Pk. Leisure Cen.	Milner St. SW3 . . . . .3B **98**	Mobil Ct. WC2 . . . . .4C **46**
. . . . .1B **54**	Milrood Ho. E1 . . . . .1D **53**	Mocatta Ho. E1 . . . . .5F **33**
Mile End Pl. E1 . . . . .4D **35**	Milroy Wlk. SE1 . . . . .2F **75**	Model Bldgs. WC1 . . . . .3C **28**
Mile End Rd. E1 . . . . .1B **52**	Milson Rd. W14 . . . . .1E **93**	Modern Ct. EC4 . . . . .3F **47**
E3 . . . . .5D **35**	Milton Cl. SE1 . . . . .4B **106**	Modling Ho. E2 . . . . .1D **35**
Mile End Stadium 1A **54**	Milton Ct. EC2 . . . . .1D **49**	Moffat Ho. SE5 . . . . .5B **126**
Miles Bldgs. NW1 . . . . .1F **41**	SE14 . . . . .3A **132**	Mohawk Ho. E3 . . . . .1F **35**
Miles Ct. E1 . . . . .4F **51**	(not continuous)	Moland Mead SE16 . . . . . . .5D **109**
Miles Ho. SE10 . . . . .1F **135**	Milton Ct. Rd. SE14 . . . . . . .3A **132**	Mole Ho. NW8 . . . . .5E **23**
Miles Pl. *NW1* *1E 41*	Milton Ct. Wlk. EC2 . . . . .1D **49**	Molesworth Ho. SE17 . . . . . .3F **125**
(off Broadley St.)	Milton Ho. E2 . . . . .2B **34**	Mollis Ho. E3 . . . . .1E **55**
Miles St. SW8 . . . . .3F **123**	SE5 . . . . .5D **127**	Molton Ho. N1 . . . . .4C **12**
(not continuous)	Milton Mans. W14 . . . . .2A **116**	Molyneux St. W1 . . . . .2A **42**
Miles St. Bus. Est. SW8 . . . .3F **123**	Milton St. EC2 . . . . .1D **49**	Monarch Dr. E16 . . . . .2D **61**
Milford La. WC2 . . . . .5C **46**	Milverton St. SE11 . . . . .1E **125**	Monarch Ho. W8 . . . . .1D **95**
Milk St. E16 . . . . .3F **91**	Milward St. E1 . . . . .2A **52**	Mona St. E16 . . . . .2C **58**
EC2 . . . . .4C **48**	Mina Rd. SE17 . . . . .1A **128**	Monck St. SW1 . . . . .2E **101**
Milk Yd. E1 . . . . .1B **80**	Minchin Ho. E14 . . . . .3D **55**	Monckton Ct. W14 . . . . .1B **94**
Millais Ho. SW1 . . . . .4F **101**	Mincing La. EC3 . . . . .5F **49**	Moncorvo Cl. SW7 . . . . .5F **69**

Moncrieff Cl. E6 . . . . .3F **61**
Monet Ct. SE16 . . . . .5F **107**
Moneyer Ho. N1 . . . . .2D **31**
Monica Shaw Ct.
   NW1 . . . . .1E **27**
           (not continuous)
Monk Dr. E16 . . . . .4D **59**
Monk Pas. E16 . . . . .5D **59**
Monkton Ho. SE16 . . . . .5E **81**
Monkton St. SE11 . . . . .3E **103**
Monkwell Sq. EC2 . . . . .2C **48**
Monmouth Pl. W2 . . . . .4F **39**
Monmouth Rd. W2 . . . . .4E **39**
Monmouth St. WC2 . . . . .4F **45**
Monnow Rd. SE1 . . . . .5D **107**
Monroe Ho. NW8 . . . . .3A **24**
Monson Rd. SE14 . . . . .4D **131**
Montagu Ct. W1 . . . . .2C **42**
Montague Cl. SE1 . . . . .2D **77**
Montague Ho. *E16* *2F* **87**
         (off Wesley Av.)
   N1 . . . .*4F* **15**
       (off New Era Est.)
Montague Pl. WC1 . . . . .1E **45**
Montague Sq. SE15 . . . . .5C **130**
Montague St. EC1 . . . . .2B **48**
   WC1 . . . . .1F **45**
Montagu Mans. W1 . . . . .1C **42**
Montagu M. Nth. W1 . . . . .2C **42**
Montagu M. Sth. W1 . . . . .3C **42**
Montagu M. W. W1 . . . . .3C **42**
Montagu Pl. W1 . . . . .2B **42**
Montagu Row W1 . . . . .2C **42**
Montagu Sq. W1 . . . . .2C **42**
Montagu St. W1 . . . . .3C **42**
Montaigne Cl. SW1 . . . . . . .4E **101**
Montcalm Ho. E14 . . . . .3D **111**
Montclare St. E2 . . . . .4B **32**
Monteagle Ct. N1 . . . . .5A **16**
Montesquieu Ter. E16 . . . . . . .3B **58**
Montevetro SW11 . . . . .5E **119**
Montford Pl. SE11 . . . . .1D **125**
Montfort Ho. E2 . . . . .2B **34**
   E14 . . . . .1B **112**
Montgomery Lodge
   E1 . . . . .5B **34**
Montgomery St. E14 . . . . . . .3A **84**
Monthope Rd. E1 . . . . .2C **50**
Montpelier M. SW7 . . . . .1A **98**
Montpelier Pl. E1 . . . . .4B **52**
   SW7 . . . . .1A **98**
Montpelier Rd. SE15 . . . . . . .5A **130**
Montpelier Sq. SW7 . . . . .5A **70**
Montpelier St. SW7 . . . . .1A **98**
Montpelier Ter. SW7 . . . . .5A **70**
Montpelier Wlk.
   SW7 . . . . .1A **98**
Montreal Pl. WC2 . . . . .5B **46**
Montrose Av. NW6 . . . . .5A **4**
Montrose Ct. SW7 . . . . .5E **69**
Montrose Ho. E14 . . . . .2D **111**
   SW1 . . . . .5E **71**
Montrose Pl. SW1 . . . . .5E **71**
Monument, The 5E **49**
Monument St. EC3 . . . . .5E **49**
Monza St. E1 . . . . .1B **80**
Moodkee St. SE16 . . . . .1B **108**
Moody Rd. SE15 . . . . .5B **128**
Moody St. E1 . . . . .3E **35**
Moon St. N1 . . . . .3F **13**
Moore Ct. N1 . . . . .4F **13**

Moore Ho. E1 . . . . .5C **52**
   E2 . . . . .3B **34**
   E14 . . . . .5E **83**
   SE10 . . . . .5B **114**
Moore Pk. Ct. SW6 . . . . .4A **118**
Moore Pk. Rd. SW6 . . . . . . .5F **117**
Moore St. SW3 . . . . .3B **98**
Moorfields EC2 . . . . .2D **49**
Moorfields Highwalk
   EC2 . . . . .2D **49**
         (not continuous)
Moorgate EC2 . . . . .3D **49**
Moorgate Pl. EC2 . . . . .3D **49**
Moorgreen Ho. EC1 . . . . .2F **29**
Moorhouse Rd. W2 . . . . .3D **39**
Moorings, The E16 . . . . .2B **60**
Moor La. EC2 . . . . .2D **49**
         (not continuous)
Moor Pl. EC2 . . . . .2D **49**
Moor St. W1 . . . . .4E **45**
Moran Ho. E1 . . . . .3A **80**
Morant St. E14 . . . . .5E **55**
Mora St. EC1 . . . . .3C **30**
Morat St. SW9 . . . . .5C **124**
Moravian Cl. SW10 . . . . .3D **119**
Moravian Pl. SW10 . . . . .3E **119**
Moravian St. E2 . . . . .2B **34**
Moray Ho. E1 . . . . .5F **35**
Morden Wharf SE10 . . . . . . .2F **113**
Morden Wharf Rd.
   SE10 . . . . .2F **113**
Mordern Ho. NW1 . . . . .5A **24**
Morecambe Cl. E1 . . . . .1D **53**
Morecambe St. SE17 . . . . . . .4C **104**
More Cl. E16 . . . . .3C **58**
   W14 . . . . .4E **93**
Moreland St. EC1 . . . . .2A **30**
More London Pl. SE1 . . . . . . .3F **77**
More London Riverside
   SE1 . . . . .3A **78**
More's Gdn. SW3 . . . . .3E **119**
Moreton Cl. SW1 . . . . .5C **100**
Moreton Ho. SE16 . . . . .1A **108**
Moreton Pl. SW1 . . . . .5C **100**
Moreton St. SW1 . . . . .5C **100**
Moreton Ter. SW1 . . . . .5C **100**
Moreton Ter. M. Nth.
   SW1 . . . . .5C **100**
Moreton Ter. M. Sth.
   SW1 . . . . .5C **100**
Morgan Ho. SW1 . . . . .4C **100**
   SW8 . . . . .5C **122**
Morgan Rd. W10 . . . . .1B **38**
Morgan St. E3 . . . . .3F **35**
   E16 . . . . .1C **58**
Morland Ct. W12 . . . . .5A **64**
Morland Est. E8 . . . . .1E **17**
Morland Ho. NW1 . . . . .1C **26**
   NW6 . . . . .4D **5**
   SW1 . . . . .3F **101**
   W11 . . . . .4F **37**
Morland M. N1 . . . . .2E **13**
Morley St. SE1 . . . . .1E **103**
Mornington Av. W14 . . . . . . .4B **94**
Mornington Av. Mans.
   W14 . . . . .4C **94**
Mornington Ct. NW1 . . . . .5B **10**
Mornington Cres. NW1 . . . . . .5B **10**
Mornington Pl. NW1 . . . . .5B **10**
   SE8 . . . . .5C **132**
Mornington Rd. SE8 . . . . .5C **132**

Mornington Sports & Leisure Cen.
   . . . .*3A* **10**
        (off Stanmore Pl.)
Mornington St. NW1 . . . . .5A **10**
Mornington Ter. NW1 . . . . . . .4A **10**
Morocco St. SE1 . . . . .5F **77**
Morocco Wharf E1 . . . . .3F **79**
Morpeth Mans. SW1 . . . . . . .3B **100**
Morpeth St. E2 . . . . .2D **35**
Morpeth Ter. SW1 . . . . .2B **100**
Morrel Ct. E2 . . . . .5E **17**
Morrells Yd. SE11 . . . . .5E **103**
Morris Ho. E2 . . . . .3B **34**
   NW8 . . . . .5F **23**
Morrison Bldgs. Nth. E1 . . . .3D **51**
Morris Rd. E14 . . . . .1F **55**
Morriss Ho. SE16 . . . . .5F **79**
Morris St. E1 . . . . .4A **52**
Morshead Mans. W9 . . . . .3E **21**
Morshead Rd. W9 . . . . .3E **21**
Mortain Ho. SE16 . . . . .4F **107**
Mortimer Ct. NW8 . . . . .1C **22**
Mortimer Cres. NW6 . . . . .4F **5**
Mortimer Est. NW6 . . . . .4F **5**
Mortimer Ho. W11 . . . . .2E **65**
   W14 . . . . .4A **94**
Mortimer Mkt. WC1 . . . . .5C **26**
Mortimer Pl. NW6 . . . . .4F **5**
Mortimer Rd. N1 . . . . .2A **16**
         (not continuous)
   NW10 . . . . .2B **18**
Mortimer Sq. W11 . . . . .1E **65**
Mortimer St. W1 . . . . .3A **44**
Mortlake Rd. E16 . . . . .3F **59**
Morton Ho. SE17 . . . . .2A **126**
Morton M. SW5 . . . . .4F **95**
Morton Pl. SE1 . . . . .2D **103**
Morton Rd. N1 . . . . .2C **14**
Morwell St. WC1 . . . . .2D **45**
Moscow Mans. SW5 . . . . .3E **95**
Moscow Pl. W2 . . . . .5F **39**
Moscow Rd. W2 . . . . .5E **39**
Mosedale NW1 . . . . .3B **26**
Moseley Row SE10 . . . . .3C **114**
Mosque Ter. *E1* *2E* **51**
       (off Fieldgate St.)
Mosque Twr. *E1* *2D* **51**
       (off Fieldgate St.)
Moss Cl. E1 . . . . .2E **51**
Mossington Gdns. SE16 . . . .4B **108**
Mossop St. SW3 . . . . .3A **98**
Mostyn Gdns. NW10 . . . . .2D **19**
Motcomb St. SW1 . . . . .1D **99**
Motley Av. EC2 . . . . .4F **31**
Moules Ct. SE5 . . . . .5B **126**
Moulsford Ho. W2 . . . . .2E **39**
Mounsey Ho. W10 . . . . .2A **20**
Mount, The W8 . . . . .3D **67**
Mountague Pl. E14 . . . . .5B **56**
Mountain Ho. SE11 . . . . .4C **102**
Mountbatten Ct. SE16 . . . . . .3C **80**
Mt. Carmel Chambers
   W8 . . . . .4E **67**
Mountfort Cres. N1 . . . . .1D **13**
Mountfort Ter. N1 . . . . .2D **13**
Mountjoy Cl. *EC2* *2C* **48**
   (off Thomas More Highwalk)
Mountjoy Ho. EC2 . . . . .2C **48**
Mount Mills EC1 . . . . .3A **30**
Mt. Pleasant WC1 . . . . .5D **29**
Mount Row W1 . . . . .1F **71**

Mount St. W1	. . . . .1D **71**	
Mount St. M. W1	. . . . .1F **71**	
Mount Ter. E1	. . . . .2F **51**	
Mowbray Rd. NW6	. . . . .1A **4**	
Mowll St. SW9	. . . . .5D **125**	
Moxon St. W1	. . . . .2D **43**	
Moye Cl. E2	. . . . .5E **17**	
Moylan Rd. W6	. . . . .3A **116**	
Moyle Ho. SW1	. . . . .1C **122**	
Mozart St. W10	. . . . .3B **20**	
Mozart Ter. SW1	. . . . .4E **99**	
Mudlarks Blvd. SE10	. . . . . .1C **114**	
Mudlarks Way SE10	. . . . . . .1D **115**	
	(not continuous)	
Muirfield Cl. SE16	. . . . .1A **130**	
Muirfield Cres. E14	. . . . . . .1F **111**	
Muir St. E16	. . . . .3A **90**	
	(not continuous)	
Mulberry Bus. Cen. SE16	. . . .5E **81**	
Mulberry Cl. SW3	. . . . .3E **119**	
Mulberry Ct. EC1	. . . . .3A **30**	
SW3	. . . . .2E **119**	
Mulberry Ho. E2	. . . . .2B **34**	
SE8	. . . . .2B **132**	
Mulberry Housing Co-operative		
SE1	. . . . .2E **75**	
Mulberry Pl. E14	. . . . .5C **56**	
Mulberry Rd. E8	. . . . .2B **16**	
Mulberry St. E1	. . . . .3D **51**	
Mulberry Wlk. SW3	. . . . . . .2E **119**	
Mulgrave Rd. SW6	. . . . .2B **116**	
Mullen Twr. WC1	. . . . .5D **29**	
Mullet Gdns. E2	. . . . .2E **33**	
Mulletsfield WC1	. . . . .3A **28**	
Mulready Ho. SW1	. . . . .4F **101**	
Mulready St. NW8	. . . . .5F **23**	
Mulvaney Way SE1	. . . . .5E **77**	
	(not continuous)	
Mumford Mills SE10	. . . . . . .5F **133**	
Munday Ho. SE1	. . . . .2D **105**	
Munday Rd. E16	. . . . .4D **59**	
Munden St. W14	. . . . .3F **93**	
Mund St. W14	. . . . .1C **116**	
Mundy Ho. W10	. . . . .2A **20**	
Mundy St. N1	. . . . .2F **31**	
Munnings Ho. *E16*	. . . . .2A *88*	
	(off Portsmouth M.)	
Munro Ho. SE1	. . . . .5D **75**	
Munro M. W10	. . . . .2A **38**	
	(not continuous)	
Munro Ter. SW10	. . . . .4D **119**	
Munster M. SW6	. . . . .4A **116**	
Munster Rd. SW6	. . . . .4A **116**	
Munster Sq. NW1	. . . . .3A **26**	
Munton Rd. SE17	. . . . .3C **104**	
Murchison Ho. W10	. . . . . . .1F **37**	
Murdoch Ho. SE16	. . . . . . .1C **108**	
Murdock Cl. E16	. . . . .3C **58**	
Murdock St. SE15	. . . . .3F **129**	
Muriel St. N1	. . . . .5C **12**	
	(not continuous)	
Murphy Ho. SE1	. . . . .1A **104**	
	(Borough Rd.)	
SE1	. . . . .5E **77**	
	(Long La.)	
Murphy St. SE1	. . . . .5D **75**	
Murray Gro. N1	. . . . .1C **30**	
Murray M. NW1	. . . . .1D **11**	
Murray Sq. E16	. . . . .4E **59**	
Murray St. NW1	. . . . .1C **10**	
Mursell Est. SW8	. . . . .5B **124**	

Musard Rd. W6	. . . . .2A **116**	
Musbury St. E1	. . . . .3B **52**	
Muscal W6	. . . . .2A **116**	
Muscatel Pl. SE5	. . . . .5A **128**	
Muscott Ho. E2	. . . . .4D **17**	
Muscovy St. EC3	. . . . .1A **78**	
Museum Chambers WC1	. . .2F **45**	
Mus. in Docklands, The	. . . .1D **83**	
Museum La. SW7	. . . . .2E **97**	
Mus. of Brands, Packaging and		
Advertising	. . . .*4C 38*	
	(off Colville M.)	
Mus. of Classical Archaeology		
	. . . .*4D 27*	
	(off Gower Pl.)	
Mus. of Garden History	. . . .2B **102**	
Mus. of London	. . . . .2B **48**	
Mus. of the Order of St John		
	. . . . .5F **29**	
Museum Pas. E2	. . . . .2B **34**	
Museum St. WC1	. . . . .2F **45**	
Musgrave Ct. SW11	. . . . . . .5F **119**	
Musgrave Cres. SW6	. . . . . . .5E **117**	
Mutrix Rd. NW6	. . . . .3E **5**	
Myatt Rd. SW9	. . . . .5F **125**	
Myddelton Pas. EC1	. . . . . . .2E **29**	
Myddelton Sq. EC1	. . . . . . .2E **29**	
Myddelton St. EC1	. . . . .3E **29**	
Myddleton Ho. N1	. . . . .1D **29**	
Myers Ho. SE5	. . . . .4B **126**	
Myers La. SE14	. . . . .2D **131**	
Myles Ct. SE16	. . . . .5B **80**	
Mylius Cl. SE14	. . . . .5C **130**	
Mylne St. EC1	. . . . .2D **29**	
Myrdle Ct. E1	. . . . .3E **51**	
Myrdle St. E1	. . . . .2E **51**	
Myrtle Wlk. N1	. . . . .1F **31**	
Mytton Ho. SW8	. . . . .5B **124**	

N

N1 Shop. Cen. N1	. . . . .5E **13**	
Nags Head Ct.		
EC1	. . . . .5C **30**	
Nainby Ho. SE11	. . . . .4D **103**	
Nairn St. E14	. . . . .2C **56**	
Nalton Ho. NW6	. . . . .2C **6**	
Nankin St. E14	. . . . .4E **55**	
Nantes Pas. E1	. . . . .1B **50**	
Nant St. E2	. . . . .2A **34**	
Naoroji St. WC1	. . . . .3D **29**	
Napier Av. E14	. . . . .5E **111**	
Napier Cl. SE8	. . . . .4C **132**	
W14	. . . . .1B **94**	
Napier Ct. N1	. . . . .5D **15**	
Napier Gro. N1	. . . . .5C **14**	
Napier Ho. SE17	. . . . .3A **126**	
Napier Pl. W14	. . . . .2B **94**	
Napier Rd.		
NW10	. . . . .2A **18**	
W14	. . . . .2B **94**	
Napier St. SE8	. . . . .4C **132**	
Napier Ter. N1	. . . . .2F **13**	
Narrow St. E14	. . . . .5E **53**	
Nascot St. W12	. . . . .3B **36**	
Naseby Cl. NW6	. . . . .1C **6**	
Nashe Ho. SE1	. . . . .2D **105**	
Nash Ho. E14	. . . . .5E **83**	
NW1	. . . . .5A **10**	
SW1	. . . . .1A **122**	
Nash Pl. E14	. . . . .3F **83**	

Nash St. NW1	. . . . .2A **26**	
Nasmyth St. W6	. . . . .2A **92**	
Nassau St. W1	. . . . .2B **44**	
Nathan Ho. SE11	. . . . .4E **103**	
Nathaniel Cl. E1	. . . . .2C **50**	
National Army Mus.	. . . . . . .2C **120**	
National Film Theatre, The		
	. . . . .2C **74**	
National Gallery	. . . . .1E **73**	
National Maritime Mus.	. . . .3D **135**	
National Portrait Gallery	. . . .1E **73**	
National Ter. SE16	. . . . .4F **79**	
National Theatre	. . . . .2C **74**	
Natural History Mus.	. . . . . . .2D **97**	
Nautilus Bldg., The		
EC1	. . . . .2E **29**	
Naval Ho. E14	. . . . .5D **57**	
Naval Row E14	. . . . .5C **56**	
Navarino Rd. E8	. . . . .1F **17**	
Navarre St. E2	. . . . .4B **32**	
Naxos Bldg. E14	. . . . .5D **83**	
Naylor Ho. SE17	. . . . .4E **105**	
W10	. . . . .2A **20**	
Naylor Rd. SE15	. . . . .4F **129**	
Nazrul St. E2	. . . . .2B **32**	
Neal St. WC2	. . . . .4F **45**	
Neal's Yd. WC2	. . . . .4F **45**	
Neate Ho. SW1	. . . . .1C **122**	
Neate St. SE5	. . . . .3F **127**	
	(not continuous)	
Neathouse Pl. SW1	. . . . . . .3B **100**	
Neatscourt Rd. E6	. . . . .2E **61**	
Nebraska St. SE1	. . . . .5D **77**	
Neckinger SE16	. . . . .1C **106**	
Neckinger Est. SE16	. . . . . . .1C **106**	
Neckinger St. SE1	. . . . .5C **78**	
Needham Ho. SE11	. . . . . . .4D **103**	
Needham Rd. W11	. . . . .4D **39**	
Needleman St. SE16	. . . . . . .5D **81**	
Nelldale Rd. SE16	. . . . .3A **108**	
Nell Gwynn Ho. SW3	. . . . . .4A **98**	
Nelson Cl. NW6	. . . . .2D **21**	
Nelson Ct. SE1	. . . . .4A **76**	
SE16	. . . . .3C **80**	
Nelson Gdns. E2	. . . . .2E **33**	
Nelson Ho. SW1	. . . . .2C **122**	
Nelson Pas. EC1	. . . . .2C **30**	
Nelson Pl. N1	. . . . .1A **30**	
Nelson Rd. SE10	. . . . .3C **134**	
Nelson's Column	. . . . .2E **73**	
Nelson Sq. SE1	. . . . .4F **75**	
Nelson St. E1	. . . . .3F **51**	
E16	. . . . .5B **58**	
	(not continuous)	
Nelsons Yd. NW1	. . . . .5B **10**	
Nelson Ter. N1	. . . . .1A **30**	
Nelson Wlk. SE16	. . . . .3F **81**	
Neptune Ct. E14	. . . . .3D **111**	
Neptune Ho. SE16	. . . . .1B **108**	
Neptune St. SE16	. . . . .1B **108**	
Nesham Ho. N1	. . . . .4F **15**	
Nesham St. E1	. . . . .2D **79**	
Ness St. SE16	. . . . .1D **107**	
Nestor Ho. E2	. . . . .1F **33**	
Netherton Gro. SW10	. . . . . .3C **118**	
Netherford Pl. W14	. . . . .1D **93**	
Netherwood W14	. . . . .1D **93**	
Netherwood St. NW6	. . . . . . .1C **4**	
Netley SE5	. . . . .5A **128**	
Netley St. NW1	. . . . .3B **26**	
Nettlecombe NW1	. . . . .1D **11**	

Nettleden Ho. SW3 . . . . .4A **98**
Nettleton Ct. EC2 . . . . .2B **48**
Nettleton Rd. SE14 . . . . . . .5E **131**
Nevada St. SE10 . . . . .3C **134**
Nevern Pl. SW5 . . . . .4E **95**
Nevern Rd. SW5 . . . . .4D **95**
Nevern Sq. SW5 . . . . .4D **95**
Nevill Ct. EC4 . . . . .3E **47**
　SW10 . . . . .4C **118**
Neville Cl. NW1 . . . . .1E **27**
　NW6 . . . . .1C **20**
　SE15 . . . . .5D **129**
Neville Ct. NW8 . . . . .1D **23**
Neville Rd. NW6 . . . . .1C **20**
Neville St. SW7 . . . . .5D **97**
Neville Ter. SW7 . . . . .5D **97**
Nevitt Ho. N1 . . . . .1E **31**
Newall Ho. SE1 . . . . .1C **104**
New Ambassadors Theatre
　. . . . . .4E **45**
Newark Knok E6 . . . . .3D **63**
Newark St. E1 . . . . .2F **51**
　(not continuous)
New Atlas Wharf E14 . . . . . .1D **111**
New Baltic Wharf SE8 . . . .5A **110**
New Barn St. E13 . . . . .1E **59**
New Bentham Ct. N1 . . . . . .2C **14**
Newbery Ho. N1 . . . . .2B **14**
Newbold Cotts. E1 . . . . .3B **52**
Newbolt Ho. SE17 . . . . .5D **105**
New Bond St. W1 . . . . .4F **45**
New Bri. St. EC4 . . . . .4F **47**
New Broad St. EC2 . . . . .2E **49**
Newburgh St. W1 . . . . .4B **44**
New Burlington M. W1 . . . . .5B **44**
New Burlington Pl. W1 . . . . .5B **44**
New Burlington St. W1 . . . . .5B **44**
Newburn Ho. SE11 . . . . .5C **102**
Newburn St. SE11 . . . . .1C **124**
Newbury Ho. W2 . . . . .4A **40**
Newbury St. EC1 . . . . .1B **48**
New Butt La. SE8 . . . . .5E **133**
New Butt La. Nth.
　SE8 . . . . .5D **133**
Newby NW1 . . . . .3B **26**
Newby Ho. E14 . . . . .5B **56**
Newby Pl. E14 . . . . .5B **56**
New Caledonian Mkt.
　SE1 . . . . .1A **106**
New Caledonian Wharf
　SE16 . . . . .1B **110**
Newcastle Cl. EC4 . . . . .3F **47**
Newcastle Ct. EC4 . . . . .5C **48**
Newcastle Ho. W1 . . . . .1D **43**
Newcastle Pl. W2 . . . . .1E **41**
Newcastle Row EC1 . . . . . . .5E **29**
New Cavendish St. W1 . . . . .2E **43**
New Change EC4 . . . . .4B **48**
New Charles St. EC1 . . . . . .2A **30**
New Church Rd. SE5 . . . . . .4C **126**
　(not continuous)
New College Ct. NW3 . . . . . .1D **7**
　(off Finchley Rd.)
New College M. N1 . . . . .1E **13**
New College Pde. NW3 . . . .1C **6**
Newcombe St. W8 . . . . .2E **67**
Newcomen St. SE1 . . . . .4D **77**
New Compton St. WC2 . . . . .4E **45**
New Concordia Wharf SE1 . .4C **78**
New Ct. EC4 . . . . .5D **47**
Newcourt Ho. E2 . . . . .3A **34**

Newcourt St. NW8 . . . . .1F **23**
New Covent Garden Market
　. . . . . .5D **123**
New Coventry St. W1 . . . . . .1E **73**
New Crane Pl. E1 . . . . .2B **80**
New Crane Wharf E1 . . . . . .2B **80**
NEW CROSS 5B **132**
New Cross Rd. SE15 . . . . . .4B **130**
Newdigate Ho. E14 . . . . .3B **54**
Newell St. E14 . . . . .4B **54**
Newent Cl. SE15 . . . . .4F **127**
New Era Est. N1 . . . . .4F **15**
New Era Ho. N1 . . . . .4F **15**
　(off New Era Est.)
New Fetter La. EC4 . . . . .3E **47**
Newgate St. EC1 . . . . .3A **48**
New Globe Wlk. SE1 . . . . . .2B **76**
New Goulston St. E1 . . . . . .3B **50**
Newham Leisure Cen. 1C **60**
Newham's Row SE1 . . . . . . .5A **78**
Newham Way E16 . . . . .3F **57**
Newhaven La. E16 . . . . .1C **58**
NEWINGTON 1B **104**
Newington Butts SE1 . . . . . .3A **104**
　SE11 . . . . .4A **104**
Newington C'way. SE1 . . . . .2A **104**
Newington Ct. Bus. Cen.
　SE1 . . . . .1B **104**
Newington Ind. Est.
　SE17 . . . . .4B **104**
New Inn B'way. EC2 . . . . . . .4A **32**
New Inn Pas. WC2 . . . . .4C **46**
New Inn Sq. EC2 . . . . .4A **32**
New Inn St. EC2 . . . . .4A **32**
New Inn Yd. EC2 . . . . .4A **32**
New Jubilee Wharf E1 . . . . .2B **80**
New Kent Rd. SE1 . . . . .2B **104**
New King St. SE8 . . . . .2D **133**
Newland Ct. EC1 . . . . .4D **31**
Newland Ho. SE14 . . . . .3D **131**
Newlands NW1 . . . . .2B **26**
Newlands Quay E1 . . . . .1B **80**
Newland St. E16 . . . . .3A **90**
Newling Cl. E6 . . . . .3C **62**
New London St. EC3 . . . . . . .5A **50**
New London Theatre 3A **46**
Newlyn NW1 . . . . .4C **10**
Newman Pas. W1 . . . . .2C **44**
Newman's Ct. EC3 . . . . .4E **49**
Newman's Row WC2 . . . . . . .2C **46**
Newman St. W1 . . . . .2C **44**
Newman Yd. W1 . . . . .3D **45**
Newnham Ter. SE1 . . . . .1D **103**
New Nth. Pl. EC2 . . . . .4F **31**
New Nth. Rd. N1 . . . . .2B **14**
New Nth. St. WC1 . . . . .1B **46**
New Oxford St. WC1 . . . . . . .3E **45**
New Pl. Sq. SE16 . . . . .1F **107**
New Players Theatre 2A **74**
Newport Av. E14 . . . . .5D **57**
Newport Ct. WC2 . . . . .5E **45**
Newport Ho. E3 . . . . .2F **35**
Newport Pl. WC2 . . . . .5E **45**
Newport St. SE11 . . . . .4B **102**
New Priory Ct. NW6 . . . . . . .2E **5**
New Providence Wharf
　E14 . . . . .2D **85**
Newquay Ho. SE11 . . . . .5D **103**
New Quebec St. W1 . . . . . . .4C **42**
New Ride SW1 . . . . .4A **70**
　SW7 . . . . .5E **69**

New River Head EC1 . . . . . .2E **29**
New River Wlk. N1 . . . . .1B **14**
New Rd. E1 . . . . .2F **51**
New Row WC2 . . . . .5F **45**
New Spring Gdns. Wlk.
　SE11 . . . . .1A **124**
New Sq. WC2 . . . . .3D **47**
New Sq. Pas. WC2 . . . . .3D **47**
Newstead Ho. N1 . . . . .5E **13**
　(off Tolpuddle St.)
New St. EC2 . . . . .2A **50**
New St. Sq. EC4 . . . . .3E **47**
Newton Ct. W8 . . . . .4E **67**
Newton Ho. E1 . . . . .5F **51**
　NW8 . . . . .3A **6**
Newton Mans. W14 . . . . . . .2A **116**
Newton Pl. E14 . . . . .3D **111**
Newton Point E16 . . . . .3B **58**
Newton Rd. W2 . . . . .4E **39**
Newton St. WC2 . . . . .3A **46**
New Twr. Bldgs. E1 . . . . .3A **80**
New Turnstile WC1 . . . . .2B **46**
New Union Cl. E14 . . . . .1C **112**
New Union St. EC2 . . . . .2D **49**
New Wharf Rd. N1 . . . . .5A **12**
New Zealand Way
　W12 . . . . .1A **64**
Next Generation Club 2E **39**
Niagra Cl. N1 . . . . .5C **14**
Niagra Ct. SE16 . . . . .1C **108**
Nicholas La. EC4 . . . . .5E **49**
　(not continuous)
Nicholas Pas. EC4 . . . . .5E **49**
Nicholas Rd. E1 . . . . .4C **34**
Nicholas Stacey Ho.
　SE7 . . . . .5F **115**
Nicholl St. E2 . . . . .4D **17**
Nichols Ct. E2 . . . . .1B **32**
Nicholson Ho. SE17 . . . . . . .5D **105**
Nicholson St. SE1 . . . . .3F **75**
Nickleby Ho. SE16 . . . . .5D **79**
　W11 . . . . .2E **65**
Nigel Ho. EC1 . . . . .1D **47**
Nigel Playfair Av. W6 . . . . . .5A **92**
Nightingale Ct. E14 . . . . .5C **84**
Nightingale Ho. E1 . . . . .2D **79**
　E2 . . . . .4A **16**
　W12 . . . . .3B **36**
Nightingale Lodge W9 . . . . .1E **39**
　(off Admiral Wlk.)
Nightingale M. SE11 . . . . . . .3F **103**
Nightingale Pl. SW10 . . . . . .3C **118**
　(not continuous)
Nightingale Way E6 . . . . . . .1A **62**
Nile St. N1 . . . . .2D **31**
Nile Ter. SE15 . . . . .1B **128**
Nimrod Ho. E16 . . . . .2F **59**
NINE ELMS 4C **122**
Nine Elms La. SW8 . . . . . . .4C **122**
Nipponzan Myohoji Peace Pagoda
　. . . . . .4C **120**
Nirvana Apartments N1 . . . .4F **13**
　(off Islington Grn.)
Noble Ct. E1 . . . . .5E **51**
Noble St. EC2 . . . . .3B **48**
Noel Coward Ho. SW1 . . . . .4C **100**
Noel Ho. NW6 . . . . .1D **7**
Noel Rd. N1 . . . . .5F **13**
Noel St. W1 . . . . .4C **44**
Noko W10 . . . . .2E **19**
Norbiton Rd. E14 . . . . .3B **54**

Norburn St. W10 . . . . .2F **37**
Norden Ho. E2 . . . . .3A **34**
Norfolk Cres. W2 . . . . .3F **41**
Norfolk Ho. EC4 . . . . .5B **48**
  SW1 . . . . .3E **101**
Norfolk M. W10 . . . . .2A **38**
Norfolk Pl. W2 . . . . .3E **41**
  (not continuous)
Norfolk Rd. NW8 . . . . .4E **7**
Norfolk Row SE1 . . . . .3B **102**
  (not continuous)
Norfolk Sq. W2 . . . . .4E **41**
Norfolk Sq. M. W2 . . . . .4E **41**
Norfolk Ter. W6 . . . . .1A **116**
Norland Ho. W11 . . . . .3E **65**
Norland Pl. W11 . . . . .3A **66**
Norland Rd. W11 . . . . .3E **65**
Norland Sq. W11 . . . . .3A **66**
Norland Sq. Mans. W11 . . . . .3F **65**
Norman Butler Ho. W10 . . . .1F **37**
Normand Gdns. W14 . . . . . .2A **116**
Normand Mans. W14 . . . . . .2A **116**
Normand M. W14 . . . . .2A **116**
Normand Rd. W14 . . . . .2B **116**
Normandy Ho. E14 . . . . .5B **84**
Normandy Ter. E16 . . . . .4F **59**
Norman Ho. SW8 . . . . .4F **123**
Norman Rd. SE10 . . . . .4A **134**
Norman St. EC1 . . . . .3B **30**
Norris Ho. N1 . . . . .4F **15**
  SE8 . . . . .1B **132**
Norris St. SW1 . . . . .1D **73**
Northampton Rd. EC1 . . . . . .4E **29**
Northampton Row EC1 . . . . .4E **29**
Northampton Sq. EC1 . . . . . .3F **29**
Northampton St. N1 . . . . . . .1B **14**
Nth. Audley St. W1 . . . . . . .4D **43**
North Av. NW10 . . . . .3B **18**
Northaw Ho. W10 . . . . .5B **18**
North Bank NW8 . . . . .3F **23**
NORTH BECKTON 1B **62**
North Block SE1 . . . . .4C **74**
Nth. Branch Av. NW10 . . . . .3C **18**
Northburgh St. EC1 . . . . . . .5A **30**
Nth. Carriage Dr. W2 . . . . . .5F **41**
Northchurch SE17 . . . . .5E **105**
  (not continuous)
Northchurch Ho. E2 . . . . . . .4E **17**
Northchurch Rd. N1 . . . . . . .1D **15**
  (not continuous)
Northchurch Ter. N1 . . . . . . .2F **15**
Nth. Colonnade, The E14 . . . .2E **83**
North Ct. SW1 . . . . .2F **101**
  W1 . . . . .1C **44**
North Cres. WC1 . . . . .1D **45**
Northdown St. N1 . . . . .5A **12**
North End Cres. W14 . . . . . .4B **94**
North End Ho. W14 . . . . . . .4A **94**
North End Pde. W14 . . . . . . .4A **94**
North End Rd. SW6 . . . . . . .3C **116**
  W14 . . . . .3A **94**
Northesk Ho. E1 . . . . .5F **33**
Northey St. E14 . . . . .5A **54**
Northfield Ho. SE15 . . . . . . .3E **129**
Northfleet Ho. SE1 . . . . .4D **77**
Nth. Flock St. SE16 . . . . . . .4D **79**
Nth. Flower Wlk. W2 . . . . . .1C **68**
North Gdn. E14 . . . . .2C **82**
North Ga. NW8 . . . . .1F **23**
Northgate Ho. E14 . . . . .5E **55**
Nth. Gower St. NW1 . . . . . . .3C **26**

North Ho. SE8 . . . . .1B **132**
Northiam WC1 . . . . .3A **28**
Northiam St. E9 . . . . .4F **17**
Northington St. WC1 . . . . . .5C **28**
NORTH KENSINGTON 2D **37**
North Lodge *E16* 2F **87**
  (off Wesley Av.)
North M. WC1 . . . . .5C **28**
Nth. Pole Rd. W10 . . . . .2B **36**
Northport St. N1 . . . . .4E **15**
North Ride W2 . . . . .1F **69**
North Ri. W2 . . . . .4A **42**
North Row W1 . . . . .5C **42**
Nth. Row Bldgs. W1 . . . . . . .5D **43**
Nth. Tenter St. E1 . . . . .4C **50**
North Ter. SW3 . . . . .2F **97**
  WC2 . . . . .2E **73**
Northumberland All. EC3 . . . .4A **50**
  (not continuous)
Northumberland Av. WC2 . . .2F **73**
Northumberland Ho.
  SW1 . . . . .2F **73**
Northumberland Pl. W2 . . . .3D **39**
Northumberland Rd. E6 . . . . .3A **62**
Northumberland St. WC2 . . . .2F **73**
Northumbria St. E14 . . . . . . .3E **55**
Northways Pde. NW3 . . . . . .1D **7**
  (not continuous)
Nth. Western Commercial Cen.
  NW1 . . . . .2F **11**
Northwest Pl. N1 . . . . .5E **13**
North Wharf E14 . . . . .3C **84**
Nth. Wharf Rd. W2 . . . . . . .2D **41**
Northwick Cl. NW8 . . . . . . .4D **23**
Northwick Ho. NW8 . . . . . . .4C **22**
Northwick Ter. NW8 . . . . . . .4D **23**
NORTH WOOLWICH 4D **91**
North Woolwich Old Station Mus.
  . . . . .4D **91**
Nth. Woolwich Rd. E16 . . . .2C **86**
Norton Folgate E1 . . . . .1A **50**
Norton Folgate Ho. E1 . . . . .1B **50**
Norton Ho. E1 . . . . .4F **51**
  E2 . . . . .1D **35**
Norton Ho. SW1 . . . . .2E **101**
Norway Ga. SE16 . . . . .1A **110**
Norway Pl. E14 . . . . .4B **54**
Norway St. SE10 . . . . .3A **134**
Norway Wharf E14 . . . . .4B **54**
Norwich Ho. E14 . . . . .3F **55**
Norwich St. EC4 . . . . .3D **47**
Norwood Ho. E14 . . . . .1A **84**
Notley St. SE5 . . . . .4D **127**
Notting Barn Rd. W10 . . . . . .5D **19**
Nottingdale Sq. W11 . . . . . . .2F **65**
Nottingham Av. E16 . . . . . . .2B **60**
Nottingham Ct. WC2 . . . . . . .4F **45**
Nottingham Ho. WC2 . . . . . .4F **45**
Nottingham Pl. W1 . . . . .5D **25**
Nottingham St. W1 . . . . .1D **43**
Nottingham Ter. NW1 . . . . . .5D **25**
NOTTING HILL 5B **38**
Notting Hill Ga. W11 . . . . . . .2C **66**
Nottingwood Ho. W11 . . . . . .5F **37**
Nova Bldg. E14 . . . . .3D **111**
Nova Ct. E. E14 . . . . .2C **84**
Nova Ct. W. E14 . . . . .2C **84**
Novel Sq. SE10 . . . . .2C **114**
Nuffield Lodge W9 . . . . .1E **39**
Nugent Ter. NW8 . . . . .1C **22**
Nun Ct. EC2 . . . . .3D **49**

Nursery La. E2 . . . . .4B **16**
  W10 . . . . .2B **36**
Nursery Row SE17 . . . . .4D **105**
Nutbourne St. W10 . . . . .2F **19**
Nutcroft Rd. SE15 . . . . .4F **129**
Nutford Pl. W1 . . . . .3A **42**
Nutmeg La. E14 . . . . .4D **57**
Nuttall St. N1 . . . . .5A **16**
Nutt St. SE15 . . . . .4C **128**
Nye Bevan Ho. SW6 . . . . . . .4B **116**
Nynehead St. SE14 . . . . . . .4F **131**

O

O2, The 3F **85**
Oak Ct. SE15 . . . . .4C **128**
Oak Cres. E16 . . . . .2A **58**
Oakdene SE15 . . . . .5F **129**
Oakden St. SE11 . . . . .3E **103**
Oakeford Ho. W14 . . . . .2A **94**
Oakes Cl. E6 . . . . .4C **62**
Oakey La. SE1 . . . . .1D **103**
Oakfield Ho. E3 . . . . .1E **55**
Oakfield St. SW10 . . . . .2B **118**
Oakham Ho. W10 . . . . .5B **18**
Oak Ho. W10 . . . . .4F **19**
Oakington Rd. W9 . . . . .4E **21**
Oak La. E14 . . . . .5B **54**
Oakley Cl. E6 . . . . .3A **62**
Oakley Cres. EC1 . . . . .1A **30**
Oakley Gdns. SW3 . . . . .2A **120**
Oakley Ho. SW1 . . . . .3C **98**
Oakley Pl. SE1 . . . . .1B **128**
Oakley Rd. N1 . . . . .1D **15**
Oakley Sq. NW1 . . . . .5C **10**
Oakley St. SW3 . . . . .2F **119**
Oakley Studios SW3 . . . . . . .2F **119**
Oakley Yd. E2 . . . . .4C **32**
Oak Lodge W8 . . . . .2F **95**
Oakshott Ct. NW1 . . . . .1D **27**
  (not continuous)
Oak St. E14 . . . . .5C **84**
Oak Tree Ho. W9 . . . . .4E **21**
Oak Tree Rd. NW8 . . . . .3E **23**
Oakwood Ct. W14 . . . . .1B **94**
Oakwood La. W14 . . . . .1B **94**
Oakwood Mans. W14 . . . . . .1B **94**
Oakworth Rd. W10 . . . . .1C **36**
Oasis Sports Cen. 3F **45**
Oast Ct. E14 . . . . .5B **54**
Oat La. EC2 . . . . .3C **48**
Oatwell Ho. SW3 . . . . .5A **98**
Oban Ho. E14 . . . . .3E **57**
Oban St. E14 . . . . .3E **57**
Oberon Ho. N1 . . . . .5F **15**
O'Brien Ho. E2 . . . . .2E **35**
Observatory Gdns.
  W8 . . . . .4D **67**
Observatory M. E14 . . . . . . .3D **113**
Observatory Rd. SW7 . . . . . .2D **97**
Occupation Rd. SE17 . . . . . .5B **104**
Ocean Est. E1 . . . . .1F **35**
  (Ben Jonson Rd.)
  E1 . . . . .5E **35**
  (Ernest St.)
Ocean St. E1 . . . . .1E **53**
Ocean Wharf E14 . . . . .5D **83**
Ockbrook E1 . . . . .1C **52**
Ockendon M. N1 . . . . .1D **15**
Ockendon Rd. N1 . . . . .1D **15**
Octagon, The SW10 . . . . . . .4B **118**

Octagon Arc. EC2 . . . . .2F 49
Octagon Ct. SE16 . . . . .3D 81
Octavia Ho. SW1 . . . . .2D 101
　　W10 . . . . .5F 19
Octavia M. W10 . . . . .4B 20
Octavius St. SE8 . . . . .4D 133
Udeon Cinema
　　Camden Town 3A 10
　　Charing Cross 1E 73
　　Covent Garden 4E 45
　　Greenwich 3C 114
　　Kensington 1D 95
　　Leicester Sq. 1E 73
　　Marble March 4C 42
　　Rotherhithe 1E 109
　　Swiss Cen. 5D 45
　　Swiss Cottage 2D 7
　　Tottenham Ct. Rd. 2D 45
　　West End 1E 73
　　Whiteleys 4A 40
Odeon Ct. E16 . . . . .1D 59
Odessa St. SE16 . . . . .5B 82
Odette Duval Ho. E1 . . . . . .2C 52
Odhams Wlk. WC2 . . . . . . .4F 45
O'Donnell Ct. WC1 . . . . . . .4A 28
Odontological Mus., The . . .3C 46
　(in The Royal College of Surgeons)
O'Driscoll Ho. W12 . . . . . . .4A 36
Offenbach Ho. E2 . . . . .1D 35
Offham Ho. SE17 . . . . .4F 105
Offley Rd. SW9 . . . . .4D 125
Offord Rd. N1 . . . . .1B 12
Offord St. N1 . . . . .1C 12
Ogilvie Ho. E1 . . . . .4E 53
Ogle St. W1 . . . . .1B 44
O'Gorman Ho. SW10 . . . . .4C 118
Ohio Rd. E13 . . . . .1B 58
Olaf Ct. W8 . . . . .4E 67
Olaf St. W11 . . . . .1E 65
Old Bailey EC4 . . . . .4A 48
Old Bailey (Central Criminal Court)
　　. . . . . .3A 48
Old Barge Ho. All. SE1 . . . . .1E 75
Old Barracks W8 . . . . .4A 68
Old Barrack Yd. SW1 . . . . . .5D 71
　　(not continuous)
Old Bellgate Pl. E14 . . . . . .2D 111
Old Bethnal Grn. Rd. E2 . . . .2E 33
Old Billingsgate Mkt. EC3 . . .1F 77
Old Billingsgate Wlk. EC3 . . .1F 77
Old Bond St. W1 . . . . .1B 72
Old Brewer's Yd. WC2 . . . . .4F 45
Old Broad St. EC2 . . . . .4E 49
Old Brompton Rd. SW5 . . . .1E 117
　　SW7 . . . . .1E 117
Old Bldgs. WC2 . . . . .3D 47
Old Burlington St. W1 . . . . .5B 44
Oldbury Ho. W2 . . . . .1F 39
Oldbury Pl. W1 . . . . .5E 25
Old Canal M. SE15 . . . . . . .1C 128
Old Castle St. E1 . . . . .3B 50
Old Cavendish St. W1 . . . . .3F 43
Old Change Ct. EC4 . . . . . . .4B 48
Old Chelsea M. SW3 . . . . . .3F 119
Old Church Rd. E1 . . . . .3D 53
Old Church St. SW3 . . . . . . .5E 97
Old Compton St. W1 . . . . . .5D 45
Old Ct. Ho. W8 . . . . .5F 67
Old Ct. Pl. W8 . . . . .4F 67
Old Curiosity Shop 4C 46
Old Fish St. Hill EC4 . . . . . . .5B 48

Old Fleet La. EC4 . . . . .3F 47
Old Ford Rd. E2 . . . . .2B 34
Old Gloucester St. WC1 . . . .1A 46
Old Jamaica Rd. SE16 . . . . .1D 107
Old Jewry EC2 . . . . .4D 49
Old Kent Rd. SE1 . . . . .3E 105
　　SE15 . . . . .2E 129
Old Manor Ct. NW8 . . . . . . .5C 6
Old Mnr. Yd. SW5 . . . . .4F 95
Old Mkt. Sq. E2 . . . . .2B 32
Old Marylebone Rd.
　　NW1 . . . . .2A 42
Old Mitre Ct. EC4 . . . . .4E 47
Old Montague St. E1 . . . . . .2D 51
Old Nichol St. E2 . . . . .4B 32
Old Nth. St. WC1 . . . . .1B 46
Old Nursery Ct. E2 . . . . .1C 32
Old Pal. Yd. SW1 . . . . .1F 101
Old Paradise St. SE11 . . . . .3B 102
Old Pk. La. W1 . . . . .3E 71
Old Pye St. SW1 . . . . .1D 101
Old Pye St. Est. SW1 . . . . . .2D 101
Old Quebec St. W1 . . . . . . .4C 42
Old Queen St. SW1 . . . . . . .5E 73
Old Red Lion Theatre 1E 29
Old Royal Free Pl. N1 . . . . . .4E 13
Old Royal Free Sq. N1 . . . . . .4E 13
Old Royal Naval College 1C 134
Old School Cl. SE10 . . . . . . .2A 114
Old School Sq. E14 . . . . . . .4D 55
Old Seacoal La. EC4 . . . . . . .4F 47
Old Sth. Lambeth Rd.
　　SW8 . . . . .4A 124
Old Spitalfields Market 1B 50
Old Sq. WC2 . . . . .3D 47
OLD STREET 3D 31
Old St. EC1 . . . . .5B 30
Old Sun Wharf E14 . . . . . . .5F 53
Old Theatre Ct. SE1 . . . . . . .2C 76
Old Vic Theatre, The 4E 75
Old Woolwich Rd. SE10 . . . .2D 135
O'Leary Sq. E1 . . . . .1B 52
Olga St. E3 . . . . .1F 35
Oliphant St. W10 . . . . .3E 19
Olive Blythe Ho. W10 . . . . . .1F 37
Olive Ct. N1 . . . . .4E 13
Oliver Gdns. E6 . . . . .2A 62
Oliver Ho. SE16 . . . . .5D 79
　　SW8 . . . . .4F 123
Olivers Wharf E1 . . . . .3F 79
Olivers Yd. EC1 . . . . .4E 31
Olive Tree Ho. SE15 . . . . . . .3C 130
Olive Waite Ho. NW6 . . . . . .1F 5
Olivier Theatre 2C 74
　　(in Royal National Theatre)
Olliffe St. E14 . . . . .2C 112
Olmar St. SE1 . . . . .2D 129
Olney Ho. NW8 . . . . .4A 24
Olney Rd. SE17 . . . . .3A 126
　　(not continuous)
Olympia 2A 94
Olympia M. W2 . . . . .1A 68
Olympian Ct. E14 . . . . .3D 111
Olympia Way W14 . . . . .2A 94
O'Meara St. SE1 . . . . .3C 76
Omega Cl. E14 . . . . .1F 111
Omega Ho. SW10 . . . . .4C 118
Omega Pl. N1 . . . . .1A 28
Onega Ga. SE16 . . . . .1F 109
O'Neill Ho. NW8 . . . . .1F 23
One Owen St. EC1 . . . . .1F 29

Ongar Rd. SW6 . . . . .2D 117
Onslow Cl. W10 . . . . .2B 20
Onslow Ct. SW10 . . . . .1C 118
Onslow Cres. SW7 . . . . .4E 97
Onslow Gdns. SW7 . . . . . . .4D 97
Onslow M. E. SW7 . . . . .4D 97
Onslow M. W. SW7 . . . . . . .4D 97
Onslow Sq. SW7 . . . . .3E 97
Onslow St. EC1 . . . . .5E 29
Ontario St. SE1 . . . . .1A 104
Ontario Way E14 . . . . .1D 83
　　(not continuous)
Opal Cl. E16 . . . . .4E 61
Opal M. NW6 . . . . .3C 4
Opal St. SE11 . . . . .4F 103
Operating Theatre Mus. 3E 77
Ophelia Ho. W6 . . . . .5D 93
Opie Ho. NW8 . . . . .5F 7
Oppidans Rd. NW3 . . . . .2B 8
Orange Pl. SE16 . . . . .2C 108
Orangery Gallery, The 5B 66
Orange St. WC2 . . . . .1E 73
Orange Tree Ct. SE5 . . . . . . .5F 127
Orange Yd. W1 . . . . .4E 45
Oratory La. SW3 . . . . .5E 97
Orbain Rd. SW6 . . . . .5A 116
Orb St. SE17 . . . . .4D 105
Orchard Cl. N1 . . . . .2C 14
　　W10 . . . . .1A 38
Orchard Ho. SE16 . . . . .1C 108
　　SW6 . . . . .5A 116
　　W1 . . . . .3D 43
Orchard M. N1 . . . . .2E 15
Orchard Pl. E14 . . . . .5F 57
　　(not continuous)
Orchardson Ho. NW8 . . . . . .5D 23
Orchardson St. NW8 . . . . . .5D 23
Orchard Sq. W14 . . . . .1B 116
Orchard St. W1 . . . . .4D 43
Orchard Studios W6 . . . . . . .3D 93
Orchard Wharf E14 . . . . .5F 57
Orchid Cl. E6 . . . . .1F 61
Orde Hall St. WC1 . . . . .5B 28
Ordnance Cres. SE10 . . . . . .4F 85
Ordnance Hill NW8 . . . . .4E 7
Ordnance M. NW8 . . . . .5E 7
Ordnance Rd. E16 . . . . .1B 58
Oregano Dr. E14 . . . . .4E 57
Oriana Ho. E14 . . . . .5B 54
Oriental Rd. E16 . . . . .3E 89
Oriental St. E14 . . . . .5E 55
Orient St. SE11 . . . . .3F 103
Orient Wharf E1 . . . . .3F 79
Orion E14 . . . . .3D 111
Orion Bus. Cen. SE14 . . . . . .1D 131
Orion Ho. E1 . . . . .5A 34
Orkney Ho. N1 . . . . .4B 12
Orlop St. SE10 . . . . .1F 135
Orme Ct. W2 . . . . .1A 68
Orme Ct. M. W2 . . . . .1A 68
Orme Ho. E8 . . . . .3C 16
Orme La. W2 . . . . .1F 67
Orme Sq. W2 . . . . .1F 67
Ormond Cl. WC1 . . . . .1A 46
Ormonde Ct. NW8 . . . . .4B 8
Ormonde Ga. SW3 . . . . .1C 120
Ormonde Pl. SW1 . . . . .4E 99
Ormonde Ter. NW8 . . . . .4B 8
Ormond M. WC1 . . . . .5A 28
Ormond Yd. SW1 . . . . .2C 72
Ormrod Ct. W11 . . . . .4A 38

Ormsby St. E2 . . . . .5B **16**
Ormside St. SE15 . . . . . . .3B **130**
Orpen Ho. SW5 . . . . .4E **95**
Orsett M. W2 . . . . .3A **40**
    (not continuous)
Orsett St. SE11 . . . . .5C **102**
Orsett Ter. W2 . . . . .3A **40**
Orsman Rd. N1 . . . . .4F **15**
Orton St. E1 . . . . .3D **79**
Orwell Ct. E8 . . . . .4E **17**
Osbert St. SW1 . . . . .4D **101**
Osborn Cl. E8 . . . . .3D **17**
Osborne Ho. E16 . . . . .2E **87**
Osborn St. E1 . . . . .2C **50**
Oscar Faber Pl.
  N1 . . . . .2A **16**
Osier Ct. E1 . . . . .5D **35**
Osier La. SE10 . . . . .2C **114**
Osier St. E1 . . . . .5C **34**
Oslo Ct. NW8 . . . . .1F **23**
Oslo Sq. SE16 . . . . .1A **110**
Osmani School Sports Cen.
  .5E **33**
Osman Rd. W6 . . . . .1C **92**
Osmington Ho. SW8 . . . . .5B **124**
Osnaburgh St. NW1 . . . . . . .5A **26**
    (Euston St.)
  NW1 . . . . .3A **26**
    (Robert St.)
Osnaburgh Ter. NW1 . . . . . .4A **26**
Osprey Cl. E6 . . . . .2F **61**
Osprey Ct. E1 . . . . .1D **79**
Osprey Ho. E14 . . . . .5A **54**
Ospringe Ho. SE1 . . . . . . .4E **75**
Osram Ct. W6 . . . . .2C **92**
Osric Path N1 . . . . .1F **31**
Ossington Bldgs. W1 . . . . .1D **43**
Ossington Cl. W2 . . . . .1E **67**
Ossington St. W2 . . . . .1F **67**
Ossory Rd. SE1 . . . . .1D **129**
Ossulston St. NW1 . . . . . . .1D **27**
Ostend Pl. SE1 . . . . .3B **104**
Osten M. SW7 . . . . .2A **96**
Osterley Ho. E14 . . . . .3F **55**
Oswald Bldg. SW8 . . . . . . .3F **121**
Oswell Ho. E1 . . . . .2A **80**
Oswin St. SE11 . . . . .3A **104**
Otford Ho. SE1 . . . . .5E **77**
  SE15 . . . . .2C **130**
Othello Cl. SE11 . . . . .5F **103**
Other Cinema, The 5D **45**
Otley Rd. E16 . . . . .3B **60**
Otterburn Ho. SE5 . . . . . . .4B **126**
Otto St. SE17 . . . . .3F **125**
Outer Circ. NW1 . . . . .5B **8**
Outram Pl. N1 . . . . .3A **12**
Outwich St. EC3 . . . . .3A **50**
Oval, The E2 . . . . .5F **17**
Oval Cricket Ground, The
  . . . . .2C **124**
Oval House Theatre 3D **125**
Oval Mans. SE11 . . . . .2C **124**
Oval Pl. SW8 . . . . .4B **124**
Oval Rd. NW1 . . . . .2F **9**
Oval Way SE11 . . . . .1C **124**
Oversley Ho. W2 . . . . .1E **39**
Overstone Ho. E14 . . . . . . .4E **55**
Overstone Rd. W6 . . . . . . .2B **92**
Overy Ho. SE1 . . . . .5F **75**
Ovex Cl. E14 . . . . .5C **84**
Ovington Ct. SW3 . . . . . . .2A **98**

Ovington Gdns. SW3 . . . . .2A **98**
Ovington M. SW3 . . . . .2A **98**
Ovington Sq. SW3 . . . . . . .2A **98**
Ovington St. SW3 . . . . .2A **98**
Owen Mans. W14 . . . . . . .2A **116**
Owen's Row EC1 . . . . .2F **29**
Owen St. EC1 . . . . .1F **29**
    (not continuous)
Owgan Cl. SE5 . . . . .5E **127**
Oxendon St. SW1 . . . . . . .1D **73**
Oxenham Ho. SE8 . . . . . . .2E **133**
Oxenholme NW1 . . . . .1C **26**
Oxestall's Rd. SE8 . . . . . .5A **110**
Oxford & Cambridge Mans.
  NW1 . . . . .2A **42**
Oxford Cir. W1 . . . . .4B **44**
Oxford Cir. Av. W1 . . . . . . .4B **44**
Oxford Ct. EC4 . . . . .5D **49**
  W9 . . . . .1D **39**
Oxford Dr. SE1 . . . . .3F **77**
Oxford Gdns. W10 . . . . . . .4C **36**
Oxford Ga. W6 . . . . .3E **93**
Oxford Rd. NW6 . . . . .1E **21**
Oxford Sq. W2 . . . . .4A **42**
Oxford St. W1 . . . . .4C **42**
Oxleas E6 . . . . .3F **63**
Oxley Cl. SE1 . . . . .5C **106**
Oxo Tower Wharf SE1 . . . .1E **75**
Oystercatcher Cl. E16 . . . .3F **59**
Oystergate Wlk. EC4 . . . . .1D **77**
Oyster Row E1 . . . . .4B **52**
Ozolins Way E16 . . . . .3D **59**

Pace Pl. E1 . . . . .4A **52**
Pacific Ho. E1 . . . . .5E **35**
Pacific Rd. E16 . . . . .3D **59**
Pacific Wharf SE16 . . . . . . .3D **81**
Packenham Ho. E2 . . . . . . .2C **32**
Packington Sq. N1 . . . . . . .4B **14**
    (not continuous)
Packington St. N1 . . . . .3A **14**
Padbury SE17 . . . . .1A **128**
Padbury Ct. E2 . . . . .3C **32**
Padbury Ho. NW8 . . . . .4A **24**
Paddenswick Rd.
  W6 . . . . .3A **92**
PADDINGTON 4D **41**
Paddington Bowling & Sports Club
  . . . . .4F **21**
Paddington Grn. W2 . . . . . .1E **41**
Paddington St. W1 . . . . . . .1D **43**
Paddington Wlk. W2 . . . . . .2D **41**
Padstow Ho. E14 . . . . .5C **54**
Pagden St. SW8 . . . . .5A **122**
Pageant Cres. SE16 . . . . . .2A **82**
Pageantmaster Ct.
  EC4 . . . . .4F **47**
Page Ho. SE10 . . . . .2B **134**
Page St. SW1 . . . . .3E **101**
Page's Wlk. SE1 . . . . .3F **105**
Paget St. EC1 . . . . .2F **29**
Pagham Ho. W10 . . . . .1B **36**
Pagnell St. SE14 . . . . .4B **132**
Painswick St. SE15 . . . . . .4B **128**
Painted Hall 2D **135**
Painters M. SE16 . . . . .3E **107**
Pakeman Ho. SE1 . . . . . . .4A **76**
Pakenham St. WC1 . . . . . . .3C **28**
Palace Av. W8 . . . . .4A **68**

Palace Bingo 3A **104**
Palace Ct. W2 . . . . .5F **39**
    (not continuous)
Palace Gdns. M. W8 . . . . . .2E **67**
Palace Gdns. Ter. W8 . . . . .2E **67**
Palace Ga. W8 . . . . .5B **68**
Palace Grn. W8 . . . . .3F **67**
Palace Mans. W14 . . . . . . .3A **94**
Palace M. SW1 . . . . .4E **99**
  SW6 . . . . .4C **116**
Palace Pl. SW1 . . . . .1B **100**
Palace Pl. Mans. W8 . . . . . .5A **68**
Palace St. SW1 . . . . .1B **100**
Palace Theatre 4E **45**
Palamon Ct. SE1 . . . . .5C **106**
Palestra Ho. SE1 . . . . .3F **75**
Palfrey Pl. SW8 . . . . .5C **124**
Palgrave Gdns. NW1 . . . . . .4A **24**
Palgrave Ho. SE5 . . . . .4B **126**
Palissy St. E2 . . . . .3B **32**
    (not continuous)
Palladium Ct. E8 . . . . .2C **16**
Pallant Ho. SE1 . . . . .2E **105**
Palliser Ct. W14 . . . . .5F **93**
Palliser Ho. E1 . . . . .5E **35**
  SE10 . . . . .2E **135**
Palliser Rd. W14 . . . . .5F **93**
Pall Mall SW1 . . . . .3C **72**
Pall Mall E. SW1 . . . . .2E **73**
Pall Mall Pl. SW1 . . . . .3C **72**
Palm Ct. SE15 . . . . .4C **128**
Palmer Rd. E13 . . . . .1A **60**
Palmer's Rd. E2 . . . . .1E **35**
Palmerston Ct. E3 . . . . .1E **35**
Palmerston Ho. SE1 . . . . . .5D **75**
  W8 . . . . .3D **67**
Palmerston Mans. W14 . . .3A **116**
Palmerston Rd. NW6 . . . . . .1C **4**
    (not continuous)
Palmerston Way SW8 . . . .5A **122**
Palmer St. SW1 . . . . .1D **101**
    (not continuous)
Palm Tree Ho. SE14 . . . . . .4D **131**
Palyn Ho. EC1 . . . . .3C **30**
Pamela Ho. E8 . . . . .3C **16**
Panama Ho. E1 . . . . .1D **53**
Pancras La. EC4 . . . . .4C **48**
Pancras Rd. NW1 . . . . .5D **11**
Pangbourne Ho. N7 . . . . . . .3B **26**
Pangbourne Av. W10 . . . . . .1C **36**
Pankhurst Av. E16 . . . . .2A **88**
Pankhurst Cl. SE14 . . . . . .5D **131**
Panton St. SW1 . . . . .1D **73**
Paper Bldgs. EC4 . . . . .5E **47**
Parade, The SW11 . . . . . . .4C **120**
Paradise Row E2 . . . . .2A **34**
Paradise St. SE16 . . . . .5F **79**
Paradise Wlk. SW3 . . . . . . .2B **120**
Paragon Cl. E16 . . . . .3D **59**
Paragon M. SE1 . . . . .3E **105**
Paramount Bldg. EC1 . . . . . .4F **29**
Paramount Ct. WC1 . . . . . . .5C **26**
Pardoner Ho. SE1 . . . . .1E **105**
Pardoner St. SE1 . . . . .1E **105**
    (not continuous)
Pardon St. EC1 . . . . .4A **30**
Parfett St. E1 . . . . .2E **51**
    (not continuous)
Paris Gdn. SE1 . . . . .2F **75**
Paris Ho. E2 . . . . .1F **33**
Park App. SE16 . . . . .2A **108**

Park Bus. Cen. NW6 . . . . . . .3E 21
Park Cl. SW1 . . . . .5B 70
   W14 . . . . .1C 94
Park Cres. W1 . . . . .5F 25
Park Cres. M. E. W1 . . . . . . .5A 26
Park Cres. M. W. W1 . . . . . . .5F 25
Parker Cl. E16 . . . . .3F 89
Parker Ho. E14 . . . . .4E 83
Parker M. WC2 . . . . .3A 46
Parkers Row SE1 . . . . .5C 78
Parker St. E16 . . . . .3F 89
   WC2 . . . . .3A 46
Parkfield Ct. SE14 . . . . .5B 132
Parkfield Rd. SE14 . . . . . . .5B 132
Parkfield St. N1 . . . . .5E 13
Parkgate N1 . . . . .3E 15
Parkgate Rd. SW11 . . . . . .5F 119
Park Hall SE10 . . . . .5D 135
Parkholme Rd. E8 . . . . .1D 17
Parkhouse St. SE5 . . . . . . .4E 127
Parkinson Ho. SW1 . . . . . . .4C 100
Parkland Ct. W14 . . . . .4F 65
Park La. W1 . . . . .5C 42
Park Lodge NW8 . . . . .2E 7
   W14 . . . . .2C 94
Park Lorne NW8 . . . . .3A 24
Park Mans. NW8 . . . . .1F 23
   SW1 . . . . .5B 70
   SW8 . . . . .2A 124
Park M. SE10 . . . . .5B 114
   W10 . . . . .1A 20
Park Pl. E14 . . . . .2D 83
   N1 . . . . .3E 15
   SW1 . . . . .3B 72
Park Pl. Vs. W2 . . . . .1C 40
Park Rd. NW1 . . . . .2F 23
   NW8 . . . . .2F 23
Park Row SE10 . . . . .1D 135
Parkside SW1 . . . . .4C 70
Parkside Bus. Est. SE8 . . . .2F 131
         (Blackhorse Rd.)
   SE8 . . . . .2A 132
            (Rolt St.)
Park Sq. E. NW1 . . . . .4F 25
Park Sq. M. NW1 . . . . .5F 25
Park Sq. W. NW1 . . . . .4F 25
Park Steps W2 . . . . .5A 42
Park St. SE1 . . . . .2B 76
   W1 . . . . .5D 43
Park Towers W1 . . . . .3F 71
Park Vw. SE8 . . . . .1E 131
Park Vw. Apartments
   SE16 . . . . .2A 108
Park Vw. Est. E2 . . . . .1D 35
Park Village E. NW1 . . . . .4F 9
Park Village W. NW1 . . . . .5F 9
Parkville Rd. SW6 . . . . .5B 116
Park Vista SE10 . . . . .3E 135
Park Wlk. SE10 . . . . .5D 135
   SW10 . . . . .2C 118
Parkway NW1 . . . . .4F 9
Park W. W2 . . . . .3A 42
Park W. Pl. W2 . . . . .3A 42
Park Wharf SE8 . . . . .5A 110
Parkwood NW8 . . . . .4B 8
Parliament Ct. E1 . . . . .2A 50
Parliament Sq. SW1 . . . . . . .5F 73
Parliament St. SW1 . . . . . . .4F 73
Parliament Vw. SE1 . . . . . . .3B 102
Parmiter Ind. Est. E2 . . . . . .1A 34
Parmiter St. E2 . . . . .1A 34

Parmoor Ct. EC1 . . . . .4B 30
Parnell Ho. WC1 . . . . .2E 45
Parnham St. E14 . . . . .3A 54
         (not continuous)
Parr Ct. N1 . . . . .5D 15
Parr Ho. E16 . . . . .2F 87
Parr St. N1 . . . . .5D 15
Parry Av. E6 . . . . .4B 62
Parry Ho. E1 . . . . .3A 80
Parry Rd. W10 . . . . .2A 20
         (not continuous)
Parry St. SW8 . . . . .2A 124
Parsonage St. E14 . . . . .4C 112
Parsons Ho. W2 . . . . .5D 23
Parsons Lodge NW6 . . . . .2F 5
Partridge Cl. E16 . . . . .2D 61
Partridge Ct. EC1 . . . . .4F 29
Partridge Sq. E6 . . . . .1A 62
Pascall Ho. SE17 . . . . .2B 126
Pascal St. SW8 . . . . .4E 123
Pasley Cl. SE17 . . . . .1B 126
Passfield Dr. E14 . . . . .1A 56
Passfield Hall WC1 . . . . .4E 27
Passfields W14 . . . . .1B 116
Passing All. EC1 . . . . .5A 30
Passmore House E2 . . . . . . .4B 16
Passmore St. SW1 . . . . .4D 99
Pastor St. SE11 . . . . .3A 104
         (not continuous)
Patent Ho. E14 . . . . .2A 56
Paternoster La. EC4 . . . . . . .4A 48
Paternoster Row EC4 . . . . . .4B 48
Paternoster Sq. EC4 . . . . . . .4A 48
Paterson Ct. EC1 . . . . .3D 31
Pater St. W8 . . . . .2D 95
Patmos Lodge SW9 . . . . . . .5F 125
Patmos Rd. SW9 . . . . .5F 125
Paton St. EC1 . . . . .3B 30
Patrick Coman Ho. EC1 . . . . .3F 29
Patriot Sq. E2 . . . . .1A 34
Pat Shaw Ho. E1 . . . . .4D 35
Patterdale NW1 . . . . .3A 26
Patterdale Rd. SE15 . . . . . .4B 130
Pattern Ho. EC1 . . . . .4F 29
Pattina Wlk. SE16 . . . . .3A 82
Pattinson Point E16 . . . . . . .2E 59
Pattison Ho. E1 . . . . .3D 53
   SE1 . . . . .4C 76
Paul Ho. W10 . . . . .1F 37
Pauline Ho. E1 . . . . .1E 51
Paul Julius Cl. E14 . . . . .1D 85
Pauls Ho. E3 . . . . .1B 54
Paul St. EC2 . . . . .5E 31
Paul's Wlk. EC4 . . . . .5A 48
Paultons Ho. SW3 . . . . .2E 119
Paultons Sq. SW3 . . . . .2E 119
Paultons St. SW3 . . . . .3E 119
Pavan Ct. E2 . . . . .3C 34
Paveley Dr. SW11 . . . . .5F 119
Paveley Ho. N1 . . . . .1B 28
Paveley St. NW8 . . . . .3F 23
Pavilion NW8 . . . . .3E 23
Pavilion, The SW8 . . . . .4E 123
Pavilion Ct. NW6 . . . . .2D 21
Pavilion Pde. W12 . . . . .3B 36
Pavilion Rd. SW1 . . . . .5C 70
Pavilion St. SW1 . . . . .2C 98
Pavilion Ter. W12 . . . . .3B 36
Paxton Ter. SW1 . . . . .2A 122
Paymal Ho. E1 . . . . .2C 52
Payne Ho. N1 . . . . .4C 12

Payne St. SE8 . . . . .3C 132
Peabody Av. SW1 . . . . .5F 99
Peabody Bldgs. E1 . . . . .5D 51
   EC1 . . . . .5C 30
   SW3 . . . . .3F 119
Peabody Cl. SE10 . . . . .5A 134
   SW1 . . . . .2A 122
Peabody Ct. EC1 . . . . .5C 30
Peabody Est. E1 . . . . .5C 52
   E2 . . . . .1F 33
   EC1 . . . . .5C 30
   (Dufferin St., not continuous)
   EC1 . . . . .5C 30
         (Farringdon La.)
   N1 . . . . .3B 14
   SE1 . . . . .3E 75
           (Duchy St.)
   SE1 . . . . .4C 76
        (Marshalsea Rd.)
   SE1 . . . . .3B 76
        (Southwark St.)
   SW1 . . . . .3C 100
   SW3 . . . . .2A 120
   SW6 . . . . .2C 116
   W6 . . . . .5C 92
   W10 . . . . .1C 36
Peabody Sq. SE1 . . . . .5F 75
         (not continuous)
Peabody Ter. EC1 . . . . .5E 29
Peabody Twr. EC1 . . . . .5C 30
Peabody Trust SE17 . . . . . . .4D 105
Peabody Yd. N1 . . . . .3B 14
Peach Rd. W10 . . . . .2E 19
Peacock St. SE17 . . . . .4A 104
Peacock Theatre 4B 46
Peacock Wlk. E16 . . . . .3F 59
Peacock Yd. SE17 . . . . .4A 104
Peak Fitness 5A 84
Pearce Ho. SW1 . . . . .4E 101
Pear Cl. SE14 . . . . .5A 132
Pear Ct. SE15 . . . . .4B 128
Pearl Cl. E6 . . . . .3D 63
Pearl St. E1 . . . . .2A 80
Pearman St. SE1 . . . . .1E 103
Pear Pl. SE1 . . . . .4D 75
Pearse St. SE15 . . . . .3A 128
Pearson St. E2 . . . . .5A 16
Pear Tree Cl. E2 . . . . .4B 16
Pear Tree Ct. EC1 . . . . .5E 29
Peartree La. E1 . . . . .1C 80
Pear Tree St. EC1 . . . . .4A 30
Peartree Way SE10 . . . . . . .5D 115
Peary Pl. E2 . . . . .2C 34
Peckham Gro. SE15 . . . . . . .4A 128
Peckham Hill St. SE15 . . . . .4D 129
Peckham Pk. Rd. SE15 . . . . .4D 129
Pecks Yd. E1 . . . . .1B 50
Pedley St. E1 . . . . .5C 32
Pedworth Gdns. SE16 . . . . . .4B 108
Peebles Ho. NW6 . . . . .1E 21
Peel Gro. E2 . . . . .1B 34
         (not continuous)
Peel Pas. W8 . . . . .3D 67
Peel Pct. NW6 . . . . .1D 21
Peel St. W8 . . . . .3D 67
Peerless St. EC1 . . . . .3D 31
Pegasus Ct. NW10 . . . . .2A 18
Pegasus Ho. E1 . . . . .5D 35
Pegasus Pl. SE11 . . . . .2D 125
Pekin Cl. E14 . . . . .4E 55
Pekin St. E14 . . . . .4E 55

Peldon Wlk. N1 . . . . .3A **14**
Pelham Ct. SW3 . . . . .4F **97**
Pelham Cres. SW7 . . . . .4F **97**
Pelham Ho. W14 . . . . .4B **94**
Pelham Pl. SW7 . . . . .3F **97**
Pelham St. SW7 . . . . .3E **97**
Pelican Ho. SE8 . . . . .4B **110**
Pelican Pas. E1 . . . . .4B **34**
Pelican Wharf E1 . . . . .2C **80**
Pelier St. SE17 . . . . .2C **126**
Pella Ho. SE11 . . . . .5C **102**
Pellant Rd. SW6 . . . . .3A **116**
Pellew Ho. E1 . . . . .5A **34**
Pelling St. E14 . . . . .3D **55**
Pelter St. E2 . . . . .2B **32**
        (not continuous)
Pelton Rd. SE10 . . . . .5F **113**
Pember Rd. NW10 . . . . .3D **19**
Pemberton Ct. E1 . . . . .3D **35**
Pemberton Row EC4 . . . . . . .3E **47**
Pembridge Cres. W11 . . . . . .5D **39**
Pembridge Gdns. W2 . . . . . .1D **67**
Pembridge M. W11 . . . . .5D **39**
Pembridge Pl. W2 . . . . .5E **39**
Pembridge Rd. W11 . . . . . . .1D **67**
Pembridge Sq. W2 . . . . .1E **67**
Pembridge Studios W11 . . . .5D **39**
Pembridge Vs. W2 . . . . .1D **67**
   W11 . . . . .1D **67**
Pembroke W14 . . . . .4C **94**
Pembroke Av. N1 . . . . .3A **12**
Pembroke Cl. SW1 . . . . .5E **71**
Pembroke Cotts. W8 . . . . . . .2D **95**
Pembroke Ct. W8 . . . . .2D **95**
Pembroke Gdns. W8 . . . . . . .3C **94**
Pembroke Gdns. Cl. W8 . . . .2C **94**
Pembroke Ho. SW1 . . . . .2D **99**
   W2 . . . . .4A **40**
Pembroke M. W8 . . . . .2D **95**
Pembroke Pl. W8 . . . . .2D **95**
Pembroke Rd. E6 . . . . .1B **62**
   W8 . . . . .3C **94**
Pembroke Sq. W8 . . . . .2D **95**
Pembroke St. N1 . . . . .2A **12**
        (not continuous)
Pembroke Studios W8 . . . . . .2C **94**
Pembroke Ter. NW8 . . . . .4D **7**
Pembroke Vs. W8 . . . . .3D **95**
Pembroke Wlk. W8 . . . . .3D **95**
Pemell Cl. E1 . . . . .4C **34**
Pemell Ho. E1 . . . . .4C **34**
Penally Pl. N1 . . . . .3E **15**
Penang Ho. E1 . . . . .2A **80**
Penang St. E1 . . . . .2A **80**
Penarth Cen. SE15 . . . . . . .2B **130**
Penarth St. SE15 . . . . .2B **130**
Pencombe M. W11 . . . . .5C **38**
Pencraig Way SE15 . . . . . . .3F **129**
Pendennis Ho. SE8 . . . . . . .4A **110**
Pendley Ho. E2 . . . . .4E **17**
Pendrell Ho. WC2 . . . . .4E **45**
Penfield Lodge W9 . . . . .1E **39**
Penfold Pl. NW1 . . . . .1F **41**
Penfold St. NW1 . . . . .5E **23**
   NW8 . . . . .5E **23**
Penhurst Pl. SE1 . . . . .2C **102**
Peninsula Apartments W2 . . .2F **41**
Peninsula Ct. E14 . . . . .1A **112**
Peninsula Hgts. SE1 . . . . . .5A **102**
Peninsular Pk. SE7 . . . . . . .4E **115**
Peninsular Pk. Rd. SE7 . . . .4E **115**

Penley Ct. WC2 . . . . .5C **46**
Penmayne Ho. SE11 . . . . . . .5E **103**
Pennack Rd. SE15 . . . . . . .3C **128**
Penn Almshouses SE10 . . . .5B **134**
Pennant M. W8 . . . . .3F **95**
Pennard Mans. W12 . . . . . . .5B **64**
Pennard Rd. W12 . . . . .4B **64**
Pennethorne Rd. SE15 . . . .5F **129**
Penn Ho. NW8 . . . . .5F **23**
Pennington Cl. SE16 . . . . . .2A **82**
Pennington St. E1 . . . . .1E **79**
Penn St. N1 . . . . .4E **15**
Pennyfields E14 . . . . .5D **55**
        (not continuous)
Pennyford Ct. NW8 . . . . .4D **23**
Pennymoor Wlk. W9 . . . . . . .4C **20**
Pennyroyal Av. E6 . . . . .4D **63**
Penrose Gro. SE17 . . . . . . .1B **126**
Penrose Ho. SE17 . . . . .1B **126**
        (not continuous)
Penrose St. SE17 . . . . .1B **126**
Penryn Ho. SE11 . . . . .5F **103**
Penryn St. NW1 . . . . .5D **11**
Penry St. SE1 . . . . .4A **106**
Penshurst Ho. SE15 . . . . . .2C **130**
Pentagram Yd. W11 . . . . . . .4D **39**
Penton Gro. N1 . . . . .1D **29**
Penton Ho. N1 . . . . .1D **29**
Penton Pl. SE17 . . . . .4A **104**
Penton Ri. WC1 . . . . .2C **28**
Penton St. N1 . . . . .5D **13**
PENTONVILLE 1B **28**
Pentonville Rd. N1 . . . . .2A **28**
Pentridge St. SE15 . . . . . . .5B **128**
Penywern Rd. SW5 . . . . .5E **95**
Penzance Ho. SE11 . . . . . . .5E **103**
Penzance Pl. W11 . . . . .2F **65**
Penzance St. W11 . . . . .2F **65**
Peony Ct. SW10 . . . . .2C **118**
Peperfield WC1 . . . . .3B **28**
Pepler Ho. W10 . . . . .1F **37**
Pepler M. SE5 . . . . .1B **128**
Peploe Rd. NW6 . . . . .1E **19**
Pepper Cl. E6 . . . . .1C **62**
Pepper St. E14 . . . . .1F **111**
   SE1 . . . . .4B **76**
Pepys Cres. E16 . . . . .2E **87**
Pepys Ho. E2 . . . . .2C **34**
Pepys St. EC3 . . . . .5A **50**
Percival David Foundation of
   Chinese Art 5E **27**
Percival St. EC1 . . . . .4F **29**
Percy Cir. WC1 . . . . .2C **28**
Percy M. W1 . . . . .2D **45**
Percy Pas. W1 . . . . .2D **45**
Percy Rd. E16 . . . . .1A **58**
Percy St. W1 . . . . .2D **45**
Percy Yd. WC1 . . . . .2C **28**
Peregrine Ct. SE8 . . . . .3D **133**
Peregrine Ho. EC1 . . . . .2A **30**
Perham Rd. W14 . . . . .1A **116**
Peridot St. E6 . . . . .1A **62**
Perkins Ho. E14 . . . . .2C **54**
Perkin's Rents SW1 . . . . . . .2D **101**
Perkins Sq. SE1 . . . . .2C **76**
Perley Ho. E3 . . . . .1C **54**
Perrers Rd. W6 . . . . .3A **92**
Perring Est. E3 . . . . .1E **55**
Perrin Ho. NW6 . . . . .2D **21**
Perronet Ho. SE1 . . . . .2A **104**
Perry Ct. E14 . . . . .5E **111**

Perryn Rd. SE16 . . . . .1F **107**
Perry's Pl. W1 . . . . .3D **45**
Perseverance Pl. SW9 . . . .5E **125**
Perseverance Works E2 . . . .2A **32**
Perth Ho. N1 . . . . .2B **12**
Peter Best Ho. E1 . . . . .3F **51**
Peterboat Cl. SE10 . . . . . . .3A **114**
Peterborough Ct. EC4 . . . . . .4E **47**
Peter Butler Ho. SE1 . . . . . .4D **79**
Peterchurch Ho. SE15 . . . . .3F **129**
Peter Ho. SW8 . . . . .4F **123**
Peterley Bus. Cen. E2 . . . . . .5F **17**
Peter Pan Statue 2D **69**
Peters Ct. W2 . . . . .3A **40**
Petersham Ho. SW7 . . . . . . .3D **97**
Petersham La. SW7 . . . . . . .1B **96**
Petersham M. SW7 . . . . .2B **96**
Petersham Pl. SW7 . . . . .2B **96**
Peter's Hill EC4 . . . . .5B **48**
Peter Shore Ct. E1 . . . . .1D **53**
Peter's La. EC1 . . . . .1A **48**
        (not continuous)
Peter St. W1 . . . . .5D **45**
Peto Pl. NW1 . . . . .4A **26**
Peto St. Nth. E16 . . . . .4B **58**
Petrie Mus. of
   Egyptian Archaeology . . .5D **27**
Petticoat La. E1 . . . . .2A **50**
Petticoat Lane Market *2A **50***
        (off Middlesex St.)
Petticoat Sq. E1 . . . . .3B **50**
Petticoat Twr. E1 . . . . .3B **50**
Petty France SW1 . . . . .1C **100**
Petty Wales EC3 . . . . .1A **78**
Petyt Pl. SW3 . . . . .3F **119**
Petyward SW3 . . . . .4A **98**
Pevensey Ho. E1 . . . . .2E **53**
Peverel E6 . . . . .3D **63**
Peveril Ho. SE1 . . . . .2E **105**
Peyton Pl. SE10 . . . . .4B **134**
Pheasant Cl. E16 . . . . .3F **59**
Pheasantry Ho. SW3 . . . . . .5A **98**
Phelp St. SE17 . . . . .2D **127**
Phene St. SW3 . . . . .2A **120**
Philadelphia Ct. SW10 . . . . .5C **118**
Philbeach Gdns. SW5 . . . . .5D **95**
Philchurch Pl. E1 . . . . .4E **51**
Philia Ho. NW1 . . . . .1B **10**
Philip Ct. W2 . . . . .1D **41**
Philip Ho. NW6 . . . . .4F **5**
Philip Mole Ho. W9 . . . . .4D **21**
Phillimore Ct. W8 . . . . .5E **67**
Phillimore Gdns. W8 . . . . . . .5D **67**
Phillimore Gdns. Cl. W8 . . . .1D **95**
Phillimore Pl. W8 . . . . .5D **67**
Phillimore Ter. W8 . . . . .1E **95**
Phillimore Wlk. W8 . . . . .1D **95**
Phillipp St. N1 . . . . .4F **15**
Philpot La. EC3 . . . . .5F **49**
Philpot St. E1 . . . . .2F **51**
Phipps Ho. SE7 . . . . .5F **115**
   W12 . . . . .5A **36**
Phipp St. EC2 . . . . .4F **31**
Phoenix Bus. Cen. E3 . . . . . .2E **55**
Phoenix Cl. E8 . . . . .3B **16**
Phoenix Ct. E1 . . . . .4A **34**
   E14 . . . . .4E **111**
   NW1 . . . . .1E **27**
   SE14 . . . . .3F **131**
Phoenix Lodge Mans.
   W6 . . . . .3C **92**

Phoenix Pl. WC1 . . . . .4C **28**
Phoenix Rd. NW1 . . . . .2D **27**
Phoenix St. WC2 . . . . .4E **45**
Phoenix Theatre 4E **45**
Phoenix Wharf E1 . . . . .3A **80**
Phoenix Wharf Rd.
    OE1 . . . . .3C **70**
Phoenix Yd. WC1 . . . . .3C **28**
Photographers' Gallery 5F **45**
    (off Gt. Newport St.)
Physic Pl. SW3 . . . . .2B **120**
Piazza, The WC2 . . . . .5A **40**
    (not continuous)
Piccadilly W1 . . . . .3F **71**
Piccadilly Arc. SW1 . . . . . . .2B **72**
Piccadilly Circus 1D **73**
Piccadilly Cir. W1 . . . . .1D **73**
Piccadilly Pl. W1 . . . . .1C **72**
Piccadilly Theatre 5C **44**
Pickard St. EC1 . . . . .2A **30**
Pickering Ho. W2 . . . . .4B **40**
Pickering M. W2 . . . . .3A **40**
Pickering Pl. SW1 . . . . .3C **72**
Pickering St. N1 . . . . .3A **14**
Pickfords Wharf N1 . . . . .1B **30**
    SE1 . . . . .2D **77**
Pickwick Ho. SE16 . . . . .5D **79**
    W11 . . . . .2E **65**
Pickwick St. SE1 . . . . .5B **76**
Pickworth Cl. SW8 . . . . .5A **124**
Picton Pl. W1 . . . . .4E **43**
Picton St. SE5 . . . . .5D **127**
Pied Bull Yard N1 . . . . .4F **13**
    (off Theberton St.)
    WC1 . . . . .2F **45**
Pier Head E1 . . . . .3F **79**
    (not continuous)
Pierhead Wharf E1 . . . . .3F **79**
Pier Ho. SW3 . . . . .3A **120**
Pier Pde. E16 . . . . .3E **91**
Pierpoint Bldg. E14 . . . . .4C **82**
Pierrepont Arc. N1 . . . . .5F **13**
Pierrepont Row N1 . . . . .5F **13**
Pier Rd. E16 . . . . .3E **91**
Pier St. E14 . . . . .3C **112**
    (not continuous)
Pietra Lara Bldg. EC1 . . . . . .4B **30**
Pigott St. E14 . . . . .4D **55**
Pikemans Ct. SW5 . . . . .4D **95**
Pilgrimage St. SE1 . . . . .5D **77**
Pilgrim Ho. SE1 . . . . .2E **105**
Pilgrims Cloisters SE5 . . . . .5F **127**
Pilgrims M. E14 . . . . .5E **57**
Pilgrim St. EC4 . . . . .4F **47**
Pilot Cl. SE8 . . . . .2B **132**
Pilton Pl. SE17 . . . . .5C **104**
Pilton Pl. Est. SE17 . . . . . . .5C **104**
PIMLICO 1B **122**
Pimlico Ho. SW1 . . . . .5F **99**
Pimlico Rd. SW1 . . . . .5D **99**
Pimlico Wlk. N1 . . . . .2F **31**
Pinchin & Johnsons Yd.
    E1 . . . . .5E **51**
Pinchin St. E1 . . . . .5E **51**
Pincombe Ho. SE17 . . . . . . .5D **105**
Pindar St. EC2 . . . . .1F **49**
Pindock M. W9 . . . . .5A **22**
Pineapple Ct. SW1 . . . . .1B **100**
Pinefield Cl. E14 . . . . .5D **55**
Pine Ho. SE16 . . . . .4C **80**
    W10 . . . . .4F **19**

Pinehurst Ct. W11 . . . . .4C **38**
Pine M. NW10 . . . . .1D **19**
Pine St. EC1 . . . . .4D **29**
Pine Tree Ho. SE14 . . . . .5D **131**
Pinnace Ho. E14 . . . . .1C **112**
Pinnacle Way E14 . . . . .4A **54**
Pinner Ct. NW8 . . . . .4D **23**
Pinners Pas. EC2 . . . . .3F **49**
    (off Austin Friars)
Pintail Cl. E6 . . . . .2F **61**
Pintail Ct. SE8 . . . . .2B **132**
Pioneer Cl. E14 . . . . .2F **55**
Pioneer Ho. WC1 . . . . .2B **28**
Pioneer Way W12 . . . . .4A **36**
Pipers Ho. SE10 . . . . .1E **135**
Pippin Ho. W10 . . . . .5D **37**
Pirie St. E16 . . . . .3A **88**
Pitfield Est. N1 . . . . .2F **31**
Pitfield St. N1 . . . . .4F **15**
Pitman St. SE5 . . . . .4B **126**
    (not continuous)
Pitsea Pl. E1 . . . . .4E **53**
Pitsea St. E1 . . . . .4E **53**
Pitt's Head M. W1 . . . . .3E **71**
Pitt St. W8 . . . . .4E **67**
Pixley St. E14 . . . . .3C **54**
Place, The 3E **27**
Plaisterers Highwalk EC2 . . .2B **48**
Plaistow Wharf E16 . . . . .3D **87**
Planetree Ct. W6 . . . . .3E **93**
Plane Tree Ho. SE8 . . . . .2A **132**
Plantain Pl. SE1 . . . . .4D **77**
Plantation Pl. EC3 . . . . .5F **49**
Plate Ho. E14 . . . . .5F **111**
Platina St. EC2 . . . . .4E **31**
Platt St. NW1 . . . . .5D **11**
Playfair Ho. E14 . . . . .4E **55**
Playfair Mans. W14 . . . . .3A **116**
Playhouse Ct. SE1 . . . . .4B **76**
Playhouse Theatre 2A **74**
Playhouse Yd. EC4 . . . . .4F **47**
Plaza Cinema 1D **73**
Plaza Pde. NW6 . . . . .5F **5**
Plaza Shop. Cen., The W1 . . .3C **44**
Pleasant Pl. N1 . . . . .2A **14**
Pleasant Row NW1 . . . . .4A **10**
Plender Pl. NW1 . . . . .4C **10**
Plender St. NW1 . . . . .4B **10**
Plessey Bldg. E14 . . . . .3D **55**
Plevna St. E14 . . . . .1B **112**
Pleydell Ct. EC4 . . . . .4E **47**
Pleydell Est. EC1 . . . . .3C **30**
Pleydell St. EC4 . . . . .4E **47**
Plimsoll Cl. E14 . . . . .4F **55**
Plough Ct. EC3 . . . . .5E **49**
Ploughmans Cl. NW1 . . . . . . .3D **11**
Plough Pl. EC4 . . . . .3E **47**
Plough St. E1 . . . . .3C **50**
Plough Way SE16 . . . . .3E **109**
Plough Yd. EC2 . . . . .5A **32**
Plover Ho. SW9 . . . . .5D **125**
Plover Way SE16 . . . . .1F **109**
Plowden Bldgs. EC4 . . . . . . .5D **47**
    (off Middle Temple La.)
Plumber's Row E1 . . . . .2D **51**
Plume Ho. SE10 . . . . .3A **134**
Plumtree Ct. EC4 . . . . .3F **47**
Plymouth Ho. SE10 . . . . .5A **134**
Plymouth Rd. E16 . . . . .2D **59**
Plymouth Wharf E14 . . . . . . .3D **113**
Plympton Av. NW6 . . . . .2B **4**

Plympton Pl. NW8 . . . . .5F **23**
Plympton Rd. NW6 . . . . .2B **4**
Plympton St. NW8 . . . . .5F **23**
Pocock St. SE1 . . . . .4F **75**
Point, The W2 . . . . .2D **41**
Pointers Cl. E14 . . . . .5F **111**
Point Hill SE10 . . . . .5C **134**
Point West SW7 . . . . .3A **96**
Poland St. W1 . . . . .3C **44**
Polesworth Ho. W2 . . . . .1E **39**
Pollard Cl. E16 . . . . .5D **59**
Pollard Ho. N1 . . . . .1B **28**
Pollard Row E2 . . . . .2E **33**
Pollard St. E2 . . . . .2E **33**
Pollen St. W1 . . . . .4B **44**
Pollitt Dr. NW8 . . . . .4D **23**
Pollock Ho. W10 . . . . .4F **19**
Pollock's Toy Mus. 1C **44**
Polperro Ho. W2 . . . . .2E **39**
Polperro M. SE11 . . . . .3F **103**
Polychrome Ct. SE1 . . . . . . .5F **75**
Polygon, The NW8 . . . . .3E **7**
Polygon Rd. NW1 . . . . .1D **27**
Pomell Way E1 . . . . .3C **50**
Pomeroy Ho. E2 . . . . .1D **35**
    W11 . . . . .4F **37**
Pomona Ho. SE8 . . . . .4F **109**
Ponder St. N7 . . . . .1B **12**
    (not continuous)
Pond Ho. SW3 . . . . .4F **97**
Pond Pl. SW3 . . . . .4F **97**
Ponler St. E1 . . . . .4F **51**
Ponsard Rd. NW10 . . . . .2A **18**
Ponsonby Pl. SW1 . . . . .5E **101**
Ponsonby Ter. SW1 . . . . . . .5E **101**
Ponton Rd. SW8 . . . . .3E **123**
Pont St. SW1 . . . . .2B **98**
Pont St. M. SW1 . . . . .2B **98**
Pontypool Pl. SE1 . . . . .4F **75**
Poole Ct. N1 . . . . .2A **16**
Poole Ho. SE11 . . . . .3C **102**
Pooles Bldgs. WC1 . . . . .5D **29**
Pooles La. SW10 . . . . .5B **118**
Poole St. N1 . . . . .4D **15**
Pooley Ho. E1 . . . . .3F **35**
Pool Ho. NW8 . . . . .1E **41**
Poolmans St. SE16 . . . . .4D **81**
Poonah St. E1 . . . . .4C **52**
Pope Ho. SE5 . . . . .5D **127**
    SE16 . . . . .4F **107**
Pope's Head All. EC3 . . . . . .4E **49**
Pope St. SE1 . . . . .5A **78**
Popham Rd. N1 . . . . .3B **14**
Popham St. N1 . . . . .3A **14**
    (not continuous)
POPLAR 5F **55**
Poplar Bath St. E14 . . . . .5A **56**
Poplar Bus. Pk. E14 . . . . . . .1B **84**
Poplar Gro. W6 . . . . .5C **64**
Poplar High St. E14 . . . . .5E **55**
Poplar Ho. SE16 . . . . .5D **81**
Poplar M. W12 . . . . .3B **64**
Poplar Pl. W2 . . . . .5F **39**
Poppins Ct. EC4 . . . . .4F **47**
Porchester Ct. W2 . . . . .5A **40**
Porchester Gdns. W2 . . . . . . .5A **40**
Porchester Gdns. M. W2 . . . .4A **40**
Porchester Ga. W2 . . . . .1A **68**
    (not continuous)
Porchester Ho. E1 . . . . .3F **51**
Porchester Leisure Cen. 3F **39**

Porchester M. W2 . . . . .3A **40**
Porchester Pl. W2 . . . . .4A **42**
Porchester Rd. W2 . . . . .3A **40**
Porchester Sq. W2 . . . . .3A **40**
Porchester Ter. W2 . . . . .4B **40**
Porchester Ter. Nth. W2 . . . .3A **40**
Porchester Wlk. W2 . . . . . . .3A **40**
Porlock St. SE1 . . . . .4E **77**
Portcullis Ho. SW1 . . . . .5F **73**
Portelet Ct. N1 . . . . .3F **15**
Portelet Rd. E1 . . . . .3D **35**
Porten Ho's. W14 . . . . .2F **93**
Porten Rd. W14 . . . . .2F **93**
Porter Rd. E6 . . . . .3C **62**
Porters Lodge, The
    SW10 . . . . .4B **118**
    (off Coleridge Gdns.)
Porter St. SE1 . . . . .2C **76**
    W1 . . . . .1C **42**
Porters Wlk. E1 . . . . .1A **80**
Porteus Rd. W2 . . . . .1C **40**
Portgate Cl. W9 . . . . .4C **20**
Port Ho. E14 . . . . .5F **111**
Portia Ct. SE11 . . . . .5F **103**
Portia Way E3 . . . . .1B **54**
Porticos, The SW3 . . . . .3D **119**
Portishead Ho. W2 . . . . .2D **39**
Portland Ct. N1 . . . . .2A **16**
    SE1 . . . . .1D **105**
    SE14 . . . . .3F **131**
Portland Ho. SW1 . . . . .2B **100**
Portland M. W1 . . . . .4C **44**
Portland Pl. W1 . . . . .5F **25**
Portland Rd. W11 . . . . .5F **37**
Portland Sq. E1 . . . . .2F **79**
Portland St. SE17 . . . . .5D **105**
Portland Wlk. SE17 . . . . . . .2E **127**
Portman Cl. W1 . . . . .3C **42**
Portman Ga. NW1 . . . . .5A **24**
Portman Mans. W1 . . . . .1C **42**
Portman M. Sth. W1 . . . . . . .4D **43**
Portman Pl. E2 . . . . .3C **34**
Portman Sq. W1 . . . . .3D **43**
Portman St. W1 . . . . .4D **43**
Portman Towers W1 . . . . . . .3C **42**
Portnall Ho. W9 . . . . .3B **20**
Portnall Rd. W9 . . . . .1B **20**
Portobello Ct. Est. W11 . . . .4C **38**
Portobello M. W11 . . . . .1D **67**
Portobello Rd. W10 . . . . . . .1F **37**
    W11 . . . . .3B **38**
Portobello Road Market 1F **37**
Portpool La. EC1 . . . . .1D **47**
Portree St. E14 . . . . .3E **57**
Portsea Hall W2 . . . . .4B **42**
Portsea M. W2 . . . . .4A **42**
Portsea Pl. W2 . . . . .4A **42**
Portsmouth M. E16 . . . . . . .2A **88**
Portsmouth St. WC2 . . . . . . .4B **46**
Portsoken St. E1 . . . . .5B **50**
Portugal St. WC2 . . . . .4B **46**
Pory Ho. SE11 . . . . .4C **102**
Poseidon Ct. E14 . . . . .3D **111**
Postern, The EC2 . . . . .2C **48**
Post Office Ct. EC3 . . . . .4E **49**
Post Office Way SW8 . . . . . . .4D **123**
Potier St. SE1 . . . . .2E **105**
Potter Cl. SE15 . . . . .4A **128**
Potters Flds. SE1 . . . . .3A **78**
Potters Lodge E14 . . . . .5B **112**
Pottery La. W11 . . . . .2A **66**

Pottery St. SE16 . . . . .5F **79**
Pott St. E2 . . . . .3A **34**
Poultry EC2 . . . . .4D **49**
Povey Ho. SE17 . . . . .4F **105**
Powell Ho. W2 . . . . .5D **41**
    (off Gloucester Ter.)
    W2 . . . . .3A **40**
    (Gloucester Ter.)
Powis Ct. W11 . . . . .3C **38**
Powis Gdns. W11 . . . . .3C **38**
Powis M. W11 . . . . .3C **38**
Powis Pl. WC1 . . . . .5A **28**
Powis Sq. W11 . . . . .3C **38**
    (not continuous)
Powis Ter. W11 . . . . .3C **38**
Powlesland Ct. E1 . . . . .4F **53**
    (off White Horse Rd.)
Powlett Ho. NW1 . . . . .1F **9**
Powlett Pl. NW1 . . . . .1F **9**
    (not continuous)
Pownall Rd. E8 . . . . .4C **16**
Poynter Ho. NW8 . . . . .4D **23**
    W11 . . . . .2E **65**
Poyser St. E2 . . . . .1A **34**
Praed M. W2 . . . . .3E **41**
Praed St. W2 . . . . .4D **41**
Pratt M. NW1 . . . . .4B **10**
Pratt St. NW1 . . . . .4B **10**
Pratt Wlk. SE11 . . . . .3C **102**
Preachers Ct. EC1 . . . . .5A **30**
Prebend St. N1 . . . . .4B **14**
Precinct, The N1 . . . . .4B **14**
Premier Cnr. W9 . . . . .1B **20**
Premiere Pl. E14 . . . . .1D **83**
Premier Ho. N1 . . . . .2F **13**
Prescot St. E1 . . . . .5C **50**
Prescott Ho. SE17 . . . . .3A **126**
President Dr. E1 . . . . .2F **79**
President Ho. EC1 . . . . .3A **30**
President Quay E1 . . . . .2C **78**
President St. EC1 . . . . .2B **30**
Press Ct. SE1 . . . . .5D **107**
Prestage Way E14 . . . . .5C **56**
Preston Cl. SE1 . . . . .3F **105**
Preston Ho. SE1 . . . . .3F **105**
    (Preston Cl.)
    SE1 . . . . .1B **106**
    (Stanworth St.)
Preston's Rd. E14 . . . . .1C **84**
Preston St. E2 . . . . .1E **35**
Prestwood Ho. SE16 . . . . . . .1F **107**
Prestwood St. N1 . . . . .1C **30**
Priam Ho. E2 . . . . .1A **34**
Price Ho. N1 . . . . .4B **14**
Price's St. SE1 . . . . .3A **76**
Price's Yd. N1 . . . . .4C **12**
Prideaux Ho. WC1 . . . . .2C **28**
Prideaux Pl. WC1 . . . . .2C **28**
Priestley Ho. EC1 . . . . .4B **30**
Priest's Ct. EC2 . . . . .3B **48**
Prima Rd. SW9 . . . . .4D **125**
Prime Meridian Line 4E **135**
PRIMROSE HILL 2C **8**
Primrose Hill EC4 . . . . .4E **47**
Primrose Hill Ct. NW3 . . . . . .2B **8**
Primrose Hill Rd. NW3 . . . . . .1A **8**
Primrose Hill Studios
    NW1 . . . . .3D **9**
Primrose M. NW1 . . . . .2C **8**
Primrose St. EC2 . . . . .1F **49**
Primrose Wlk. SE14 . . . . . . .4A **132**

Prince Albert Ct. NW8 . . . . . .4B **8**
Prince Albert Rd. NW1 . . . . .2F **23**
    NW8 . . . . .2F **23**
Prince Charles Cinema 5E **45**
Prince Consort Rd. SW7 . . . .1C **96**
Princedale Rd. W11 . . . . .2F **65**
Prince Edward Mans. W2 . . . .5E **39**
Prince Edward Theatre 4E **45**
Princelet St. E1 . . . . .1C **50**
Prince of Orange Ct.
    SE16 . . . . .2C **108**
Prince of Orange La.
    SE10 . . . . .4B **134**
Prince of Wales Dr. SW8 . . . .5A **122**
    SW11 . . . . .5E **121**
Prince of Wales Mans.
    SW11 . . . . .5E **121**
Prince of Wales Pas.
    NW1 . . . . .3B **26**
Prince of Wales Rd. E16 . . . .4C **60**
Prince of Wales Ter. W8 . . . .5A **68**
Prince of Wales Theatre 1D **73**
Prince Regent Ct. NW8 . . . . .5A **8**
    SE16 . . . . .1A **82**
Prince Regent La. E13 . . . . .1B **60**
    E16 . . . . .3B **60**
Prince Regent M. NW1 . . . . .3B **26**
Princes Arc. SW1 . . . . .2C **72**
Princes Cir. WC2 . . . . .3F **45**
Prince's Ct. SE16 . . . . .2B **110**
    SW3 . . . . .1B **98**
Princes Ct. Bus. Cen. E1 . . . .1A **80**
Prince's Gdns. SW7 . . . . .1E **97**
Prince's Ga. SW7 . . . . .5E **69**
    (not continuous)
Prince's Ga. Ct. SW7 . . . . . .5E **69**
Prince's Ga. M. SW7 . . . . . . .1E **97**
Princes Ho. W11 . . . . .1C **66**
Princes M. W2 . . . . .5F **39**
    W6 . . . . .5A **92**
Princes Pl. SW1 . . . . .2C **72**
    W11 . . . . .2F **65**
Princes Riverside Rd.
    SE16 . . . . .2D **81**
Princess Alice Ho. W10 . . . . .5C **18**
Princess Ct. W1 . . . . .2B **42**
    W2 . . . . .5A **40**
Princess Louise Cl. W2 . . . . .1E **41**
Princess Mary Ho. SW1 . . . .4E **101**
Princes Sq. W2 . . . . .5E **39**
    (not continuous)
Princess Rd. NW1 . . . . .3D **9**
    NW6 . . . . .1D **21**
Princess St. SE1 . . . . .2A **104**
Princes St. EC2 . . . . .4D **49**
    W1 . . . . .4A **44**
Prince's Twr. SE16 . . . . .4B **80**
Prince St. SE8 . . . . .2C **132**
Prince's Yd. W11 . . . . .3A **66**
Princethorpe Ho. W2 . . . . . .1F **39**
Princeton St. WC1 . . . . .2B **46**
Printers Inn Ct. EC4 . . . . . . .3D **47**
Printer St. EC4 . . . . .3E **47**
Printing Ho. Yd. E2 . . . . .3A **32**
Printon Ho. E14 . . . . .2C **54**
Printwork Apartments
    SE1 . . . . .1F **105**
    (off Long La.)
Prioress St. SE1 . . . . .2E **105**
Prior St. SE10 . . . . .5B **134**
Priory Ct. EC4 . . . . .4A **48**

Priory Grn. Est. N1 . . . . .5C 12
Priory Ho. E1 . . . . .1B 50
  EC1 . . . . .4F 29
  SW1 . . . . .5D 101
Priory Mans. SW10 . . . . . . .1C 118
Priory Pk. Rd. NW6 . . . . .3C 4
Priory Rd. NW6 . . . . .3F 5
Priory Ter. NW6 . . . . .3F 5
Priory Wlk. SW10 . . . . .1C 118
Pritchard Ho. E2 . . . . .5F 17
Priter Rd. SE16 . . . . .2E 107
Priter Way SE16 . . . . .2E 107
Probyn Ho. SW1 . . . . .3E 101
Procter Ho. SE1 . . . . .5D 107
  SE5 . . . . .5E 127
Procter St. WC1 . . . . .2B 46
Prologis Pk. E16 . . . . .1C 56
Prospect Ho. N1 . . . . .1D 29
  SE1 . . . . .2F 103
  W10 . . . . .4E 37
Prospect Pl. E1 . . . . .2B 80
       (not continuous)
  SE8 . . . . .2B 132
Prospect St. SE16 . . . . .5A 80
Prospect Wharf E1 . . . . .1C 80
Prothero Rd. SW6 . . . . .4A 116
Proud Ho. E1 . . . . .3F 51
Provence St. N1 . . . . .5B 14
Providence Ct. W1 . . . . .5E 43
Providence Pl. N1 . . . . .4F 13
Providence Row N1 . . . . .1B 28
Providence Row Cl. E2 . . . . .3A 34
Providence Sq. SE1 . . . . .4D 79
Providence Twr. SE16 . . . . . . .4D 79
Providence Yd. E2 . . . . .2D 33
Provost Ct. NW3 . . . . .1B 8
Provost Est. N1 . . . . .2D 31
Provost Rd. NW3 . . . . .1C 8
Provost St. N1 . . . . .1D 31
Prowse Pl. NW1 . . . . .1B 10
Prudent Pas. EC2 . . . . .4C 48
Prusom's Island E1 . . . . .2B 80
Prusom St. E1 . . . . .2A 80
Pudding La. EC3 . . . . .1E 77
Puddle Dock EC4 . . . . .5A 48
       (not continuous)
Pugin Ct. N1 . . . . .2E 13
Pulham Ho. SW8 . . . . .5B 124
Pullen's Bldgs. SE17 . . . . . .5A 104
Pulteney Ter. N1 . . . . .4C 12
       (not continuous)
Pulton Pl. SW6 . . . . .5D 117
Puma Ct. E1 . . . . .1B 50
Pump Ct. EC4 . . . . .4D 47
Pump Ho. Cl. SE16 . . . . .5C 80
Pump House Gallery, The
  . . . . .5D 121
Pump Ho. M. E1 . . . . .5D 51
Pumping Ho. E14 . . . . .5D 57
Pump La. SE14 . . . . .4C 130
Punderson's Gdns. E2 . . . . .2A 34
Purbeck Ho. SW8 . . . . .5B 124
Purbrook Est. SE1 . . . . .5A 78
Purbrook St. SE1 . . . . .1A 106
Purcell Ho. SW10 . . . . .3D 119
Purcell Mans. W14 . . . . .3A 116
Purcell Room 2C 74
Purcell St. N1 . . . . .5F 15
Purchese St. NW1 . . . . .5D 11
Purday Ho. W10 . . . . .3A 20
Purley Pl. N1 . . . . .1F 13

Purves Rd. NW10 . . . . .2A 18
Pusey Ho. E14 . . . . .4E 55
Puteaux Ho. E2 . . . . .1D 35
Pylon Trad. Est. E16 . . . . . . .1F 57
Pynfolds SE16 . . . . .5A 80

Q

Quad Ct. SE1 . . . . .1A 106
Quadrangle, The W2 . . . . .3F 41
  W12 . . . . .4A 36
Quadrangle Cl. SE1 . . . . .3F 105
Quadrant, The W10 . . . . .3E 19
Quadrant Arc. W1 . . . . .1C 72
Quadrant Bus. Cen.
  NW6 . . . . .3A 4
Quadrant Ho. SE1 . . . . .3F 75
Quain Mans. W14 . . . . .3A 116
Quaker Ct. E1 . . . . .5B 32
  EC1 . . . . .4C 30
Quaker St. E1 . . . . .5B 32
Quality Ct. WC2 . . . . .3D 47
Quarterdeck, The E14 . . . . . . .5D 83
Quastel Ho. SE1 . . . . .5D 77
Quay Ho. E14 . . . . .4E 83
Quayside Cotts. E1 . . . . .2D 79
Quayside Ct. SE16 . . . . .2D 81
Quayside Ho. E14 . . . . .3D 83
  W10 . . . . .4F 19
Quay Vw. Apartments
  E14 . . . . .2E 111
Quebec M. W1 . . . . .4C 42
Quebec Way SE16 . . . . .5E 81
Quebec Way Ind. Est.
  SE16 . . . . .1F 109
Quebec Wharf E8 . . . . .3A 16
  E14 . . . . .3C 54
Quedgeley Ct. SE15 . . . . . . .3B 128
Queen Alexandra Mans.
  WC1 . . . . .2F 27
Queen Anne Ho. E16 . . . . . . .2E 87
Queen Anne M. W1 . . . . .2A 44
Queen Anne's Ct. SE10 . . . .1D 135
Queen Anne's Ga. SW1 . . . . .5D 73
Queen Anne St. W1 . . . . .3F 43
Queen Anne's Wlk. WC1 . . . .5A 28
Queen Anne Ter. E1 . . . . .1A 80
Queenbridge Sports &
  Community Cen. 1C 16
Queen Caroline St. W6 . . . . . .4C 92
       (not continuous)
Queen Catherine Ho.
  SW6 . . . . .4A 118
Queen Elizabeth Bldgs.
  EC4 . . . . .5D 47
Queen Elizabeth Hall 2B 74
Queen Elizabeth II Conference Cen.
  .5E 73
Queen Elizabeth's Coll.
  SE10 . . . . .4B 134
Queen Elizabeth St. SE1 . . . .4A 78
Queenhithe EC4 . . . . .5C 48
Queen Isabella Way EC1 . . . .3A 48
Queen Margaret Flats
  E2 . . . . .2A 34
Queen Mary Ho. E16 . . . . . . .2F 87
       (off Wesley Av.)
Queen Marys Bldgs.
  SW1 . . . . .3C 100
Queen Mary's Ct.
  SE10 . . . . .2D 135

Queen Mother Sports Cen., The
  .3B 100
Queen of Denmark Ct.
  SE16 . . . . .1B 110
Queensberry M. W. SW7 . . . .3D 97
Queensberry Pl. SW7 . . . . . .3D 97
Queensberry Way SW7 . . . . .3D 97
Queensborough M. W2 . . . . .5B 40
Queensborough Pas.
  W2 . . . . .5B 40
Queensborough Studios
  W2 . . . . .5B 40
Queensborough Ter.
  W2 . . . . .5A 40
Queensbridge Ct. E2 . . . . . . .5C 16
Queensbridge Rd. E2 . . . . . .4C 16
  E8 . . . . .3C 16
Queensbury St. N1 . . . . .2C 14
Queen's Chapel of the Savoy, The
  .5B 46
Queen's Cir. SW8 . . . . .5F 121
Queen's Club Gdns.
  W14 . . . . .2A 116
Queen's Club, The (Tennis)
  .1A 116
Queens Ct. NW8 . . . . .5D 7
  W2 . . . . .1A 68
Queensdale Cres. W11 . . . . . .2E 65
       (not continuous)
Queensdale Pl. W11 . . . . .3F 65
Queensdale Rd. W11 . . . . . . .3E 65
Queensdale Wlk. W11 . . . . . . .3F 65
Queen's Elm Pde. SW3 . . . . .5E 97
      (off Old Church St.)
Queen's Elm Sq. SW3 . . . . .1E 119
Queen's Gallery 5A 72
Queen's Gdns. W2 . . . . .5B 40
Queen's Ga. SW7 . . . . .5C 68
Queen's Ga. Gdns. SW7 . . . .2B 96
Queen's Ga. M. SW7 . . . . . . .5C 68
Queen's Ga. Pl. SW7 . . . . . . .2C 96
Queensgate Pl. NW6 . . . . . . .2D 5
Queen's Ga. Pl. M.
  SW7 . . . . .2C 96
Queen's Ga. Ter. SW7 . . . . . .1B 96
Queen's Gro. NW8 . . . . .4D 7
Queen's Gro. Studios
  NW8 . . . . .4D 7
Queen's Head Pas. EC4 . . . . .3B 48
Queen's Head St. N1 . . . . . . .4A 14
Queen's Head Yd. SE1 . . . . . .3D 77
Queen's House, The 3D 135
Queens Ho. SE17 . . . . .2D 127
  SW8 . . . . .4A 124
  W2 . . . . .5A 40
Queen's Ice Bowl 1A 68
       (off Queensway)
Queensland Ho. E16 . . . . . . .3D 91
Queen's Mans. W6 . . . . .3D 93
Queensmead NW8 . . . . .3E 7
Queen's M. W2 . . . . .5F 39
       (not continuous)
Queens Pk. Ct. W10 . . . . .3E 19
Queen's Pk. Rangers FC 2A 64
Queen Sq. WC1 . . . . .5A 28
Queen Sq. Pl. WC1 . . . . .5A 28
Queen's Quay EC4 . . . . .5C 48
Queen's Row SE17 . . . . .2D 127
Queens Ter. E1 . . . . .5B 34
  NW8 . . . . .4D 7
Queen's Theatre 5D 45

Queenstown Rd.
SW8 . . . . .3F **121**
Queen St. EC4 . . . . .5C **48**
(not continuous)
W1 . . . . .2F **71**
Queen St. Pl. EC4 . . . . .1C **76**
Queen's Wlk. SW1 . . . . .2B **72**
Queen's Wlk., The
SE1 . . . . .1E **75**
(Oxo Tower Wharf)
SE1 . . . . .2E **77**
(Tooley St.)
SE1 . . . . .2C **74**
(Waterloo Rd.)
Queensway W2 . . . . .3A **40**
Queen's Yd. WC1 . . . . .5C **26**
Queen Victoria Memorial . . .5B **72**
Queen Victoria Seaman's Rest
E14 . . . . .4F **55**
Queen Victoria St. EC4 . . . . .5F **47**
Queen Victoria Ter. E1 . . . . . .1A **80**
Quendon Ho. W10 . . . . .1B **36**
Quenington Ct. SE15 . . . .3B **128**
Quentin Ho. SE1 . . . . .5E **75**
(not continuous)
Quest, The W11 . . . . .1A **66**
Quex M. NW6 . . . . .3E **5**
Quex Rd. NW6 . . . . .3E **5**
Quick St. N1 . . . . .1A **30**
Quick St. M. N1 . . . . .1F **29**
Quickswood NW3 . . . . .1A **8**
Quilp St. SE1 . . . . .4B **76**
(not continuous)
Quilter Ho. W10 . . . . .2B **20**
Quilter St. E2 . . . . .2D **33**
Quilting Ct. SE16 . . . . .4D **81**
Quinton Ho. SW8 . . . . .4F **123**
Quixley St. E14 . . . . .5D **57**

R

Rabbit Row W8 . . . . .2E **67**
Raby St. E14 . . . . .3F **53**
Raceway, The (Go-Kart Track)
. . . . .4F **11**
Rackstraw Ho. NW3 . . . . . . .1B **8**
Racton Rd. SW6 . . . . .3D **117**
RADA 1D **45**
Radcliffe Ho. SE16 . . . . . . .4F **107**
Radcliffe Rd. SE1 . . . . . . .1A **106**
Radcot St. SE11 . . . . .1E **125**
Raddington Rd. W10 . . . . . .2A **38**
Radford Ho. E14 . . . . .2A **56**
Radipole Rd. SW6 . . . . . . .5B **116**
Radisson Ct. *SE1* *1F 105*
(off Long La.)
Radius Apartments N1 . . . . .1A **28**
Radland Rd. E16 . . . . .4C **58**
Radlett Pl. NW8 . . . . .4F **7**
Radley Ct. SE16 . . . . .4E **81**
Radley Ho. NW1 . . . . .4B **24**
Radley M. W8 . . . . .2E **95**
Radley Ter. E16 . . . . .1B **58**
Radnor Ho. EC1 . . . . .3C **30**
Radnor Lodge W2 . . . . .4E **41**
Radnor M. W2 . . . . .4E **41**
Radnor Pl. W2 . . . . .4F **41**
Radnor Rd. NW6 . . . . .4A **4**
SE15 . . . . .4D **129**
Radnor St. EC1 . . . . .3C **30**
Radnor Ter. W14 . . . . .3B **94**

Radnor Wlk. E14 . . . . .3E **111**
SW3 . . . . .1A **120**
Radstock St. SW11 . . . . . . .5F **119**
(not continuous)
Radway Ho. W2 . . . . .1E **39**
Ragged School Mus. 1A **54**
Railway App. SE1 . . . . .3E **77**
Railway Arches E2 . . . . .5B **16**
E8 . . . . .2F **17**
W12 . . . . .4B **64**
Railway Av. SE16 . . . . .4C **80**
(not continuous)
Railway Cotts. W6 . . . . .5C **64**
Railway Gro. SE14 . . . . . .4B **132**
Railway M. W10 . . . . .3A **38**
Railway St. N1 . . . . .1A **28**
Rainbow Av. E14 . . . . .5F **111**
Rainbow Ct. SE14 . . . . .3F **131**
Rainbow Quay SE16 . . . . . .2B **110**
(not continuous)
Rainbow St. SE5 . . . . .5F **127**
Raine St. E1 . . . . .2A **80**
Rainham Ho. NW1 . . . . .4C **10**
Rainham Rd. NW10 . . . . . . .3C **18**
Rainsborough Av. SE8 . . . . .4F **109**
Rainsford St. W2 . . . . .3F **41**
Rainton Rd. SE7 . . . . .5E **115**
Raleana Rd. E14 . . . . .2C **84**
Raleigh Ct. SE16 . . . . .3D **81**
W12 . . . . .5B **64**
Raleigh Ho. E14 . . . . .4F **83**
SW1 . . . . .2D **123**
Raleigh M. N1 . . . . .4A **14**
Raleigh St. N1 . . . . .4A **14**
Ralph Brook Ct. N1 . . . . . . .2E **31**
Ralph Ct. W2 . . . . .3A **40**
Ralston St. SW3 . . . . .1B **120**
Ramac Ind. Est. SE7 . . . . . .5F **115**
Ramac Way SE7 . . . . .4F **115**
Ramar Ho. E1 . . . . .1D **51**
Ramillies Pl. W1 . . . . .4B **44**
Ramillies St. W1 . . . . .4B **44**
Rampart St. E1 . . . . .4F **51**
Rampayne St. SW1 . . . . . . .5D **101**
Ramsay Ho. NW8 . . . . .5F **7**
Ramsay M. SW3 . . . . .2F **119**
Ramsey Ho. SW9 . . . . .5E **125**
Ramsey St. E2 . . . . .4E **33**
Ramsfort Ho. SE16 . . . . . . .4F **107**
Ramsgate Cl. E16 . . . . .3F **87**
Randall Pl. SE10 . . . . .4B **134**
Randall Rd. SE11 . . . . .5B **102**
Randall Row SE11 . . . . .4B **102**
Randalls Rents SE16 . . . . . .1B **110**
Randell's Rd. N1 . . . . .3F **11**
(not continuous)
Randolph App. E16 . . . . . . .4C **60**
Randolph Av. W9 . . . . .1F **21**
Randolph Cres. W9 . . . . . . .5B **22**
Randolph Gdns. NW6 . . . . .1F **21**
Randolph M. W9 . . . . .5C **22**
Randolph Rd. W9 . . . . .5B **22**
Randolph St. NW1 . . . . .2C **10**
Ranelagh Bri. W2 . . . . .2A **40**
Ranelagh Cotts. SW1 . . . . . .5E **99**
Ranelagh Gro. SW1 . . . . . . .5E **99**
Ranelagh Ho. SW3 . . . . .5B **98**
Ranelagh Rd. SW1 . . . . . . .1C **122**
Rangoon St. EC3 . . . . .4B **50**
Rankine Ho. SE1 . . . . .2B **104**
Ransome's Dock Bus. Cen.

SW11 . . . . .5A **120**
Ranston St. NW1 . . . . .1F **41**
Raphael Ct. SE16 . . . . .5A **108**
Raphael St. SW7 . . . . .5B **70**
Rapley Ho. E2 . . . . .3D **33**
Raquel Ct. SE1 . . . . .4F **77**
Rashleigh Ho. WC1 . . . . . . .3F **27**
RATCLIFF 2F **53**
Ratcliffe Ct. *SE1* *5C 76*
(off Gt. Dover St.)
Ratcliffe Cross St. E1 . . . . . .4E **53**
Ratcliffe Ho. E14 . . . . .3F **53**
Ratcliffe La. E14 . . . . .4F **53**
Ratcliffe Orchard E1 . . . . . . .5E **53**
Rathbone Ho. E16 . . . . .3B **58**
NW6 . . . . .4D **5**
Rathbone Mkt. E16 . . . . .2B **58**
Rathbone Pl. W1 . . . . .2D **45**
Rathbone St. E16 . . . . .2B **58**
W1 . . . . .2C **44**
Rathmore Rd. SE7 . . . . .5F **115**
Raven Ho. SE16 . . . . .3D **109**
Raven Row E1 . . . . .1A **52**
(not continuous)
Ravensbourne Ho. NW8 . . . . .1F **41**
Ravensbourne Mans.
SE8 . . . . .3E **133**
Ravenscar NW1 . . . . .4B **10**
Ravenscourt Pk. Mans.
W6 . . . . .2A **92**
Ravenscroft Cl. E16 . . . . . . .1D **59**
Ravenscroft Rd. E16 . . . . . . .1E **59**
Ravenscroft St. E2 . . . . .1C **32**
Ravensdon St. SE11 . . . . . . .1E **125**
Ravenstone SE17 . . . . .1A **128**
Ravensworth Ct. SW6 . . . . .5C **116**
Ravensworth Rd. NW10 . . . .2A **18**
Ravent Rd. SE11 . . . . .4C **102**
Raven Wharf SE1 . . . . .4B **78**
Ravey St. EC2 . . . . .4F **31**
Rawalpindi Ho. E16 . . . . . . .1B **58**
Rawlings St. SW3 . . . . .3B **98**
Rawlinson Point E16 . . . . . . .2B **58**
Rawreth Wlk. N1 . . . . .3C **14**
Rawsthorne Cl. E16 . . . . . . .3B **90**
Rawstorne Pl. EC1 . . . . .2F **29**
Rawstorne St. EC1 . . . . .2F **29**
(not continuous)
Rayburne Ct. W14 . . . . .1F **93**
Ray Gunter Ho. SE17 . . . . . .1A **126**
Ray Ho. N1 . . . . .4E **15**
W10 . . . .*3E 37*
(off Cambridge Gdns.)
Rayleigh Rd. E16 . . . . .2A **88**
Raymede Towers W10 . . . . .1E **37**
Raymond Bldgs. WC1 . . . . .1C **46**
Raymouth Rd. SE16 . . . . . .3A **108**
Rayne Ho. W9 . . . . .4F **21**
Rayner Ct. W12 . . . . .5C **64**
Raynham W2 . . . . .3F **41**
Raynham Ho. E1 . . . . .4D **35**
Raynham Rd. W6 . . . . .3A **92**
Raynor Pl. N1 . . . . .3C **14**
Ray St. EC1 . . . . .5E **29**
Ray St. Bri. EC1 . . . . .5E **29**
Reachview Cl. NW1 . . . . .2C **10**
Reade Ho. SE10 . . . . .2E **135**
Read Ho. SE11 . . . . .2D **125**
Reading Ho. SE15 . . . . .3E **129**
W2 . . . . .4B **40**
Reapers Cl. NW1 . . . . .3D **11**

Reardon Ho. E1 . . . . .2A **80**
Reardon Path E1 . . . . .3A **80**
(not continuous)
Reardon St. E1 . . . . .2F **79**
Reaston St. SE14 . . . . .4C **130**
Record St. SE15 . . . . .2B **130**
Rector St. N1 . . . . .4B **14**
Rectory Chambers SW3 . . . .2F **119**
Rectory Sq. E1 . . . . .1E **53**
Reculver Ho. SE15 . . . . .2C **130**
Reculver Rd. SE16 . . . . .5D **109**
Red Anchor Cl. SW3 . . . . . . .3E **119**
Redan Pl. W2 . . . . .4F **39**
Redan St. W14 . . . . .1D **93**
Redbourne Ho. E14 . . . . .3B **54**
Redbourn Ho. W10 . . . . .1B **36**
Redbridge Gdns. SE5 . . . . . .5A **128**
Redburn St. SW3 . . . . .2B **120**
Redcar St. SE5 . . . . .5B **126**
Redcastle Cl. E1 . . . . .5B **52**
Redchurch St. E2 . . . . .4B **32**
Redcliffe Cl. SW5 . . . . .1F **117**
Redcliffe Gdns. SW10 . . . . . .1A **118**
Redcliffe M. SW10 . . . . .1A **118**
Redcliffe Pl. SW10 . . . . .3B **118**
Redcliffe Rd. SW10 . . . . .1B **118**
Redcliffe Sq. SW10 . . . . .1A **118**
Redcliffe St. SW10 . . . . .2A **118**
Redclyf Ho. E1 . . . . .4C **34**
Red Cow La. EC1 . . . . .4B **30**
Redcross Way SE1 . . . . .4C **76**
Reddins Rd. SE15 . . . . .3D **129**
Rede Pl. W2 . . . . .4E **39**
Redesdale St. SW3 . . . . .2A **120**
Redfield La. SW5 . . . . .3E **95**
Redfield M. SW5 . . . . .3E **95**
Redford Ho. W10 . . . . .2B **20**
Redford Wlk. N1 . . . . .3A **14**
Redgrave Ter. E2 . . . . .3E **33**
Redhill St. NW1 . . . . .1A **26**
Red Ho. Sq. N1 . . . . .1C **14**
Redington Ho. N1 . . . . .5C **12**
Red Lion Cl. SE17 . . . . .2D **127**
Red Lion Ct. EC4 . . . . .4E **47**
SE1 . . . . .2C **76**
Red Lion Row SE17 . . . . .2C **126**
Red Lion Sq. WC1 . . . . .2B **46**
Red Lion St. WC1 . . . . .1B **46**
Red Lion Yd. W1 . . . . .2F **71**
Redlynch Ct. W14 . . . . .5A **66**
Redman Ho. EC1 . . . . .1D **47**
SE1 . . . . .5C **76**
Redman's Rd. E1 . . . . .1B **52**
Redmead La. E1 . . . . .3D **79**
Redmill Ho. E1 . . . . .5A **34**
Redmond Ho. N1 . . . . .4C **12**
Redmore Rd. W6 . . . . .3A **92**
Red Pl. W1 . . . . .5D **43**
Redriff Est. SE16 . . . . .1A **110**
Redriff Rd. SE16 . . . . .3D **109**
Redrup Ho. SE14 . . . . .3D **131**
Redshank Ho. SE1 . . . . .5C **106**
Redstart Cl. E6 . . . . .1F **61**
SE14 . . . . .4F **131**
Redvers St. N1 . . . . .2A **32**
Redwing Ct. SE1 . . . . .5C **76**
Redwood Cl. SE16 . . . . .3A **82**
Redwood Ct. NW6 . . . . .2A **4**
Redwood Mans. W8 . . . . . . .2F **95**
Reece M. SW7 . . . . .3D **97**
Reed Cl. E16 . . . . .2D **59**

Reed's Pl. NW1 . . . . .1B **10**
Reedworth St. SE11 . . . . . . .4E **103**
Reef Ho. E14 . . . . .1C **112**
Rees St. N1 . . . . .4C **14**
Reeves Ho. SE1 . . . . .5D **75**
Reeves M. W1 . . . . .1D **71**
Reflection, The E16 . . . . .4F **91**
Reflection Ho. E2 . . . . .4D **33**
Regal Cl. E1 . . . . .1E **51**
Regal Ct. NW6 . . . . .1C **20**
Regal La. NW1 . . . . .4E **9**
Regal Pl. SW6 . . . . .5A **118**
Regan Way N1 . . . . .5F **15**
Regatta Point E14 . . . . .4D **83**
Regency Ho. E16 . . . . .2E **87**
NW1 . . . . .4A **26**
SW1 . . . . .3E **101**
Regency Lodge NW3 . . . . . . .2D **7**
Regency M. SW9 . . . . .5A **126**
Regency Pde. NW3 . . . . .2D **7**
Regency Pl. SW1 . . . . .3E **101**
Regency St. SW1 . . . . .3E **101**
Regency Ter. SW7 . . . . .5D **97**
Regent Ct. NW8 . . . . .3F **23**
W8 . . . . .1F **95**
Regent Ho. W14 . . . . .3F **93**
Regent Pl. W1 . . . . .5C **44**
Regent's Bri. Gdns.
SW8 . . . . .4A **124**
Regents Canal Ho. E14 . . . . .4A **54**
Regents College 4C **24**
Regents Ct. E8 . . . . .4C **16**
Regents Ga. Ho. E14 . . . . . . .5F **53**
Regents M. NW8 . . . . .5C **6**
REGENT'S PARK 3A **26**
Regent's Pk. 1C **24**
Regent's Pk. Barracks 1F **25**
Regent's Pk. Est. NW1 . . . . .2B **26**
Regent's Pk. Gdns. M.
NW1 . . . . .3C **8**
Regents Pk. Golf & Tennis School
. . . . .5B **8**
Regent's Pk. Ho. NW8 . . . . . .3A **24**
Regent's Pk. Open Air Theatre
. . . . .3D **25**
(not continuous)
Regent's Pk. Rd. NW1 . . . . . .2C **8**
(not continuous)
Regent's Pk. Ter. NW1 . . . . . .3F **9**
Regents Plaza NW6 . . . . .5F **5**
Regent Sq. WC1 . . . . .3A **28**
Regent's Row E8 . . . . .4D **17**
Regent St. NW10 . . . . .3E **19**
SW1 . . . . .1D **73**
W1 . . . . .3A **44**
Regents Wharf E2 . . . . .4F **17**
N1 . . . . .5B **12**
Reginald Pl. SE8 . . . . .5D **133**
Reginald Rd. SE8 . . . . .5D **133**
Reginald Sq. SE8 . . . . .5D **133**
Regina Point SE16 . . . . .1C **108**
Regis Ct. NW1 . . . . .1B **42**
Regis Ho. W1 . . . . .1E **43**
Regnart Bldgs. NW1 . . . . . . .4C **26**
Relay Rd. W12 . . . . .1C **64**
Reliance Sq. EC2 . . . . .4A **32**
Relton M. SW7 . . . . .1A **98**
Rembold Ho. SE10 . . . . .5B **134**
Rembrandt Cl. E14 . . . . .2D **113**
SW1 . . . . .5D **99**
Rembrandt Ct. SE16 . . . . . . .5A **108**
Remington Rd. E6 . . . . .3F **61**

Remington St. N1 . . . . .1A **30**
Remnant St. WC2 . . . . .3B **46**
Remsted Ho. NW6 . . . . .4F **5**
Remus Bldg., The EC1 . . . . . .3E **29**
Renaissance Wlk. SE10 . . . .1C **114**
Rendle Ho. W10 . . . . .1F **37**
Renforth St. SE16 . . . . .5C **80**
Renfrew Cl. E6 . . . . .5D **63**
Renfrew Ho. NW6 . . . . .1F **21**
Renfrew Rd. SE11 . . . . .3F **103**
Rennie Cotts. E1 . . . . .4C **34**
Rennie Ct. SE1 . . . . .2F **75**
Rennie Est. SE16 . . . . .4A **108**
Rennie Ho. SE1 . . . . .2B **104**
Rennie St. SE1 . . . . .2F **75**
(not continuous)
Renoir Cinema 5A **28**
Renoir Ct. SE16 . . . . .5A **108**
Renovation, The E16 . . . . . . .4F **91**
Rephidim St. SE1 . . . . .2F **105**
Reporton Rd. SW6 . . . . .5A **116**
Repton Ho. SW1 . . . . .4C **100**
Repton St. E14 . . . . .3A **54**
Reservoir Studios
E1 . . . . .4E **53**
Resolution Way SE8 . . . . . . .4D **133**
Restell Cl. SE3 . . . . .2F **135**
Reston Pl. SW7 . . . . .5B **68**
Restormel Ho. SE11 . . . . . . .4E **103**
Retford St. N1 . . . . .1A **32**
Reunion Row E1 . . . . .1A **80**
Reuters Plaza E14 . . . . .3F **83**
Reveley Sq. SE16 . . . . .5A **82**
Reverdy Rd. SE1 . . . . .4D **107**
Rewell St. SW6 . . . . .5B **118**
Rex Pl. W1 . . . . .1E **71**
Reynard Pl. SE14 . . . . .3A **132**
Reynolah Gdns. SE7 . . . . . . .5F **115**
Reynolds Ho. NW8 . . . . .1E **23**
SW1 . . . . .4E **101**
Rheidol M. N1 . . . . .5B **14**
Rheidol Ter. N1 . . . . .5A **14**
Rhoda St. E2 . . . . .4C **32**
Rhodes Ho. N1 . . . . .2D **31**
Rhodeswell Rd. E14 . . . . . . .1A **54**
(not continuous)
Ribblesdale Ho. NW6 . . . . . . .3E **5**
Ricardo St. E14 . . . . .4F **55**
Riceyman Ho. WC1 . . . . .3D **29**
Richard Anderson Ct.
SE14 . . . . .4D **131**
Richard Ho. SE16 . . . . .4C **108**
Richard Ho. Dr. E16 . . . . .4E **61**
Richard Neale Ho.
E1 . . . . .5A **52**
Richardson Cl. E8 . . . . .3B **16**
Richardson's M. W1 . . . . .5B **26**
Richard's Pl. SW3 . . . . .3A **98**
Richard St. E1 . . . . .3F **51**
Richbell WC1 . . . . .1B **46**
Richbell Pl. WC1 . . . . .1B **46**
Richborne Ter. SW8 . . . . .4B **124**
Richborough Ho.
SE15 . . . . .3C **130**
Richbourne Ct. W1 . . . . .3A **42**
Richford Ga. W6 . . . . .1B **92**
Richford St. W6 . . . . .5B **64**
Rich Ind. Est. SE1 . . . . .2A **106**
SE15 . . . . .3A **130**
Rich La. SW5 . . . . .1F **117**
Richman Ho. SE8 . . . . .1B **132**

Richmond American University in
   London, The 1A **96**
Richmond Av. N1 . . . . .3C **12**
Richmond Bldgs. W1 . . . . . . .4D **45**
Richmond College 5A **68**
Richmond Cotts. W14 . . . . .3A **94**
Richmond Ct. SW1 . . . . .5C **70**
  W14 . . . . .3F **93**
Richmond Cres. N1 . . . . .3C **12**
Richmond Gro. N1 . . . . .2F **13**
   (not continuous)
Richmond Ho. NW1 . . . . . . .1A **26**
  SE17 . . . . .5D **105**
Richmond Mans.
  SW5 . . . . .5F **95**
Richmond M. W1 . . . . .4D **45**
Richmond Rd. E8 . . . . .1B **16**
Richmond Ter. SW1 . . . . . . .4F **73**
Richmond Way W12 . . . . . . .4E **65**
  W14 . . . . .5E **65**
Rich St. E14 . . . . .5C **54**
Rickett St. SW6 . . . . .2E **117**
Rickman Ho. E1 . . . . .3C **34**
Rickman St. E1 . . . . .3C **34**
Riddell Ct. SE5 . . . . .5B **106**
Ridgewell Cl. N1 . . . . .3C **14**
Ridgmount Gdns.
  WC1 . . . . .5D **27**
Ridgmount Pl. WC1 . . . . . . .1D **45**
Ridgmount St. WC1 . . . . . . .1D **45**
Ridgwell Rd. E16 . . . . .1C **60**
Riding Ho. St. W1 . . . . .2A **44**
Rifle Ct. SE11 . . . . .2E **125**
Rifle St. E14 . . . . .2A **56**
Riga Ho. E1 . . . . .1E **53**
Riga M. E1 . . . . .3D **51**
Rigden St. E14 . . . . .4F **55**
Riley Ho. SW10 . . . . .4D **119**
Riley Rd. SE1 . . . . .1A **106**
Riley St. SW10 . . . . .3D **119**
Rill Ho. SE5 . . . . .5E **127**
Rima Ho. SW3 . . . . .2D **119**
Ring, The W2 . . . . .1E **69**
   (not continuous)
Ring Ho. E1 . . . . .5B **52**
Ringlet Cl. E16 . . . . .2F **59**
Ring Rd. W12 . . . . .1B **64**
Ringsfield Ho. SE17 . . . . . .1C **126**
Ringwood Gdns. E14 . . . . .3E **111**
Ripley Ho. SW1 . . . . .2B **122**
Ripley Rd. E16 . . . . .3B **60**
Ripplevale Gro. N1 . . . . . . .2C **12**
Risborough Ho. NW8 . . . . .4A **24**
Risborough St. SE1 . . . . . .4A **76**
Risdon Ho. SE16 . . . . .5C **80**
Risdon St. SE16 . . . . .5B **80**
Risinghill St. N1 . . . . .5D **13**
Rising Sun Ct. EC1 . . . . . . .2A **48**
Rita Rd. SW8 . . . . .3A **124**
Ritchie Ho. E14 . . . . .4D **57**
  SE16 . . . . .1B **108**
Ritchie St. N1 . . . . .5E **13**
Ritson Ho. N1 . . . . .4B **12**
Riven Ct. W2 . . . . .4A **40**
River Barge Cl. E14 . . . . . .5C **84**
River Ct. SE1 . . . . .1F **75**
Riverfleet WC1 . . . . .2A **28**
Riverford Ho. W2 . . . . .2D **39**
River Lodge SW1 . . . . . . .2C **122**
River Pl. N1 . . . . .2B **14**

Riverside SE7 . . . . .2F **115**
  SW11 . . . . .4A **120**
  WC1 . . . . .2A **28**
Riverside Ct. SW8 . . . . . . .2E **123**
Riverside Gdns. W6 . . . . . .5A **92**
Riverside Ho. N1 . . . . .1B **14**
Riverside Mans. E1 . . . . . .2B **80**
Riverside Wlk. SE10 . . . . . .2F **113**
   (Morden Wharf Rd.)
  SE10 . . . . .5E **85**
   (Tunnel Av.)
Riverside Workshops SE1 . . .2C **76**
River St. EC1 . . . . .2D **29**
River Ter. WC2 . . . . .1B **74**
Riverton Cl. W9 . . . . .3C **20**
Riverview Ct. E14 . . . . .2D **111**
River Vw. Hgts. SE16 . . . . . .4D **79**
River Way SE10 . . . . .1B **114**
Rivet Ho. SE1 . . . . .5C **106**
Rivington Pl. EC2 . . . . .3A **32**
Rivington St. EC2 . . . . .3F **31**
Rivington Wlk. E8 . . . . .3E **17**
Roan St. SE10 . . . . .3B **134**
Robert Adam St. W1 . . . . . .3D **43**
Roberta St. E2 . . . . .2D **33**
Robert Bell Ho. SE16 . . . . .3D **107**
Robert Cl. W9 . . . . .5C **22**
Robert Dashwood Way
  SE17 . . . . .4B **104**
Robert Gentry Ho.
  W14 . . . . .1A **116**
Robert Jones Ho. SE16 . . .3D **107**
Robert Lowe Cl. SE14 . . . . .4E **131**
Robert Morton Ho.
  NW8 . . . . .3C **6**
Roberts Cl. SE16 . . . . .5E **81**
Roberts Ct. N1 . . . . .4A **14**
Roberts M. SW1 . . . . .2D **99**
Roberts Pl. EC1 . . . . .4E **29**
Robert St. E16 . . . . .3F **91**
  NW1 . . . . .3A **26**
  WC2 . . . . .1A **74**
Robert Sutton Ho. E1 . . . . .4B **52**
Robeson St. E3 . . . . .1C **54**
Robin Ct. E14 . . . . .1C **112**
  SE16 . . . . .3D **107**
Robin Cres. E6 . . . . .1E **61**
Robin Hood Ct. EC4 . . . . . .3E **47**
   (off Shoe La.)
Robin Hood Gdns.
  E14 . . . . .5B **56**
   (not continuous)
Robin Hood La. E14 . . . . . .5C **56**
Robin Ho. NW8 . . . . .1F **23**
Robin Howard Dance Theatre
  . . . . .3E **27**
Robinson Ct. N1 . . . . .3A **14**
Robinson Ho. E14 . . . . .2D **55**
  W10 . . . . .4D **37**
Robinson Rd. E2 . . . . .1B **34**
Robinson St. SW3 . . . . . . .2B **120**
Robson Cl. E6 . . . . .3F **61**
Roby Ho. EC1 . . . . .4B **30**
Rochdale Way SE8 . . . . . . .4D **133**
   (not continuous)
Roche Ho. E14 . . . . .5C **54**
Rochelle St. E2 . . . . .3B **32**
   (not continuous)
Rochemont Wlk. E8 . . . . . . .4D **17**
Rochester Ct. E2 . . . . .4F **33**
  NW1 . . . . .1C **10**

Rochester Ho. SE1 . . . . . . .5D **77**
  SE15 . . . . .3C **130**
Rochester M. NW1 . . . . . . .1C **10**
Rochester Pl. NW1 . . . . . . .1B **10**
Rochester Rd. NW1 . . . . . . .1B **10**
Rochester Row SW1 . . . . . .3C **100**
Rochester Sq. NW1 . . . . . . .1C **10**
Rochester St. SW1 . . . . . . .2D **101**
Rochester Ter. NW1 . . . . . . .1B **10**
Rochester Wlk. SE1 . . . . . . .3D **77**
Rochford Wlk. E8 . . . . .1E **17**
Rochfort Ho. SE8 . . . . .1B **132**
Rock Circus 1D **73**
   (off Trocadero Cen.)
Rockfield Ho. SE10 . . . . . . .2B **134**
Rock Gro. Way
  SE16 . . . . .3E **107**
   (not continuous)
Rockingham St. SE1 . . . . . .2B **104**
Rockley Ct. W14 . . . . .5D **65**
Rockley Rd. W14 . . . . .4D **65**
Rockwood Pl. W12 . . . . .4C **64**
Rocliffe St. N1 . . . . .1A **30**
Rocque Ho. SW6 . . . . .4B **116**
Rodborough Ct. W9 . . . . . . .5D **21**
Roderick Ho. SE16 . . . . . . .3B **108**
Rodin Ct. N1 . . . . .4F **13**
Roding Ho. N1 . . . . .4D **13**
Roding M. E1 . . . . .2E **79**
Roding Rd. E6 . . . . .1F **63**
Rodmarton St. W1 . . . . .2C **42**
Rodmell WC1 . . . . .3A **28**
Rodmere St. SE10 . . . . . . .5A **114**
Rodney Ct. W9 . . . . .4C **22**
Rodney Ho. E14 . . . . .4F **111**
  N1 . . . . .1C **28**
  SW1 . . . . .1C **122**
  W11 . . . . .5D **39**
Rodney Pl. SE17 . . . . .3C **104**
Rodney Rd. SE17 . . . . .3C **104**
   (not continuous)
Rodney St. N1 . . . . .5C **12**
Roebourne Way E16 . . . . . . .4D **91**
Roffey St. E14 . . . . .5B **84**
Roger Dowley Ct.
  E2 . . . . .1B **34**
Rogers Ct. E14 . . . . .1D **83**
Rogers Est. E2 . . . . .3C **34**
Rogers Ho. SW1 . . . . .3E **101**
Rogers Rd. E16 . . . . .3C **58**
Roger St. WC1 . . . . .5C **28**
Rohere Ho. EC1 . . . . .2B **30**
Rokeby Ho. WC1 . . . . .5B **28**
Roland Gdns. SW7 . . . . . . .5C **96**
Roland Ho. SW7 . . . . .5C **96**
Roland M. E1 . . . . .1D **53**
Roland Way SE17 . . . . .1E **127**
  SW7 . . . . .5C **96**
Rollins St. SE15 . . . . .2C **130**
Rolls Bldgs. EC4 . . . . .3E **47**
Rolls Pas. EC4 . . . . .3D **47**
Rolls Rd. SE1 . . . . .5C **106**
Rolt St. SE8 . . . . .2F **131**
   (not continuous)
Roman Ho. EC2 . . . . .2C **48**
Roman Rd. E2 . . . . .3B **34**
  E3 . . . . .1F **35**
Roman Way N7 . . . . .1C **12**
  SE15 . . . . .5B **130**
Roman Way Ind. Est. N7 . . . .1C **12**
Romer Ho. W10 . . . . .2A **20**

Romford St. E1 . . . . .2E **51**
Romilly Ho. W11 . . . . .1F **65**
Romilly St. W1 . . . . .5E **45**
Romney Cl. SE14 . . . . .5C **130**
Romney Ct. W12 . . . . .4C **64**
Romney M. W1 . . . . .1D **43**
Romney Rd. SE10 . . . . .3C **134**
Romney St. SW1 . . . . .2E **101**
Ronald Buckingham Ct.
  SE16 . . . . .4C **80**
Ronald St. E1 . . . . .4C **52**
Rood La. EC3 . . . . .5F **49**
Roof Ter. Apartments, The
  EC1 . . . . .5A **30**
     (off Gt. Sutton St.)
Rooke Way SE10 . . . . .5B **114**
Rook Wlk. E6 . . . . .3F **61**
Roosevelt Memorial 5E **43**
Rootes Dr. W10 . . . . .1D **37**
Ropemaker Rd. SE16 . . . . . .1F **109**
Ropemaker's Flds. E14 . . . . .1B **82**
Ropemaker St. EC2 . . . . . . .1D **49**
Roper La. SE1 . . . . .5A **78**
Ropers Orchard SW3 . . . . . .3F **119**
Rope St. SE16 . . . . .3F **109**
Rope Wlk. Gdns. E1 . . . . . . .3E **51**
Ropewalk M. E8 . . . . .2D **17**
Ropley St. E2 . . . . .1D **33**
Rosalind Ho. N1 . . . . .1A **32**
Rosaline Rd. SW6 . . . . .5A **116**
Rosaline Ter. SW6 . . . . .5A **116**
Rosary Gdns. SW7 . . . . .4B **96**
Rosaville Rd. SW6 . . . . .5B **116**
Roscoe St. EC1 . . . . .5C **30**
     (not continuous)
Roscoe St. Est. EC1 . . . . . . .5C **30**
Rose All. EC2 . . . . .2A **50**
  SE1 . . . . .2C **76**
Rose & Crown Ct. EC2 . . . . .3B **48**
Rose & Crown Yd. SW1 . . . .3C **72**
Rosebank Wlk. NW1 . . . . . . .1E **11**
Rosebay Ho. E3 . . . . .1E **55**
Roseberry St. SE16 . . . . . . .4F **107**
Rosebery Av. EC1 . . . . .5D **29**
Rosebery Ct. EC1 . . . . .4D **29**
  W1 . . . . .2F **71**
Rosebery Sq. EC1 . . . . .5D **29**
Rose Ct. E1 . . . . .2B **50**
  E8 . . . . .1C **16**
  N1 . . . . .4F **13**
  SE8 . . . . .3E **109**
Rosedale Ter. W6 . . . . .2A **92**
Rosefield Gdns. E14 . . . . . . .5D **55**
Roseford Ct. W12 . . . . .5D **65**
Rosehart M. W11 . . . . .4D **39**
Rosemary Branch Theatre
  . . . . .3D **15**
Rosemary Ct. SE8 . . . . .2B **132**
Rosemary Dr. E14 . . . . .4D **57**
Rosemary Ho. N1 . . . . .4E **15**
Rosemary Rd. SE15 . . . . . . .4C **128**
Rosemary St. N1 . . . . .3D **15**
Rosemoor St. SW3 . . . . .4B **98**
Roserton St. E14 . . . . .5B **84**
Rose Sq. SW3 . . . . .4E **97**
Rose St. EC4 . . . . .3A **48**
  WC2 . . . . .5F **45**
     (not continuous)
Rosetta Cl. SW8 . . . . .5A **124**
Rosewood Ho. SW8 . . . . . . .2B **124**
Roslin Ho. E1 . . . . .5D **53**

Rosmead Rd. W11 . . . . .5A **38**
Rosoman Pl. EC1 . . . . .4E **29**
Rosoman St. EC1 . . . . .3E **29**
Rosscourt Mans. SW1 . . . . .1A **100**
Rossendale Way NW1 . . . . . .2C **10**
Rossetti Ct. WC1 . . . . .1D **45**
Rossetti Gdn. Mans.
  SW3 . . . . .2B **120**
Rossetti Ho. SW1 . . . . .4E **101**
Rossetti M. NW8 . . . . .4E **7**
Rossetti Rd. SE16 . . . . .5F **107**
Rossetti Studios SW3 . . . . . .2A **120**
Ross Ho. E1 . . . . .3A **80**
Rosslyn Mans. NW6 . . . . . . .1C **6**
Rossmore Cl. NW1 . . . . .5A **24**
Rossmore Ct. NW1 . . . . .4B **24**
Rossmore Rd. NW1 . . . . .5A **24**
Rotary St. SE1 . . . . .1F **103**
Rothay NW1 . . . . .2A **26**
Rothbury Cotts. SE10 . . . . . .4A **114**
Rothbury Hall 4A **114**
Rotherfield Ct. N1 . . . . .2D **15**
   (off Rotherfield St., not continuous)
Rotherfield St. N1 . . . . .2B **14**
Rotherham Wlk. SE1 . . . . . . .3F **75**
ROTHERHITHE 5B **80**
Rotherhithe Bus. Est.
  SE16 . . . . .4B **108**
Rotherhithe New Rd.
  SE16 . . . . .1E **129**
Rotherhithe Old Rd.
  SE16 . . . . .3D **109**
Rotherhithe St. SE16 . . . . . . .4B **80**
Rotherhithe Tunnel
  SE16 . . . . .3D **81**
Rotherwick Ho. E1 . . . . .1D **79**
Rothery St. N1 . . . . .3A **14**
Rothesay Ct. SE11 . . . . .3D **125**
Rothley Ct. NW8 . . . . .4D **23**
Rothsay St. SE1 . . . . .1F **105**
Rothsay Wlk. E14 . . . . .3E **111**
Rothwell St. NW1 . . . . .3C **8**
Rotten Row SW1 . . . . .4A **70**
  SW7 . . . . .4E **69**
Rotterdam Dr. E14 . . . . .2C **112**
Rouel Rd. SE16 . . . . .1D **107**
     (Dockley Rd.)
  SE16 . . . . .3D **107**
     (Southwark Pk. Rd.)
Roundhouse, The 1D **9**
Roupell St. SE1 . . . . .3E **75**
Rousden St. NW1 . . . . .2B **10**
Routh St. E6 . . . . .2C **62**
Rover Ho. N1 . . . . .4A **16**
Rowan Ct. SE15 . . . . .4B **128**
Rowan Ho. SE16 . . . . .5D **81**
    (off Woodland Cres.)
Rowan Lodge W8 . . . . .2F **95**
Rowan Rd. W6 . . . . .4D **93**
Rowan Ter. W6 . . . . .3D **93**
Rowan Wlk. W10 . . . . .4F **19**
Rowcross St. SE1 . . . . .5B **106**
Rowington Cl. W2 . . . . .1F **39**
Rowland Hill Ho. SE1 . . . . . .4F **75**
Rowley Ho. SE8 . . . . .1D **133**
Rowley Way NW8 . . . . .3A **6**
Roxburghe Mans.
  W8 . . . . .5A **68**
Roxby Pl. SW6 . . . . .2E **117**
Roxwell NW1 . . . . .1A **10**

Royal Academy of Arts
  (Burlington House) 1B **72**
Royal Academy of Music Mus.
  . . . . .5E **25**
Royal Air Force Memorial . . .3A **74**
Royal Albert Hall 5D **69**
Royal Albert Rdbt. E16 . . . . .5F **61**
    (off Royal Albert Way)
Royal Albert Way E16 . . . . . .5C **60**
Royal Arc. W1 . . . . .1B **72**
Royal Av. SW3 . . . . .5B **98**
Royal Av. Ho. SW3 . . . . .5B **98**
Royal Belgrave Ho.
  SW1 . . . . .4A **100**
Royal Ceremonial Dress
  Collection, The 3F **67**
Royal Cl. SE8 . . . . .2B **132**
Royal College of Art 5C **68**
Royal College of Music 1D **97**
Royal College of Obstetricians &
  Gynaecologists 4B **24**
Royal College of Physicians
  . . . . .4A **26**
Royal College of Surgeons
  . . . . .3C **46**
Royal Coll. St. NW1 . . . . . . .1B **10**
Royal Connaught Apartments
  E16 . . . . .2E **89**
Royal Ct. EC3 . . . . .4E **49**
  SE16 . . . . .1B **110**
Royal Courts of Justice 4C **46**
Royal Court Theatre 4D **99**
Royal Cres. W11 . . . . .4E **65**
Royal Cres. M. W11 . . . . . . .3E **65**
Royal Docks Rd. E6 . . . . . . .2F **63**
Royal Exchange 4E **49**
Royal Exchange Av. EC3 . . . .4E **49**
Royal Exchange Bldgs.
  EC3 . . . . .4E **49**
Royal Festival Hall 3C **74**
Royal Fusiliers Mus. 1B **78**
   (in The Tower of London)
Royal Geographical Society
  . . . . .5D **69**
    (off Kensington Gore)
Royal Hill SE10 . . . . .4C **134**
Royal Hill Ct. SE10 . . . . .4B **134**
Royal Hospital Chelsea Mus.
  . . . . .1D **121**
Royal Hospital Rd. SW3 . . . .3B **120**
Royal Mews, The 1A **100**
Royal M. SW1 . . . . .1A **100**
Royal Mint Ct. EC3 . . . . .1C **78**
Royal Mint Pl. E1 . . . . .5C **50**
Royal Mint St. E1 . . . . .5C **50**
Royal Naval Pl. SE14 . . . . . .4B **132**
Royal Oak Ct. N1 . . . . .2F **31**
Royal Oak Yd. SE1 . . . . .5F **77**
Royal Observatory Greenwich
  . . . . .4E **135**
Royal Opera Arc. SW1 . . . . .2D **73**
Royal Opera House 4A **46**
Royal Pde. SW6 . . . . .4A **116**
Royal Pl. SE10 . . . . .5C **134**
Royal Rd. E16 . . . . .4D **61**
  SE17 . . . . .2F **125**
Royal St. SE1 . . . . .1C **102**
Royal Twr. Lodge E1 . . . . . . .1D **79**
Royalty Mans. W1 . . . . .4D **45**
Royalty M. W1 . . . . .4D **45**
Royalty Studios W11 . . . . . . .4A **38**

Royal Victoria Docks Watersports Cen. 1D **87**	Rustic Wlk. E16 . . . . .3F **59**	St Alphage Gdn. EC2 . . . . . . .2C **48**
Royal Victoria Pl. E16 . . . . .2F **87**	Ruston M. W11 . . . . .4F **37**	St Alphage Highwalk EC2 . . .2C **48**
Royal Victoria Sq. E16 . . . . .1F **87**	Rust Sq. SE5 . . . . .4D **127**	St Alphage Ho. EC2 . . . . . . .2D **49**
Royal Victor Pl. E3 . . . . . . .1E **35**	Ruth Ct. E3 . . . . .1F **35**	St Andrews Chambers W1 . . .2C **44**
Royal Westminster Lodge	Rutherford Ho. E1 . . . . .5F **33**	St Andrews Cl. SE16 . . . . .1A **130**
SW1 . . . . .3D **101**	Rutherford St. SW1 . . . . . .3D **101**	St Andrew's Hill EC4 . . . . . .5A **48**
Royle Bldg. N1 . . . . .5B **14**	Ruth Ho. W10 . . . . .4F **19**	(not continuous)
Roy Sq. E14 . . . . .5A **54**	Rutland Ct. SW7 . . . . .5A **70**	St Andrews Mans. W1 . . . . .2D **43**
Royston Ct. *W8* *2E 67*	Rutland Gdns. SW7 . . . . . . .5A **70**	W14 . . . . .2A **116**
(off Kensington Chu. St.)	Rutland Gdns. M. SW7 . . . . .5A **70**	St Andrew's Pl. NW1 . . . . . .4A **26**
Royston Ho. SE15 . . . . . . .3F **129**	Rutland Ga. SW7 . . . . .5A **70**	St Andrew's Rd. W14 . . . . .2A **116**
Royston St. E2 . . . . .1C **34**	Rutland Ga. M. SW7 . . . . . .5F **69**	St Andrews Sq. W11 . . . . . .4F **37**
Rozel Ct. N1 . . . . .3F **15**	Rutland Gro. W6 . . . . .5A **92**	St Andrew St. EC1 . . . . .2E **47**
Ruby St. SE15 . . . . .2F **129**	Rutland Ho. W8 . . . . .2F **95**	St Andrews Way E3 . . . . . . .1A **56**
Ruby Triangle SE15 . . . . . . .2F **129**	Rutland M. NW8 . . . . .4A **6**	St Andrew's Wharf SE1 . . . .4C **78**
Rudbeck Ho. SE15 . . . . . . .4D **129**	Rutland M. E. SW7 . . . . . . .1A **98**	St Anne's Ct. NW6 . . . . .4A **4**
Rudge Ho. SE16 . . . . .1E **107**	Rutland M. Sth. SW7 . . . . . .1F **97**	W1 . . . . .4D **45**
Rudgwick Ter. NW8 . . . . . . .4A **8**	Rutland M. W. SW7 . . . . . . .1F **97**	St Anne's Flats NW1 . . . . . .2D **27**
Rudolf Pl. SW8 . . . . .3A **124**	Rutland Pl. EC1 . . . . .1A **48**	St Anne's Pas. E14 . . . . . . .4B **54**
Rudolph Rd. NW6 . . . . .1E **21**	Rutland St. SW7 . . . . .1A **98**	St Anne's Row E14 . . . . . . .4C **54**
Rufford St. N1 . . . . .3A **12**	Rutley Cl. SE17 . . . . .2F **125**	St Anne's Trad. Est. E14 . . . .4C **54**
Rufus Ho. SE1 . . . . .1B **106**	Rydal Water NW1 . . . . .3B **26**	St Anne St. E14 . . . . .4C **54**
Rufus St. N1 . . . . .3F **31**	Ryder Ct. SW1 . . . . .2C **72**	St Ann's Ho. WC1 . . . . .3D **29**
Rugby Mans. W14 . . . . .3A **94**	Ryder Dr. SE16 . . . . .1F **129**	St Ann's La. SW1 . . . . .2E **101**
Rugby St. WC1 . . . . .5B **28**	Ryder Ho. E1 . . . . .4C **34**	St Ann's Rd. W11 . . . . .1E **65**
Rugg St. E14 . . . . .5D **55**	Ryder's Ter. NW8 . . . . .5B **6**	St Ann's St. SW1 . . . . .1E **101**
Rugless Ho. E14 . . . . .5B **84**	Ryder St. SW1 . . . . .2C **72**	St Ann's Ter. NW8 . . . . .5E **7**
Rugmere N1 . . . . .1E **9**	Ryder Yd. SW1 . . . . .2C **72**	St Ann's Vs. W11 . . . . .3E **65**
Rumball Ho. SE5 . . . . .5F **127**	Rydon St. N1 . . . . .3C **14**	St Anselm's Pl. W1 . . . . . . .5F **43**
Rumbold Rd. SW6 . . . . .5A **118**	Rydons Cl. N7 . . . . .1B **12**	St Anthony's Cl. E1 . . . . . . .2D **79**
Rum Cl. E1 . . . . .1B **80**	Rye Ho. SE16 . . . . .4C **80**	St Anthony's Flats NW1 . . . .1D **27**
Rumford Ho. SE1 . . . . .2B **104**	SW1 . . . . .5F **99**	St Aubins Ct. N1 . . . . .3E **15**
Runacres Ct. SE17 . . . . . . .1B **126**	Rylston Rd. SW6 . . . . .3B **116**	St Augustine's Ct. SE17 . . . .5F **107**
Runcorn Pl. W11 . . . . .5F **37**	Rymill St. E16 . . . . .3D **91**	St Augustine's Ho. NW1 . . . .2D **27**
Rupack St. SE16 . . . . .5B **80**	Rysbrack St. SW3 . . . . .1B **98**	St Augustine's Mans.
Rupert Ct. W1 . . . . .5D **45**		SW1 . . . . .4C **100**
Rupert Ho. SE11 . . . . .4E **103**		St Augustine's Rd. NW1 . . . .1D **11**
SW5 . . . . .4D **95**		St Barnabas St. SW1 . . . . . .5E **99**
Rupert Rd. NW6 . . . . .1C **20**	## S	St Bartholomew's Hospital Mus.
Rupert St. W1 . . . . .5D **45**		. . . . .2A **48**
Ruscoe Rd. E16 . . . . .3B **58**	Saatchi Gallery 4C **98**	St Benet's Pl. EC3 . . . . .5E **49**
Rushcutters Ct. SE16 . . . . .3A **110**	Sabbarton St. E16 . . . . .4B **58**	St Bernards Ho. E14 . . . . . .1B **112**
Rushmead E2 . . . . .3F **33**	Sable St. N1 . . . . .1A **14**	St Botolph Row EC3 . . . . . . .4B **50**
Rushmore Ho. W14 . . . . . . .2A **94**	Sackville St. W1 . . . . .1C **72**	St Botolph St. EC3 . . . . .4B **50**
Rushton St. N1 . . . . .5E **15**	Saddlers M. SW8 . . . . .5A **124**	St Brelades Ct. N1 . . . . .3E **15**
Rushworth St. SE1 . . . . . . .4A **76**	Saddle Yd. W1 . . . . .2F **71**	St Bride's Av. EC4 . . . . .4F **47**
Ruskin Ho. SW1 . . . . .4E **101**	Sadler Ho. EC1 . . . . .2F **29**	St Bride's Crypt Mus. 4F **47**
Ruskin Mans. W14 . . . . . . .2A **116**	Sadler's Wells Theatre 2E **29**	St Bride's Pas. EC4 . . . . . . .4F **47**
Russell Ct. SW1 . . . . .3C **72**	Saffron Av. E14 . . . . .5D **57**	St Bride St. EC4 . . . . .3F **47**
WC1 . . . . .5F **27**	Saffron Hill EC1 . . . . .1E **47**	St Catherines M. SW3 . . . . .3B **98**
Russell Flint Ho. *E16* *2A 88*	Saffron St. EC1 . . . . .1E **47**	St Chad's Pl. WC1 . . . . .2A **28**
(off Pankhurst Av.)	Saffron Wharf SE1 . . . . .4C **78**	St Chad's St. WC1 . . . . .2A **28**
Russell Gdns. W14 . . . . . . .1F **93**	Sage Cl. E6 . . . . .2B **62**	(not continuous)
Russell Gdns. M. W14 . . . . .5F **65**	Sage St. E1 . . . . .1B **52**	St Charles Pl. W10 . . . . . . .2F **37**
Russell Gro. SW9 . . . . .5E **125**	Sage Way WC1 . . . . .3B **28**	St Charles Sq. W10 . . . . . . .1E **37**
Russell Ho. E14 . . . . .4E **55**	Saigasso Cl. E16 . . . . .4D **61**	St Christopher's Ho. NW1 . . .1C **26**
SW1 . . . . .5B **100**	Sailacre Ho. SE10 . . . . .5B **114**	St Christopher's Pl. W1 . . . .3E **43**
Russell Lodge SE1 . . . . . . .1D **105**	Sail Ct. *E14* *5E 57*	St Clare St. EC3 . . . . .4B **50**
Russell Mans. WC1 . . . . . . .1A **46**	(off Newport Av.)	St Clements Ct. EC4 . . . . . . .5E **49**
Russell Pl. SE16 . . . . .2F **109**	Sail St. SE11 . . . . .3C **102**	SE14 . . . . .2D **131**
Russell Rd. E16 . . . . .3E **59**	Sainsbury Wing *1E 73*	W11 . . . . .1E **65**
W14 . . . . .1A **94**	(in National Gallery)	St Clements Ho. *E1* *2B 50*
Russell Sq. WC1 . . . . .5F **27**	St Agnes Pl. SE11 . . . . .3E **125**	(off Leyden St.)
Russell St. WC2 . . . . .5A **46**	St Agnes Well EC1 . . . . .4E **31**	St Clement's La. WC2 . . . . . .4C **46**
Russell's Wharf Flats W10 . .4B **20**	St Albans Ct. EC2 . . . . .3C **48**	St Clements St. N7 . . . . .1D **13**
Russel Sq. Mans. WC1 . . . . .1A **46**	St Alban's Gro. W8 . . . . . . .1A **96**	St Columb's Ho. W10 . . . . . .2A **38**
Russia Dock Rd. SE16 . . . . .3A **82**	St Albans Mans. W8 . . . . . . .1A **96**	St Cross St. EC1 . . . . .1E **47**
Russia La. E2 . . . . .1B **34**	St Alban's Pl. N1 . . . . .4F **13**	St Davids Cl. SE16 . . . . . . .1A **130**
Russia Row EC2 . . . . .4C **48**	St Alban's St. SW1 . . . . . . .1D **73**	St Davids M. *E3* *3F 35*
Russia Wlk. SE16 . . . . .5E **81**	(not continuous)	(off Morgan St.)
	St Albans Studios	St Davids Sq. E14 . . . . .5A **112**
	W8 . . . . .1A **96**	
	St Alfege Pas. SE10 . . . . . .3B **134**	

St Dunstan's All. EC3	.1F 77	St James M. E14 ....2C 112	St Leonard's Ct. N1 ...2E 31

St Dunstan's All. EC3 ......1F 77 | St James M. E14 ....2C 112 | St Leonard's Ct. N1 ....2E 31
St Dunstan's Ct. EC4 ......4E 47 | St James Residences | St Leonard's Rd. E14 ...2A 56
St Dunstans Hill EC3 ......1F 77 | W1 ....5D 45 | (not continuous)
St Dunstan's La. EC3 ......1F 77 | ST JAMES'S ....3C 72 | St Leonard's Ter. SW3 ....1B 120
St Dunstan's Rd. W6 ......5E 93 | St James's SW1 ....2C 72 | St Loo Av. SW3 ....2A 120
St Edmund's Cl. NW8 ......4B 8 | St James's Av. E2 ......1C 34 | St Loo Ct. SW3 ....2A 120
St Edmund's Ot. NW0 ......4D 0 | St James's Chambers | ST LUKE'S 4C 30
St Edmund's Ter. NW8 ......4A 8 | SW1 ....2C 72 | St Luke's Cl. EC1 ....4C 30
St Elmos Rd. SE16 ......5F 81 | St James's Cl. NW8 ......4B 8 | St Lukes Ct. W11 ....3C 38
St Ermin's Hill SW1 ......1D 101 | St James's Gdns. W11 ....2F 65 | St Luke's Est. EC1 ......3D 31
St Ervan's Rd. W10 ......1A 38 | (not continuous) | St Luke's M. W11 ....3B 38
St Eugene Ct. NW6 ......4A 4 | St James's Mkt. SW1 ....1D 73 | St Luke's Rd. W11 ......2B 38
St Francis' Ho. NW1 ......1D 27 | St James's Palace ......4C 72 | St Luke's Sq. E16 ......4C 58
St Frideswide's M. E14 ....4B 56 | St James's Pk. ....4D 73 | St Luke's St. SW3 ......5F 97
St Gabriel's Cl. E14 ......2F 55 | St James's Pas. EC3 .....4A 50 | St Luke's Yd. W9 ....1B 20
St George's Bldgs. SE1 ...2F 103 | St James's Pl. SW1 .....3B 72 | (not continuous)
St George's Cathedral ....2A 26 | St James's Rd. SE1 .....2E 129 | St Margarets Cl. EC2 ....3D 49
St George's Cir. SE1 ......1F 103 | SE16 ....1E 107 | St Margarets Ct. SE1 ....3D 77
St Georges Ct. EC4 ......3F 47 | St James's Sq. SW1 .....2C 72 | St Margaret's La. W8 ....2F 95
SW1 ....5B 100 | St James's St. SW1 .....2B 72 | St Margaret's Rd. NW10 ..2B 18
SW7 ....3F 97 | St James's Ter. NW8 .....5B 8 | St Margaret St. SW1 ....5F 73
(Brompton Rd.) | St James's Ter. M. | St Mark's Cl. SE10 .....5B 134
SW7 ....1B 96 | NW8 ....4B 8 | St Marks Ct. NW8 ......1C 22
(Gloucester Rd.) | St James's Wlk. EC1 .....4F 29 | St Mark's Cres. NW1 ....3E 9
St George's Dr. SW1 ......4A 100 | St John's Cl. SW6 ......4D 117 | St Mark's Gro. SW10 ....4A 118
St George's Flds. W2 ......4A 42 | St John's Ct. E1 ....3F 79 | St Marks Ho. SE17 .....2D 127
St George's Ho. NW1 ......1D 27 | W6 ....3A 92 | St Marks Ind. Est. E16 ..3D 89
St George's La. EC3 ......5E 49 | St John's Est. N1 ......1E 31 | St Mark's Pl. W11 ......4A 38
St George's Mans. SW1 ...5E 101 | SE1 ....4B 78 | St Mark's Rd. W10 .....1D 37
St George's M. NW1 ......2C 8 | St John's Gdns. W11 ....1A 66 | St Mark's Sq. NW1 .....4D 9
SE1 ....1E 103 | St John's Gate ....5F 29 | St Mark St. E1 ....4C 50
SE8 ....3B 110 | St Johns Ho. E14 ......3C 112 | St Martin-in-the-Fields Church
St George's RC Cathedral | SE17 ....2D 127 | 1F 73
...........1E 103 | St John's La. EC1 ......5F 29 | St Martin's Almshouses
St George's Rd. SE1 ......1E 103 | St John's Lodge NW3 ....2F 7 | NW1 ....3B 10
St Georges Sq. E14 ......5F 53 | St John's M. W11 ......4D 39 | St Martin's Cl. NW1 ....3B 10
SE8 ....3B 110 | St John's Path EC1 .....5F 29 | St Martins Ct. EC4 .....3B 48
(not continuous) | St John's Pl. EC1 ......5F 29 | N1 ....3A 16
SW1 ....5D 101 | St John's Rd. E16 ......3D 59 | WC2 ....5F 45
St George's Sq. M. | St John's Sq. EC1 ......5F 29 | St Martin's La. WC2 ....5F 45
SW1 ....1D 123 | St John's Ter. W10 .....4E 19 | St Martin's le-Grand EC1 .3B 48
St George's Ter. NW1 .....3C 8 | St John St. EC1 ....1E 29 | St Martin's Pl. WC2 ....1F 73
SE15 ....4C 128 | St John's Vs. W8 ......2A 96 | St Martin's St. WC2 ....1E 73
St George St. W1 ......4A 44 | ST JOHN'S WOOD ......1E 23 | (not continuous)
St George's Way SE15 ....3F 127 | St John's Wood Ct. NW8 ..3E 23 | St Martin's Theatre 5F 45
St George's Wharf SE1 ....4C 78 | St John's Wood High St. | St Mary Abbot's Ct. W14 ..2B 94
St George Wharf SW8 .....2F 123 | NW8 ....5E 7 | St Mary Abbot's Pl. W8 ..2C 94
St Giles Cir. W1 ......3E 45 | St John's Wood Pk. NW8 ..4D 7 | St Mary Abbot's Ter. W14 ..2B 94
St Giles Ct. WC2 ......3F 45 | St John's Wood Rd. NW8 ..4D 23 | St Mary at Hill EC3 ....1F 77
St Giles High St. WC2 ....3E 45 | St John's Wood Ter. NW8 ..5E 7 | St Mary Axe EC3 ......4F 49
St Giles Pas. WC2 ......4E 45 | St Josephs Almshouses | St Marychurch St. SE16 ..4B 80
St Giles Rd. SE5 ......5F 127 | W6 ....3E 93 | St Mary Graces Ct. E1 ..5C 50
St Giles Ter. EC2 ......2C 48 | St Joseph's Cl. W10 ....2A 38 | St Mary le-Park Ct.
St Giles Twr. SE5 ......5F 127 | St Joseph's Cotts. SW3 ..4B 98 | SW11 ....5A 120
St Gilles Ho. E2 ......1D 35 | St Joseph's Flats NW1 ...2D 27 | St Mary Newington Cl.
St Helena Ho. WC1 ......3D 29 | St Joseph's Ho. W6 .....3E 93 | SE17 ....5A 106
St Helena Rd. SE16 ......4D 109 | St Joseph's St. SW8 ....5A 122 | St Mary's Est. SE16 ....5B 80
St Helena St. WC1 ......3D 29 | St Jude's Rd. E2 ......1A 34 | St Mary's Flats NW1 ....2D 27
St Helen's Gdns. W10 ....2D 37 | St Julian's Rd. NW6 ....2C 4 | St Mary's Gdns. SE11 ...3E 103
St Helen's Pl. EC3 ......3F 49 | St Katharine Docks .....1C 78 | St Mary's Ga. W8 .....2F 95
St Helier Ct. N1 ......3F 15 | St Katharine's Pct. NW1 ..5F 9 | St Mary's Ho. N1 ......3A 14
SE16 ....4D 81 | St Katharine's Way E1 ...2C 78 | St Mary's Mans. W2 ....1D 41
St Hilda's Wharf E1 ......2B 80 | (not continuous) | St Mary's M. NW6 .....2F 5
St Hubert's Ho. E14 ......1D 111 | St Katherine's Row EC3 ..5A 50 | St Mary's Path E1 .....3D 51
St James SE14 ......5A 132 | St Katherines Wlk. W11 ..2E 65 | (off Adler St.)
St James App. EC2 ......5F 31 | St Lawrence Cotts. E14 ..2C 84 | N1 ....3F 13
St James Ct. E2 ......3E 33 | St Lawrence Ct. N1 .....3E 15 | St Mary's Pl. W8 ......2F 95
SW1 ....1C 100 | St Lawrence Ho. SE1 ....1A 106 | St Mary's Sq. W2 ......1D 41
St James Ind. M. SE1 ....1E 129 | St Lawrence St. E14 ....2C 84 | St Mary's Ter. W2 .....1C 40
St James Mans. NW6 .....1E 5 | St Lawrence Ter. W10 ...1F 37 | St Mary's Twr. EC1 ....5C 30
SE1 ....1D 103 | St Leonard M. N1 ......5F 15 | St Mary's Wlk. SE11 ....3E 103

St Matthews Ct. SE1 . . . . . .2B **104**
St Matthews Ho. SE17 . . . . .2D **127**
St Matthew's Lodge NW1 . . .5C **10**
St Matthew's Row E2 . . . . . . .3D **33**
St Matthew St. SW1 . . . . . . .2D **101**
St Michael's All. EC3 . . . . . .4E **49**
St Michaels Cl. E16 . . . . .2D **61**
St Michaels Ct. E14 . . . . .2B **56**
  SE1 . . . . .5C **76**
St Michael's Flats NW1 . . . . .1D **27**
St Michael's Gdns. W10 . . . . .2F **37**
St Michaels M. SW1 . . . . .4D **99**
St Michael's St. W2 . . . . .3E **41**
St Mildred's Ct. EC2 . . . . .4D **49**
St Nicholas' Flats NW1 . . . . . .1D **27**
St Nicholas Ho. SE8 . . . . . . .2E **133**
St Olaf Ho. SE1 . . . . .2E **77**
St Olaf's Rd. SW6 . . . . .5A **116**
St Olaf Stairs SE1 . . . . .2E **77**
St Olave's Ct. EC2 . . . . .4D **49**
St Olave's Est. SE1 . . . . .4A **78**
St Olave's Gdns. SE11 . . . . . .3D **103**
St Olaves Ho. SE11 . . . . .3D **103**
St Olave's Mans. SE11 . . . . . .3D **103**
St Olave's Ter. SE1 . . . . .4A **78**
St Olav's Sq. SE16 . . . . .5B **80**
St Oswald's Pl. SE11 . . . . . . .5B **102**
St Oswalds Studios
  SW6 . . . . .2D **117**
St Oswulf St. SW1 . . . . .4E **101**
St Owen Ho. SE1 . . . . .1A **106**
ST PANCRAS 4B **28**
St Pancras Commercial Cen.
  NW1 . . . . .3C **10**
St Pancras Way NW1 . . . . . . .1B **10**
St Paul's All. *EC4* *4A 48*
  (off St Paul's Chyd.)
St Paul's Arts Cen. *3E 111*
  (off Westferry Rd.)
St Paul's Av. SE16 . . . . .2E **81**
St Paul's Bldgs. *EC1* *4A 30*
  (off Dallington St.)
St Paul's Cathedral 4B **48**
St Paul's Chyd. EC4 . . . . . . .4A **48**
  (not continuous)
St Pauls Courtyard SE8 . . . .4D **133**
St Paul's Cres. NW1 . . . . .1E **11**
  (not continuous)
St Paul's M. NW1 . . . . .1E **11**
St Paul's Studios W14 . . . . . .5F **93**
St Pauls Ter. SE17 . . . . .2A **126**
St Paul St. N1 . . . . .4B **14**
  (not continuous)
St Pauls Vw. Apartments
  EC1 . . . . .3D **29**
St Pauls Way E3 . . . . .2B **54**
St Peter's All. EC3 . . . . .4E **49**
St Peter's Av. E2 . . . . .1E **33**
St Petersburgh M. W2 . . . . . .5F **39**
St Petersburgh Pl. W2 . . . . . .5F **39**
St Peter's Cen. *E1* *2A 80*
  (off Reardon St.)
St Peter's Chu. Ct. N1 . . . . . .5A **14**
St Peter's Cl. E2 . . . . .1E **33**
St Peters Ho. SE17 . . . . .2D **127**
  WC1 . . . . .3A **28**
St Peters Pl. W9 . . . . .5F **21**
St Peter's Sq. E2 . . . . .1E **33**
St Peter's St. N1 . . . . .4A **14**
St Peter's St. M. N1 . . . . .5A **14**
St Peter's Ter. SW6 . . . . .5B **116**

St Peter's Way N1 . . . . .2A **16**
St Philip Ho. WC1 . . . . .3D **29**
St Philip's Rd. E8 . . . . .1D **17**
St Philip's Way N1 . . . . .3C **14**
St Quintin Av. W10 . . . . .2C **36**
St Quintin Gdns. W10 . . . . . .2C **36**
St Richard's Ho. NW1 . . . . . . .2D **27**
St Saviour's Est. SE1 . . . . . .1B **106**
St Saviour's Wharf
  SE1 . . . .*4C 78*
    (off Shad Thames)
  SE1 . . . . .4C **78**
    (Mill St.)
St Stephen's Av. W12 . . . . . .3A **64**
  (not continuous)
St Stephen's Cl. NW8 . . . . . . .4A **8**
St Stephen's Cres. W2 . . . . . .3E **39**
St Stephen's Gdns. W2 . . . . .3D **39**
  (not continuous)
St Stephens Ho. SE17 . . . . .2D **127**
St Stephen's M. W2 . . . . .2E **39**
St Stephen's Row EC4 . . . . . .4D **49**
St Stephen's Ter. SW8 . . . . .5B **124**
St Stephen's Wlk. SW7 . . . . .3B **96**
St Swithins La. EC4 . . . . .5D **49**
St Thomas Ct. NW1 . . . . .2C **10**
St Thomas Ho. E1 . . . . .3D **53**
St Thomas Rd. E16 . . . . .3D **59**
St Thomas St. SE1 . . . . .3D **77**
St Thomas's Way SW6 . . . . .4B **116**
St Vincent De Paul Ho. E1 . . .2B **52**
St Vincent Ho. SE1 . . . . .1B **106**
St Vincent St. W1 . . . . .2E **43**
Salamanca Pl. SE1 . . . . .4B **102**
Salamanca Sq. SE1 . . . . . . .4B **102**
Salamanca St. SE1 . . . . .4A **102**
  SE11 . . . . .4B **102**
Salem Rd. W2 . . . . .5A **40**
Sale Pl. W2 . . . . .2F **41**
Sale St. E2 . . . . .4E **33**
Salford Ho. E14 . . . . .3C **112**
Salisbury Cl. SE17 . . . . .4D **105**
Salisbury Ct. EC4 . . . . .4F **47**
  SE16 . . . . .2E **107**
Salisbury Ho. E14 . . . . .3F **55**
  EC2 . . . . .2E **49**
  N1 .3F **13**
  SW1 . . . . .5E **101**
  SW9 . . . . .4E **125**
Salisbury M. SW6 . . . . .5B **116**
Salisbury Pas. SW6 . . . . . . .4B **116**
Salisbury Pavement
  SW6 . . . . .4B **116**
Salisbury Pl. SW9 . . . . .5A **126**
  W1 .1C **42**
Salisbury Sq. EC4 . . . . .4E **47**
Salisbury St. NW8 . . . . .5E **23**
Salmon La. E14 . . . . .3F **53**
Salmon St. E14 . . . . .3B **54**
Salomons Rd. E13 . . . . .1B **60**
Salter Rd. SE16 . . . . .3D **81**
Salters Ct. EC4 . . . . .4C **48**
Salter's Hall Ct. EC4 . . . . . . .5D **49**
Salters Rd. W10 . . . . .5D **19**
Salter St. E14 . . . . .5D **55**
Saltley Cl. E6 . . . . .3A **62**
Saltram Cres. W9 . . . . .2C **20**
Saltwell St. E14 . . . . .5E **55**
Saltwood Gro. SE17 . . . . . . .1D **127**
Saltwood Ho. SE15 . . . . .3C **130**
Salusbury Rd. NW6 . . . . .3A **4**

Salutation Rd. SE10 . . . . . . .3A **114**
Sambrook Ho. E1 . . . . .2B **52**
  SE11 . . . . .4D **103**
Samford Ho. N1 . . . . .4D **13**
Samford St. NW8 . . . . .5F **23**
Sam Manners Ho. SE10 . . .1F **135**
Sam March Ho. E14 . . . . .4D **57**
Sampson Ho. SE1 . . . . .2F **75**
Sampson St. E1 . . . . .3E **79**
Samuda Est. E14 . . . . .1C **112**
Samuel Cl. E8 . . . . .3C **16**
  SE14 . . . . .3D **131**
Samuel Ct. N1 . . . . .3F **31**
Samuel Ho. E8 . . . . .4B **16**
Samuel Jones Ind. Est.
  SE15 . . . . .5A **128**
Samuel Lewis Bldgs. N1 . . . .1E **13**
Samuel Lewis Trust Dwellings
  SW3 . . . . .4F **97**
  SW6 . . . . .4E **117**
  W14 . . . . .3B **94**
Samuel Richardson Ho.
  W14 . . . . .4B **94**
Samuel's Cl. W6 . . . . .3C **92**
Samuel St. SE15 . . . . .4B **128**
Sancroft Ho. SE11 . . . . .5C **102**
Sancroft St. SE11 . . . . .5C **102**
Sanctuary, The SW1 . . . . . . .1E **101**
Sanctuary St. SE1 . . . . .5C **76**
Sandalwood Cl. E1 . . . . .5F **35**
Sandalwood Mans. W8 . . . . . .2F **95**
Sandbourne NW8 . . . . .4F **5**
  W11 . . . . .3D **39**
Sandby Ho. NW6 . . . . .4D **5**
Sandell St. SE1 . . . . .4D **75**
Sanderling Ct. SE8 . . . . .3B **132**
Sanderling Lodge E1 . . . . . . .1C **78**
Sanders Ho. WC1 . . . . .2D **29**
Sanderson Ho. SE8 . . . . . . .1B **132**
Sandfield WC1 . . . . .3A **28**
Sandford Row SE17 . . . . . . .5D **105**
Sandford St. SW6 . . . . .5A **118**
Sandgate St. SE15 . . . . .2F **129**
Sandgate Trad. Est. SE15 . . .2F **129**
Sandhills, The SW10 . . . . . . .2C **118**
Sandhurst Ho. E1 . . . . .2B **52**
Sandland St. WC1 . . . . .2C **46**
Sandpiper Cl. SE16 . . . . .4B **82**
Sandpiper Ct. *E1* *1D 79*
  (off Thomas More St.)
  E14 . . . . .1C **112**
  SE8 . . . . .3D **133**
Sandringham Ct. SE16 . . . . . .2E **81**
  W1 .4C **44**
  W9 .3C **22**
Sandringham Flats WC2 . . . . .5E **45**
Sandringham Ho. W14 . . . . . .3F **93**
Sandstone La. E16 . . . . .5A **60**
Sandwich Ho. SE16 . . . . .4C **80**
  WC1 . . . . .3F **27**
Sandwich St. WC1 . . . . .3F **27**
Sandys Row E1 . . . . .2A **50**
Sanford St. SE14 . . . . .2F **131**
Sanford Wlk. SE14 . . . . .2F **131**
Sankey Ho. E2 . . . . .1C **34**
Sansom St. SE5 . . . . .5E **127**
Sans Wlk. EC1 . . . . .4E **29**
Santley Ho. SE1 . . . . .5E **75**
Saperton Wlk. SE11 . . . . .3C **102**
Sapperton Ct. EC1 . . . . .4B **30**
Sapperton Ho. W2 . . . . .2D **39**

Sapphire Cl. E6	.3C 62	
Sapphire Ct. E1	.5D 51	
Sapphire Rd. SE8	.4F 109	
Saracens Head Yd. EC3	.4B 50	
Saracen St. E14	.4E 55	
Sarah Ho. E1	.3F 51	
Sarah Ct. N1	.2A 32	
Sarah Swift Ho. SE1	.4E 77	
Sara La. Ct. N1	.5A 16	
Sardinia St. WC2	.4B 46	
Sark Wlk. E16	.3F 59	
Sarnesfield Ho. SE15	.3F 129	
Sarratt Ho. W10	.1B 36	
Satanita Cl. E16	.3D 61	
Satchwell Rd. E2	.3D 33	
Satchwell St. E2	.3D 33	
Saul Ct. SE15	.3B 128	
Saunders Cl. E14	.1C 82	
Saunders Ho. SE16	.5E 81	
Saunders Ness Rd. E14	.3D 113	
Saunders St. SE11	.3D 103	
Savage Gdns. E6	.4C 62	
EC3	.5A 50	
(not continuous)		
Savannah Cl. SE15	.5B 128	
Savile Row W1	.5B 44	
Saville Rd. E16	.3A 90	
Savill Ho. E16	.3F 91	
Savona Ho. SW8	.5B 122	
Savona St. SW8	.5B 122	
Savoy Bldgs. WC2	.1B 74	
Savoy Ct. SW5	.3E 95	
WC2	.1B 74	
Savoy Hill WC2	.1B 74	
Savoy Pl. WC2	.1A 74	
Savoy Row WC2	.5B 46	
Savoy Steps WC2	.1B 74	
Savoy St. WC2	.5B 46	
Savoy Theatre	.1A 74	
Savoy Way WC2	.1B 74	
Sawyer St. SE1	.4B 76	
Saxon Hall W2	.1F 67	
Saxon Ho. E1	.2C 50	
Sayes Ct. SE8	.2C 132	
Sayes St. SE8	.2C 132	
Scafell NW1	.2B 26	
Scala St. W1	.1C 44	
Scampston M. W10	.3E 37	
Scandrett St. E1	.3F 79	
Scarborough St. E1	.4C 50	
Scarsdale Pl. W8	.1F 95	
Scarsdale Studios W8	.2E 95	
Scarsdale Vs. W8	.2E 95	
Scawen Rd. SE8	.5F 109	
Scawfell St. E2	.1C 32	
Sceptre Ct. EC3	.1C 78	
Sceptre Ho. E1	.4B 34	
Sceptre Rd. E2	.3B 34	
Schafer Ho. NW1	.4B 26	
Schiller International University	.3D 75	
Schomberg Ho. SW1	.3E 101	
School App. E2	.2A 32	
Schoolbank Rd. SE10	.3B 114	
Schoolbell M. E3	.1F 35	
School Ho. SE1	.3F 105	
School Ho. La. E1	.5D 53	
School Sq. SE10	.2C 114	
Schooner Cl. E14	.2D 113	
SE16	.4C 80	
Science Mus.	.2D 97	
Sclater St. E1	.4B 32	
Scoresby St. SE1	.3F 75	
Scorton Ho. N1	.5A 16	
SCOTCH HOUSE	.5B 70	
Scoter Ct. SE8	.3B 132	
Scotia Bldg. E1	.5E 53	
Scotia Ct. SE16	.5C 80	
Scotland Pl. SW1	.3F 73	
Scotson Ho. SE11	.4D 103	
Scotswood St. EC1	.4E 29	
Scott Ellis Gdns. NW8	.3D 23	
Scott Ho. E14	.4E 83	
N1	.3D 15	
NW8	.5F 23	
SE8	.5B 110	
Scott Lidgett Cres. SE16	.5D 79	
Scott Russell Pl. E14	.5F 111	
Scotts Ct. W12	.5B 64	
Scott's Rd. W12	.5A 64	
Scott's Sufferance Wharf		
SE1	.5C 78	
Scott St. E1	.5F 33	
Scott's Yd. EC4	.5D 49	
Scoulding Ho.		
E14	.1D 111	
Scoulding Rd. E16	.3C 58	
Scouler St. E14	.5D 57	
Scovell Cres. SE1	.5B 76	
Scovell Rd. SE1	.5B 76	
Screen on Baker Street (Cinema)	.1C 42	
Screen on the Green Cinema	.4F 13	
(off Upper St.)		
Scriven Ct. E8	.3C 16	
Scriven St. E8	.3C 16	
Scrope Ho. EC1	.1D 47	
Scrubs La. NW10	.5A 18	
Scrutton St. EC2	.5F 31	
Seabright St. E2	.3F 33	
Seacon Twr. E14	.5D 83	
Seaford Ho. SE16	.4C 80	
Seaford St. WC1	.3A 28	
Seaforth Pl. SW1	.1C 100	
Seagrave Cl. E1	.2D 53	
Seagrave Lodge SW6	.2E 117	
Seagrave Rd. SW6	.2E 117	
Seagull La. E16	.5D 59	
Seal Ho. SE1	.1E 105	
Searles Cl. SW11	.5A 120	
Searles Dr. E6	.2F 63	
Searles Rd. SE1	.3E 105	
Searson Ho. SE17	.4A 104	
Sears St. SE5	.4D 127	
Seaton Cl. SE11	.5E 103	
Sebastian Ho. N1	.1F 31	
Sebastian St. EC1	.3A 30	
Sebbon St. N1	.2A 14	
Sebright Ho. E2	.5E 17	
Sebright Pas. E2	.1E 33	
Secker St. SE1	.3D 75	
Second Av. W10	.4A 20	
Sedan Way SE17	.5F 105	
Sedding St. SW1	.3D 99	
Sedding Studios SW1	.3D 99	
Seddon Highwalk		
EC2	.1B 48	
(off Seddon Ho.)		
Seddon Ho. EC2	.1B 48	
Seddon St. WC1	.3C 28	
Sedgmoor Pl. SE5	.5A 128	
Sedgwick Ho. E3	.1E 55	
Sedlescombe Rd. SW6	.3C 116	
Sedley Ho. SE11	.5D 103	
Sedley Pl. W1	.4F 43	
Seething La. EC3	.5A 50	
Sekforde St. EC1	.5F 29	
Selbourne Ho. SE1	.1D 105	
Selby Cl. E6	.2F 61	
Selby Ho. W10	.2A 20	
Selby Rd. E13	.1A 60	
Selby Sq. W10	.2A 20	
Selby St. E1	.5E 33	
Selcroft Ho. SE10	.5B 114	
Seldon Ho. SW1	.1B 122	
SW8	.5B 122	
Selfridges	.4E 43	
Selina Ho. NW8	.4E 23	
Selma Ho. W12	.4A 36	
Selsdon Way E14	.2A 112	
Selsey St. E14	.1D 55	
Selway Ho. SW8	.5A 124	
Selwood Pl. SW7	.5D 97	
Selwood Ter. SW7	.5D 97	
Semley Ho. SW1	.4F 99	
Semley Pl. SW1	.4E 99	
Senators Lodge E3	.1F 35	
Senior St. W2	.1F 39	
Senrab St. E1	.3D 53	
Seraph Ct. EC1	.2B 30	
Serica Ct. SE10	.4C 134	
Serjeants Inn EC4	.4E 47	
Serlby Ct. W14	.1B 94	
(off Somerset Sq.)		
Serle St. WC2	.3C 46	
Sermon La. EC4	.4B 48	
Serpentine, The	.3F 69	
Serpentine Gallery	.4D 69	
Serpentine Rd. W2	.3F 69	
Setchell Rd. SE1	.3B 106	
Setchell Way SE1	.3B 106	
Seth St. SE16	.5C 80	
Settlers Ct. E14	.5E 57	
Settles St. E1	.2E 51	
Seven Dials WC2	.4F 45	
Seven Dials Ct. WC2	.4F 45	
Seven Islands Leisure Cen.	.2B 108	
Seven Stars Yd. E1	.1C 50	
(off Brick La.)		
Severnake Cl. E14	.3E 111	
Severn Av. W10	.2A 20	
Seville Ho. E1	.3E 79	
(off Hellings St.)		
Seville M. N1	.2F 15	
Seville St. SW1	.5C 70	
Sevington St. W9	.5F 21	
Sewardstone Rd. E2	.1D 35	
Seward St. EC1	.4A 30	
Sextant Av. E14	.3D 113	
Sexton Ct. E14	.5E 57	
(off Newport Av.)		
Sextons Ho. SE10	.3B 134	
Seymour Ho. E16	.2E 87	
NW1	.2E 27	
WC1	.4F 27	
Seymour Leisure Cen.	.2B 42	
Seymour M. W1	.3D 43	
Seymour Pl. W1	.2B 42	
Seymour St. W1	.4B 42	
W2	.4B 42	
Seymour Wlk. SW10	.2B 118	

Seyssel St. E14 . . . . .3C **112**	Sheldrake Pl. W8 . . . . .4C **66**	Shillingford St. N1 . . . . .3A **14**
Shabana Rd. W12 . . . . .2A **64**	Shelduck Ct. SE8 . . . . .2B **132**	Shillingstone Ho. W14 . . . . . .2A **94**
Shackleton Ct. E14 . . . . . . .5E **111**	Shelley Ct. SW3 . . . . .2C **120**	Shinfield St. W12 . . . . .4B **36**
W12 . . . . .5A **64**	Shelley Ho. E2 . . . . .3B **34**	Ship & Mermaid Row SE1 . . .4E **77**
Shackleton Ho. E1 . . . . .2B **80**	SE17 . . . . .5C **104**	Shiplake Ho. E2 . . . . .3B **32**
Shacklewell St. E2 . . . . .4C **32**	SW1 . . . . .2B **122**	Shipman Rd. E16 . . . . .4A **60**
Shad Thames SE1 . . . . .3B **78**	Shelmerdine Cl. E3 . . . . . . .1D **55**	Ship Tavern Pas. EC3 . . . . . .5F **49**
SHADWELL 1A **80**	Shelton St. WC2 . . . . .4F **45**	Shipton Ho. E2 . . . . .1C **32**
Shadwell Gdns. E1 . . . . . . .5B **52**	(not continuous)	Shipton St. E2 . . . . .2C **32**
Shadwell Pierhead E1 . . . . .1C **80**	Shene Ho. EC1 . . . . .1D **47**	Shipwright Rd. SE16 . . . . . . .5A **82**
Shadwell Pl. E1 . . . . .5B **52**	Shenfield St. N1 . . . . .1A **32**	Shipwright Yd. SE1 . . . . .3F **77**
Shaftesbury Av. W1 . . . . . . .1D **73**	(not continuous)	Ship Yd. E14 . . . . .5F **111**
WC1 . . . . .3F **45**	Shepherdess Pl. N1 . . . . . . .2C **30**	Shirland M. W9 . . . . .3C **20**
WC2 . . . . .3F **45**	Shepherdess Wlk.	Shirland Rd. W9 . . . . .3B **20**
Shaftesbury Cen. W10 . . . . .1D **37**	N1 . . . . .5C **14**	Shirlbutt St. E14 . . . . .5F **55**
Shaftesbury Ct. E6 . . . . .3C **62**	Shepherd Ho. E14 . . . . .4F **55**	Shirley Ho. SE5 . . . . .5E **127**
N1 . . . . .1D **31**	Shepherd Mkt. W1 . . . . .3F **71**	Shirley St. E16 . . . . .3B **58**
Shaftesbury Lodge E14 . . . .4F **55**	SHEPHERD'S BUSH 4C **64**	Shoe La. EC4 . . . . .3E **47**
Shaftesbury M. SE1 . . . . . . .1D **105**	Shepherds Bush Empire Theatre	Shona Ho. E13 . . . . .1B **60**
W8 . . . . .2E **95**	. . . . .4C **64**	SHOREDITCH 2F **31**
Shaftesbury Pl. EC2 . . . . . . .2B **48**	Shepherd's Bush Grn.	Shoreditch Ct. E8 . . . . .2C **16**
(off London Wall)	W12 . . . . .4C **64**	Shoreditch High St. E1 . . . . .3A **32**
W14 . . . . .4C **94**	Shepherd's Bush Mkt.	Shoreditch Ho. N1 . . . . .3E **31**
Shaftesbury St. N1 . . . . .1C **30**	W12 . . . . .4B **64**	Shorncliffe Rd. SE1 . . . . . . .5B **106**
(not continuous)	(not continuous)	Shorrold's Rd. SW6 . . . . . . .4C **116**
Shaftesbury Theatre 3F **45**	Shepherd's Bush Pl.	Shorter St. E1 . . . . .5B **50**
Shaftesbury Vs. W8 . . . . . . .1E **95**	W12 . . . . .4D **65**	Shortlands W6 . . . . .4D **93**
Shafto M. SW1 . . . . .2C **98**	Shepherd's Bush Rd. W6 . . .5C **64**	Shorts Gdns. WC2 . . . . .4F **45**
Shafts Ct. EC3 . . . . .4F **49**	Shepherds Cl. W1 . . . . .5D **43**	Short St. SE1 . . . . .4E **75**
Shahjalal Ho. E2 . . . . .5E **17**	Shepherds Ct. W12 . . . . . . .4D **65**	Shottendane Rd. SW6 . . . . . .5D **117**
Shakespeare's Globe Theatre &	Shepherds Pl. W1 . . . . .5D **43**	Shottsford W2 . . . . .3D **39**
Exhibition 1B **76**	Shepherd St. W1 . . . . .3F **71**	Shoulder of Mutton All.
Shakespeare Twr. EC2 . . . . .1B **48**	Sheppard Dr. SE16 . . . . . . .5F **107**	E14 . . . . .5A **54**
Shalcomb St. SW10 . . . . . .3C **118**	Sheppard Ho. E2 . . . . .1E **33**	Shouldham St. W1 . . . . .2A **42**
Shalfleet Dr. W10 . . . . .5D **37**	Shepperton Rd. N1 . . . . .3C **14**	Shrewsbury Ct. EC1 . . . . . . .5C **30**
Shalford Ct. N1 . . . . .5F **13**	Shepton Ho's. E2 . . . . .2C **34**	Shrewsbury Ho. SW3 . . . . . .3F **119**
Shalford Ho. SE1 . . . . .1E **105**	Sheraton Ho. SW1 . . . . .2A **122**	SW8 . . . . .2C **124**
Shand St. SE1 . . . . .4F **77**	Sheraton St. W1 . . . . .4D **45**	Shrewsbury M. W2 . . . . .2D **39**
Shandy St. E1 . . . . .1E **53**	Sherborne Ho. SW1 . . . . . . .5A **100**	Shrewsbury Rd. W2 . . . . . . .3D **39**
Shan Ho. WC1 . . . . .5B **28**	SW8 . . . . .4B **124**	Shrewsbury St. W10 . . . . . . .1C **36**
Shannon Ct. SE15 . . . . .4B **128**	Sherborne La. EC4 . . . . .5D **49**	Shropshire Pl. WC1 . . . . .5C **26**
Shannon Pl. NW8 . . . . .5A **8**	Sherborne St. N1 . . . . .3D **15**	Shroton St. NW1 . . . . .1F **41**
Shap St. E2 . . . . .5B **16**	Sherbourne Ct. SW5 . . . . . . .3F **95**	Shrubbery Cl. N1 . . . . .4C **14**
Shard's Sq. SE15 . . . . .3E **129**	Sherbrooke Ho. E2 . . . . .1B **34**	Shrubland Rd. E8 . . . . .3C **16**
Sharnbrook Ho. W14 . . . . . .2D **117**	Sherbrooke Rd. SW6 . . . . . .5A **116**	Shurland Gdns. SE15 . . . . . .4C **128**
Sharpleshall St. NW1 . . . . . .2C **8**	Sherbrooke Ter. SW6 . . . . . .5A **116**	Shuters Sq. W14 . . . . .1B **116**
Sharpness Ct. SE15 . . . . . . .3B **128**	Shere Ho. SE1 . . . . .1D **105**	Shuttle St. E1 . . . . .5D **33**
Sharratt St. SE15 . . . . .2C **130**	Sheridan Bldgs.	Sicilian Av. WC1 . . . . .2A **46**
Sharsted St. SE17 . . . . .1F **125**	WC2 . . . . .4A **46**	Siddons La. NW1 . . . . .5C **24**
Sharwood WC1 . . . . .1C **28**	Sheridan Ct. NW6 . . . . .2C **6**	Sidford Ho. SE1 . . . . .2D **103**
Shaver's Pl. SW1 . . . . .1D **73**	SW5 . . . . .4F **95**	Sidford Pl. SE1 . . . . .2C **102**
Shaw Cres. E14 . . . . .3A **54**	Sheridan Ho. E1 . . . . .4B **52**	Sidmouth Ho. SE15 . . . . . . .4E **129**
Shawfield St. SW3 . . . . .1A **120**	SE11 . . . . .4E **103**	W1 . . . . .3A **42**
Shaw Ho. E16 . . . . .4E **91**	Sheridan St. E1 . . . . .4A **52**	Sidmouth St. WC1 . . . . .3A **28**
Shaw Theatre 2E **27**	Sheringham NW8 . . . . .3E **7**	Sidney Boyd Ct. NW6 . . . . . .2E **5**
Shearwater Ct. E1 . . . . .1D **79**	Sheringham Ho. NW1 . . . . . .1F **41**	Sidney Est. E1 . . . . .3B **52**
SE8 . . . . .2C **132**	Sherlock Ct. NW8 . . . . .3D **7**	(Bromhead St.)
Sheba Pl. E1 . . . . .5C **32**	Sherlock Holmes Mus. 5C **24**	E1 . . . . .2B **52**
Sheen Gro. N1 . . . . .3D **13**	Sherlock M. W1 . . . . .1D **43**	(Lindley St.)
Sheep La. E8 . . . . .4F **17**	Sherman Ho. E14 . . . . .3C **56**	Sidney Godley (VC) Ho.
Sheerness M. E16 . . . . .4F **91**	Sherren Ho. E1 . . . . .5C **34**	E2 . . . . .2C **34**
Sheerwater Rd. E16 . . . . . . .1D **61**	Sherriff Rd. NW6 . . . . .1D **5**	Sidney Gro. EC1 . . . . .2F **29**
Sheffield St. WC2 . . . . .4B **46**	Sherston Ct. SE1 . . . . .3A **104**	Sidney Ho. E2 . . . . .1D **35**
Sheffield Ter. W8 . . . . .4D **67**	WC1 . . . . .3D **29**	Sidney Sq. E1 . . . . .2B **52**
Sheldon Ct. SW8 . . . . .5F **123**	Sherwin Ho. SE11 . . . . .2D **125**	Sidney St. E1 . . . . .1E **53**
Sheldon Ho. N1 . . . . .3A **16**	Sherwood NW6 . . . . .1A **4**	Sidney Webb Ho. SE1 . . . . . .1E **105**
Sheldon Pl. E2 . . . . .1E **33**	Sherwood Ct. W1 . . . . .2B **42**	Sidworth St. E8 . . . . .2F **17**
(not continuous)	Sherwood Gdns. E14 . . . . . .3E **111**	Siege Ho. E1 . . . . .3A **52**
Sheldon Sq. W2 . . . . .2C **40**	SE16 . . . . .1E **129**	Signal Ho. E8 . . . . .2F **17**
Sheldrake Cl. E16 . . . . .3B **90**	Sherwood St. W1 . . . . .5C **44**	Signmakers Yd. NW1 . . . . . .4A **10**
Sheldrake Ho. SE16 . . . . . .3E **109**	Shillibeer Pl. W1 . . . . .2A **42**	Silbury St. N1 . . . . .2D **31**

Silchester Rd. W10 . . . . .4E 37
Silex St. SE1 . . . . .5A 76
Silk Ct. E2 . . . . .2E 33
Silk St. EC2 . . . . .1C 48
Sillitoe Ho. N1 . . . . .4E 15
Silsoe Ho. NW1 . . . . .1A 26
Silver Cl. EC14 . . . . .4F 101
Silverdale NW1 . . . . .2B 26
Silverdale Ct. EC1 . . . . .4A 30
Silverland St. E16 . . . . .3C 90
Silver Pl. W1 . . . . .5C 44
Silver Rd. W12 . . . . .1D 65
Silverthorn NW8 . . . . .4A 6
Silverthorne Loft SE17 . . . . .3C 126
SILVERTOWN 3B 88
Silvertown Viaduct E16 . . . . .4B 58
Silvertown Way E16 . . . . . . .3A 58
(not continuous)
Silver Wlk. SE16 . . . . .3B 82
Silvester Ho. E1 . . . . .3A 52
E2 . . . . .3B 34
W11 . . . . .3B 38
Silvester St. SE1 . . . . .5D 77
Silvocea Way E14 . . . . .4E 57
Silwood Est. SE16 . . . . .4C 108
Silwood St. SE16 . . . . .4C 108
Simla Ct. N7 . . . . .1F 11
Simla Ho. SE1 . . . . .5E 77
Simmonds Ct. SW5 . . . . . . .4F 95
Simms Rd. SE1 . . . . .4D 107
Simon Cl. W11 . . . . .5C 38
Simon Ct. W9 . . . . .3D 21
Simpson Ho. NW8 . . . . .3A 24
SE11 . . . . .1C 124
Simpson's Rd. E14 . . . . .1A 84
Sinclair Gdns. W14 . . . . . . .5E 65
Sinclair Ho. WC1 . . . . .3F 27
Sinclair Mans. W12 . . . . . . .5E 65
Sinclair Rd. W14 . . . . .5E 65
Singer St. EC2 . . . . .3E 31
Sir Christopher France Ho.
E1 . . . . .3F 35
Sirdar Rd. W11 . . . . .1E 65
Sirinham Point SW8 . . . . . . .3C 124
Sirius Bldg. E1 . . . . .5E 53
Sir John Kirk Cl. SE5 . . . . . .4B 126
Sir John Soane's Mus. 3B 46
Sir Nicholas Garrow Ho.
W10 . . . . .4A 20
Sir Oswald Stoll Foundation, The
SW6 . . . . .4F 117
Sir Oswald Stoll Mans.
SW6 . . . . .4F 117
Sise La. EC4 . . . . .4D 49
Siskin Ho. SE16 . . . . .3E 109
Sissinghurst Ho. SE15 . . . . .3C 130
Sister Mabel's Way
SE15 . . . . .4D 129
Sitarey Ct. W12 . . . . .2A 64
Sivill Ho. E2 . . . . .2C 32
Six Bridges Ind. Est. SE1 . . .1E 129
Sixth Av. W10 . . . . .2F 19
Skeggs Ho. E14 . . . . .1B 112
Skegness Ho. N7 . . . . .1B 12
Skenfrith Ho. SE15 . . . . .3F 129
Sketchley Gdns. SE16 . . . . . .5D 109
Skinner Pl. SW1 . . . . .4D 99
Skinners La. EC4 . . . . .5C 48
Skinner St. EC1 . . . . .3E 29
Skipwith Ho. EC1 . . . . .1D 47
Skua Ct. SE8 . . . . .2B 132

Skylark Ct. SE1 . . . . .5C 76
Skyline Ct. SE1 . . . . .2B 106
Skyline Plaza Bldg. E1 . . . . .3E 51
Skylines E14 . . . . .5B 84
Skylines Village E14 . . . . . . .5B 84
Slade Wlk. SE17 . . . . .3A 126
Slaidburn St. SW10 . . . . . . .3C 118
Sleaford Ind. Est. SW8 . . . . .5C 122
Sleaford St. SW8 . . . . .4B 122
Sleigh Ho. E2 . . . . .2C 34
Sligo Ho. E1 . . . . .5D 35
Slingsby Pl. WC2 . . . . .5F 45
Slippers Pl. SE16 . . . . .1A 108
Slipway Ho. E14 . . . . .5F 111
Sloane Av. SW3 . . . . .4F 97
Sloane Av. Mans. SW3 . . . . .4B 98
Sloane Ct. E. SW3 . . . . .5D 99
Sloane Ct. W. SW3 . . . . .5D 99
Sloane Gdns. SW1 . . . . .4D 99
Sloane Ga. Mans.
SW1 . . . . .3D 99
Sloane Sq. SW1 . . . . .4C 98
Sloane St. SW1 . . . . .5C 70
Sloane Ter. SW1 . . . . .3C 98
Sloane Ter. Mans. SW1 . . . . .3D 99
Sloman Ho. W10 . . . . .2A 20
Sly St. E1 . . . . .4F 51
Smallbrook M. W2 . . . . .4D 41
Smart's Pl. WC2 . . . . .3A 46
Smart St. E2 . . . . .2D 35
Smeaton Ct. SE1 . . . . .2B 104
Smeaton St. E1 . . . . .2F 79
Smith Cl. SE16 . . . . .3D 81
Smithfield (Central Markets)
. . . . .2F 47
Smithfield St. EC1 . . . . .2F 47
Smith's Ct. W1 . . . . .5D 45
Smith Sq. SW1 . . . . .2F 101
Smith St. SW3 . . . . .5B 98
Smith Ter. SW3 . . . . .1B 120
Smithy St. E1 . . . . .1B 52
Smokehouse Yd. EC1 . . . . . .1A 48
Smyrk's Rd. SE17 . . . . .1A 128
Smyrna Rd. NW6 . . . . .2E 5
Smythe St. E14 . . . . .5A 56
Snarsgate St. W10 . . . . .2B 36
Snowden St. EC2 . . . . .1F 49
Snowdon Aviary 4C 8
Snow Hill EC1 . . . . .2F 47
Snow Hill Ct. EC1 . . . . .3A 48
(not continuous)
Snowman Ho. NW6 . . . . .3A 6
Snowsfields SE1 . . . . .4E 77
Soane Ct. NW1 . . . . .1C 10
SOHO 4E 45
Soho Sq. W1 . . . . .3D 45
Soho St. W1 . . . . .3D 45
Soho Theatre & Writers Cen.
. . . . .4D 45
Sojourner Truth Cl. E8 . . . . . .1F 17
Solander Gdns. E1 . . . . .5A 52
(Cable St.)
E1 . . . . .5B 52
(Highway, The)
Solar Ho. E6 . . . . .1E 63
Solarium Ct. SE1 . . . . .3C 106
Solebay St. E1 . . . . .5F 35
Solent Ho. E1 . . . . .2F 53
Soley M. WC1 . . . . .2D 29
Solway Ho. E1 . . . . .5E 35
Somer Ct. SW6 . . . . .3D 117

Somerfield Ho. SE16 . . . . . .5D 109
Somerfield St. SE16 . . . . . . .5D 109
Somerford St. E1 . . . . .5F 33
Somerford Way SE16 . . . . . .5F 81
Somers Cl. NW1 . . . . .5D 11
Somers Cres. W2 . . . . .4F 41
Somerset Ct. NW1 . . . . .1D 27
Somerset House 5B 46
Somerset Sq. W14 . . . . .1A 94
SOMERS TOWN 2D 27
Somers Town Community
Sports Cen. 1D 27
Somerton Ho. WC1 . . . . .3E 27
Somerville Point SE16 . . . . . .4B 82
Sondes St. SE17 . . . . .2D 127
Sonning Ho. E2 . . . . .3B 32
Sophia Ho. W6 . . . . .5B 92
Sophia Rd. E16 . . . . .3F 59
Sophia Sq. SE16 . . . . .1F 81
Sopwith Way SW8 . . . . .4F 121
Sorrel Gdns. E6 . . . . .1F 61
Sorrel La. E14 . . . . .4E 57
Sorrell Cl. SE14 . . . . .4F 131
Sotheran Cl. E8 . . . . .3E 17
Sotheron Rd. SW6 . . . . .5A 118
Souldern Rd. W14 . . . . .2E 93
Southacre W2 . . . . .4F 41
Sth. Africa Rd. W12 . . . . . . .2A 64
Southall Pl. SE1 . . . . .5D 77
Southam Ho. W10 . . . . .5A 20
Southampton Bldgs. WC2 . . .2D 47
Southampton M. E16 . . . . . .2F 87
Southampton Pl. WC1 . . . . . .2A 46
Southampton Row WC1 . . . . .1A 46
Southampton St. WC2 . . . . . .5A 46
Southampton Way SE5 . . . . .4E 127
Southam St. W10 . . . . .5A 20
Sth. Audley St. W1 . . . . .1E 71
South Av. NW10 . . . . .4B 18
South Bank 2C 74
Sth. Bank Bus. Cen.
SW8 . . . . .3E 123
South Block SE1 . . . . .5B 74
Sth. Bolton Gdns. SW5 . . . . .5A 96
Southborough Ho. SE17 . . . . .5F 105
Sth. Branch Av. NW10 . . . . . .4C 18
SOUTH BROMLEY 5C 56
Southbury NW8 . . . . .3C 6
Sth. Carriage Dr. SW1 . . . . . .4B 70
SW7 . . . . .5E 69
Sth. City Ct. SE15 . . . . .4A 128
Sth. Colonnade, The
E14 . . . . .2E 83
Southcombe St. W14 . . . . . . .3F 93
Southcott Ho. W9 . . . . .5C 22
Southcott M. NW8 . . . . .1F 23
South Cres. E16 . . . . .1D 57
WC1 . . . . .2D 45
Sth. Eaton Pl. SW1 . . . . .3E 99
Sth. Edwardes Sq. W8 . . . . .2C 94
South End W8 . . . . .1A 96
South End Row W8 . . . . .1A 96
Southerngate Way SE14 . . . . .4F 131
Southern Row W10 . . . . .5F 19
Southern St. N1 . . . . .5B 12
Southern Way SE10 . . . . . . .3C 114
Southernwood Retail Pk.
SE1 . . . . .5B 106
Southerton Rd. W6 . . . . .2B 92
Southey Ho. SE17 . . . . .5C 104
Southey M. E16 . . . . .2E 87

Southey Rd. SW9 . . . . .5D **125**	Spa Grn. Est. EC1 . . . . .2F **29**	Stables Way SE11 . . . . . . .5D **103**
Southgate Ct. N1 . . . . .2E **15**	Spanish Pl. W1 . . . . .3E **43**	Stable Wlk. N1 . . . . .5A **12**
Southgate Gro. N1 . . . . .2E **15**	Sparkes Cotts. SW1 . . . . . .4D **99**	Stable Way W10 . . . . .4C **36**
Southgate Rd. N1 . . . . .3E **15**	Sparke Ter. E16 . . . . .3B **58**	Stable Yd. SW1 . . . . .4B **72**
SOUTH HAMPSTEAD 2C **6**	Spa Rd. SE16 . . . . .2B **106**	Stable Yd. Rd. SW1 . . . . . . .3B **72**
Southill St. E14 . . . . .3A **56**	Sparrick's Row SE1 . . . . . . .4E **77**	(not continuous)
Sth. Island Pl. SW9 . . . . . . .5C **124**	Sparrow Ho. E1 . . . . .5C **34**	Stacey St. WC2 . . . . .4E **45**
SOUTH KENSINGTON 3E **97**	Speakers' Corner 5C **42**	Stack Ho. SW1 . . . . .4E **99**
Sth. Kensington Sta. Arc.	Spearman Ho. E14 . . . . .4E **55**	Stackhouse St. SW3 . . . . . .1B **98**
SW7 . . . . .3E **97**	Spear M. SW5 . . . . .4E **95**	Stacy Path SE5 . . . . .5F **127**
SOUTH LAMBETH 5A **124**	Spectrum Pl. SE17 . . . . . . .1D **127**	Stadium St. SW10 . . . . .5C **118**
Sth. Lambeth Pl. SW8 . . . .2A **124**	Speed Highwalk EC2 . . . . . .1C **48**	Stafford Cl. NW6 . . . . .3D **21**
Sth. Lambeth Rd.	Speed Ho. EC2 . . . . .1C **48**	Stafford Ct. SW8 . . . . .5F **123**
SW8 . . . . .4A **124**	Speedwell St. SE8 . . . . .5D **133**	W8 . . . . .1D **95**
South Lodge *E16* 2F **87**	Speedy Pl. WC1 . . . . .3F **27**	Stafford Cripps Ho. E2 . . . . .3C **34**
(off Audley Dr.)	Speke's Monument 2C **68**	SW6 . . . . .3C **116**
NW8 . . . . .2D **23**	Spellbrook Wlk. N1 . . . . .3C **14**	Stafford Ho. SE1 . . . . .5C **106**
SW7 . . . . .5A **70**	Spelman Ho. E1 . . . . .2D **51**	Stafford Mans. SW1 . . . . . .1B **100**
Sth. Molton La. W1 . . . . .4F **43**	Spelman St. E1 . . . . .1D **51**	SW11 . . . . .5B **120**
Sth. Molton Rd. E16 . . . . . . .3E **59**	(not continuous)	W14 . . . . .2D **93**
Sth. Molton St. W1 . . . . .4F **43**	Spence Cl. SE16 . . . . .5B **82**	Stafford Pl. SW1 . . . . .1B **100**
South Pde. SW3 . . . . .5E **97**	Spencer Ct. NW8 . . . . .1B **22**	Stafford Rd. NW6 . . . . .2D **21**
South Pl. EC2 . . . . .2E **49**	Spencer House 3B **72**	Stafford St. W1 . . . . .2B **72**
South Pl. M. EC2 . . . . .2E **49**	Spencer Mans. W14 . . . . . .2A **116**	Stafford Ter. W8 . . . . .1D **95**
Sth. Quay Plaza E14 . . . . . . .4F **83**	Spencer Pl. N1 . . . . .1F **13**	Staff St. EC1 . . . . .3E **31**
South Ri. W2 . . . . .5A **42**	Spencer St. EC1 . . . . .3F **29**	Stainer St. SE1 . . . . .3E **77**
Sth. Sea St. SE16 . . . . .1B **110**	Spenlow Ho. SE16 . . . . .5E **79**	Staining La. EC2 . . . . .3C **48**
Southside Ind. Est. SW8 . . .5B **122**	Spenser St. SW1 . . . . .1C **100**	Stainsbury St. E2 . . . . .1C **34**
South Sq. WC1 . . . . .2D **47**	Spens Ho. WC1 . . . . .5B **28**	Stainsby Rd. E14 . . . . .4D **55**
South St. W1 . . . . .2E **71**	Spert St. E14 . . . . .5F **53**	Stalbridge Flats W1 . . . . . . .4E **43**
Sth. Tenter St. E1 . . . . .5C **50**	Spey St. E14 . . . . .2B **56**	Stalbridge Ho. NW1 . . . . . . .1B **26**
South Ter. SW7 . . . . .3F **97**	Sphere, The E16 . . . . .4B **58**	Stalbridge St. NW1 . . . . . . .1A **42**
SOUTHWARK 3A **76**	Spice Ct. E1 . . . . .2E **79**	Stalham St. SE16 . . . . .2A **108**
Southwark Bri. SE1 . . . . . . .1C **76**	Spice Quay Hgts. SE1 . . . . .3C **78**	Stamford Bridge 4F **117**
Southwark Bri. Bus. Cen.	Spindrift Av. E14 . . . . .4E **111**	Stamford Bldgs. *SW8* 4A **124**
SE1 . . . . .3C **76**	Spinnaker Ho. E14 . . . . .4D **83**	(off Meadow Pl.)
(off Southwark Bri. Rd.)	Spire Ho. W2 . . . . .5C **40**	Stamford Cotts. SW10 . . . . .4A **118**
Southwark Bri. Office Village	Spirit Quay E1 . . . . .2E **79**	Stamford Ga. SW6 . . . . .4A **118**
SE1 . . . . .2C **76**	SPITALFIELDS 1B **50**	Stamford Rd. N1 . . . . .1A **16**
Southwark Bri. Rd. SE1 . . .1A **104**	Spital Sq. E1 . . . . .1A **50**	Stamford St. SE1 . . . . .3D **75**
Southwark Cathedral 2D **77**	Spital St. E1 . . . . .1D **51**	Stamp Pl. E2 . . . . .2B **32**
Southwark Pk. Est. SE16 . . .3A **108**	Spital Yd. E1 . . . . .1A **50**	Standard Ind. Est. E16 . . . . .4C **90**
Southwark Pk. Rd. SE16 . . .3C **106**	Splendour Wlk. SE16 . . . . . .1B **130**	Standard Pl. EC2 . . . . .3A **32**
Southwark Pk. Sports Cen. Track	Spode Ho. SE11 . . . . .2D **103**	Stanesgate Ho. SE15 . . . . . .4E **129**
. . . . .3C **108**	Sportsman Pl. E2 . . . . .4D **17**	Stanfield Ho. NW8 . . . . .4E **23**
Southwark Pk. Sports Complex	Spriggs Ho. N1 . . . . .1A **14**	Stanford Ct. W8 . . . . .2A **96**
. . . . .3C **108**	Sprimont Pl. SW3 . . . . .5B **98**	Stanford Pl. SE17 . . . . .4F **105**
Southwark Playhouse 3B **76**	Springall St. SE15 . . . . .5A **130**	Stanford Rd. W8 . . . . .1A **96**
Southwark St. SE1 . . . . .2F **75**	Springalls Wharf	Stanford St. SW1 . . . . .4D **101**
Southwater Cl. E14 . . . . .3B **54**	SE16 . . . . .4D **79**	Stangate SE1 . . . . .1C **102**
Southway Cl. W12 . . . . .5A **64**	Springbank Wlk. NW1 . . . . .1E **11**	Stanhope Cl. SE16 . . . . .4E **81**
Southwell Gdns. SW7 . . . . .3B **96**	Springfield Ct. NW3 . . . . . . .1F **7**	Stanhope Gdns. SW7 . . . . . .3B **96**
Southwell Ho. SE16 . . . . . . .4F **107**	Springfield La. NW6 . . . . . . .4F **5**	Stanhope Ga. W1 . . . . .3E **71**
South W. India Dock Entrance	Springfield Rd. NW8 . . . . . . .4B **6**	Stanhope Ho. SE8 . . . . .4C **132**
E14 . . . . .4C **84**	Springfield Wlk. NW6 . . . . . .4F **5**	Stanhope M. E. SW7 . . . . . .3C **96**
Sth. Wharf Rd. W2 . . . . .3D **41**	Spring Gdns. SW1 . . . . .2E **73**	Stanhope M. Sth. SW7 . . . . .4C **96**
Southwick M. W2 . . . . .3E **41**	(not continuous)	Stanhope M. W. SW7 . . . . . .3C **96**
Southwick Pl. W2 . . . . .4F **41**	Spring Ho. WC1 . . . . .3D **29**	Stanhope Pde. NW1 . . . . . . .2B **26**
Southwick St. W2 . . . . .3F **41**	Spring M. W1 . . . . .1C **42**	Stanhope Pl. W2 . . . . .4B **42**
Southwick Yd. W2 . . . . .4F **41**	Spring St. W2 . . . . .4D **41**	Stanhope Row W1 . . . . .3F **71**
Southwold Mans. W9 . . . . . .3E **21**	Spring Va. Ter. W14 . . . . . . .2E **93**	Stanhope St. NW1 . . . . .1B **26**
Southwood Ct. EC1 . . . . .2F **29**	Spring Wlk. E1 . . . . .1E **51**	Stanhope Ter. W2 . . . . .5E **41**
Southwood Ho. W11 . . . . . . .5F **37**	Springwater WC1 . . . . .1B **46**	Stanier Cl. W14 . . . . .1C **116**
Southwood Smith Ho. E2 . . .2F **33**	Spruce Ho. SE16 . . . . .5D **81**	Stanlake M. W12 . . . . .3B **64**
Southwood Smith St. N1 . . .4E **13**	Spurgeon St. SE1 . . . . .2D **105**	Stanlake Rd. W12 . . . . .2A **64**
Sovereign Cl. E1 . . . . .1A **80**	Spur Rd. SE1 . . . . .4D **75**	Stanlake Vs. W12 . . . . .3B **64**
Sovereign Ct. W8 . . . . .1F **95**	SW1 . . . . .5B **72**	Stanley Bri. Studios SW6 . . .5A **118**
Sovereign Cres. SE16 . . . . . .1F **81**	Square, The W6 . . . . .5C **92**	Stanley Cl. SW8 . . . . .3B **124**
Sovereign Ho. E1 . . . . .5A **34**	Squire Gdns. NW8 . . . . .3D **23**	Stanley Cohen Ho. EC1 . . . .5B **30**
Sovereign M. E2 . . . . .5B **16**	Squirries St. E2 . . . . .2E **33**	Stanley Cres. W11 . . . . .5B **38**
Spafield St. EC1 . . . . .4D **29**	Stables Mkt., The NW1 . . . . .2F **9**	Stanley Gdns. W11 . . . . .5B **38**

Stanley Gdns. M. W11 . . . . . .5C 38
Stanley Holloway Ct. E16 . . . .4E 59
Stanley Ho. E14 . . . . .4E 55
  SW10 . . . . .4B 118
Stanley Mans. SW10 . . . . . .2C 118
Stanley M. SW10 . . . . 4R 118
Stanley St. SE8 . . . . .5C 132
Stanley Studios SW10 . . . . .2C 118
  (off Fulham Rd.)
Stanliffe Ho. E14 . . . . .1E 111
Stanmore Pl. NW1 . . . . .3A 10
Stanmore St. N1 . . . . .3B 12
Stannard Cotts. E1 . . . . .4C 34
Stannary Pl. SE11 . . . . .1E 125
Stannary St. SE11 . . . . .2E 125
Stansbury Ho. W10 . . . . .2A 20
Stansbury Sq. W10 . . . . .2A 20
Stansfeld Rd. E6 . . . . .2E 61
  E16 . . . . .2E 61
Stansfield Ho. SE1 . . . . .4C 106
Stanswood Gdns. SE5 . . . . .5A 128
Stanton Ho. SE10 . . . . .2B 134
  SE16 . . . . .4B 82
Stanway Ct. N1 . . . . .1A 32
  (not continuous)
Stanway St. N1 . . . . .5A 16
Stanwick Rd. W14 . . . . .4B 94
Stanworth St. SE1 . . . . .5B 78
Staple Inn WC1 . . . . .2D 47
Staple Inn Bldgs. WC1 . . . . .2D 47
Staples Cl. SE16 . . . . .2F 81
Staples Ho. E6 . . . . .3D 63
Staple St. SE1 . . . . .5E 77
Stapleton Ho. E2 . . . . .2F 33
Star All. EC3 . . . . .5A 50
Starboard Way E14 . . . . . . .1E 111
Starcross St. NW1 . . . . .3C 26
Star La. E16 . . . . .1A 58
Starling Ho. NW8 . . . . .5F 7
Star Pl. E1 . . . . .1C 78
Star Rd. W14 . . . . .2B 116
Star St. W2 . . . . .3E 41
Star Yd. WC2 . . . . .3D 47
Statham Ho. SW8 . . . . .5B 122
Station App. NW1 . . . . .5C 24
Station App. Rd. SE1 . . . . . . .5D 75
Station Arc. W1 . . . . .5A 26
Stationer's Hall Ct. EC4 . . . . .4A 48
Station Pas. SE15 . . . . .5B 130
Station St. E16 . . . . .3F 91
Station Ter. NW10 . . . . .1C 18
Staunton Ho. SE17 . . . . .4F 105
Staunton St. SE8 . . . . .2C 132
Staveley NW1 . . . . .2B 26
Staveley Cl. SE15 . . . . .5A 130
Stave Yd. Rd. SE16 . . . . .3F 81
Stavordale Lodge W14 . . . . . .1C 94
Stayner's Rd. E1 . . . . .4D 35
Steadman Ct. EC1 . . . . .4C 30
Stead St. SE17 . . . . .4D 105
Stean St. E8 . . . . .3B 16
Stebbing Ho. W11 . . . . .2E 65
Stebondale St. E14 . . . . .5C 112
Stedham Pl. WC1 . . . . .3F 45
Steedman St. SE17 . . . . .4B 104
Steele's Rd. NW3 . . . . .1B 8
Steel's La. E1 . . . . .4C 52
Steelyard Pas. EC4 . . . . .1D 77
Steeple Ct. E1 . . . . .4A 34
Steeple Wlk. N1 . . . . .3C 14
Steers Way SE16 . . . . .5A 82

Stelfox Ho. WC1 . . . . .2C 28
Stephan Cl. E8 . . . . .3E 17
Stephen M. W1 . . . . .2D 45
Stephenson Ho. SE1 . . . . . .1B 104
Stephenson St. E16 . . . . .1F 57
Stephenson Way NW1 . . . . . .4C 26
Stephen St. W1 . . . . .2D 45
STEPNEY 1D 53
Stepney C'way. E1 . . . . .4D 53
Stepney City Apartments
  E1 . . . . .2C 52
Stepney Grn. E1 . . . . .1C 52
Stepney Grn. Ct. E1 . . . . . . .1D 53
Stepney High St. E1 . . . . . . .2E 53
Stepney Way E1 . . . . .2F 51
Sterling Gdns. SE14 . . . . . . .3F 131
Sterling St. SW7 . . . . .1A 98
Sterndale Rd. W14 . . . . .2D 93
Sterne St. W12 . . . . .4D 65
Sterry St. SE1 . . . . .5D 77
Stevedore St. E1 . . . . .2F 79
Stevenson Cres. SE16 . . . . . .5E 107
Stevenson Ho. NW8 . . . . .3B 6
Stevens St. SE1 . . . . .1A 106
Steward St. E1 . . . . .2A 50
Stewart's Gro. SW3 . . . . .5E 97
Stewart's Rd. SW8 . . . . .5B 122
Stewart St. E14 . . . . .5C 84
Stew La. EC4 . . . . .5B 48
Stifford Ho. E1 . . . . .2C 52
Stileman Ho. E3 . . . . .1C 54
Stillington St. SW1 . . . . .3C 100
Stirling Ct. EC1 . . . . .4F 29
Stockbeck NW1 . . . . .1C 26
Stockholm Ho. E1 . . . . .5E 51
Stockholm Rd. SE16 . . . . . . .1C 130
Stockholm Way E1 . . . . .2D 79
Stockleigh Hall NW8 . . . . . . .5A 8
Stocks Pl. E14 . . . . .5C 54
Stockton Ct. SW1 . . . . .2D 101
Stockton Ho. E2 . . . . .2F 33
Stockwell St. SE10 . . . . .3C 134
Stoddart Ho. SW8 . . . . .3C 124
Stone Bldgs. WC2 . . . . .2C 46
Stonechat Sq. E6 . . . . .1A 62
Stonecutter St. EC4 . . . . .3F 47
Stonefield St. N1 . . . . .3E 13
Stone Hall W8 . . . . .2F 95
Stone Hall Gdns. W8 . . . . . . .2F 95
Stone Hall Pl. W8 . . . . .2F 95
Stonehouse NW1 . . . . .4C 10
Stone Ho. Ct. EC3 . . . . .3A 50
Stonehouse Ho. W2 . . . . .2D 39
Stoneleigh Pl. W11 . . . . .1E 65
Stoneleigh St. W11 . . . . .1E 65
Stonemason Ct. SE1 . . . . . . .5B 76
Stones End St. SE1 . . . . .5B 76
Stonewall E6 . . . . .2D 63
Stoneyard La. E14 . . . . .1F 83
Stoney La. E1 . . . . .3A 50
Stoney St. SE1 . . . . .2D 77
Stonor Rd. W14 . . . . .4B 94
Stopes St. SE15 . . . . .5C 128
Stopford Rd. SE17 . . . . .1A 126
Stopher Ho. SE1 . . . . .5A 76
Store Rd. E16 . . . . .4D 91
Storers Quay E14 . . . . .4D 113
Store St. WC1 . . . . .2D 45
Storey Ct. NW8 . . . . .3D 23
Storey Ho. E14 . . . . .5A 56
Storey's Ga. SW1 . . . . .5E 73

Storey St. E16 . . . . .3E 91
Stork's Rd. SE16 . . . . .2E 107
Storrington WC1 . . . . .3A 28
Story St. N1 . . . . .2B 12
Stothard Ho. E1 . . . . .4C 34
Stothard St. E1 . . . . .4B 34
Stoughton Cl. SE11 . . . . .4C 102
Stourcliffe Cl. W1 . . . . .3B 42
Stourcliffe St. W1 . . . . .4B 42
Stourhead Ho. SW1 . . . . .5D 101
Stowage SE8 . . . . .3E 133
Stowe Rd. W12 . . . . .4A 64
Strafford Ho. SE8 . . . . .1B 132
Strafford St. E14 . . . . .4D 83
Strahan Rd. E3 . . . . .2F 35
Straightsmouth SE10 . . . . . . .4A 134
Strait Rd. E6 . . . . .5F 61
Strale Ho. N1 . . . . .4F 15
Strand WC2 . . . . .2F 73
Strand La. WC2 . . . . .5C 46
Strand Theatre 5B 46
Strang Ho. N1 . . . . .4B 14
Strang Print Room 4D 27
Strangways Ter. W14 . . . . . . .1B 94
Stranraer Way N1 . . . . .2A 12
Stratford Pl. W1 . . . . .4F 43
Stratford Rd. W8 . . . . .3E 95
Stratford Studios W8 . . . . . . .2E 95
Stratford Vs. NW1 . . . . .1C 10
Strathearn Ho. W2 . . . . .5F 41
Strathearn Pl. W2 . . . . .5F 41
Strathmore Ct. NW8 . . . . .2F 23
Strathmore Gdns.
  W8 . . . . .2E 67
Strathnairn St. SE1 . . . . .4E 107
Strathray Gdns. NW3 . . . . . . .1F 7
Stratton Ct. N1 . . . . .1A 16
Strattondale St. E14 . . . . .1B 112
Stratton St. W1 . . . . .2A 72
Streatham St. WC1 . . . . .3F 45
Streatley Rd. NW6 . . . . .2B 4
Stretton Mans. SE8 . . . . .2E 133
Strickland Ho. E2 . . . . .3C 32
Stringer Ho. N1 . . . . .4A 16
Strode Rd. SW6 . . . . .4A 116
Strome Ho. NW6 . . . . .1F 21
Strood Ho. SE1 . . . . .5E 77
Strouts Pl. E2 . . . . .2B 32
Strutton Ct. SW1 . . . . .2D 101
Strutton Ground SW1 . . . . . . .1D 101
Strype St. E1 . . . . .2B 50
Stuart Ho. E16 . . . . .2F 87
  W14 . . . . .3F 93
Stuart Mill Ho. N1 . . . . .1B 28
Stuart Rd. NW6 . . . . .3D 21
Stuart Twr. W9 . . . . .3C 22
Stubbs Dr. SE16 . . . . .5F 107
Stubbs Ho. E2 . . . . .2D 35
  SW1 . . . . .4E 101
Stucley Pl. NW1 . . . . .2A 10
Studd St. N1 . . . . .3F 13
Studholme St. SE15 . . . . .5F 129
Studio Pl. SW1 . . . . .5C 70
Studios, The W8 . . . . .3E 67
Studland SE17 . . . . .5D 105
Studland Ho. E14 . . . . .3F 53
Studland St. W6 . . . . .4A 92
Studley Ct. E14 . . . . .1E 85
Stukeley St. WC2 . . . . .3A 46
Stunell Ho. SE14 . . . . .3D 131
Sturdee Ho. E2 . . . . .1D 33

Sturdy Ho. E3 . . . . .1F **35**	Surrey Quays Rd. SE16 . . . .1C **108**	Swanscombe Ho. W11 . . . . .2E **65**
Sturgeon Rd. SE17 . . . . . . .1B **126**	Surrey Quays Shop. Cen.	Swanscombe Point
Sturge St. SE1 . . . . .4B **76**	SE16 . . . . .2D **109**	E16 . . . . .2B **58**
Sturminster Ho.	Surrey Row SE1 . . . . .4F **75**	Swanscombe Rd. W11 . . . . .2E **65**
SW8 . . . . .5B **124**	Surrey Sq. SE17 . . . . .5F **105**	Swansea Ct. E16 . . . . .3F **91**
Sturry St. E14 . . . . .4F **55**	Surrey Steps WC2 . . . . . . .5C **46**	Swan St. SE1 . . . . .1C **104**
Sturt St. N1 . . . . .1C **30**	Surrey St. WC2 . . . . .5C **46**	Swan Wlk. SW3 . . . . .2B **120**
Stutfield St. E1 . . . . .4E **51**	Surrey Ter. SE17 . . . . .5A **106**	Swedeland Ct. E1 . . . . .2A **50**
Styles Ho. SE1 . . . . .3F **75**	Surrey Water Rd. SE16 . . . .3E **81**	Swedenborg Gdns. E1 . . . . .5E **51**
Stylus Ho. E1 . . . . .4C **52**	Susan Constant Ct.	Swedenborg Pl. E1 . . . . . . .5F **51**
Sudbury E6 . . . . .3E **63**	E14 . . . . .5E **57**	Sweden Ga. SE16 . . . . . . .2A **110**
Sudeley St. N1 . . . . .1A **30**	Susannah St. E14 . . . . .4A **56**	Swedish Quays SE16 . . . . .2A **110**
Sudrey St. SE1 . . . . .5B **76**	Sussex Ct. SE10 . . . . .3B **134**	(not continuous)
Suffield Ho. SE17 . . . . .5A **104**	W2 . . . . .4D **41**	Sweeney Cres. SE1 . . . . . . .5C **78**
Suffolk La. EC4 . . . . .5D **49**	Sussex Gdns. W2 . . . . .5D **41**	Swift Lodge W9 . . . . .5E **21**
Suffolk Pl. SW1 . . . . .2E **73**	Sussex Lodge W2 . . . . .4E **41**	Swinbrook Rd. W10 . . . . . .1A **38**
Suffolk St. SW1 . . . . .1E **73**	Sussex Mans. SW7 . . . . . . .4D **97**	Swinburne Ho. E2 . . . . .3B **34**
Sugar Bakers Ct. EC3 . . . . . .4A **50**	WC2 . . . . .5A **46**	Swindon St. W12 . . . . .2A **64**
Sugar Loaf Wlk. E2 . . . . . . .2B **34**	Sussex M. E. W2 . . . . .4E **41**	Swinley Ho. NW1 . . . . .2A **26**
Sugar Quay EC3 . . . . .1A **78**	Sussex M. W. W2 . . . . .5E **41**	Swinton Pl. WC1 . . . . .2B **28**
Sugar Quay Wlk.	Sussex Pl. NW1 . . . . .4B **24**	Swinton St. WC1 . . . . .2B **28**
EC3 . . . . .1A **78**	W2 . . . . .4E **41**	Swiss Cen. W1 . . . . .1E **73**
Sugden St. SE5 . . . . .3D **127**	W6 . . . . .5C **92**	SWISS COTTAGE 1D **7**
Sulgrave Gdns. W6 . . . . . . .5C **64**	Sussex Sq. W2 . . . . .5E **41**	Swiss Cottage Sports Cen. . . .2E **7**
Sulgrave Rd. W6 . . . . .5C **64**	Sussex St. SW1 . . . . .1A **122**	Swiss Ct. WC2 . . . . .1E **73**
Sulkin Ho. E2 . . . . .2D **35**	Sutherland Av. W9 . . . . . . .5E **21**	Swiss Re Tower 3A **50**
Sullivan Av. E16 . . . . .1D **61**	Sutherland Ct. W9 . . . . . . .5E **21**	Swiss Ter. NW6 . . . . .1D **7**
Sullivan Ct. SW5 . . . . .3E **95**	Sutherland Ho. W8 . . . . . . .2F **95**	Switch Ho. E14 . . . . .5E **57**
Sullivan Ho. SE11 . . . . .4C **102**	Sutherland Pl. W2 . . . . .3D **39**	Sybil Phoenix Cl.
SW1 . . . . .2A **122**	Sutherland Row SW1 . . . . . .5A **100**	SE8 . . . . .5E **109**
Sullivan Rd. SE11 . . . . .3E **103**	Sutherland Sq. SE17 . . . . . .1B **126**	Sybil Thorndike Casson Ho.
Sultan St. SE5 . . . . .4B **126**	Sutherland St. SW1 . . . . . . .5F **99**	SW5 . . . . .1E **117**
Summercourt Rd. E1 . . . . . . .3C **52**	Sutherland Wlk. SE17 . . . . .1C **126**	Sycamore Cl. E16 . . . . .1F **57**
Summerfield Av. NW6 . . . . . .5A **4**	Sutterton St. N7 . . . . .1B **12**	Sycamore Ct. NW6 . . . . . . .3E **5**
Summers St. EC1 . . . . .5D **29**	Sutton Est. EC1 . . . . .3E **31**	Sycamore Gdns. W6 . . . . . .5A **64**
Sumner Bldgs. SE1 . . . . . . .2B **76**	W10 . . . . .1B **36**	Sycamore Ho. SE16 . . . . . .5D **81**
Sumner Ct. SW8 . . . . .5F **123**	Sutton Est., The N1 . . . . . . .1F **13**	W6 . . . . .5B **64**
Sumner Est. SE15 . . . . .5C **128**	SW3 . . . . .5A **98**	Sycamore Lodge W8 . . . . . .2F **95**
Sumner Ho. E3 . . . . .1F **55**	Sutton La. EC1 . . . . .5A **30**	(off Stone Hall Pl.)
Sumner Pl. SW7 . . . . .4D **97**	Sutton Row W1 . . . . .3E **45**	Sycamore St. EC1 . . . . .5B **30**
Sumner Pl. M. SW7 . . . . . . .4E **97**	Sutton St. E1 . . . . .5B **52**	Sycamore Wlk. W10 . . . . . .4F **19**
Sumner Rd. SE15 . . . . .3C **128**	Sutton's Way EC1 . . . . .5C **30**	Sydney Cl. SW3 . . . . .4E **97**
Sumner St. SE1 . . . . .2A **76**	Sutton Wlk. SE1 . . . . .3C **74**	Sydney M. SW3 . . . . .4E **97**
Sunbeam Cres. W10 . . . . . .5C **18**	Sutton Way W10 . . . . .1B **36**	Sydney Pl. SW7 . . . . .4E **97**
Sunbury Ho. E2 . . . . .3B **32**	Swain St. NW8 . . . . .4F **23**	Sydney St. SW3 . . . . .4F **97**
SE14 . . . . .2D **131**	Swallow Ct. SE1 . . . . .5C **76**	Sylvan Gro. SE15 . . . . .3A **130**
Sunbury Workshops E2 . . . . .3B **32**	W9 . . . . .1E **39**	Sylvan Ter. SE15 . . . . .4A **130**
Sun Ct. EC3 . . . . .4E **49**	Swallowfield NW1 . . . . .3A **26**	Sylvia Ct. N1 . . . . .1E **31**
Sunderland Ho. W2 . . . . . . .2D **39**	(off Munster Sq.)	Symes M. NW1 . . . . .5B **10**
Sunderland Ter. W2 . . . . . . .3F **39**	Swallow Ho. NW8 . . . . .5F **7**	Symington Ho. SE1 . . . . . . .2D **105**
Sundra Wlk. E1 . . . . .5D **35**	Swallow Pas. W1 . . . . .4A **44**	Symister M. N1 . . . . .3F **31**
Sunlight Sq. E2 . . . . .3A **34**	Swallow Pl. W1 . . . . .4A **44**	Symons St. SW3 . . . . .4C **98**
Sunningdale Cl. SE16 . . . . . .1F **109**	Swallow St. E6 . . . . .2A **62**	Symphony M. W10 . . . . . . .2A **20**
Sunningdale Gdns. W8 . . . . .2E **95**	W1 . . . . .1C **72**	
Sun Pas. SE16 . . . . .1D **107**	Swanage Ct. N1 . . . . .1A **16**	
Sun Rd. W14 . . . . .1B **116**	Swanage Ho. SW8 . . . . . . .5B **124**	
Sun St. EC2 . . . . .2F **49**	Swan App. E6 . . . . .2F **61**	Tabard Ct. E14 . . . . .4B **56**
(not continuous)	Swanbourne SE17 . . . . .4B **104**	Tabard Gdn. Est. SE1 . . . . . .1D **105**
Sun St. Pas. EC2 . . . . .2F **49**	Swanbourne Ho. NW8 . . . . .4F **23**	Tabard Ho. SE1 . . . . .1E **105**
Sun Wlk. E1 . . . . .1C **78**	Swan Ct. E1 . . . . .1D **79**	Tabard St. SE1 . . . . .4C **76**
Sun Wharf SE8 . . . . .4F **133**	E14 . . . . .3C **54**	Tabernacle St. EC2 . . . . . . .5E **31**
Surma Cl. E1 . . . . .5F **33**	SW3 . . . . .1A **120**	Tabor Rd. W6 . . . . .2A **92**
Surrendale Pl. W9 . . . . .5E **21**	SW6 . . . . .5D **117**	Tachbrook Est.
Surrey Canal Rd. SE15 . . . . .2C **130**	Swanfield St. E2 . . . . .3B **32**	SW1 . . . . .1D **123**
Surrey County Cricket Club	Swan Ho. N1 . . . . .1D **15**	Tachbrook M. SW1 . . . . . . .3B **100**
. . . . .2C **124**	Swan La. EC4 . . . . .1D **77**	Tachbrook St. SW1 . . . . . . .4C **100**
Surrey Docks Stadium 3E **81**	Swanley Ho. SE17 . . . . . . .5A **106**	(not continuous)
Surrey Docks Watersports Cen.	Swan Mead SE1 . . . . .2F **105**	Tadema Ho. NW8 . . . . .5E **23**
. . . . .2F **109**	Swanne Ho. SE10 . . . . .4C **134**	Tadema Rd. SW10 . . . . . . .4C **118**
Surrey Gro. SE17 . . . . .1F **127**	Swan Pas. E1 . . . . .5D **51**	Tadmor St. W12 . . . . .3D **65**
Surrey Ho. SE16 . . . . .3D **81**	Swan Rd. SE16 . . . . .4C **80**	Tadworth Ho. SE1 . . . . .5F **75**

Taeping St. E14 ....3F **111**	Tate Ho. E2 ....1D **35**	Temple Chambers EC4 ....5E **47**
Taffrail Ho. E14 ....5F **111**	Tate Modern 2A **76**	Temple Ct. E1 ....1E **53**
Tailor Ho. WC1 ....5A **28**	Tate Rd. E16 ....3B **90**	SW8 ....5F **123**
Tailworth St. E1 ....2D **51**	(not continuous)	Temple Dwellings E2 ....2F **33**
Tait Ct. SW8 ....5E **123**	Tatham Pl. NW8 ....5E **7**	Temple Gdns. EC4 ....5D **47**
Tait Ho. SE1 ....3F **75**	Tatsfield Ho. SE1 ....1E **105**	Temple La. EC4 ....4E **47**
Talbot Ct. EC3 ....5E **49**	Tatum St. SE17 ....4E **105**	Temple of Mithras (remains)
Talbot Gro. Ho. W11 ....4F **37**	Taunton Ho. W2 ....4B **40**	....4D **49**
Talbot Ho. E14 ....3F **55**	Taunton M. NW1 ....5B **24**	Temple Pl. WC2 ....5C **46**
Talbot Rd. W2 ....3D **39**	Taunton Pl. NW1 ....4B **24**	Temple St. E2 ....1F **33**
W11 ....4B **38**	Tavern Ct. SE1 ....2C **104**	Templeton Pl. SW5 ....4E **95**
(not continuous)	Taverners Cl. W11 ....3F **65**	Temple W. M. SE11 ....2F **103**
Talbot Sq. W2 ....4E **41**	Taverners Ct. E3 ....3F **35**	Temple Yd. E2 ....1F **33**
Talbot Wlk. W11 ....4F **37**	(off Grove Rd.)	Tempus Wharf SE16 ....4D **79**
Talbot Yd. SE1 ....3D **77**	Tavern Quay SE16 ....3F **109**	Tenby Ho. W2 ....4B **40**
Talgarth Mans. W14 ....5F **93**	Tavistock Ct. WC1 ....4E **27**	Tenby Mans. W1 ....1E **43**
Talgarth Rd. W6 ....5D **93**	WC2 ....5A **46**	Tench St. E1 ....3F **79**
W14 ....5E **93**	(off Tavistock St.)	Tenda Rd. SE16 ....4F **107**
Talia Ho. E14 ....1C **112**	Tavistock Cres.	Tenison Ct. W1 ....5B **44**
Tallis Cl. E16 ....4F **59**	W11 ....2B **38**	Tenison Way SE1 ....3C **74**
Tallis St. EC4 ....5E **47**	(not continuous)	Tenniel Cl. W2 ....5A **40**
Tamar Ho. E14 ....5B **84**	Tavistock Ho. WC1 ....4E **27**	Tennis St. SE1 ....4D **77**
SE11 ....5E **103**	Tavistock M. W11 ....3B **38**	Tennyson Ho.
Tamarind Ct. SE1 ....4C **78**	Tavistock Pl. WC1 ....4F **27**	SE17 ....5C **104**
W8 ....2F **95**	Tavistock Rd. W11 ....3B **38**	Tennyson Mans. SW3 ....3F **119**
Tamarind Yd. E1 ....2E **79**	(not continuous)	W14 ....2A **116**
Tamplin Ho. W10 ....2B **20**	Tavistock Sq. WC1 ....4E **27**	Tennyson Rd. NW6 ....3B **4**
Tamworth St. SW6 ....2D **117**	Tavistock St. WC2 ....5A **46**	Tenterden Ho. SE17 ....1F **127**
Tangerine Ho. SE1 ....5E **77**	(not continuous)	Tenterden St. W1 ....4A **44**
Tangmere WC1 ....3B **28**	Tavistock Twr.	Tenter Ground E1 ....2B **50**
Tankerton Ho's. WC1 ....3A **28**	SE16 ....2F **109**	Tenter Pas. E1 ....4C **50**
(off Tankerton St.)	Taviton St. WC1 ....4D **27**	Tent St. E1 ....4F **33**
Tankerton St. WC1 ....3A **28**	Tavy Cl. SE11 ....5E **103**	Tequila Wharf E14 ....4A **54**
Tanner Ho. SE1 ....5A **78**	(not continuous)	Teredo St. SE16 ....2E **109**
Tanneries, The E1 ....5C **34**	Tawny Way SE16 ....3D **109**	Terence McMillan Stadium
Tanner St. SE1 ....5A **78**	Tay Bldgs. SE1 ....1F **105**	....1C **60**
(not continuous)	Tayburn Cl. E14 ....3B **56**	Terling Ho. W10 ....1B **36**
Tanswell St. SE1 ....5D **75**	Tayler Ct. NW8 ....3D **7**	Terling Wlk. N1 ....3B **14**
Tansy Cl. E6 ....4E **63**	Taylor Cl. SE8 ....2B **132**	Terminus Pl. SW1 ....2A **100**
Tant Av. E16 ....3B **58**	Tayport Cl. N1 ....2A **12**	Terrace, The E2 ....2B **34**
Tapley Ho. SE1 ....5D **79**	Teak Cl. SE16 ....3A **82**	EC4 ....5D **47**
Taplow SE17 ....5E **105**	Teal Cl. E16 ....2D **61**	NW6 ....3D **5**
Taplow Ho. E2 ....3B **32**	Teal Ct. E1 ....1D **79**	SE8 ....4B **110**
Taplow St. N1 ....1C **30**	SE8 ....2B **132**	Terrace Av. NW10 ....3B **18**
Tapp St. E1 ....4F **33**	Teale St. E2 ....5E **17**	Terraces, The NW8 ....5D **7**
Taranto Ho. E1 ....1E **53**	Teal St. SE10 ....1C **114**	Terrace Wlk. SW11 ....4B **120**
Tarbert Wlk. E1 ....5B **52**	Tea Trade Wharf SE1 ....4C **78**	Terretts Pl. N1 ....2F **13**
Tariff Cres. SE8 ....3B **110**	Ted Roberts Ho. E2 ....1A **34**	Terrick St. W12 ....4A **36**
Tarling Ho. E1 ....4A **52**	Tedworth Gdns.	Territorial Ho. SE11 ....4E **103**
Tarling Rd. E16 ....4C **58**	SW3 ....1B **120**	Testerton Rd. W11 ....5E **37**
Tarling St. E1 ....4A **52**	Tedworth Sq. SW3 ....1B **120**	Testerton Wlk. W11 ....5E **37**
Tarling St. Est. E1 ....4B **52**	Teesdale Cl. E2 ....1E **33**	Tetbury Pl. N1 ....4F **13**
Tarnbrook Ct. SW1 ....4D **99**	Teesdale St. E2 ....1F **33**	Tetcott Rd. SW10 ....4B **118**
Tarns, The NW1 ....2B **26**	Teesdale Yd. E2 ....1F **33**	(not continuous)
Tarn St. SE1 ....2B **104**	Telegraph Pl. E14 ....3F **111**	Teviot Est. E14 ....1A **56**
Tarplett Ho. SE14 ....3C **130**	Telegraph Quarters	Teviot St. E14 ....1B **56**
Tarragon Cl. SE14 ....4F **131**	SE10 ....1D **135**	Thackeray Ct. SW3 ....5B **98**
Tarranbrae NW6 ....1A **4**	Telegraph St. EC2 ....3D **49**	W14 ....2F **93**
Tarrant Ho. E2 ....2B **34**	Telephone Pl. SW6 ....2C **116**	Thackeray Ho. WC1 ....4F **27**
W14 ....1F **93**	Telfer Ho. EC1 ....3B **30**	Thackeray St. W8 ....1A **96**
Tarrant Pl. W1 ....2B **42**	Telford Ho. SE1 ....1B **104**	Thalia Cl. SE10 ....2E **135**
Tartan Ho. E14 ....3C **56**	W10 ....1F **37**	Thame Rd. SE16 ....4E **81**
Tarver Rd. SE17 ....1A **126**	Telford Rd. W10 ....1F **37**	Thames Barrier Pk. 4B **88**
Tarves Way SE10 ....4A **134**	Telfords Yd. E1 ....1E **79**	Thamesbrook SW3 ....1F **119**
Tasker Ho. E14 ....2C **54**	Telford Ter. SW1 ....2B **122**	Thames Circ. E14 ....3E **111**
Tasman Ct. E14 ....4F **111**	Temair Ho. SE10 ....4A **134**	Thames Ct. SE15 ....4B **128**
Tasman Ho. E1 ....2A **80**	Temeraire St. SE16 ....4C **80**	Thames Exchange Bldg.
Tasman Wlk. E16 ....4D **61**	Templar Ct. NW8 ....3D **23**	EC4 ....5C **48**
Tasso Rd. W6 ....2A **116**	Temple Av. EC4 ....5E **47**	Thames Hgts. SE1 ....4B **78**
Tasso Yd. W6 ....3A **116**	Temple Bar 4D **47**	Thames Ho. EC4 ....5C **48**
Tate Britain 4F **101**	Temple Bar Gate 4A **48**	SW1 ....5F **101**

Thameside Ind. Est. E16 . . . .3E **89**
Thames Path SE10 . . . . . . .3A **86**
Thames Quay E14 . . . . . . .4A **84**
Thames Rd. E16 . . . . .3D **89**
Thames Rd. Ind. Est. E16 . . .3D **89**
Thames St. SE10 . . . . .2A **134**
Thames Wlk. SW11 . . . . . .4F **119**
Thanet Ho. WC1 . . . . .3F **27**
Thanet Lodge NW2 . . . . .1A **4**
Thanet St. WC1 . . . . .3F **27**
Thanet Wharf SE8 . . . . . . .3F **133**
Thavie's Inn EC4 . . . . .3E **47**
Thaxted Ct. N1 . . . . .1D **31**
Thaxted Ho. SE16 . . . . . . .3B **108**
Thaxton Rd. W14 . . . . .2C **116**
Thayer St. W1 . . . . .2E **43**
The . . . .
    Names prefixed with 'The' for
    example 'The Angel Cen.' are
    indexed under the main name
    such as 'Angel Cen., The'
Theatre Mus. 5A **46**
Theatro Technis 4C **10**
Theberton St. N1 . . . . .3E **13**
Theed St. SE1 . . . . .3D **75**
Theobald's Rd. WC1 . . . . . .2B **46**
Theobald St. SE1 . . . . . . .2D **105**
Thermopylae Ga. E14 . . . . .4A **112**
Theseus Wlk. N1 . . . . .1A **30**
Thessaly Ho. SW8 . . . . . . .5B **122**
Thessaly Rd. SW8 . . . . . . .5B **122**
       (not continuous)
Thesus Ho. E14 . . . . .4C **56**
Thetford Ho. SE1 . . . . . . .1B **106**
Third Av. W10 . . . . .2F **19**
Thirleby Rd. SW1 . . . . . . .2C **100**
Thirlmere NW1 . . . . .2A **26**
Thirza Ho. E1 . . . . .4C **52**
Thistle Gro. SW10 . . . . . . .5C **96**
Thistle Ho. E14 . . . . .3C **56**
Thistley Ct. SE8 . . . . .2F **133**
Thomas Burt Ho. E2 . . . . . .2F **33**
Thomas Cribb M. E6 . . . . . .3C **62**
Thomas Darby Ct. W11 . . . .4F **37**
Thomas Doyle St. SE1 . . . .1A **104**
Thomas Hollywood Ho. E2 . .1B **34**
Thomas More Highwalk
    EC2 . . . . .2B **48**
Thomas More Ho. EC2 . . . . .2B **48**
Thomas More Sq. E1 . . . . . .1D **79**
Thomas More St. E1 . . . . . .1D **79**
Thomas Neal's Shop. Mall
    WC2 . . . . .4F **45**
Thomas Nth. Ter. E16 . . . . .2B **58**
Thomas Pl. W8 . . . . .2F **95**
Thomas Rd. E14 . . . . .3C **54**
Thomas Rd. Ind. Est. E14 . .2D **55**
Thompson Ho. SE14 . . . . . .3C **130**
    W10 . . . . .5F **19**
Thompson's Av. SE5 . . . . . .4B **126**
Thomson Ho. E14 . . . . .4E **55**
    SE17 . . . . .4F **105**
    SW1 . . . . .1E **123**
Thorburn Ho. SW1 . . . . . . .5C **70**
Thorburn Sq. SE1 . . . . . . .4D **107**
Thoresby St. N1 . . . . .2C **30**
Thornaby Ho. E2 . . . . .2F **33**
Thornbill Ho. SE15 . . . . . . .4D **129**
Thornbury Ct. W11 . . . . . . .5D **39**
Thorncroft St. SW8 . . . . . .5F **123**
Thorndike Cl. SW10 . . . . . .4B **118**

Thorndike Ho. SW1 . . . . . . .5D **101**
Thorndike St. SW1 . . . . . . .4D **101**
Thorne Cl. E16 . . . . .3C **58**
Thorne Rd. SW8 . . . . .5F **123**
Thorne Ho. E2 . . . . .2C **34**
    E14 . . . . .1B **112**
Thornewill Ho. E1 . . . . .5C **52**
Thorney Ct. W8 . . . . .5B **68**
Thorney Cres. SW11 . . . . . .5E **119**
Thorney St. SW1 . . . . .3F **101**
Thornfield Ho. E14 . . . . . . .5D **55**
Thornfield Rd. W12 . . . . . . .4A **64**
       (not continuous)
Thorngate Rd. W9 . . . . .4E **21**
Thornham St. SE10 . . . . . . .3A **134**
Thornhaugh M. WC1 . . . . . .5E **27**
Thornhaugh St. WC1 . . . . . .5E **27**
Thornhill Bri. Wharf
    N1 . . . . .4B **12**
Thornhill Cres. N1 . . . . .2C **12**
Thornhill Gro. N1 . . . . .2C **12**
Thornhill Ho's. N1 . . . . .1D **13**
Thornhill Rd. N1 . . . . .1D **13**
Thornhill Sq. N1 . . . . .2C **12**
Thornley Pl. SE10 . . . . .1F **135**
Thornton Ho. SE17 . . . . . . .4F **105**
Thornton Pl. W1 . . . . .1C **42**
Thorold Ho. SE1 . . . . .4B **76**
Thorparch Rd. SW8 . . . . . . .5E **123**
Thorpe Cl. W10 . . . . .3A **38**
Thorpe Ho. N1 . . . . .4C **12**
Thoydon Rd. E3 . . . . .1F **35**
Thrale St. SE1 . . . . .3C **76**
Thrasher Cl. E8 . . . . .3B **16**
Thrawl St. E1 . . . . .2C **50**
Threadneedle St. EC2 . . . . .4D **49**
Three Barrels Wlk. EC4 . . . .1C **76**
Three Colt Cnr. E2 . . . . .5D **33**
Three Colts La. E2 . . . . .4F **33**
Three Colt St. E14 . . . . .5C **54**
Three Cranes Wlk. EC4 . . . .1C **76**
Three Cups Yd. WC1 . . . . . .2C **46**
Three Kings Yd. W1 . . . . . . .5F **43**
Three Oak La. SE1 . . . . .4B **78**
Three Quays EC3 . . . . .1A **78**
Three Quays Wlk. EC3 . . . . .1A **78**
Threshers Pl. W11 . . . . .5F **37**
Throckmorten Rd. E16 . . . . .4A **60**
Throgmorton Av. EC2 . . . . . .3E **49**
       (not continuous)
Throgmorton St. EC2 . . . . . .3E **49**
Thrush St. SE17 . . . . .5A **104**
Thurland Ho. SE16 . . . . . . .4F **107**
Thurland Rd. SE16 . . . . . . .1D **107**
Thurloe Cl. SW7 . . . . .3F **97**
Thurloe Ct. SW3 . . . . .4F **97**
Thurloe Pl. SW7 . . . . .3E **97**
Thurloe Pl. M. SW7 . . . . . . .3E **97**
Thurloe Sq. SW7 . . . . .3E **97**
Thurloe St. SW7 . . . . .3E **97**
Thurlow St. SE17 . . . . .5E **105**
       (not continuous)
Thurlow Wlk. SE17 . . . . . . .5F **105**
       (not continuous)
Thurnscoe NW1 . . . . .4B **10**
Thurso Ho. NW6 . . . . .1F **21**
Thurstan Dwellings WC2 . . .3A **46**
Thurtle Rd. E2 . . . . .4C **16**
Tibberton Sq. N1 . . . . .2B **14**
Tiber Gdns. N1 . . . . .4A **12**
Tickford Ho. NW8 . . . . .3F **23**

Tidal Basin Rd. E16 . . . . .5C **58**
       (not continuous)
Tidbury Ct. SW8 . . . . .5B **122**
Tideway Ct. SE16 . . . . .2E **81**
Tideway Ho. E14 . . . . .4E **83**
Tideway Ind. Est. SW8 . . . . .3C **122**
Tideway Wlk. SW8 . . . . . . .3C **122**
Tidey St. E3 . . . . .1E **55**
Tiger Ho. WC1 . . . . .3E **27**
Tilbury Cl. SE15 . . . . .4C **128**
Tilbury Ho. SE14 . . . . .2D **131**
Tile Yd. E14 . . . . .4C **54**
Tilehurst NW1 . . . . .3A **26**
Tileyard Rd. N7 . . . . .1F **11**
Tilleard Ho. W10 . . . . .2A **20**
Tiller Leisure Cen., The 1E **111**
Tiller Rd. E14 . . . . .1D **111**
Tillett Sq. SE16 . . . . .5A **82**
Tillet Way E2 . . . . .2D **33**
Tillman St. E1 . . . . .4A **52**
Tilloch St. N1 . . . . .2B **12**
Tillotson Ct. SW8 . . . . .5E **123**
Tilney Ct. EC1 . . . . .4C **30**
Tilney St. W1 . . . . .2E **71**
Tilson Cl. SE15 . . . . .4F **127**
Tilton St. SW6 . . . . .3A **116**
Timberland Cl. SE15 . . . . . .5D **129**
Timberland Rd. E1 . . . . .4A **52**
Timber Pond Rd. SE16 . . . . .3E **81**
Timber St. EC1 . . . . .4B **30**
Timber Wharves Est.
    E14 . . . . .3E **111**
Timbrell Pl. SE16 . . . . .3B **82**
Timor Ho. E1 . . . . .5F **35**
Timothy Rd. E3 . . . . .2B **54**
Tindal St. SW9 . . . . .5F **125**
Tinsley Rd. E1 . . . . .1C **52**
Tintagel Ct. EC1 . . . . .4F **29**
Tintern Ho. NW1 . . . . .1A **26**
    SW1 . . . . .4F **99**
Tinto Rd. E16 . . . . .1E **59**
Tinworth St. SE11 . . . . .5A **102**
Tiptree NW1 . . . . .1F **9**
Tisbury Ct. W1 . . . . .5D **45**
Tisdall Ho. SE17 . . . . .4E **105**
Tisdall Pl. SE17 . . . . .4E **105**
Tissington Ct. SE16 . . . . . .4D **109**
Titan Bus. Est. SE8 . . . . . . .4D **133**
Titchborne Row W2 . . . . . . .4F **41**
Titchfield Rd. NW8 . . . . .4B **8**
Tite St. SW3 . . . . .1B **120**
Titmuss St. W12 . . . . .5A **64**
Tiverton St. SE1 . . . . .2B **104**
Tivoli Ct. SE16 . . . . .3B **82**
Tobacco Dock E1 . . . . .1A **80**
Tobacco Quay E1 . . . . .1F **79**
Tobago St. E14 . . . . .4D **83**
Tobin Cl. NW3 . . . . .1A **8**
Toby La. E1 . . . . .5F **35**
Todber Ho. W14 . . . . .1F **93**
Tokenhouse Yd. EC2 . . . . . .3D **49**
Tolchurch W11 . . . . .3C **38**
Tolhurst Dr. W10 . . . . .2A **20**
Tollard Ho. W14 . . . . .2B **94**
Tollbridge Cl. W10 . . . . .4A **20**
Tollet St. E1 . . . . .4D **35**
Tollgate Gdns. NW6 . . . . .5F **5**
Tollgate Ho. NW6 . . . . .5F **5**
Tollgate Rd. E6 . . . . .2E **61**
    E16 . . . . .2B **60**
Tollgate Sq. E6 . . . . .1B **62**

Tolmers Sq. NW1 . . . . .4C **26**
    (not continuous)
Tolpaide Ho. SE11 . . . . .4D **103**
Tolpuddle St. N1 . . . . .5D **13**
Tom Blau Gallery *4B 78*
    (off Queen Elizabeth St.)
Tom Jenkinson Rd. E16 . . . . .2E **87**
Tomkyns Ho. SE11 . . . . .4D **103**
Tomline Ho. SE1 . . . . .3B **76**
Tomlinson Cl. E2 . . . . .3C **32**
Tomlins Ter. E14 . . . . .3A **54**
Tompion Ho. EC1 . . . . .4A **30**
Tompion St. EC1 . . . . .3A **30**
    (not continuous)
Tom Smith Cl. SE10 . . . . . . .2F **135**
Tomson Ho. SE1 . . . . .1B **106**
Tom Williams Ho. SW6 . . .3B **116**
Tonbridge Ho's. WC1 . . . . . . .3F **27**
Tonbridge St. WC1 . . . . .2F **27**
Tonbridge Wlk. WC1 . . . . . . .2F **27**
Toneborough NW8 . . . . .4A **6**
Took's Ct. EC4 . . . . .3D **47**
Tooley St. SE1 . . . . .2E **77**
Toomy Cen. E16 . . . . .2A **88**
Topham Ho. SE10 . . . . .5B **134**
Topham St. EC1 . . . . .4D **29**
Topmast Point E14 . . . . .5D **83**
Torbay Ct. NW1 . . . . .1A **10**
Torbay Mans. NW6 . . . . .2B **4**
Torbay Rd. NW6 . . . . .2B **4**
Torbay St. NW1 . . . . .2A **10**
Tor Ct. W8 . . . . .4E **67**
Tor Gdns. W8 . . . . .4D **67**
Tornay Ho. N1 . . . . .5B **12**
Torquay St. W2 . . . . .2F **39**
Torrens St. EC1 . . . . .1F **29**
Torres Sq. E14 . . . . .5E **111**
Torridon Ho. NW6 . . . . .1F **21**
Torrington Pl. E1 . . . . .2E **79**
    WC1 . . . . .1D **45**
Torrington Sq. WC1 . . . . . . .5E **27**
Tortington Ho. SE15 . . . . . .4E **129**
Tothill Ho. SW1 . . . . .3E **101**
Tothill St. SW1 . . . . .5D **73**
Tottan Ter. E1 . . . . .3E **53**
Tottenhall NW1 . . . . .1E **9**
Tottenham Ct. Rd.
    W1 . . . . .5C **26**
Tottenham M. W1 . . . . .1C **44**
Tottenham St. W1 . . . . .2C **44**
Toulmin St. SE1 . . . . .5B **76**
Toulon St. SE5 . . . . .4B **126**
Toulouse Ct. SE16 . . . . . . .5A **108**
Tounson Ct. SW1 . . . . .4E **101**
Tourist Info. Cen.
    City of London 4B **48**
    Greenwich 2C **134**
    King's Cross 2F **27**
    Leicester Sq. 1E **73**
    Regent St. 2D **73**
    Southwark 2C **76**
    Waterloo International
    Terminal 4C **74**
Tournay Rd. SW6 . . . . .4C **116**
Toussaint Wlk. SE16 . . . . . .1E **107**
Tovy Ho. SE1 . . . . .1D **129**
Tower 42 . . . . .3F **49**
Tower Bri. SE1 . . . . .3B **78**
Tower Bri. App. E1 . . . . .2B **78**
Tower Bri. Bus. Complex
    SE16 . . . . .2F **107**

Tower Bri. Bus. Sq.
    SE16 . . . . .3F **107**
Tower Bridge Experience . . .2B **78**
Tower Bri. Plaza SE1 . . . . . .3B **78**
Tower Bri. Rd. SE1 . . . . . . .2F **105**
Tower Bri. Sq. SE1 . . . . .4B **78**
Tower Bri. Wharf E1 . . . . . . .3D **79**
Tower Bldgs. E1 . . . . .3A **80**
Tower Ct. N1 . . . . .2B **14**
    NW8 . . . . .5A **8**
    WC2 . . . . .4F **45**
Towergate SE1 . . . . .3F **105**
TOWER HILL 1B **78**
Tower Hill EC3 . . . . .1A **78**
Tower Hill Ter. EC3 . . . . .1A **78**
Tower Ho. E1 . . . . .2E **51**
Tower Mill Rd. SE15 . . . . . .4F **127**
Tower of London, The 1B **78**
Tower of London Vis. Cen., The
    . . . . .1A **78**
Tower Pl. EC3 . . . . .1A **78**
Tower Pl. E. EC3 . . . . .1A **78**
Tower Pl. W. EC3 . . . . .1A **78**
Tower Royal EC4 . . . . .5D **49**
Tower St. WC2 . . . . .4E **45**
Tower Wlk. *SE1* *3F 105*
    (off Aberdour St.)
Townley St. SE17 . . . . .5D **105**
    (not continuous)
Townsend Ho. SE1 . . . . . . .4E **107**
Townsend St. SE17 . . . . . . .4E **105**
Townshend Ct. NW8 . . . . . . .5A **8**
Townshend Est. NW8 . . . . . .5F **7**
Townshend Rd. NW8 . . . . . . .4F **7**
    (not continuous)
Toynbee St. E1 . . . . .2B **50**
Trader Rd. E6 . . . . .4F **63**
Tradescant Rd. SW8 . . . . . .5A **124**
Tradewinds Ct. E1 . . . . .2E **79**
Trafalgar Av. SE15 . . . . . . .1C **128**
Trafalgar Chambers SW3 . . .5E **97**
Trafalgar Cl. SE16 . . . . .3F **109**
Trafalgar Ct. E1 . . . . .2C **80**
Trafalgar Gdns. E1 . . . . .1E **53**
    W8 . . . . .1A **96**
Trafalgar Gro. SE10 . . . . . . .2E **135**
Trafalgar Ho. SE17 . . . . . . .5C **104**
Trafalgar Point N1 . . . . .2E **15**
Trafalgar Rd.
    SE10 . . . . . .2E **135** & 5A **114**
Trafalgar Square 2E **73**
Trafalgar Sq. WC2 . . . . .2E **73**
Trafalgar St. SE17 . . . . .5D **105**
Trafalgar Studios 2F **73**
Trafalgar Way E14 . . . . .2B **84**
Trafford Ho. N1 . . . . .1E **31**
Trahorn Cl. E1 . . . . .5F **33**
Traitors' Gate 2B **78**
Tralee Ct. SE16 . . . . .5F **107**
Transept St. NW1 . . . . .2A **42**
Transom Cl. SE16 . . . . .3A **110**
Transom Sq. E14 . . . . .5F **111**
Tranton Rd. SE16 . . . . .1E **107**
Trappes Ho. SE16 . . . . .4F **107**
Travers Ho. SE10 . . . . .2E **135**
Treadgold Ho. W11 . . . . . . .5E **37**
Treadgold St. W11 . . . . .5E **37**
Treadway St. E2 . . . . .1F **33**
Treasury Pas. SW1 . . . . . . .4F **73**
Treaty St. N1 . . . . .4B **12**
Trebeck St. W1 . . . . .2F **71**

Trebovir Rd. SW5 . . . . .5E **95**
Trederwen Rd. E8 . . . . .3E **17**
Tree Rd. E16 . . . . .3B **60**
Tregunter Rd. SW10 . . . . . .2A **118**
Trelawney Ho. SE1 . . . . .4B **76**
Trellick Twr. W10 . . . . .5D **20**
Trematon Ho. SE11 . . . . . . .5E **103**
Trenchard St. SE10 . . . . . . .1E **135**
Trenchold St. SW8 . . . . .3F **123**
Trendell Ho. E14 . . . . .3D **55**
Trenmar Gdns. NW10 . . . . . .2A **10**
Tresco Ho. SE11 . . . . .5D **103**
Tresham Cres. NW8 . . . . . . .4F **23**
Tressell Cl. N1 . . . . .2A **14**
Tress Pl. SE1 . . . . .2F **75**
Trevanion Rd. W14 . . . . .5A **94**
Trevelyan Ho. E2 . . . . .3D **35**
    SE5 . . . . .4A **126**
Treveris St. SE1 . . . . .3A **76**
Treverton St. W10 . . . . .1E **37**
Treverton Towers W10 . . . . . .1E **37**
Treves Ho. E1 . . . . .5E **33**
Trevithick Ho. SE16 . . . . . . .4A **108**
Trevithick St. SE8 . . . . .2D **133**
Trevor Pl. SW7 . . . . .5A **70**
Trevor Sq. SW7 . . . . .1A **98**
Trevor St. SW7 . . . . .5A **70**
Trevor Wlk. SW7 . . . . .5A **70**
    (not continuous)
Trevose Ho. SE11 . . . . .5C **102**
Triangle, The E8 . . . . .3F **17**
    EC1 . . . . .4A **30**
Triangle Ct. E16 . . . . .1C **60**
Triangle Est. *SE11* *1D 125*
    (off Kennington Rd.)
Triangle Rd. E8 . . . . .3F **17**
Tricycle Theatre 2C **4**
Trident Ho. E14 . . . . .4C **56**
Trident Pl. SW3 . . . . .2E **119**
Trident St. SE16 . . . . .3E **109**
Trig La. EC4 . . . . .5B **48**
Trigon Rd. SW8 . . . . .4C **124**
Trimdon NW1 . . . . .4B **10**
Trim St. SE14 . . . . .3B **132**
Trinidad Ho. E14 . . . . .5C **54**
Trinidad St. E14 . . . . .5C **54**
Trinity Buoy Wharf E14 . . . . .1A **86**
Trinity Chu. Sq. SE1 . . . . . . .5C **76**
Trinity College of Music . . .2C **134**
Trinity Ct. N1 . . . . .3F **15**
    SE1 . . . . .1C **104**
    W2 . . . . .3B **40**
    WC1 . . . . .4C **28**
Trinity Gdns. E16 . . . . .1C **58**
    (not continuous)
Trinity Grn. E1 . . . . .1B **52**
Trinity Hospital (Almshouses)
    SE10 . . . . .1E **135**
Trinity Ho. SE1 . . . . .1C **104**
Trinity M. E1 . . . . .1B **52**
    W10 . . . . .3E **37**
Trinity Pl. EC3 . . . . .1B **78**
Trinity Sq. EC3 . . . . .1A **78**
Trinity St. E16 . . . . .2D **59**
    SE1 . . . . .5C **76**
    (not continuous)
Trinity Twr. E1 . . . . .1D **79**
Trio Pl. SE1 . . . . .5C **76**
Tristan Ct. SE8 . . . . .2B **132**
Triton Ho. E14 . . . . .4F **111**
Triton Sq. NW1 . . . . .4B **26**

Triumph Rd. E6 . . . . .3C 62
Trocadero Cen. 1D 73
Trocette Mans. SE1 . . . .1F 105
Trojan Ct. NW6 . . . . .2A 4
Troon Cl. SE16 . . . . .5A 108
Troon Ho. E1 . . . . .3F 53
Troon St. E1 . . . . .3F 53
Tropical Ct. W10 . . . . .2E 19
Trothy Rd. SE1 . . . . .3E 107
Trotwood Ho. SE16 . . . . .5F 79
Troughton Rd. SE7 . . . . .5F 115
Troutbeck NW1 . . . . .3A 26
Troy Ct. W8 . . . . .1D 95
Truesdale Rd. E6 . . . . . . .4C 62
Trump St. EC2 . . . . .4C 48
Trundle St. SE1 . . . . .4B 76
Trundleys Rd. SE8 . . . . .4E 109
Trundley's Ter. SE8 . . . . .4E 109
Truro Ho. W2 . . . . .2D 39
Trussley Rd. W6 . . . . .2B 92
Tryon St. SW3 . . . . .5B 98
Tudor Ct. SE16 . . . . .2D 81
Tudor Ho. E16 . . . . .2E 87
    W14 . . . . .3E 93
Tudor Rd. E9 . . . . .3F 17
Tudor St. EC4 . . . . .5E 47
Tufton Ct. SW1 . . . . .2F 101
Tufton St. SW1 . . . . .1E 101
Tulip Cl. E6 . . . . .2B 62
Tunbridge Ho. EC1 . . . . .2F 29
Tunis Rd. W12 . . . . .2B 64
Tunley Grn. E14 . . . . .2C 54
Tunnan Leys E6 . . . . .3E 63
Tunnel App. E14 . . . . . . .5F 53
    SE10 . . . . .5F 85
    SE16 . . . . .5B 80
Tunnel Av. SE10 . . . . . . .4E 85
            (not continuous)
Tunnel Av. Trad. Est. SE10 . . .5E 85
Tunnel Rd. SE16 . . . . . . .4B 80
Tupman Ho. SE16 . . . . . .5D 79
Turin St. E2 . . . . .3D 33
Turk's Head Yd. EC1 . . . . . . .1F 47
Turk's Row SW3 . . . . . . .5C 98
Turnagain La. EC4 . . . . . .3F 47
Turnberry Cl. SE16 . . . . .1A 130
Turnberry Quay E14 . . . . .1A 112
Turnbull Ho. N1 . . . . .3A 14
Turner Cl. SW9 . . . . .5A 126
Turner Ct. SE16 . . . . .5C 80
Turner Ho. E14 . . . . .5E 83
    NW8 . . . . .5F 7
    SW1 . . . . .4E 101
Turner's All. EC3 . . . . . . .5F 49
Turners Rd. E3 . . . . .2B 54
Turner St. E1 . . . . .2F 51
    E16 . . . . .4C 58
Turneville Rd. W14 . . . . . .2B 116
Turnmill St. EC1 . . . . . . .5F 29
Turnour Ho. E1 . . . . .4F 51
Turnpike Cl. SE8 . . . . . . .4C 132
Turnpike Ho. EC1 . . . . . .3A 30
Turnpin La. SE10 . . . . . . .3C 134
Turnstone Ho. E1 . . . . . . .1D 79
Turpentine La. SW1 . . . . .5A 100
Turpin Cl. E1 . . . . .5D 53
Turpins Yd. SE10 . . . . . . .5C 134
Turquand St. SE17 . . . . .4C 104
Turville Ho. NW8 . . . . . . .4F 23
Turville St. E2 . . . . .4B 32
Tuscan Ho. E2 . . . . .2C 34

Tuskar St. SE10 . . . . .1F 135
Tustin Est. SE15 . . . . . . .4B 130
Tuttle Ho. SW1 . . . . .1D 123
Tweed Ho. E14 . . . . .1B 56
Tweezer's All. WC2 . . . . .5D 47
Twig Folly Cl. E2 . . . . . . .1E 35
Twine Ct. E1 . . . . .5B 52
Twycross M. SE10 . . . . . .4A 114
Twyford Pl. WC2 . . . . . . .3B 46
Twyford St. N1 . . . . .3B 12
Tyas Rd. E16 . . . . .1B 58
Tyburn Tree (site of) 5B 42
Tyburn Way W1 . . . . .5C 42
Tyers Est. SE1 . . . . .4F 77
Tyers Ga. SE1 . . . . .5F 77
Tyers St. SE11 . . . . .1B 124
Tyers Ter. SE11 . . . . .1B 124
Tyler Cl. E2 . . . . .5B 16
Tyler's Ct. W1 . . . . .4D 45
Tyler St. SE10 . . . . .1F 135
            (not continuous)
Tylney Ho. E1 . . . . .3A 52
Tyndale Ct. E14 . . . . .5F 111
Tyndale La. N1 . . . . .1F 13
Tyndale Mans. N1 . . . . . .1F 13
Tyndale Ter. N1 . . . . .1F 13
Tynemouth Cl. E6 . . . . . . .4F 63
Tyne St. E1 . . . . .3C 50
Type St. E2 . . . . .1D 35
Tyrawley Rd. SW6 . . . . . .5F 117
Tyrrell Ho. SW1 . . . . .2C 122
Tysoe St. EC1 . . . . .3D 29
Tyssen St. N1 . . . . .5A 16
Tytherton E2 . . . . .1B 34

U

Uamvar St. E14 . . . . .1A 56
Udall St. SW1 . . . . .4C 100
Udimore Ho. W10 . . . . . . .1B 36
Ufford St. SE1 . . . . .4E 75
Ufton Gro. N1 . . . . .1E 15
Ufton Rd. N1 . . . . .2E 15
            (not continuous)
UGC Cinema
    St James's 1D 73
    Ullin St. E14 . . . . .2B 56
Ullswater Ho.
    SE15 . . . . .3B 130
Ulster Pl. NW1 . . . . .5F 25
Ulster Ter. NW1 . . . . .5F 25
Umberston St. E1 . . . . . . .3F 51
Underhill Ho. E14 . . . . . . .2D 55
Underhill Pas. NW1 . . . . . .3A 10
Underhill St. NW1 . . . . . . .4A 10
Undershaft EC3 . . . . .4F 49
Underwood Ho. W6 . . . . . .1A 92
Underwood Rd. E1 . . . . . .5D 33
Underwood Row
    N1 . . . . .2C 30
Underwood St. N1 . . . . . . .2C 30
Undine Rd. E14 . . . . .3A 112
Unicorn Bldg. E1 . . . . . . .5E 53
Union Canal Wlk.
    W10 . . . . .4B 18
Union Ct. EC2 . . . . .3F 49
    W9 . . . . .1D 39
Union Dr. E1 . . . . .4F 35
Union Pk. SE10 . . . . .5B 114
Union Sq. N1 . . . . .4C 14
Union St. SE1 . . . . .4F 75

Union Theatre 3A 76
Union Wlk. E2 . . . . .2A 32
Union Wharf N1 . . . . .1B 30
            (Wenlock Rd.)
    N1 . . . . .4C 14
            (Arlington Av.)
Union Yd. W1 . . . . .4A 44
Unit Workshops
    E1 . . . . .3D 51
Unity M. NW1 . . . . .5D 11
Unity Wharf SE1 . . . . . . .4C 78
University College London
    . . . . .5D 27
University of East London . . .5E 63
University of Greenwich . .2D 135
University of London
    Institute of Education . . .4D 27
    Institute of Latin American
    Studies 4E 27
    Senate House 1E 45
University of Westminster
    . . . . .1D 43
University of Westminster . . . . .
    (Cavendish Campus)
    Bolsover St. 1A 44
    Hanson St. 1B 44
University of Westminster
    (Regent Campus)
    Lit. Titchfield St. 2B 44
    Regent St. 3A 44
    Wells St. 2B 44
University St. WC1 . . . . . .5C 26
University Way E16 . . . . . .1E 91
Unwin Cl. SE15 . . . . .3D 129
Unwin Mans. W14 . . . . . .2B 116
Unwin Rd. SW7 . . . . .1D 97
Upbrook M. W2 . . . . .4C 40
Upcerne Rd. SW10 . . . . . .5B 118
Upnall Ho. SE15 . . . . . . .3C 130
Upnor Way SE17 . . . . . . .5A 106
Up. Addison Gdns.
    W14 . . . . .4E 65
Upper Bank St. E14 . . . . .3F 83
            (not continuous)
Up. Belgrave St. SW1 . . . .1E 99
Up. Berenger Wlk. SW10 . . .4D 119
            (off Berenger Wlk.)
Up. Berkeley St. W1 . . . . .4B 42
Up. Blantyre Wlk. SW10 . . .4D 119
            (off Blantyre Wlk.)
Up. Brook St. W1 . . . . . . .1D 71
Up. Caldy Wlk. N1 . . . . . .1C 14
            (off Arran Wlk.)
Up. Camelford Wlk.
    W11 . . . . .4F 37
Up. Cheyne Row SW3 . . . . .3F 119
Up. Clarendon Wlk. W11 . . .4F 37
Up. Dartrey Wlk. SW10 . . . .4C 118
            (off Whistler Wlk.)
Up. Dengie Wlk. N1 . . . . . .3B 14
            (off Baddow Wlk.)
Upper Feilde W1 . . . . . . .5D 43
Up. Grosvenor St. W1 . . . .1D 71
Upper Ground SE1 . . . . . .2D 75
Up. Gulland Wlk. N1 . . . . .1C 14
Up. Hawkwell Wlk. N1 . . . . .3C 14
            (off Maldon Cl.)
Up. James St. W1 . . . . . . .5C 44
Up. John St. W1 . . . . .5C 44
Upper Lodge W8 . . . . . . .3A 68
Upper Marsh SE1 . . . . . . .1C 102

Up. Montagu St. W1 1B **42**
Upper Nth. St. E14 2E **55**
Up. Phillimore Gdns. W8 5D **67**
Up. Rawreth Wlk. *N1 3C* ***14***
(off Basire St.)
Up. St Martin's La
WC2 5F **45**
Upper St. N1 1F **13**
Up. Tachbrook St.
SW1 3B **100**
Up. Talbot Wlk. W11 4F **37**
Up. Thames St. EC4 5A **48**
Up. Whistler Wlk.
SW10 4C ***118***
(off Worlds End Est.)
Up. Wimpole St. W1 1E **43**
Up. Woburn Pl. WC1 3E **27**
Upwey Ho. N1 4F **15**
Urlwin St. SE5 3B **126**
Urmston Ho. E14 3C **112**
Usborne M. SW8 4C **124**
Usk St. E2 2D **35**
Utopia Village NW1 3D **9**
Uverdale Rd. SW10 5C **118**
Uxbridge Rd. W12 3A **64**
Uxbridge St. W8 2D **67**

V

Vale, The SW3 2D **119**
Vale Cl. W9 3B **22**
Vale Ct. W9 3C **22**
Valentine Pl. SE1 5F **75**
Valentine Row SE1 5F **75**
Vale Royal N7 2F **11**
Vale Royal Ho. WC2 5E **45**
Valiant Ho. E14 5B **84**
Valiant Way E6 2B **62**
Vallance Rd. E2 3E **33**
Valois Ho. SE1 1B **106**
Vanbrugh Castle
SE10 3F **135**
Vanbrugh Cl. E16 2D **61**
Vanbrugh Ct. SE11 4E **103**
Vanbrugh Hill SE10 5B **114**
Vanburgh Ho. E1 1B **50**
Vancouver Ho. E1 3A **80**
Vanderbilt Vs. W12 4D **65**
Vandome Cl. E16 4F **59**
Vandon Ct. SW1 1C **100**
Vandon Pas. SW1 1C **100**
Vandon St. SW1 1C **100**
Vandy St. EC2 5F **31**
Vane St. SW1 3C **100**
Vange Ho. W10 1B **36**
Van Gogh Ct. E14 2D **113**
Vanguard Bldg. E14 4D **83**
Vanguard Cl. E16 2E **59**
Vansittart St. SE14 4A **132**
Vanston Pl. SW6 4D **117**
Vantage M. E14 3C **84**
Vantage Pl. W8 2E **95**
Vantrey Ho. SE11 4D **103**
Varcoe Rd. SE16 1A **130**
Varden St. E1 3F **51**
Varley Ho. NW6 4D **5**
Varley Rd. E16 3F **59**
Varna Rd. SW6 4A **116**
Varndell St. NW1 2B **26**
Varnishers Yd. N1 1A **28**
Vassall Ho. E3 2F **35**
Vassall Rd. SW9 5D **125**
Vat Ho. SW8 4A **124**
Vauban Est. SE16 2C **106**
Vauban St. SE16 2C **106**
Vaudeville Theatre 1A **74**
Vaughan Est. E2 2D **82**
Vaughan Ho. SE1 4F **75**
Vaughan St. SE16 5B **82**
Vaughan Way E1 1D **79**
Vaughan Williams Cl.
SE8 5D **133**
VAUXHALL 1A **124**
Vauxhall Bri. SW1 5F **101**
Vauxhall Bri. Rd. SW1 2B **100**
VAUXHALL CROSS 1A **124**
Vauxhall Distribution Pk.
SW8 3D **123**
Vauxhall Gro. SW8 2A **124**
Vauxhall St. SE11 5C **102**
Vauxhall Wlk. SE11 1B **124**
Vawdrey Cl. E1 5B **34**
Velletri Ho. E2 1D **35**
Venables St. NW8 5E **23**
Venice Ct. NW8 4E **23**
SE5 4C **126**
Venn Ho. N1 4C **12**
Ventnor Rd. SE14 5E **131**
Venture Ho. *W10 4E* ***37***
(off Bridge Cl.)
Venue St. E14 1B **56**
Venus Ho. *E14 3D* ***111***
(off Westferry Rd.)
Verdi Ho. W10 1A **20**
Vere Ct. W2 3F **39**
Vereker Rd. W14 1A **116**
Vere St. W1 4F **43**
Verity Cl. W11 4F **37**
Vermeer Ct. E14 2D **113**
Verney Ho. NW8 4F **23**
Verney Rd. SE16 2E **129**
Verney Way SE16 1F **129**
Vernon Ho. SE11 1C **124**
WC1 2A **46**
Vernon Mans. W14 2B **116**
Vernon M. W14 4A **94**
Vernon Pl. WC1 2A **46**
Vernon Ri. WC1 2C **28**
Vernon Sq. WC1 2C **28**
Vernon St. W14 4F **93**
Vernon Yd. W11 5B **38**
Verona Ct. SE14 2D **131**
Verulam Bldgs. WC1 1C **46**
Verulam Ho. W6 5A **64**
Verulam St. WC1 1D **47**
Verwood Ho. SW8 5C **124**
Verwood Lodge E14 2D **113**
Vesage Ct. EC1 2E **47**
Vesey Path E14 4A **56**
Vesta Ct. SE1 5F **77**
Vestry Ct. SW1 2E **101**
Vestry St. N1 2D **31**
Viaduct Bldgs. EC1 2E **47**
Viaduct Pl. E2 3F **33**
Viaduct St. E2 3F **33**
Vibart Wlk. N1 3A **12**
Vicarage Ct. W8 4F **67**
Vicarage Gdns. W8 3E **67**
Vicarage Ga. W8 3F **67**
(not continuous)
Viceroy Ct. NW8 5A **8**
Vickery Ct. EC1 4C **30**
Vickery's Wharf E14 3D **55**
Victor Cazalet Ho. *N1 3F* ***13***
(off Gaskin St.)
Victoria & Albert Mus. 2E **97**
Victoria Arc. SW1 2A **100**
Victoria Av. EC2 2A **50**
Victoria Bldgs. E8 4F **17**
Victoria Chambers EC2 4F **31**
Victoria Colonnade
WC1 2A **46**
Victoria Cotts. E1 1D **51**
Victoria Ct. SE1 4A **106**
Victoria Dock Rd. E16 4B **58**
Victoria Emb. EC4 5D **47**
SW1 5A **74**
WC2 2A **74**
Victoria Gdns. W11 2D **67**
Victoria Gro. W8 1B **96**
Victoria Gro. M. W2 1E **67**
Victoria Hall E16 2E **87**
(not continuous)
Victoria Ho. E6 3D **63**
SW1 5F **99**
(Ebury Bri. Rd.)
SW1 3C **100**
(Francis St.)
SW8 4A **124**
Victoria Mans. SW8 4A **124**
W14 2B **116**
Victoria M. NW6 3D **5**
Victoria Palace Theatre 2B **100**
Victoria Pk. Rd. E9 4F **17**
Victoria Pk. Sq. E2 2B **34**
Victoria Pas. NW8 4D **23**
Victoria Pl. Shop. Cen.
SW1 3A **100**
Victoria Ri. NW6 2C **6**
Victoria Rd. NW6 5B **4**
W8 5B **68**
Victoria Sq. SW1 1A **100**
Victoria St. SW1 2A **100**
Victoria Way SE7 5F **115**
Victoria Wharf E2 1E **35**
E14 5A **54**
SE8 5B **110**
Victoria Yd. E1 4E **51**
Victor Rd. NW10 2A **18**
Victor Wharf *SE1 2D* ***77***
(off Clink St.)
Victory Ct. W9 5D **21**
Victory Pl. E14 5A **54**
SE17 3C **104**
Victory Way SE16 5A **82**
Vigo St. W1 1B **72**
Viking Ct. SW6 3E **117**
Viking Gdns. E6 1F **61**
Villa St. SE17 1E **127**
Villiers St. WC2 1F **73**
Vince Ct. N1 3E **31**
Vincent Cl. SE16 5F **81**
Vincent Ct. W1 3B **42**
Vincent Ho. SW1 3E **101**
(Regency St.)
SW1 4D **101**
(Vincent Sq.)
Vincent Sq. SW1 3D **101**
Vincent Sq. Mans.
SW1 3C ***100***
(off Walcott St.)
Vincent St. E16 3C **58**
SW1 3D **101**

Vincent Ter. N1 . . . . .5F **13**
Vince St. EC1 . . . . .3E **31**
Vine Cotts. E1 . . . . .3B **52**
Vine Ct. E1 . . . . .2E **51**
Vinegar St. E1 . . . . .2F **79**
Vinegar Yd. SE1 . . . . .4F **77**
Vine Hill EC1 . . . . .5D **29**
Vine La. SE1 . . . . .3A **78**
Vinery Row W6 . . . . .1A **92**
Vine Sq. W14 . . . . .1C **116**
Vine St. EC3 . . . . .4B **50**
    W1 .1C **72**
Vine St. Bri. EC1 . . . . .5E **29**
Vine Yd. SE1 . . . . .4C **76**
Vineyard M. EC1 . . . . .4D **29**
Vineyard Wlk. EC1 . . . . .4D **29**
Vinopolis 2C **76**
Vinson Ho. N1 . . . . .1E **31**
Vintners Ct. EC4 . . . . .5C **48**
Vintner's Pl. EC4 . . . . .5C **48**
Violet Cl. SE8 . . . . .2B **132**
Violet Hill NW8 . . . . .1B **22**
Violet Hill Ho. NW8 . . . . .1B **22**
    (not continuous)
Violet Rd. E3 . . . . .1F **55**
Violet St. E2 . . . . .4A **34**
Virgil Pl. W1 . . . . .2C **42**
Virgil St. SE1 . . . . .1C **102**
Virginia Ct. SE16 . . . . .4D **81**
    WC1 . . . . .4E **27**
Virginia Ho. E14 . . . . .5B **56**
Virginia Rd. E2 . . . . .3B **32**
Virginia St. E1 . . . . .1E **79**
Visage NW3 . . . . .2E **7**
Viscount Ct. W2 . . . . .4E **39**
Viscount Dr. E6 . . . . .1B **62**
Viscount St. EC1 . . . . .5B **30**
Vittoria Ho. N1 . . . . .4C **12**
Vivian Rd. E3 . . . . .1F **35**
Vixen M. E8 . . . . .2B **16**
Vogans Mill SE1 . . . . .4C **78**
Vogler Ho. E1 . . . . .5B **52**
Vollasky Ho. E1 . . . . .1D **51**
Voss St. E2 . . . . .3E **33**
Voyager Bus. Est.
    SE16 . . . . .1D **107**
Vue Cinema
    Fulham Broadway 4E **117**
    Islington 5E **13**
    Leicester Sq. 5E **45**
    Shepherds Bush 4D **65**
Vulcan Cl. E6 . . . . .4E **63**
Vulcan Sq. E14 . . . . .4E **111**
Vyner St. E2 . . . . .5F **17**

W

W12 W12 . . . . .4D **65**
Wadding St. SE17 . . . . .4D **105**
Wade Ho. SE1 . . . . .5D **79**
Wadeson St. E2 . . . . .5F **17**
Wade's Pl. E14 . . . . .5F **55**
Wadham Gdns.
    NW3 . . . . .3F **7**
Wadhurst Rd. SW8 . . . . .5B **122**
Wager St. E3 . . . . .1B **54**
Wagner St. SE15 . . . . .4B **130**
Waite St. SE15 . . . . .2B **128**
Waithman St. EC4 . . . . .4F **47**
Wakefield M. WC1 . . . . .3A **28**

Wakefield St. WC1 . . . . .3A **28**
Wakeling St. E14 . . . . .4F **53**
Wakelin Ho. N1 . . . . .2F **13**
Wakeman Ho. NW10 . . . . . . .2D **19**
Wakeman Rd. NW10 . . . . . . .3C **18**
Wakerley Cl. E6 . . . . .4B **62**
Wakley St. EC1 . . . . .2F **29**
Walberswick St. SW8 . . . . .5A **124**
Walbrook EC4 . . . . .5D **49**
    (not continuous)
Walbrook Ct. N1 . . . . .5F **15**
Walbrook Wharf EC4 . . . . . . .1C **76**
Walburgh St. E1 . . . . .4F **51**
Walcorde Av. SE17 . . . . .4C **104**
Walcot Gdns. SE11 . . . . .3D **103**
Walcot Sq. SE11 . . . . .3E **103**
Walcott St. SW1 . . . . .3C **100**
Waldair Ct. E16 . . . . .4F **91**
Walden Ho. SW1 . . . . .4E **99**
Walden St. E1 . . . . .3F **51**
    (not continuous)
Waldo Ho. NW10 . . . . .2A **18**
Waldo Rd. NW10 . . . . .2A **18**
    (not continuous)
Waldron M. SW3 . . . . .2E **119**
Waleran Flats SE1 . . . . .3F **105**
Wales Ct. SE15 . . . . .4A **130**
Waley St. E1 . . . . .1E **53**
Walford Ho. E1 . . . . .4F **51**
Walham Grn. Ct. SW6 . . . . . .5F **117**
Walham Gro. SW6 . . . . .4D **117**
Walham Yd. SW6 . . . . .4D **117**
Walker Ho. NW1 . . . . .1D **27**
Walker's Ct. W1 . . . . .5D **45**
Walkers Lodge E14 . . . . .4B **84**
Walkinshaw Ct. N1 . . . . .2C **14**
Wallace Collection 3D **43**
Wallace Ct. NW1 . . . . .2A **42**
Waller Way SE10 . . . . .4A **134**
Wallgrave Rd. SW5 . . . . .3F **95**
Wallingford Av. W10 . . . . . . .2D **37**
Wallis All. SE1 . . . . .4C **76**
Wallside EC2 . . . . .2C **48**
Wallwood St. E14 . . . . .2C **54**
Walmer Ho. W10 . . . . .4E **37**
Walmer Pl. W1 . . . . .1B **42**
Walmer Rd. W10 . . . . .4C **36**
    W11 . . . . .5F **37**
Walmer St. W1 . . . . .1B **42**
Walnut Cl. SE8 . . . . .3C **132**
Walnut Ho. *W8* *2F* **95**
    (off St Mary's Ga.)
Walnut Tree Ho. SW10 . . . . .2A **118**
Walnut Tree Rd. SE10 . . . . . .1F **135**
    (not continuous)
Walnut Tree Wlk. SE11 . . . . .3D **103**
Walpole Ct. W14 . . . . .2E **93**
Walpole Ho. SE1 . . . . .5D **75**
Walpole M. NW8 . . . . .4D **7**
Walpole St. SW3 . . . . .5B **98**
Walsham Ho. SE17 . . . . .5D **105**
Walsingham NW8 . . . . .3E **7**
Walsingham Mans. SW6 . . .4A **118**
Walston Ho. SW1 . . . . .5D **101**
Walter Besant Ho. E1 . . . . . .3D **35**
Walter Ho. *SW10* *4D* **119**
    (off Riley St.)
Walter Langley Ct. *SE16* *4C* **80**
    (off Brunel Rd.)
Walters Cl. SE17 . . . . .4C **104**
Walters Ho. SE17 . . . . .3F **125**

Walter St. E2 . . . . .3D **35**
Walter Ter. E1 . . . . .3E **53**
Walterton Rd. W9 . . . . .5C **20**
Waltham Ho. NW8 . . . . .3B **6**
Walton Cl. SW8 . . . . .4A **124**
Walton Ho. E2 . . . . .4B **32**
    SW1 . . . . .2B **98**
Walton Pl. SW3 . . . . .1B **98**
Walton St. SW3 . . . . .3A **98**
Walton Vs. N1 . . . . .2A **16**
WALWORTH 5C **104**
Walworth Pl. SE17 . . . . .1C **126**
Walworth Rd. SE17 . . . . .3B **104**
Wandle Ho. NW8 . . . . .1F **41**
Wandon Rd. SW6 . . . . .5A **118**
    (not continuous)
Wandsdown Pl. SW6 . . . . . . .4F **117**
Wandsworth Rd.
    SW8 . . . . .5E **123**
Wansey St. SE17 . . . . .4B **104**
WAPPING 2A **80**
Wapping Dock St. E1 . . . . . . .3A **80**
Wapping High St. E1 . . . . . . .3D **79**
Wapping La. E1 . . . . .1A **80**
Wapping Wall E1 . . . . .2B **80**
Warbeck Rd. W12 . . . . .3A **64**
Warburton Ho. E8 . . . . .3F **17**
Warburton Rd. E8 . . . . .3F **17**
Warburton St. E8 . . . . .3F **17**
Wardalls Gro. SE14 . . . . .4C **130**
Wardalls Ho. SE8 . . . . .2C **132**
Wardell Ho. SE10 . . . . .2B **134**
Wardens Gro. SE1 . . . . .3B **76**
Wardour M. W1 . . . . .4C **44**
Wardour St. W1 . . . . .3C **44**
Ward Point SE11 . . . . .4D **103**
Wardrobe Pl. EC4 . . . . .4A **48**
Wardrobe Ter. EC4 . . . . .5A **48**
Wards Wharf App.
    E16 . . . . .4D **89**
Wareham Ct. N1 . . . . .1A **16**
Wareham Ho. SW8 . . . . .4B **124**
Warehouse Way E16 . . . . . . .1F **87**
Warfield Rd. NW10 . . . . .3D **19**
Warfield Yd. NW10 . . . . .3D **19**
Wargrave Ho. E2 . . . . .3B **32**
Warham Rd. SE5 . . . . .4A **126**
Warley St. E2 . . . . .2D **35**
Warlock Rd. W9 . . . . .4C **20**
Warmsworth NW1 . . . . .3B **10**
Warndon St. SE16 . . . . .4C **108**
Warner Ho. NW8 . . . . .2B **22**
Warner Pl. E2 . . . . .1E **33**
Warner St. EC1 . . . . .5D **29**
Warner Ter. E14 . . . . .2E **55**
Warner Yd. EC1 . . . . .5D **29**
Warnford Ct. EC2 . . . . .3E **49**
Warnham WC1 . . . . .3B **28**
Warren Ct. NW1 . . . . .4B **26**
Warren Ho. W14 . . . . .3C **94**
Warren M. W1 . . . . .5B **26**
Warren Pl. E1 . . . . .4E **53**
Warren St. W1 . . . . .5B **26**
Warrington Cres. W9 . . . . . . .5B **22**
Warrington Gdns. W9 . . . . . .5B **22**
Warspite Ho. E14 . . . . .4F **111**
Warwall E6 . . . . .3F **63**
Warwick W14 . . . . .4C **94**
Warwick Av. W2 . . . . .5A **22**
    W9 .5A **22**
Warwick Bldg. SW8 . . . . .3F **121**

Warwick Chambers W8 . . . . .1D **95**
Warwick Cl. W8 . . . . .2C **94**
Warwick Ct. EC4 . . . . . . .4A **48**
  WC1 . . . . .2C **46**
Warwick Cres. W2 . . . . .1B **40**
Warwick Est. W2 . . . . .2A **40**
Warwick Gdns. W14 . . . . . .2C **94**
Warwick Ho. E16 . . . . .2E **87**
  (off Wesley Av.)
Warwick Ho. St. SW1 . . . . . .2E **73**
Warwick La. EC4 . . . . .3A **48**
Warwick Mans SW5 . . . . . . .3D **95**
Warwick Pas. EC4 . . . . . . .4A **48**
Warwick Pl. W9 . . . . .1B **40**
Warwick Pl. Nth. SW1 . . . .4B **100**
Warwick Rd. W14 . . . . .2B **94**
Warwick Row SW1 . . . . . . .2A **100**
Warwick Sq. EC4 . . . . .3A **48**
  SW1 . . . . .5B **100**
  (not continuous)
Warwick Sq. M. SW1 . . . .4B **100**
Warwick St. W1 . . . . .5C **44**
Warwick Way SW1 . . . . . . .5F **99**
Warwick Yd. EC1 . . . . .5C **30**
Washington Ho. SW3 . . . . .5B **70**
Watercress Pl. N1 . . . . .2A **16**
Waterden Ct. W11 . . . . . . .3F **65**
Waterford Ho. W11 . . . . . . .5B **38**
Waterford Rd. SW6 . . . . . . .5F **117**
  (not continuous)
Waterfront Studios Bus. Cen.
  E16 . . . . .1D **87**
Water Gdns., The W2 . . . . . .3F **41**
Watergate EC4 . . . . .5F **47**
Watergate St. SE8 . . . . . . .3D **133**
Watergate Wlk. WC2 . . . . . .2A **74**
Waterhead NW1 . . . . .2B **26**
Waterhouse Cl. E16 . . . . . . .1D **61**
  W6 . . . . .5E **93**
Waterhouse Sq. EC1 . . . . . .2D **47**
Wateridge Cl. E14 . . . . .2D **111**
Water La. EC3 . . . . .1A **78**
  NW1 . . . . .2A **10**
  SE14 . . . . .4C **130**
Waterloo Bri. WC2 . . . . .1B **74**
Waterloo Gdns. N1 . . . . .2F **13**
Waterloo Pas. NW6 . . . . . . .2C **4**
Waterloo Pl. SW1 . . . . .2D **73**
Waterloo Rd. SE1 . . . . .2C **74**
Waterloo Ter. N1 . . . . .2F **13**
Waterman Bldg. E14 . . . . . .4D **83**
Watermans Wlk. EC4 . . . . . .1D **77**
  SE16 . . . . .3F **81**
Waterman Way E1 . . . . .2F **79**
Waterside N1 . . . . .1B **30**
  W2 . . . . .2D **41**
Waterside Cl. SE16 . . . . . . .5E **79**
Waterside Ho. E14 . . . . .4F **83**
Waterside Pl. NW1 . . . . .3E **9**
Waterside Point SW11 . . . .4A **120**
Waterson St. E2 . . . . .2A **32**
Water St. WC2 . . . . .5D **47**
Water Twr. Pl. N1 . . . . .4F **13**
Waterview Ho. E14 . . . . . . .2A **54**
Watford Rd. E16 . . . . .2E **59**
Watkins Ho. E14 . . . . .5B **84**
Watling Ct. EC4 . . . . .4C **48**
Watling St. EC4 . . . . .4B **48**
  SE15 . . . . .3A **128**
Watney Mkt. E1 . . . . .4A **52**

Watney St. E1 . . . . .4A **52**
Watson's M. W1 . . . . .2A **42**
Watsons St. SE8 . . . . .5D **133**
Watts Gro. E3 . . . . .1E **55**
Watts Ho. W10 . . . . .1F **37**
Watts St. E1 . . . . .2A **80**
  SE15 . . . . .5C **128**
Wavel Ct. E1 . . . . .2B **80**
Wavelengths Leisure Pool
  . . . . .4E **133**
Wavel M. NW6 . . . . .2F **5**
Waveney Cl. E1 . . . . .2E **79**
Waverley Ct. NW3 . . . . .1B **8**
  NW6 . . . . .2A **4**
Waverley Gdns. E6 . . . . . . .2A **62**
Waverley Pl. NW8 . . . . .5D **7**
Waverton St. W1 . . . . .2E **71**
Waylett Ho. SE11 . . . . .1D **125**
Wayman Ct. E8 . . . . .1F **17**
Waynflete Ho. SE1 . . . . . . .3B **76**
Waynflete Sq. W10 . . . . . . .5D **37**
Weald Cl. SE16 . . . . .5F **107**
Wearmouth Ho. E3 . . . . . . .1C **54**
Wear Pl. E2 . . . . .3F **33**
  (not continuous)
Weatherbury W2 . . . . .3D **39**
Weatherley Cl. E3 . . . . .1C **54**
Weaver Cl. E6 . . . . .5F **63**
Weavers La. SE1 . . . . .3A **78**
Weavers Ter. SW6 . . . . .3E **117**
Weaver St. E1 . . . . .5D **33**
Weavers Way NW1 . . . . . . .3D **11**
Webb Cl. W10 . . . . .5C **18**
Webber Row SE1 . . . . .1E **103**
Webber St. SE1 . . . . .4E **75**
Webb Ho. SW8 . . . . .5E **123**
Webb St. SE1 . . . . .2F **105**
Webheath NW6 . . . . .1C **4**
  (not continuous)
Webster Rd. SE16 . . . . .2E **107**
Weddell Ho. E1 . . . . .5E **35**
Wedderburn Ho. SW1 . . . . .5D **99**
Wedgewood Ho. SW1 . . . . .1A **122**
Wedgewood M. W1 . . . . . . .4E **45**
Wedgwood Ho. E2 . . . . .3D **35**
  SE11 . . . . .2D **103**
Wedlake St. W10 . . . . .4A **20**
Weighhouse St. W1 . . . . . . .5E **43**
Weir's Pas. NW1 . . . . .2E **27**
Welbeck Ct. W14 . . . . .3B **94**
Welbeck Ho. W1 . . . . .3F **43**
Welbeck St. W1 . . . . .2E **43**
Welbeck Way W1 . . . . .3F **43**
Welbury Ct. E8 . . . . .1A **16**
Welford Ct. NW1 . . . . .1A **10**
  W9 . . . . .1D **39**
Welland M. E1 . . . . .2E **79**
Welland St. SE10 . . . . .3B **134**
Wellclose Sq. E1 . . . . .5E **51**
Wellclose St. E1 . . . . .1E **79**
Wellcome Cen. for
  Medical Science 4D **27**
Wellcome Mus., The 3C **46**
(in The Royal College of Surgeons)
Well Ct. EC4 . . . . .4C **48**
  (not continuous)
Weller Ct. W11 . . . . .2B **66**
Weller Ho. SE16 . . . . .5D **79**
Weller St. SE1 . . . . .4B **76**
Welles Ct. E14 . . . . .1D **83**
Wellesley Av. W6 . . . . .2A **92**

Wellesley Ct. W9 . . . . .2B **22**
Wellesley Ho. NW1 . . . . . . .3D **27**
  SW1 . . . . .5F **99**
Wellesley Mans. W14 . . . . . .5B **94**
Wellesley Pl. NW1 . . . . .3D **27**
Wellesley St. E1 . . . . .2D **53**
Wellesley Ter. N1 . . . . .2C **30**
Welling Sq. N1 . . . . .3A **12**
Wellington Arch 4E **71**
Wellington Bldgs.
  SW1 . . . . .1E **121**
Wellington Cl. W11 . . . . .4D **39**
Wellington Ct. NW8 . . . . . . .5D **7**
  SW1 . . . . .5B **70**
Wellington Gro. SE10 . . . . .5D **135**
Wellington Ho. E16 . . . . . . .2E **87**
  NW3 . . . . .1C **8**
  SE17 . . . . .2C **126**
Wellington Mans.
  W14 . . . . .2B **116**
Wellington Monument 4E **71**
Wellington Mus. 4E **71**
Wellington Pl. NW8 . . . . . . .2E **23**
Wellington Rd. NW8 . . . . . . .5E **7**
  NW10 . . . . .3E **19**
Wellington Row E2 . . . . .2C **32**
Wellington Sq. SW3 . . . . . . .5B **98**
Wellington St. WC2 . . . . . . .5A **46**
Wellington Ter. E1 . . . . .2F **79**
  W2 . . . . .1F **67**
Wells Ct. NW6 . . . . .5E **5**
Wells Ho. EC1 . . . . .2E **29**
  SE16 . . . . .1C **108**
  W10 . . . . .1F **37**
Wells M. W1 . . . . .2C **44**
Wells Ri. NW8 . . . . .4B **8**
Wells Rd. W12 . . . . .5B **64**
Wells Sq. WC1 . . . . .3B **28**
Wells St. W1 . . . . .2B **44**
Wells Way SE5 . . . . .2E **127**
  SW7 . . . . .1D **97**
Welsford St. SE1 . . . . .5D **107**
  (not continuous)
Welsh Ho. E1 . . . . .2A **80**
Welshpool Ho. E8 . . . . .3E **17**
Welshpool St. E8 . . . . .3E **17**
  (not continuous)
Welstead Ho. E1 . . . . .4F **51**
Welton Ho. E1 . . . . .2D **53**
Welwyn St. E2 . . . . .2C **34**
Wendle Ct. SW8 . . . . .3F **123**
Wendover SE17 . . . . .5F **105**
  (not continuous)
Wendover Ct. W1 . . . . .2D **43**
Wendover Ho. W1 . . . . .2D **43**
Wenham Ho. SW8 . . . . .5B **122**
Wenlake Ho. EC1 . . . . .4B **30**
Wenlock Barn Est. N1 . . . . .1D **31**
Wenlock Ct. N1 . . . . .1E **31**
Wenlock Rd. N1 . . . . .5B **14**
Wenlock St. N1 . . . . .1C **30**
Wennington Rd. E3 . . . . . . .1E **35**
Wentworth Ct. W6 . . . . .3A **116**
Wentworth Cres. SE15 . . . . .5E **129**
Wentworth Dwellings
  E1 . . . . .3B **50**
Wentworth St. E1 . . . . .3B **50**
Werrington St. NW1 . . . . . . .1C **26**
Wesley Av. E16 . . . . .2E **87**
Wesley Cl. SE17 . . . . .4A **104**
Wesley Ct. SE16 . . . . .2F **107**

Wesley's House, Chapel & Mus.
  of Methodism 5E **31**
Wesley Sq. W11 . . . . .4F **37**
Wesley St. W1 . . . . .2E **43**
Wessex Ho. SE1 . . . . .5C **106**
Wessex St. E2 . . . . .3C **34**
Wesson Mead SE5 . . . . . .5C **126**
W. Arbour St. E1 . . . . .3C **52**
WEST BECKTON 4E **61**
West Block SE1 . . . . .5B **74**
Westbourne Bri. W2 . . . . . .2B **40**
Westbourne Ct. W2 . . . . . . .3B **40**
Westbourne Cres. W2 . . . . .5D **41**
Westbourne Cres. M. W2 . . .5D **41**
Westbourne Gdns. W2 . . . . .3F **39**
WESTBOURNE GREEN 3C **38**
Westbourne Gro. W11 . . . . .5B **38**
Westbourne Gro. M. W11 . . .4D **39**
Westbourne Gro. Ter. W2 . . .3F **39**
Westbourne Ho. SW1 . . . . .5F **99**
Westbourne Pk. Pas. W2 . . .1E **39**
  (not continuous)
Westbourne Pk. Rd. W2 . . . .2E **39**
  W11 . . . . .4A **38**
Westbourne Pk. Vs. W2 . . . .2E **39**
Westbourne Rd. N7 . . . . . . .1D **13**
Westbourne St. W2 . . . . . . .5D **41**
Westbourne Ter. W2 . . . . . . .3B **40**
Westbourne Ter. M. W2 . . . .3B **40**
Westbourne Ter. Rd. W2 . . . .2B **40**
Westbourne Ter. Rd. Bri.
  W2 . . . . .1B **40**
Westbridge Rd. SW11 . . . . .5F **119**
WEST BROMPTON 1F **117**
Westbrook Ho. E2 . . . . .2B **34**
Westbury Ho. W11 . . . . .2D **39**
W. Carriage Dr. W2 . . . . . . .1F **69**
  (not continuous)
W. Central St. WC1 . . . . . . .3F **45**
West Cen. Av. NW10 . . . . . .3A **18**
Westcliffe Apartments W2 . .2E **41**
Westcombe Hill SE10 . . . . .5D **115**
Westcombe Pk. Rd. SE3 . . .3F **135**
Westcott Ho. E14 . . . . .5E **55**
Westcott Rd. SE17 . . . . . . .2F **125**
W. Cromwell Rd. W14 . . . . .5B **94**
W. Cross Route W10 . . . . . .5D **37**
W. Eaton Pl. SW1 . . . . .3D **99**
W. Eaton Pl. M. SW1 . . . . . .3D **99**
West End Ct. NW6 . . . . .1F **5**
West End La. NW6 . . . . .2E **5**
  (not continuous)
West End Quay W2 . . . . . . .2E **41**
Westerham NW1 . . . . .4B **10**
Westerham Ho. SE1 . . . . . .1E **105**
Western Beach Apartments
  E16 . . . . .2D **87**
Western Ct. NW6 . . . . .1C **20**
Western Gateway E16 . . . . .1D **87**
Western M. W9 . . . . .5C **20**
Western Pl. SE16 . . . . .4C **80**
Westferry Cir. E14 . . . . .2D **83**
Westferry Rd. E14 . . . . .2D **83**
Westfield Cl. SW10 . . . . . . .5B **118**
Westfield Ct. NW10 . . . . . . .2E **19**
Westfield Ho. SE16 . . . . . . .3E **109**
  SW10 . . . .*4D 119*
  (off Cremorne Est.)
Westfield Way E1 . . . . .3F **35**
West Gdn. Pl. W2 . . . . .4A **42**
West Gdns. E1 . . . . .1A **80**

Westgate Cen., The E8 . . . . .3F **17**
Westgate M. W10 . . . . .4F **19**
Westgate St. E8 . . . . .3F **17**
Westgate Ter. SW10 . . . . . .1A **118**
W. Halkin St. SW1 . . . . .1D **99**
W. Hampstead M. NW6 . . . .1F **5**
W. Harding St. EC4 . . . . . . .3E **47**
Westhill Ct. W11 . . . . .5C **38**
Westhope Ho. E2 . . . . .4E **33**
W. India Av. E14 . . . . .2D **83**
W. India Dock Rd. E14 . . . . .4C **54**
  (not continuous)
W. India Ho. E14 . . . . .5D **55**
W. Kensington Ct.
  W14 . . . . .5B **94**
W. Kensington Mans.
  W14 . . . . .1B **116**
WEST KILBURN 3B **20**
Westlake SE16 . . . . .4C **108**
Westland Ho. E16 . . . . .3D **91**
Westland Pl. N1 . . . . .2D **31**
West La. SE16 . . . . .5F **79**
West Lodge *E16* *2E 87*
  (off Britannia Ga.)
W. London Crematorium
  NW10 . . . . .4A **18**
Westmacott Ho. NW8 . . . . .5E **23**
West Mall W8 . . . . .2E **67**
W. Mersea Ct. E16 . . . . .3F **87**
West M. SW1 . . . . .4B **100**
WESTMINSTER 5F **73**
Westminster Abbey 1F **101**
Westminster Abbey Chapter House
  . . . . .1E **101**
Westminster Abbey Mus.
  . . . . .1F **101**
Westminster Abbey Pyx Chamber
  . . . . .1E **101**
Westminster Bri. SW1 . . . . .5A **74**
Westminster Bri. Rd. SE1 . . .5B **74**
Westminster Bus. Sq.
  SE11 . . . . .2B **124**
Westminster Children's
  Sports Cen., The 1D **41**
Westminster Ct. NW8 . . . . . .5D **23**
  SE16 . . . . .2E **81**
Westminster Gdns. SW1 . . .3F **101**
Westminster Hall 5F **73**
Westminster Mans. SW1 . . .2E **101**
Westminster Pal. Gdns.
  SW1 . . . . .2D **101**
Westminster RC Cathedral
  . . . . .2B **100**
Westmoreland Ho. *E16* *2E 87*
  (off Gatcombe Rd.)
Westmoreland Pl. SW1 . . . .1A **122**
Westmoreland Rd. SE17 . . .2C **126**
  (not continuous)
Westmoreland St. W1 . . . . .2E **43**
Westmoreland Ter. SW1 . . .5A **100**
Westmoreland Wlk.
  SE17 . . . . .2D **127**
  (not continuous)
Westonbirt Ct. SE15 . . . . . .3B **128**
W. One Ho. W1 . . . . .2B **44**
W. One Shop. Cen. W1 . . . .4E **43**
Weston Ho. NW6 . . . . .2A **4**
Weston Ri. WC1 . . . . .1C **28**
Weston St. SE1 . . . . .4E **77**
  (not continuous)
W. Parkside SE10 . . . . .5A **86**

West Point E14 . . . . .5C **54**
  SE1 . . . . .5D **107**
Westport Rd. E13 . . . . .1F **59**
Westport St. E1 . . . . .3E **53**
W. Poultry Av. EC1 . . . . .2F **47**
West Ri. W2 . . . . .5A **42**
West Rd. SE1 . . . . .4C **74**
  SW3 . . . . .1C **120**
West Row W10 . . . . .4F **19**
Westside Ct. W9 . . . . .4E **21**
West Smithfield EC1 . . . . . .2F **47**
West Sq. SE11 . . . . .2F **103**
West St. E2 . . . . .1A **34**
  WC2 . . . . .4E **45**
W. Tenter St. E1 . . . . .4C **50**
Westview Cl. W10 . . . . .3C **36**
W. Warwick Pl. SW1 . . . . . .4B **100**
Westway W2 . . . . .1D **39**
  W9 . . . . .3A **38**
  W10 . . . . .3A **38**
  W12 . . . . .4A **36**
Westway Lodge W9 . . . . . . .1E **39**
Westway Sports Cen. 4D **37**
Westwick Gdns. W14 . . . . . .5D **65**
Westwood Ho. W12 . . . . . . .3C **64**
Westwood Rd. E16 . . . . .3F **87**
Wetherby Gdns. SW5 . . . . .4B **96**
Wetherby Mans. SW5 . . . . .5F **95**
Wetherby M. SW5 . . . . .5F **95**
Wetherby Pl. SW7 . . . . .4B **96**
Wevco Wharf SE15 . . . . . . .2F **129**
Wexford Ho. E1 . . . . .2B **52**
Weybridge Ct. SE16 . . . . . . .1F **129**
Weyhill Rd. E1 . . . . .3E **51**
Wey Ho. NW8 . . . . .5E **23**
Weymouth Cl. E6 . . . . .4F **63**
Weymouth Ct. E2 . . . . .5C **16**
Weymouth Ho. SW8 . . . . . .4B **124**
Weymouth M. W1 . . . . .1F **43**
Weymouth St. W1 . . . . .2E **43**
Weymouth Ter. E2 . . . . .5C **16**
Whalebone St. EC2 . . . . . . .3D **49**
Wharf, The EC3 . . . . .2A **78**
Wharfdale Rd. N1 . . . . .5A **12**
Wharfedale Ho. NW6 . . . . . .3F **5**
Wharfedale St. SW10 . . . . .1F **117**
Wharfedale Yard N1 . . . . . . .5A **12**
Wharf Pl. E2 . . . . .4E **17**
Wharf Rd. N1 . . . . .1B **30**
  (Baldwin Ter.)
  N1 . . . . .4E **11**
  (Camley St.)
Wharfside Rd. E16 . . . . .2F **57**
Wharf St. E16 . . . . .2F **57**
Wharf Vw. Ct. *E14* *4C 56*
  (off Athol Sq.)
Wharton Cotts. WC1 . . . . . .3D **29**
Wharton Ho. SE1 . . . . .1B **106**
Wharton St. WC1 . . . . .3C **28**
Whatman Ho. E14 . . . . .3C **54**
Wheatfield Ho. W9 . . . . . . .3E **21**
Wheatfields E6 . . . . .3F **63**
Wheatley St. W1 . . . . .2E **43**
Wheat Sheaf Cl. E14 . . . . . .3F **111**
Wheatsheaf La. SW8 . . . . . .4F **123**
  (not continuous)
Wheatsheaf Ter. SW6 . . . . .5C **116**
Wheatstone Ho. W10 . . . . . .1F **37**
Wheatstone Rd. W10 . . . . . .1A **38**
Wheeler Gdns. N1 . . . . .3A **12**
Wheel Ho. E14 . . . . .5F **111**

Wheelwright St. N7 . . . . .1B **12**
Wheler Ho. E1 . . . . .5B **32**
Wheler St. E1 . . . . .5B **32**
Whetstone Pk. WC2 . . . . .3B **46**
Whidborne Bldgs. WC1 . . . . .3A **28**
Whidborne St. WC1 . . . . . . .3A **28**
　　　　　　(not continuous)
Whiskin St. EC1 . . . . .3F **29**
Whistler M. SE15 . . . . .5C **128**
Whistlers Av. SW11 . . . . . . .5E **119**
Whistler Twr. SW10 . . . . . .4D **119**
Whistler Wlk. SW10 . . . . . .4C **118**
Whiston Ho. N1 . . . . .1A **14**
Whiston Rd. E2 . . . . .5B **16**
Whitacre M. SE11 . . . . .1E **125**
Whitby Ho. NW8 . . . . .4B **6**
Whitby St. E1 . . . . .4B **32**
　　　　　　(not continuous)
Whitcher Cl. SE14 . . . . . . .3F **131**
Whitcher Pl. NW1 . . . . .1C **10**
Whitchurch Ho. W10 . . . . . .4E **37**
Whitchurch Rd. W11 . . . . . .5E **37**
Whitcomb Ct. WC2 . . . . . . .1E **73**
Whitcomb St. WC2 . . . . . . .1E **73**
Whiteadder Way E14 . . . . . .3A **112**
Whitebeam Cl. SW9 . . . . . .5C **124**
White Bear Yd. EC1 . . . . . . .5D **29**
WHITECHAPEL 2E **51**
Whitechapel Art Gallery . . .3C **50**
Whitechapel High St. E1 . . .3C **50**
Whitechapel Rd. E1 . . . . . . .3D **51**
Whitechapel Sports Cen. . .1F **51**
White Church La. E1 . . . . . .3D **51**
White Church Pas. E1 . . . . .3D **51**
WHITE CITY 1A **64**
WHITE CITY 4B **36**
White City Cl. W12 . . . . . . .1B **64**
White City Est. W12 . . . . . .5A **36**
White City Rd. W12 . . . . . . .5B **36**
White Conduit St. N1 . . . . . .5E **13**
Whitecross Pl. EC2 . . . . . . .1E **49**
Whitecross St. EC1 . . . . . . .4C **30**
Whitefriars St. EC4 . . . . . . .4E **31**
Whitehall SW1 . . . . .2F **73**
Whitehall Ct. SW1 . . . . .3F **73**
　　　　　　(not continuous)
Whitehall Gdns. SW1 . . . . . .3F **73**
Whitehall Pl. SW1 . . . . .3F **73**
White Hart Ct. EC2 . . . . . . .2F **49**
White Hart St. EC4 . . . . . . .3A **48**
　　SE11 . . . . .5E **103**
White Hart Yd. SE1 . . . . . . .3D **77**
Whitehaven St. NW8 . . . . . .5F **23**
Whiteheads Gro. SW3 . . . . .5A **98**
White Heather Ho. WC1 . . . .3A **28**
　　　　　　(off Cromer St.)
White Horse All. EC1 . . . . . .1F **47**
White Horse La. E1 . . . . . . .5D **35**
Whitehorse M. SE1 . . . . . . .1E **103**
White Horse Rd. E1 . . . . . . .4F **53**
　　　　　　(not continuous)
White Horse St. W1 . . . . . . .3A **72**
White Horse Yd. EC2 . . . . . .3D **49**
White Ho., The NW1 . . . . . .4A **26**
White Kennett St. E1 . . . . . .3A **50**
Whitelands Ho. SW3 . . . . . .5B **98**
Whiteleys Cen. W2 . . . . . . .4A **40**
White Lion Ct. EC3 . . . . . . .4F **49**
　　SE15 . . . . .3C **130**
White Lion Hill EC4 . . . . . . .5A **48**
White Lion St. N1 . . . . .1D **29**

White Lyon Ct. EC2 . . . . . . .1B **48**
White Post St. SE15 . . . . . .4C **130**
White's Grounds SE1 . . . . . .5A **78**
White's Grounds Est. SE1 . .4A **78**
White's Row E1 . . . . .2B **50**
Whitethorn Ho. E1 . . . . .2B **80**
Whitethorn Pas. E3 . . . . . . .1E **55**
Whitethorn St. E3 . . . . .1D **55**
White Tower 1B **78**
　　(in The Tower of London)
Whitfield Ho. NW8 . . . . .5F **23**
Whitfield Pl. W1 . . . . .5B **26**
Whitfield St. W1 . . . . .5B **26**
Whitgift Ho. SE11 . . . . .3B **102**
Whitgift St. SE11 . . . . .3B **102**
Whitings Way E6 . . . . .1D **63**
Whitley Ho. SW1 . . . . .2C **122**
Whitman Ho. E2 . . . . .3B **34**
Whitmore Rd. E3 . . . . .4F **35**
Whitmore Est. N1 . . . . .4A **16**
Whitmore Gdns.
　　NW10 . . . . .1B **18**
Whitmore Ho. N1 . . . . .4A **16**
Whitmore Rd. N1 . . . . .4F **15**
Whitstable Ho. W10 . . . . . . .4E **37**
Whittaker St. SW1 . . . . .4D **99**
Whittaker Way SE1 . . . . . . .4E **107**
Whittington Av. EC3 . . . . . . .4F **49**
Whittlesey St. SE1 . . . . .3E **75**
Whitton NW3 . . . . .2B **8**
Whitworth Ho. SE1 . . . . . . .2C **104**
Whitworth St. SE10 . . . . . . .5A **114**
Whytlaw Ho. E3 . . . . .1C **54**
Wicker St. E1 . . . . .4F **51**
Wickfield Ho. SE16 . . . . . . .5E **79**
Wickford Ho. E1 . . . . .4B **34**
Wickford St. E1 . . . . .4B **34**
Wickham Cl. E1 . . . . .2C **52**
Wickham Ho. N1 . . . . .4F **15**
　　　　　　(off New Era Est.)
Wickham St. SE11 . . . . .5B **102**
Wicklow St. WC1 . . . . .2B **28**
Wicksteed Ho. SE1 . . . . . . .2C **104**
Wickway Ct. SE15 . . . . .3B **128**
Widegate St. E1 . . . . .2A **50**
Widford NW1 . . . . .1A **10**
Widford Ho. N1 . . . . .1F **29**
Widgeon Cl. E16 . . . . .3F **59**
Widley Rd. W9 . . . . .3E **21**
Wigmore Hall 3F **43**
Wigmore Pl. W1 . . . . .3F **43**
Wigmore St. W1 . . . . .4D **43**
Wigram Ho. E14 . . . . .5F **55**
Wigton Pl. SE11 . . . . .1E **125**
Wilbraham Ho. SW8 . . . . . .5F **123**
Wilbraham Mans. SW1 . . .3D **99**
　　　　　(off Wilbraham Pl.)
Wilbraham Pl. SW1 . . . . . . .3C **98**
Wilby M. W11 . . . . .2C **66**
Wilcox Cl. SW8 . . . . .4A **124**
　　　　　　(not continuous)
Wilcox Ho. E3 . . . . .1C **54**
Wilcox Pl. SW1 . . . . .2C **100**
Wilcox Rd. SW8 . . . . .4F **123**
Wild Ct. WC2 . . . . .4B **46**
　　　　　　(not continuous)
Wilde Cl. E8 . . . . .3D **17**
Wilde Ho. W2 . . . . .5D **41**
　　　　　(off Gloucester Ter.)
　　W2 . . . . .3A **40**
　　　　　　(Gloucester Ter.)

Wild's Rents SE1 . . . . .1F **105**
Wild St. WC2 . . . . .4A **46**
Wilfred St. SW1 . . . . .1B **100**
Wilkes St. E1 . . . . .1C **50**
Wilkie Ho. SW1 . . . . .5E **101**
Wilkins Ho. SW1 . . . . .2A **122**
Wilkinson Ho. N1 . . . . .1E **31**
Wilkinson Rd. E16 . . . . .3C **60**
Wilkinson St. SW8 . . . . . . .5B **124**
Wilks Pl. N1 . . . . .1A **32**
Willan Wall E16 . . . . .5B **58**
Willesden La. NW6 . . . . .1A **4**
William IV St. WC2 . . . . . . .1F **73**
William Caslon Ho. E2 . . . . .1A **34**
William Channing Ho. E2 . . .2F **33**
William Cobbett Ho. W8 . . .1F **95**
William Dromey Ct. NW6 . . . .1B **4**
William Dunbar Ho. NW6 . . .1C **20**
William Ellis Way SE16 . . . .2E **107**
William Evans Ho. SE8 . . . .4E **109**
William Fenn Ho. E2 . . . . . .2D **33**
William Gibbs Ct. SW1 . . . .2D **101**
William Henry Wlk. SW8 . . .3D **123**
William M. SW1 . . . . .5C **70**
William Paton Ho. E16 . . . . .4F **59**
William Rathbone Ho. E2 . . .2F **33**
William Rd. NW1 . . . . .3B **26**
William Rushbrooke Ho.
　　SE16 . . . . .3D **107**
William Saville Ho. NW6 . . .1C **20**
William's Bldgs. E2 . . . . . . .4B **34**
Williams Cl. SW6 . . . . .4A **116**
Williams Ho. SW1 . . . . .4E **101**
Williamson Cl. SE10 . . . . . .5B **114**
Williamson Ct. SE17 . . . . . .1B **126**
William Sq. SE16 . . . . .2A **82**
William St. SW1 . . . . .5C **70**
Willis Ho. E14 . . . . .5F **55**
Willis St. E14 . . . . .4A **56**
Willoughby Highwalk EC2 . .2D **49**
Willoughby Ho. E1 . . . . .3F **79**
　　EC2 . . . . .2D **49**
Willoughby Pas. E14 . . . . . .2D **83**
Willoughby St. WC1 . . . . . . .2F **45**
Willoughby Way SE7 . . . . . .3F **115**
Willow Bri. Rd. N1 . . . . .1B **14**
　　　　　　(not continuous)
Willowbrook Est. SE15 . . . .5D **129**
Willow Brook Rd. SE15 . . . .3C **128**
Willow Ct. EC2 . . . . .4F **31**
　　NW6 . . . . .2A **4**
　　W9 . . . . .1E **39**
Willowdene SE15 . . . . .5F **129**
Willow Ho. W10 . . . . .4E **19**
Willow Pl. SW1 . . . . .3C **100**
Willow St. EC2 . . . . .4F **31**
Willow Wlk. SE1 . . . . .3A **106**
Willow Way W11 . . . . .1E **65**
Willsbridge Ct. SE15 . . . . . .3B **128**
Wilman Gro. E8 . . . . .1E **17**
Wilmcote Ho. W2 . . . . .1F **39**
Wilmer Gdns. N1 . . . . .4F **15**
　　　　　　(not continuous)
Wilmington Sq. WC1 . . . . . .3D **29**
　　　　　　(not continuous)
Wilmington St. WC1 . . . . . .3D **29**
Wilmot Cl. SE15 . . . . .5D **129**
Wilmot Pl. NW1 . . . . .1B **10**
Wilmot St. E2 . . . . .4F **33**
Wilsham St. W11 . . . . .2E **65**
Wilshaw Ho. SE8 . . . . .5E **133**

Wilshaw St. SE14 . . . . .5D **133**
Wilson Gro. SE16 . . . . .5F **79**
Wilson's Pl. E14 . . . . .4B **54**
Wilson's Rd. W6 . . . . .5E **93**
Wilson St. EC2 . . . . .1E **49**
Wilton Cl. E1 . . . . .3A **52**
Wilton Cres. SW1 . . . . .5D **71**
Wilton M. SW1 . . . . .1E **99**
Wilton Pl. SW1 . . . . .5D **71**
Wilton Rd. SW1 . . . . .2A **100**
Wilton Row SW1 . . . . .5D **71**
Wilton Sq. N1 . . . . .3D **15**
Wilton St. SW1 . . . . .1F **99**
Wilton Ter. SW1 . . . . .1D **99**
Wilton Vs. N1 . . . . .4D **15**
Wiltshire Cl. SW3 . . . . .4B **98**
Wiltshire Row N1 . . . . .4D **15**
Wimbolt St. E2 . . . . .2D **33**
Wimborne Ho. E16 . . . . .5C **58**
   NW1 . . . . .5A **24**
   SW8 . . . . .5C **124**
Wimbourne Ct. N1 . . . . .5D **15**
Wimbourne St. N1 . . . . .5D **15**
Wimpole M. W1 . . . . .1F **43**
Wimpole St. W1 . . . . .1F **43**
Winant Ho. E14 . . . . .1A **84**
Winchelsea Ho. SE16 . . . . . .4C **80**
Winchendon Rd.
   SW6 . . . . .5B **116**
Winchester Av. NW6 . . . . . . .3A **4**
Winchester Cl. E6 . . . . .4A **62**
   SE17 . . . . .4A **104**
Winchester Ct. W8 . . . . .4E **67**
Winchester Ho. SW3 . . . . . .3E **119**
   SW9 . . . . .4E **125**
   W2 . . . . .4B **40**
Winchester Rd. NW3 . . . . . . .1E **7**
Winchester Sq. SE1 . . . . . . .2D **77**
Winchester St. SW1 . . . . . . .5A **100**
Winchester Wlk. SE1 . . . . . . .2D **77**
Winchester Wharf SE1 . . . . . .2D **77**
Winch Ho. E14 . . . . .1F **111**
   SW10 . . . . .4C **118**
Winchilsea Ho. NW8 . . . . . . .3E **23**
Winckworth Ct. N1 . . . . .3E **31**
Wincott St. SE11 . . . . .3E **103**
Windermere NW1 . . . . .3A **26**
Windermere Av. NW6 . . . . . . .4A **4**
Windermere Point SE15 . . . .4B **130**
Winding, The W2 . . . . .2E **41**
Windlass Pl. SE8 . . . . .4A **110**
Windmill WC1 . . . . .1B **46**
Windmill Cl. SE1 . . . . .3E **107**
Windmill Ho. E14 . . . . .3D **111**
Windmill Row SE11 . . . . . . .1D **125**
Windmill St. W1 . . . . .2D **45**
   (not continuous)
Windmill Wlk. SE1 . . . . .3E **75**
Windrose Cl. SE16 . . . . .4D **81**
Windrush Ho. NW8 . . . . .5E **23**
Windsock Cl. SE16 . . . . .3B **110**
Windsor Cen., The N1 . . . . . .3A **14**
Windsor Cotts. SE14 . . . . . .4B **132**
Windsor Ct. NW2 . . . . .1A **4**
   SE16 . . . . .1E **81**
   SW3 . . . . .5A **98**
   W2 . . . . .5F **39**
   W10 . . . . .4D **37**
   (off Bramley Rd.)
Windsor Gdns. W9 . . . . .5D **21**
Windsor Hall E16 . . . . .2F **87**

Windsor Ho. E2 . . . . .2D **35**
   N1 . . . . .5C **14**
   NW1 . . . . .2A **26**
Windsor Pl. SW1 . . . . .3C **100**
Windsor St. N1 . . . . .3A **14**
Windsor Ter. N1 . . . . .2C **30**
Windsor Way W14 . . . . .3E **93**
Windspoint Dr. SE15 . . . . . .3F **129**
Wine Cl. E1 . . . . .1B **80**
   (not continuous)
Wine Office Ct. EC4 . . . . . . .3E **47**
Winforton St. SE10 . . . . . . .5B **134**
Wingfield Ct. *E14* *1D **85***
   (off John Smith M.)
Wingfield Ho. E2 . . . . .3B **32**
   NW6 . . . . .5F **5**
Wingrad Ho. E1 . . . . .2B **52**
Wingrave SE17 . . . . .3D **105**
   (not continuous)
Wingreen NW8 . . . . .3A **6**
Winicotte Ho. W2 . . . . .1E **41**
Winifred St. E16 . . . . .3C **90**
Winkley St. E2 . . . . .1F **33**
Winkworth Cotts. E1 . . . . . . .4C **34**
Winnett St. W1 . . . . .5D **45**
Winnington Ho. SE5 . . . . . . .4B **126**
   W10 . . . . .5F **19**
Winsham Ho. NW1 . . . . .2E **27**
Winsland M. W2 . . . . .3D **41**
Winsland St. W2 . . . . .3D **41**
Winsley St. W1 . . . . .3B **44**
Winslow SE17 . . . . .1F **127**
Winston Ho. WC1 . . . . .4E **27**
Winterbourne Ho.
   W11 . . . . .1F **65**
Wintergreen Cl. E6 . . . . .2F **61**
Winterleys NW6 . . . . .1C **20**
Winter Lodge SE16 . . . . .1E **129**
Winterton Ho. E1 . . . . .4B **52**
Winterton Pl. SW10 . . . . . . .2C **118**
Winthrop Ho. W12 . . . . .5A **36**
Winthrop St. E1 . . . . .1F **51**
Wireworks Ct. SE1 . . . . .5B **76**
Wisden Ho. SW8 . . . . .3C **124**
Wisley Ho. SW1 . . . . .5D **101**
Wistow Ho. E2 . . . . .4D **17**
Witan St. E2 . . . . .3A **34**
Withers Pl. EC1 . . . . .4C **30**
Withy Ho. E1 . . . . .5D **35**
Witley Ho. SW2 . . . . .5F **27**
Woburn Ct. SE16 . . . . .5A **108**
Woburn Mans. *WC1* *1D **45***
   (off Torrington Pl.)
Woburn M. WC1 . . . . .4E **27**
Woburn Pl. WC1 . . . . .4E **27**
Woburn Sq. WC1 . . . . .5E **27**
Woburn Wlk. WC1 . . . . .3E **27**
Wodeham Gdns. E1 . . . . . . .1E **51**
Wodehouse Av. SE5 . . . . . . .5B **128**
Wolcot Ho. NW1 . . . . .1C **26**
Wolfe Cres. SE16 . . . . .5D **81**
Wolfe Ho. W12 . . . . .5A **36**
Wollaston Cl. SE1 . . . . .3B **104**
Wollaton Ho. N1 . . . . .5E **13**
Wollett Ct. NW1 . . . . .1C **10**
Wolseley St. SE1 . . . . .5C **78**
Wolsey Ct. NW6 . . . . .1C **6**
   SW11 . . . . .5F **119**
Wolsey St. E1 . . . . .2B **52**

Wolverley St. E2 . . . . .3F **33**
Wolverton SE17 . . . . .5E **105**
Wolverton Gdns. W6 . . . . . . .3D **93**
Wontner Cl. N1 . . . . .2B **14**
Woodall Cl. E14 . . . . .5A **56**
Woodbridge St. EC1 . . . . . . .4F **29**
   (not continuous)
Woodchester Sq. W2 . . . . . . .1F **39**
Woodchurch Rd.
   NW6 . . . . .2E **5**
Wood Cl. E2 . . . . .4D **33**
Woodcock Ho. E14 . . . . .2D **55**
Woodcocks E16 . . . . .2C **60**
Woodcote Ho. SE8 . . . . .2C **132**
Woodcroft M. SE8 . . . . .4F **109**
Woodfall St. SW3 . . . . .1B **120**
Woodfield Pl. W9 . . . . .5C **20**
Woodfield Rd. W9 . . . . .1C **38**
Woodford Ct. W12 . . . . .4D **65**
Woodger Rd. W12 . . . . .5C **64**
Woodget Cl. E6 . . . . .3F **61**
Woodhall NW1 . . . . .3B **26**
Woodhatch Cl. E6 . . . . .2F **61**
Woodland Cres. SE10 . . . . . .2F **135**
   SE16 . . . . .5D **81**
Woodland Gro. SE10 . . . . . . .1F **135**
Woodlands Ho. NW6 . . . . . . .2A **4**
Woodlands Pk. Rd. SE10 . . . .2F **135**
   (not continuous)
Woodland Wlk. SE10 . . . . . . .1F **135**
Wood La. W12 . . . . .3B **36**
Woodman Pde. E16 . . . . .3E **91**
Woodman's M. W12 . . . . .2A **36**
Woodman St. E16 . . . . .3E **91**
   (not continuous)
Woodpecker Rd. SE14 . . . . .3F **131**
Wood Point E16 . . . . .2E **59**
Woodrush Cl. SE14 . . . . .4F **131**
Wood's Bldgs. E1 . . . . .1F **51**
Woodseer St. E1 . . . . .1C **50**
Woodsford SE17 . . . . .5D **105**
Woodsford Sq. W14 . . . . . . .4A **66**
Woods M. W1 . . . . .5C **42**
Woods Pl. SE1 . . . . .2A **106**
Woodstock Ct. SE11 . . . . . . .5C **102**
Woodstock Gro. W12 . . . . . . .4E **65**
Woodstock M. W1 . . . . .2E **43**
Woodstock St. W1 . . . . .4F **43**
Woodstock Ter. E14 . . . . .5A **56**
Wood St. EC2 . . . . .4C **48**
   (not continuous)
Woodville Ho. SE1 . . . . .1B **106**
Woodville Rd. NW6 . . . . .5C **4**
Wood Wharf SE10 . . . . .2A **134**
Wood Wharf Bus. Pk. E14 . . .3A **84**
   (not continuous)
Woolcombes Ct. SE16 . . . . . .2D **81**
Wooler St. SE17 . . . . .1D **127**
Woolf M. WC1 . . . . .4E **27**
Woollon Ho. E1 . . . . .3B **52**
Woolmore St. E14 . . . . .5B **56**
Woolstaplers Way SE16 . . . .2D **107**
Woolstone Ho. E2 . . . . .4D **17**
Woolwich Mnr. Way E6 . . . . .1D **63**
   E16 . . . . .4F **91**
Woolwich Rd. SE7 . . . . .5E **115**
   SE10 . . . . .5B **114**
Wooster Gdns. E14 . . . . .3D **57**
Wooster Pl. SE1 . . . . .3E **105**
Wootton St. SE1 . . . . .4E **75**
Worcester Ct. W9 . . . . .1D **39**

Worcester Ho. SE11 . . . . . . .2D 103
　　SW9 . . . . .4E 125
　　W2 . . . . .4B 40
Wordsworth Ho. NW6 . . . . . .2D 21
Wordsworth Mans. W14 . . . .2B 116
　　(off Queens Club Gdns.)
Wordsworth Rd. SE1 . . . . . . .4C 100
Worfield St. SW11 . . . . .5A 120
Worgan St. SE11 . . . . .5B 102
　　SE16 . . . . .2E 109
Worlds End Est. SW10 . . . . .4D 119
World's End Pas. SW10 . . . .4D 119
World's End Pl. SW10 . . . .4C 118
Worlidge St. W6 . . . . .5B 92
Wormwood St. EC2 . . . . .3F 49
Wornington Rd. W10 . . . . . . .5F 19
　　(not continuous)
Wornum Ho. W10 . . . . .1A 20
Woronzow Rd. NW8 . . . . .4E 7
Worship St. EC2 . . . . .5E 31
Worth Gro. SE17 . . . . .1D 127
Worthington Ho. EC1 . . . . . .2E 29
Wotton Ct. E14 . . . . .1E 85
Wotton Rd. SE8 . . . . .3C 132
Wouldham Rd. E16 . . . . .3B 58
Wrayburn Ho. SE16 . . . . . . .5E 79
Wren Cl. E16 . . . . .3C 58
Wren Ho. E3 . . . . .1F 35
　　SW1 . . . . .1D 123
Wren Landing E14 . . . . .2E 83
Wren St. WC1 . . . . .4C 28
Wrestlers Ct. EC3 . . . . .3F 49
Wrigglesworth St. SE14 . . . .4D 131
Wright's La. W8 . . . . .5E 67
Wrotham Ho. SE1 . . . . .1E 105
Wrotham Rd. NW1 . . . . .2C 10
Wrottesley Rd. NW10 . . . . . .1A 18
Wyatt Cl. SE16 . . . . .5B 82
Wyatt Ho. NW8 . . . . .5D 23
Wybert St. NW1 . . . . .4B 26
Wyclif Ct. EC1 . . . . .3F 29
Wyclif St. EC1 . . . . .3F 29
Wycombe Ho. NW8 . . . . .4F 23
Wycombe Sq. W8 . . . . .3D 67
Wyfold Rd. SW6 . . . . .5A 116
Wykeham Ho. SE1 . . . . .3B 76
Wyllen Cl. E1 . . . . .5B 34
Wymering Mans. W9 . . . . . . .3E 21
　　(not continuous)
Wymering Rd. W9 . . . . .3E 21
Wymondham Ct. NW8 . . . . . .3E 7
Wynan Rd. E14 . . . . .5F 111
Wyndham Deedes Ho. E2 . . . .1E 33
Wyndham Est. SE5 . . . . .4C 126

Wyndham Ho. E14 . . . . .4A 84
　　SW1 . . . . .4D 99
Wyndham M. W1 . . . . .2B 42
Wyndham Pl. W1 . . . . .2B 42
Wyndham Rd. SE5 . . . . .5A 126
Wyndhams Ct. E8 . . . . .2B 16
Wyndham's Theatre 5F 45
Wyndham St. W1 . . . . .1B 42
Wyndham Yd. W1 . . . . .2B 42
Wynford Ho. N1 . . . . .5C 12
Wynford Rd. N1 . . . . .5B 12
Wynne Ho. SE14 . . . . .5D 131
Wynnstay Gdns.
　　W8 . . . . .1E 95
Wynyard Ho. SE11 . . . . .5C 102
Wynyard Ter. SE11 . . . . .5C 102
Wynyatt St. EC1 . . . . .3F 29
Wytham Ho. NW8 . . . . .5E 23
Wythburn Ct. W1 . . . . .3B 42
Wythburn Pl. W1 . . . . .4B 42
Wythes Rd. E16 . . . . .3F 89
Wyvil Rd. SW8 . . . . .4F 123
Wyvis St. E14 . . . . .1A 56

X

XS Superbowl 1D 63

Y

Yabsley St. E14 . . . . .2C 84
Yalding Rd. SE16 . . . . .2D 107
Yard, The N1 . . . . .1A 28
　　(off Caledonian Rd.)
Yardley St. WC1 . . . . .3D 29
　　(not continuous)
Yarmouth Pl. W1 . . . . .3F 71
Yarrell Mans.
　　W14 . . . . .2B 116
Yarrow Cres. E6 . . . . .1F 61
Yarrow Ho. E14 . . . . .1C 112
　　W10 . . . . .1C 36
Yates Ho. E2 . . . . .2E 33
Yatton Ho. W10 . . . . .1C 36
Yeadon Ho. W10 . . . . .1C 36
Yearby Ho. W10 . . . . .1B 36
Yeate St. N1 . . . . .2D 15
Yeldham Ho. W6 . . . . .5D 93
Yeldham Rd. W6 . . . . .5D 93
Yeldham Vs. W6 . . . . .5D 93
Yeoman Cl. E6 . . . . .5F 63
Yeoman Ct. SE1 . . . . .1C 128
Yeoman's Row SW3 . . . . .2A 98
Yeoman St. SE8 . . . . .3F 109

Yeoman's Yd. E1 . . . . .5C 50
Yeo St. E3 . . . . .1F 55
Yeovil Ho. W10 . . . . .1B 36
Yew Ho. SE16 . . . . .5D 81
　　(off Woodland Cres.)
York Av. SE17 . . . . .5C 104
York Bri. NW1 . . . . .4D 25
York Bldgs. WC2 . . . . .1A 74
York Cl. E6 . . . . .4B 62
York Ga. NW1 . . . . .5D 25
York Ho. E16 . . . . .2E 87
　　SE1 . . . . .2C 102
　　SW3 . . . . .5C 98
　　W1 . . . . .1B 42
　　W8 . . . . .4F 67
York Ho. Pl. W8 . . . . .4F 67
Yorkley Ho. W10 . . . . .5B 18
York Mans. SW5 . . . . .5F 95
　　W1 . . . . .1D 43
York Pas. W8 . . . . .4F 67
York Pl. WC2 . . . . .1A 74
York Pl. Mans. W1 . . . . .1C 42
York Rd. SE1 . . . . .4C 74
Yorkshire Grey Yd.
　　WC1 . . . . .2B 46
Yorkshire Rd. E14 . . . . .4F 53
York Sq. E14 . . . . .4F 53
York St. W1 . . . . .2B 42
York St. Chambers W1 . . . . .1B 42
York Ter. E. NW1 . . . . .5E 25
York Ter. W. NW1 . . . . .5D 25
Yorkton St. E2 . . . . .5D 17
York Way N1 . . . . .1F 11
　　N7 . . . . .1F 11
York Way Ct. N1 . . . . .4A 12
Young Ct. NW6 . . . . .1A 4
Young Rd. E16 . . . . .2B 60
Youngs Bldgs. EC1 . . . . .4C 30
Young St. W8 . . . . .5F 67
Young Vic Theatre, The 4E 75
Yoxall Ho. W10 . . . . .5B 18

Z

Zampa Rd. SE16 . . . . .1B 130
Zander Ct. E2 . . . . .2E 33
Zealand Rd. E3 . . . . .1F 35
Zenobia Mans. W14 . . . . . . .2B 116
Zetland Ho. W8 . . . . .1F 95
Zetland St. E14 . . . . .2A 56
Zion Ho. E1 . . . . .3B 52
Zoar St. SE1 . . . . .2B 76

HOSPITALS and HOSPICES
covered by this atlas.

N.B. Where Hospitals and Hospices are not named on the map, the reference given is for the road in which they are situated.

ABBEY CHURCHILL LONDON, THE
....................1E **103**
22 Barkham Terrace
SE1 7PW
Tel: 020 7928 5633

CAMDEN MEWS DAY HOSPITAL
....................1C **10**
1-5 Camden Mews
NW1 9DB
Tel: 020 7530 4780

CHELSEA & WESTMINSTER
HOSPITAL 3C **118**
369 Fulham Road
SW10 9NH
Tel: 020 8746 8000

CROMWELL HOSPITAL, THE
....................3F **95**
162-174 Cromwell Road
SW5 0TU
Tel: 020 7460 2000

EASTMAN DENTAL HOSPITAL &
DENTAL INSTITUTE, THE
....................4B **28**
256 Gray's Inn Road
WC1X 8LD
Tel: 020 7915 1000

ELIZABETH GARRETT ANDERSON &
OBSTETRIC HOSPITAL, THE
....................5C **26**
Huntley Street
WC1E 6DH
Tel: 0845 1555 000

EVELINA CHILDREN'S HOSPITAL
....................1B **102**
St Thomas' Hospital
Lambeth Palace Road
SE1 7EH
Tel: 020 7188 7188

GORDON HOSPITAL 4D **101**
Bloomburg Street
SW1V 2RH
Tel: 020 8746 8733

GREAT ORMOND STREET HOSPITAL
FOR CHILDREN 5A **28**
Great Ormond Street
WC1N 3JH
Tel: 020 7405 9200

GUY'S HOSPITAL 3E **77**
St Thomas Street
SE1 9RT
Tel: 020 7188 7188

GUY'S NUFFIELD HOUSE 4D **77**
Newcomen Street
SE1 1YR
Tel: 020 7188 5292

HARLEY STREET CLINIC 1F **43**
35 Weymouth Street
W1G 8BJ
Tel: 020 7935 7700

HEART HOSPITAL, THE 2E **43**
16-18 Westmoreland Street
W1G 8PH
Tel: 020 7573 8888

HOSPITAL FOR TROPICAL
DISEASES 5C **26**
Mortimer Market,
Capper Street
WC1E 6AU
Tel: 020 7387 9300

HOSPITAL OF ST JOHN &
ST ELIZABETH 1D **23**
60 Grove End Road
NW8 9NH
Tel: 020 7806 4000

KING EDWARD VII'S HOSPITAL
SISTER AGNES 1E **43**
5-10 Beaumont Street
W1G 6AA
Tel: 020 7486 4411

LATIMER DAY HOSPITAL 1B **44**
40 Hanson Street
W1W 6UL
Tel: 020 7612 1645

LISTER HOSPITAL, THE 1F **121**
Chelsea Bridge Road
SW1W 8RH
Tel: 020 7730 3417

LONDON BRIDGE HOSPITAL
....................2E **77**
27 Tooley Street
SE1 2PR
Tel: 020 7407 3100

LONDON CHEST HOSPITAL
....................1C **34**
Bonner Road
E2 9JX
Tel: 020 7377 7000

LONDON CLINIC, THE 5E **25**
20 Devonshire Place
W1G 6BW
Tel: 020 7935 4444

LONDON INDEPENDENT BMI
HOSPITAL, THE 1D **53**
1 Beaumont Square
E1 4NL
Tel: 020 7780 2400

LONDON WELBECK HOSPITAL
....................2F **43**
27 Welbeck Street
W1G 8EN
Tel: 020 7224 2242

MIDDLESEX HOSPITAL, THE
....................2C **44**
Mortimer Street
W1T 3AA
Tel: 020 7636 8333

MILDMAY MISSION HOSPITAL
(HOSPICE) 3B **32**
Hackney Road
E2 7NA
Tel: 020 7613 6300

MILE END HOSPITAL 4E **35**
Bancroft Road
E1 4DG
Tel: 020 7377 7000

MOORFIELDS EYE HOSPITAL
....................3D **31**
162 City Road
EC1V 2PD
Tel: 020 7253 3411

NATIONAL HOSPITAL FOR
NEUROLOGY &
NEUROSURGERY, THE
....................5A **28**
Queen Square
WC1N 3BG
Tel: 020 7837 3611

NHS WALK-IN CENTRE
(CANARY WHARF) 4D **83**
30 Marsh Wall
E14 9TP
Tel: 020 7517 3300

NHS WALK-IN CENTRE
(LIVERPOOL STREET) ...1A **50**
Exchange Arcade
Bishopsgate
EC2M 3WA
Tel: 0845 880 1242

NHS WALK-IN CENTRE
(NEW CROSS) 5F **131**
40 Goodwood Road
SE14 6BL
Tel: 020 7206 3100

NHS WALK-IN CENTRE
(SOHO) 4D **45**
1 Frith Street
W1D 3HZ
Tel: 020 7534 6500

NHS WALK-IN CENTRE
(WHITECHAPEL) 2F **51**
The Royal London Hospital
174 Whitechapel Road
E1 1BZ
Tel: 020 7943 1333

NIGHTINGALE CAPIO
DAY HOSPITAL 1A **42**
1b Harewood Row
NW1 6SE
Tel: 020 7725 9940

NIGHTINGALE CAPIO HOSPITAL
(ENFORD STREET) 1B **42**
23-24 Enford Street
W1H 1DG
Tel: 020 7723 3635

NIGHTINGALE CAPIO HOSPITAL
(LISSON GROVE) 1A **42**
11-19 Lisson Grove
NW1 6SH
Tel: 020 7535 7700

NIGHTINGALE CAPIO HOSPITAL
(RADNOR WALK) 1A **120**
1-5 Radnor Walk
SW3 4BP
Tel: 020 7349 3900

PEMBRIDGE PALLIATIVE
CARE CENTRE, THE 1D **37**
St Charles Hospital
Exmoor Street
W10 6DZ
Tel: 020 8962 4410 / 4411

PORTLAND HOSPITAL FOR WOMEN
& CHILDREN, THE 5A **26**
205-209 Great Portland Street
W1W 5AH
Tel: 020 7580 4400

PRINCESS GRACE HOSPITAL
(OUTPATIENTS), THE 1E **43**
30 Devonshire Street
W1G 6PU
Tel: 020 7908 3602

PRINCESS GRACE HOSPITAL, THE
...................1D **43**
42-52 Nottingham Place
W1U 5NY
Tel: 020 7486 1234

PRINCESS LOUISE DAY HOSPITAL
...................2D **37**
St. Quintin Avenue
W10 6DL
Tel: 020 8969 0133

RICHARD HOUSE
CHILDREN'S HOSPICE ...5E **61**
Richard House Drive
E16 3RG
Tel: 020 7511 0222

ROYAL BROMPTON HOSPITAL
...................5F **97**
Sydney Street
SW3 6NP
Tel: 020 7352 8121

ROYAL BROMPTON HOSPITAL
(FULHAM WING) 5E **97**
Fulham Road
SW3 6HP
Tel: 020 7352 8121

ROYAL LONDON HOMOEOPATHIC
HOSPITAL, THE 1A **46**
Great Ormond Street
WC1N 3HR
Tel: 0845 1555 000

ROYAL LONDON HOSPITAL, THE
...................2F **51**
Whitechapel Road
E1 1BB
Tel: 020 7377 7000

ROYAL MARSDEN HOSPITAL
(FULHAM), THE 5E **97**
Fulham Road
SW3 6JJ
Tel: 020 7352 8171

ROYAL NATIONAL ORTHOPAEDIC
HOSPITAL (CENTRAL LONDON
OUTPATIENT DEPT.) 5A **26**
45-51 Bolsover Street
W1W 5AQ
Tel: 020 7387 5070

ROYAL NATIONAL THROAT,
NOSE & EAR HOSPITAL
...................2B **28**
330 Gray's Inn Road
WC1X 8DA
Tel: 020 7915 1300

ST BARTHOLOMEW'S HOSPITAL
...................2A **48**
West Smithfield
EC1A 7BE
Tel: 020 7377 7000

ST CHARLES HOSPITAL 1D **37**
Exmoor Street
W10 6DZ
Tel: 020 8969 2488

ST JOHN'S HOSPICE 1D **20**
Hospital of St John & St Elizabeth
60 Grove End Road
NW8 9NH
Tel: 020 7806 4040

ST LUKE'S HOSPITAL
FOR THE CLERGY 5B **26**
14 Fitzroy Square
W1T 6AH
Tel: 020 7388 4954

ST MARY'S HOSPITAL 3E **41**
Praed Street
W2 1NY
Tel: 020 7725 6666

ST PANCRAS HOSPITAL 4D **11**
4 St Pancras Way
NW1 0PE
Tel: 020 7530 3500

ST THOMAS' HOSPITAL 1B **102**
Lambeth Palace Road
SE1 7EH
Tel: 020 7188 7188

UNIVERSITY COLLEGE HOSPITAL
...................4C **26**
235 Euston Road
NW1 2BU
Tel: 0845 1555000

WELLINGTON HOSPITAL, THE
...................2E **23**
8a Wellington Place
NW8 9LE
Tel: 020 7586 5959

WESTERN EYE HOSPITAL ...1B **42**
171 Marylebone Road
NW1 5QH
Tel: 020 7886 6666

RAIL, DOCKLANDS LIGHT RAILWAY, RIVERBUS
AND LONDON UNDERGROUND STATIONS

with their map square reference

A

Aldgate (Tube) 4B 50
Aldgate East (Tube) 3C 50
All Saints (DLR) 5A 56
Angel (Tube) 5E 13

B

Baker Street (Tube) 5C 24
Bank (Tube & DLR) 4D 49
Bankside Pier (Riverbus) 1B 76
Barbican (Rail & Tube) 1B 48
Barons Court (Tube) 5F 93
Battersea Park (Rail) 5F 121
Bayswater (Tube) .5A 40
Beckton (DLR) 2D 63
Beckton Park (DLR) 5B 62
Bermondsey (Tube) 1E 107
Bethnal Green (Rail) 4F 33
Bethnal Green (Tube) 3B 34
Blackfriars (Rail & Tube) 5F 47
Blackfriars Millennium Pier (Riverbus) 5E 47
Blackwall (DLR) 1C 84
Bond Street (Tube) 4F 43
Borough (Tube) 5C 76
Brondesbury (Rail) .1B 4
Brondesbury Park (Rail) 3A 4

C

Cadogan Pier (Riverbus) 3A 120
Caledonian Road & Barnsbury (Rail) 1C 12
Cambridge Heath (Rail) 1A 34
Camden Road (Rail) 2B 10
Camden Town (Tube) 3A 10
Canada Water (Tube) 1C 108
Canary Wharf (DLR & Tube) 2E 83
Canary Wharf Pier (Riverbus) 2C 82
Canning Town (DLR & Tube) 3A 58
Cannon Street (Rail & Tube) 5D 49
Chalk Farm (Tube) .1D 9
Chancery Lane (Tube) 2D 47
Charing Cross (Rail & Tube) 2F 73
City Thameslink (Rail) 3F 47
Covent Garden (Tube) 4A 46
Crossharbour & London Arena (DLR & Tube) . . .1A 112
Custom House for ExCeL (DLR) 5A 60
Cutty Sark for Maritime Greenwich (DLR) 2B 134
Cyprus (DLR) 5E 63

D

Deptford (Rail) 4D 133
Deptford Bridge (DLR) 5E 133

E

Earl's Court (Tube) .5E 95
East India (DLR) 5D 57
Edgware Road (Tube) 2F 41
Elephant & Castle (Rail & Tube) 3B 104
Embankment (Tube) 2A 74

Embankment Pier (Riverbus) 2A 74
Essex Road (Rail) .2B 14
Euston (Rail & Tube) 3D 27
Euston Square (Tube) 4C 26

F

Farringdon (Rail & Tube) 1F 47
Fenchurch Street (Rail) 5A 50
Festival Pier (Riverbus) 2B 74
Fulham Broadway (Tube) 5E 117

G

Gallions Reach (DLR) 5F 63
Gloucester Road (Tube) 3B 96
Goldhawk Road (Tube) 5B 64
Goodge Street (Tube) 1C 44
Great Portland Street (Tube) 5A 26
Greenland Pier (Riverbus) 2B 110
Green Park (Tube) .2A 72
Greenwich (Rail & DLR) 4A 134
Greenwich Pier (Riverbus) 1C 134

H

Hammersmith (Tube) 4C 92
Heron Quays (DLR) 3E 83
High Street Kensington (Tube) 5F 67
Hilton Docklands Pier (Riverbus) 3B 82
Holborn (Tube) 2B 46
Holland Park (Tube) 3B 66
Hyde Park Corner (Tube) 4E 71

I

Island Gardens (DLR) 5B 112

K

Kennington (Tube) .5F 103
Kensal Green (Rail & Tube) 2B 18
Kensal Rise (Rail) .1D 19
Kensington Olympia (Rail & Tube) 2A 94
Kilburn High Road (Rail) 4E 5
Kilburn Park (Tube) 5E 5
King George V (DLR) 3D 91
King's Cross (Rail) .1F 27
King's Cross St Pancras (Tube) 2F 27
King's Cross Thameslink (Rail) 2B 28
Knightsbridge (Tube) 5C 70

L

Ladbroke Grove (Tube) 3A 38
Lambeth North (Tube) 1D 103
Lancaster Gate (Tube) 5D 41
Latimer Road (Tube) 5E 37
Leicester Square (Tube) 5E 45
Limehouse (Rail & DLR) 4F 53
Liverpool Street (Rail & Tube) 2F 49

London Bridge (Rail & Tube) 3E 77
London Bridge City Pier (Riverbus) 2F 77
London City Airport (DLR) 2A 90
London Fields (Rail) 1F 17

M

Maida Vale (Tube) 2A 22
Mansion House (Tube) 5C 48
Marble Arch (Tube) 4C 42
Marylebone (Rail & Tube) 5B 24
Masthouse Terrace Pier (Riverbus) 5E 111
Maze Hill (Rail) 2F 135
Millbank Millennium Pier (Riverbus) 4A 102
Monument (Tube) 5E 49
Moorgate (Rail & Tube) 2D 49
Mornington Crescent (Tube) 5B 10
Mudchute (DLR) 4A 112

N

New Cross (Rail & Tube) 5B 132
New Cross Gate (Rail & Tube) 5F 131
North Greenwich (Tube) 4F 85
Notting Hill Gate (Tube) 2D 67

O

Old Street (Rail & Tube) 4E 31
Oval (Tube) 3D 125
Oxford Circus (Tube) 3B 44

P

Paddington (Rail & Tube) 3D 41
Piccadilly Circus (Tube) 1D 73
Pimlico (Tube) 5D 101
Pontoon Dock (DLR) 3B 88
Poplar (DLR) 1F 83
Prince Regent (DLR) 5C 60

Q

Queen's Park (Rail & Tube) 1B 20
Queensway (Tube) 1A 68

R

Regent's Park (Tube) 5F 25
Rotherhithe (Tube) 4C 80
Royal Albert (DLR) 5F 61
Royal Oak (Tube) 2A 40
Royal Victoria (DLR) 5D 59
Russell Square (Tube) 5F 27

S

St James's Park (Tube) 1D 101
St John's Wood (Tube) 5D 7
St Katharine's Pier (Riverbus) 2B 78
St Pancras (Rail) 2F 27
St Paul's (Tube) 3B 48
Savoy Pier (Riverbus) 1B 74
Shadwell (Tube & DLR) 5A 52
Shepherd's Bush (Rail & Tube) 4D 65
Shepherd's Bush (Tube) 3B 64
Sloane Square (Tube) 4D 99
South Bermondsey (Rail) 5B 108
South Hampstead (Rail) 2C 6
South Kensington (Tube) 3E 97
South Quay (DLR) 4F 83
Southwark (Tube) 3F 75
Stepney Green (Tube) 5D 35
Surrey Quays (Tube) 3D 109
Swiss Cottage (Tube) 1D 7

T

Temple (Tube) 5C 46
Tottenham Court Road (Tube) 3E 45
Tower Gateway (DLR) 5B 50
Tower Hill (Tube) 5B 50
Tower Millennium Pier (Riverbus) 2A 78

V

Vauxhall (Rail & Tube) 1A 124
Victoria (Rail & Tube) 3A 100
Victoria Coach (Bus) 4F 99

W

Wapping (Tube) 3B 80
Warren Street (Tube) 4B 26
Warwick Avenue (Tube) 5B 22
Waterloo (Rail & Tube) 4D 75
Waterloo East (Rail) 3E 75
Waterloo International (Rail) 4C 74
Waterloo Millennium Pier (Riverbus) 4B 74
Westbourne Park (Tube) 1C 38
West Brompton (Rail & Tube) 1E 117
Westferry (DLR) 5C 54
West India Quay (DLR) 1E 83
West Kensington (Tube) 5B 94
Westminster (Tube) 5A 74
Westminster Millennium Pier (Riverbus) ...4A 74
West Silvertown (DLR) 3E 87
Whitechapel (Tube) 1F 51
White City (Tube) 1C 64

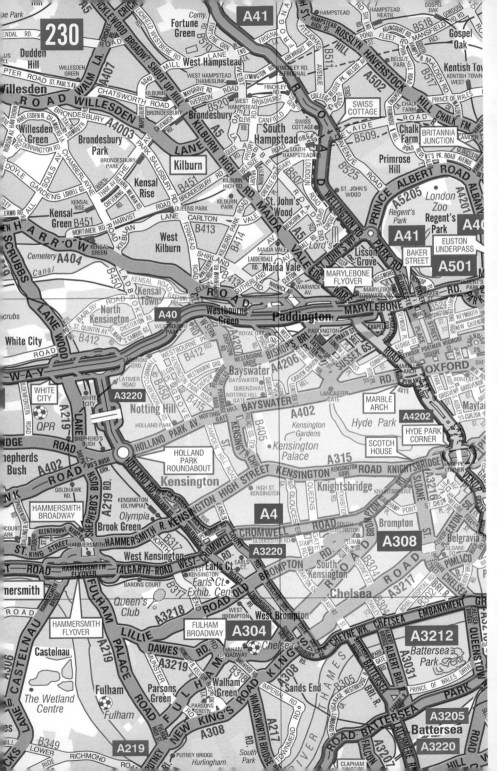

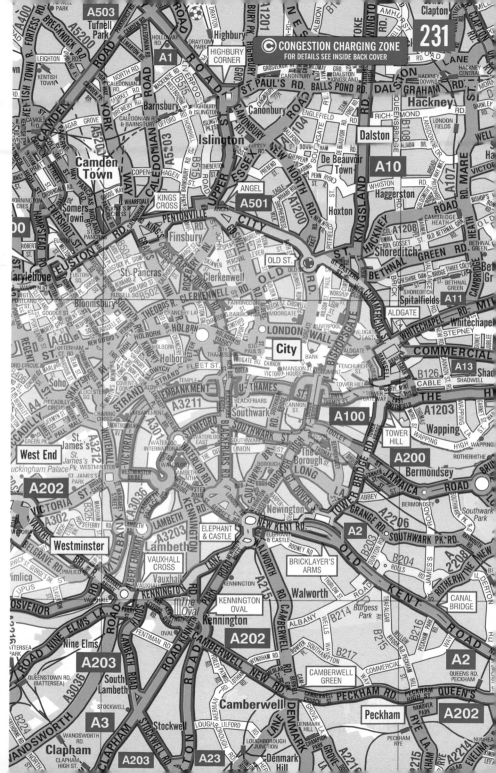

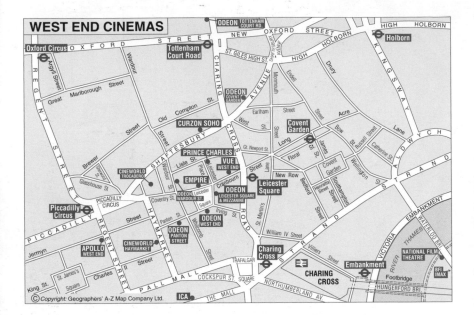

WEST END CINEMAS

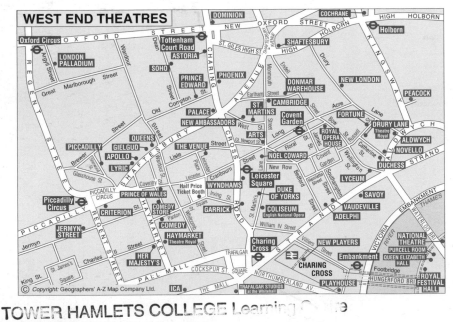

WEST END THEATRES

Poplar High Street, LONDON E14 0AF